MARTYRIUM POLYCARPI

Een literair-kritische studie

BIBLIOTHECA EPHEMERIDUM THEOLOGICARUM
LOVANIENSIUM

LII

MARTYRIUM POLYCARPI

Een literair-kritische studie

DOOR

BOUDEWIJN DEHANDSCHUTTER

UNIVERSITAIRE PERS LEUVEN

ISBN 90 6186 088 1

© 1979 Universitaire Pers Leuven/Leuven University Press/
Presses Universitaires de Louvain, Krakenstraat 3
B-3000 Leuven/Louvain (Belgium)

D/1979/1869/7

Distributie : Editions Duculot, B-5800 Gembloux (Belgium)

INHOUDSTAFEL

VOORWOORD

> „Certe ego nihil unquam in historia eccle-
> siastica vidi, a cuius lectione commotior
> recedam, ut non amplius meus esse videar."
> Scaliger, *Animadversiones in Chronologica
> Eusebii* num. 2183 (de Polycarpi actis)

Als navorser van het Fonds voor Collectief Fundamenteel Onderzoek
hebben wij tijdens de jaren 1971-1975 meegewerkt aan een project
over het martelaarschap in de Oude Kerk dat opgezet werd door het
Centrum voor Hellenisme en Christendom van de Katholieke Universiteit te Leuven. In dat verband hebben wij in 1977 aan de K.U. Leuven
een doctoraatsproefschrift verdedigd voor de Faculteit der Godgeleerd-
heid over het Martyrium Polycarpi[1]. In deze publikatie brengen wij
een gedeeltelijke herwerking van de dissertatie. Er werd een Nederlandse
vertaling en een Index Verborum van het Martyrium Polycarpi aan
toegevoegd.

Onze dank gaat naar de leiding van het vermelde Centrum, in het
bijzonder naar Prof. Dr. F. Neirynck die het Martyrium-project leidde
en tevens als promotor van de dissertatie heeft willen optreden.

Zeer veel ben ik verschuldigd aan mijn echtgenote : haar trouwe hulp
heeft mijn werk in alle fazen aanzienlijk verlicht.

Leiden, augustus 1978

---

[1] *Martyrium Polycarpi. Bijdrage tot de studie van de martelaar in het vroege christendom*, Deel I. Tekst. Deel II. Bibliografie, noten, indices, 293 en XXVI + 200 pp.,
Leuven, 1977.

BIBLIOGRAFIE

De bibliografie bestaat uit drie delen : 1. Algemene werkinstrumenten; 2. Tekstuitgaven van *MPol*; 3. Algemene bibliografie over *MPol* en de christelijke martelaarsakten. Een uitvoeriger lijst van tekstuitgaven werd gepubliceerd door F. HALKIN, *Bibliotheca hagiographica graeca*, Brussel, 1957, p. 212-213. Voor de literatuur over de christelijke martelaarsakten zij ook verwezen naar G. KRUEGER, *Ausgewählte Märtyrerakten* (4de ed. door G. RUHBACH), Tübingen, 1965, p. VI-XI en 130-144.

De titels die in de Bibliografie aangetekend zijn met een asterisk worden in de noten aangeduid met de auteursnaam. Vooraf geven wij nog de lijst van de gebruikte afkortingen.

LIJST VAN DE AFKORTINGEN

De in de tekst gebruikte afkortingen worden overgenomen uit *Biblica. Elenchus Bibliographicus* 54 (1973) V-XXVI. De onderstaande lijst is daarbij een aanvulling.

AC   Antike und Christentum, Münster
ACW   Ancient Christian Writers, Londen
ASS   Acta Sanctorum, ed. Parijs, 1863
BALAC   Bulletin d'ancienne littérature et d'archéologie chrétiennes, Parijs
BETL   Bibliotheca Ephemeridum Theologicarum Lovaniensium, Gembloux-Leuven
BFChTh Beiträge zur Förderung christlicher Theologie, Gütersloh
BHG   Bibliotheca hagiographica graeca, 3de ed., Brussel, 1957
BHL   Bibliotheca hagiographica latina, Brussel, 1900-1901
BHO   Bibliotheca hagiographica orientalis, Brussel, 1910
BHT   Beiträge zur historischen Theologie, Tübingen
CG   Cairensis gnosticus (Nag Hammadi codices)
CSEL   Corpus Scriptorum Ecclesiasticorum Latinorum, Wenen
DACL   Dictionnaire d'archéologie chrétienne et de liturgie, Parijs
DAFC   Dictionnaire apologétique de la foi catholique, Parijs
DTC   Dictionnaire de théologie catholique, Parijs
GCS   Die griechischen christlichen Schriftsteller der ersten drei Jahrhunderte, Leipzig-Berlijn
HE   Eusebius, Historia Ecclesiastica
HTKNT   Herders theologischer Kommentar zum Neuen Testament, Freiburg
HzNT   Handbuch zum Neuen Testament, Tübingen

ICC   The International Critical Commentary, Edinburgh
LTK   Lexikon für Theologie und Kirche, 2de ed., Freiburg, 1957-1967
Meyer   Kritisch-exegetischer Kommentar über das Neue Testament, begründet
          von H.A.W. Meyer, Göttingen
MPol   Martyrium Polycarpi
MLugd   Martyrium Lugdunensium
NGG   Nachrichten von der Gesellschaft der Wissenschaften zu Göttingen,
          Göttingen
NHS   Nag Hammadi Studies, Leiden
NtAbh   Neutestamentliche Abhandlungen, Münster
NTD   Das Neue Testament Deutsch, Göttingen
NTTS   New Testament Tools and Studies, Leiden
PG   Patrologia graeca, Parijs
PL   Patrologia latina, Parijs
PO   Patrologia orientalis, Parijs
PS   Patrologia syriaca, Parijs
PTS   Patristische Texte und Studien, Berlijn
PWK   Pauly-Wissowa-Kroll, Paulys Realencyclopädie der classischen Alter-
          tumswissenschaft, Stuttgart-München
RGG   Die Religion in Geschichte und Gegenwart, 3de ed., Tübingen
RNT   Regensburger Neues Testament, Regensburg
SC   Sources chrétiennes, Parijs
SH   Subsidia hagiographica, Brussel
ZHT   Zeitschrift für die historische Theologie, Leipzig
ZST   Zeitschrift für systematische Theologie, Berlijn
ZWT   Zeitschrift für wissenschaftliche Theologie, Frankfurt

1. *Algemene werkinstrumenten*

*ALTANER, B., STUIBER, A., *Patrologie. Leben, Schriften und Lehre der Kirchen-väter*, 8ste ed., Freiburg, 1978.

BALESTRI, I., HYVERNAT, H., *Acta Martyrum*, dl. 2 (CSCO 86, Scriptores coptici 6), Leuven, 1924 (herdruk 1953), p. 62-72; (CSCO 125, Scriptores coptici 15), Leuven, 1950, p. VIII-IX; 43-50.

*BARDY, G., *Eusèbe de Césarée. Histoire ecclésiastique* (SC 31, 41, 55, 73), Parijs, 1952-1960.

*BARDENHEWER, O., *Geschichte der altkirchlichen Literatur*, 5 dln., 2de ed., Freiburg, 1914 (herdruk 1962).

*BAUER, W., *Griechisch-Deutsches Wörterbuch zu den Schriften des Neuen Testaments und der übrigen urchristlichen Literatur*, 5de ed., Berlijn, 1958.

BEDJAN, P., *Acta martyrum et sanctorum*, dl. 6, Parijs, 1896.

BIHLMEYER, K., TUECHLE, H., *Kirchengeschichte. I. Das christliche Altertum*, 18de ed., München, 1966.

*BLASS, F., DEBRUNNER, A., REHKOPF, F., *Grammatik des neutestamentlichen Griechisch*, 14de ed., Göttingen, 1976.

*FISCHER, J.A., *Die Apostolischen Väter eingeleitet, herausgegeben, übertragen und erläutert* (Schriften des Urchristentums 1), München, 1956.

GOODSPEED, E. J., *Index Patristicus sive clavis patrum apostolicorum operum ex editione minore Gebhardt, Harnack, Zahn*, Chicago, 1907 (herdruk Naperville, 1960).

*HARNACK, A., *Geschichte der altchristlichen Literatur bis Eusebius*, Leipzig, 1893-1904; 2de ed. door K. ALAND, Leipzig, 1958.

KRAFT, H., *Clavis patrum apostolicorum. Catalogum vocum in libris patrum qui dicuntur apostolici non raro occurentium*, München, 1963.

*KUEMMEL, W. G., *Einleitung in das Neue Testament*, 19de ed., Heidelberg, 1978.

*LAMPE, G. W. H., *A Patristic Greek Lexicon*, Oxford, 1961-1968.

*QUASTEN, J., *Patrology*, 3 dln., Utrecht-Brussel, 1950-1960.

*SCHMID, W., STAEHLIN, O., *Geschichte der griechischen Literatur. II. Die nachklassische Periode der griechischen Literatur* (Handbuch der Altertumswissenschaft VII,2), 6de ed., München, 1924.

SCHWARTZ, E., MOMMSEN, T., *Eusebius Werke II. Die Kirchengeschichte* (GCS 9), Leipzig, 1903-1909.

*VIELHAUER, P., *Geschichte der urchristlichen Literatur. Einleitung in das Neue Testament, die Apokryphen und die Apostolischen Väter*, Berlijn, 1975.

2. *Tekstuitgaven van Martyrium Polycarpi*

*BIHLMEYER, K., *Die apostolischen Väter. Neubearbeitung der Funkschen Ausgabe* (Sammlung ausgewählter kirchen- und dogmengeschichtlicher Quellenschriften, zweite Reihe, erstes Heft, erster Teil), Tübingen, 1924; 2de ed., „mit einem Nachtrag von W. SCHNEEMELCHER", 1956; 3de ed., 1970, p. 120-132.

*CAMELOT, P. T., *Ignace d'Antioche. Polycarpe de Smyrne. Lettres. Martyre de Polycarpe* (SC 10), 2de ed., Parijs, 1951; 3de ed., 1958, p. 242-274; 4de ed., 1969, p. 210-238.

*DRESSEL, A. R. M., *Patrum Apostolicorum Opera*, Leipzig, 1857, p. 391-407.

FUNK, F. X., *Opera Patrum Apostolicorum. Textum recensuit, adnotationibus criticis exegeticis historicis illustravit, versionem latinam, prolegomena, indices addidit*, Tübingen, 1878, p. 282-309; 2de ed., 1881, dl. 1, p. 292-309.

*FUNK, F. X., *Patres Apostolici. Textum recensuit, adnotationibus criticis illustravit, versionem latinam prolegomena indices addidit*, dl. 1, Tübingen, 1901, p. 314-345.

FUNK, F. X., *Die Apostolischen Väter* (Sammlung ausgewählter kirchen- und dogmengeschichtlicher Quellenschriften, zweite Reihe, erstes Heft, erster Teil), Tübingen, 1901, p. 116-125; 2de ed., 1906, p. 115-124.

GEBHARDT, O., *Acta martyrum selecta. Ausgewählte Märtyrerakten und andere Urkunden aus der Verfolgungszeit der christlichen Kirche*, Berlijn, 1902, p. 1-12.

*HEFELE, C. J., *Patrum Apostolicorum Opera. Textum recognovit, annotationibus illustravit*, 2de ed., Tübingen, 1842; 3de ed., 1847, p. 274-299; 4de ed., 1855, p. 274-299.

*HILGENFELD, A., *Ignatii Antiocheni et Polycarpi Smyrnaei epistulae et martyria*, Berlijn, 1902, p. 56-70.

*JACOBSON, W., *S. Clementis Romani, S. Ignatii, S. Polycarpi Patrum Apostolicorum quae supersunt*, dl. 2, Oxford, 1838, p. 542-595; 3de ed., 1847, p. 584-639.

KNOPF, R., *Ausgewählte Märtyrerakten* (Sammlung ausgewählter kirchen- und dogmengeschichtlicher Quellenschriften), Tübingen, 1901, p. 1-10; 2de ed., 1913, p. 1-9.

*KRUEGER, G., *Ausgewählte Märtyrerakten. Neubearbeitung der Knopfschen Ausgabe* (Sammlung ausgewählter Kirchen- und dogmengeschichtlicher Quellenschriften, Neue Folge 3), Tübingen, 1929, p. 1-7; 4de ed., „mit einem Nachtrag von G. RUHBACH", Tübingen, 1965, p. 1-7.

*LAKE, K., *The Apostolic Fathers with an English Translation*, dl. 2, Londen, 1913; 2de ed., 1919, p. 312-344.

*LAZZATI, G., *Gli sviluppi della letteratura sui martiri nei primi quattro secoli*, Turijn, 1956, p. 97-106.

*LELONG, A., *Les Pères Apostoliques. III. Ignace d'Antioche et Polycarpe de Smyrne. Epîtres. Martyre de Polycarpe* (Textes et documents pour l'étude historique du christianisme 12), Parijs, 1910, p. 128-161; 2de ed., 1927, p. 128-161.

*LIGHTFOOT, J.B., *The Apostolic Fathers. Part II. S. Ignatius. S. Polycarp*, dl. 3, Londen, 1885, p. 947-986; 2de ed., 1889 (herdruk 1973), p. 363-403.

MIGNE, J.P., *Patrologiae graecae cursus completus*, dl. 5, Parijs, 1857, col. 1029-1046.

*MUSURILLO, H., *The Acts of the Christian Martyrs* (Oxford Early Christian Texts), Oxford, 1972, p. 2-20.

RAUSCHEN, G., *Florilegium Patristicum*, dl. 1, Bonn, 1904, p. 39-59.

RUINART, T., *Acta primorum martyrum sincera et selecta*, 2de ed., Amsterdam, 1713, p. 37-47; 3de ed., Verona, 1731, p. 32-38; 4de ed., dl. 1, 1802, p. 77-95; 5de ed., Regensburg, 1859, p. 82-91.

RUIZ-BUENO, D., *Padres apostolicos* (Biblioteca de autores cristianos), Madrid, 1950, p. 672-689.

*ZAHN, T., *Ignatii et Polycarpi epistulae martyria fragmenta* (Patrum Apostolicorum Opera ... recensuerunt O. DE GEBHARDT, A. HARNACK, T. ZAHN; editio post Dresselianam alteram tertia, fasciculus II), Leipzig, 1876, p. 132-168.

3. *Algemene bibliografie over MPol en de christelijke martelaarsakten*

ACHELIS, H., *Märtyrer-Akten*, RGG 2de ed. 3 (1929) 1836-1837.

ALLARD, P., *Dix leçons sur le martyre*, 3de ed., Parijs, 1907.

ALLARD, P., *Histoire des persécutions. I. Les deux premiers siècles*, 3de ed., Parijs, 1903 (1ste ed. 1885).

AMELINEAU, E., *Les actes coptes du martyre de St. Polycarpe*, in *Proceedings of the Society of Biblical Archaeology* 10 (1888) 391-417.

AUBE, B., *L'Église et l'État dans la seconde moitié du IIIe siècle*, Parijs, 1885.

AUGUSTIJN, C., *De martelaar en zijn getuigenis*, Kampen, 1966.

BADEN, H., *Der Nachahmungsgedanke im Polykarpmartyrium*, in *Theologie und Glaube* 3 (1911) 115-122.

BADEN, H., *Das Polykarpmartyrium*, in *Pastor Bonus* 24 (1911-1912) 705-713; 25 (1912-1913) 71-81; 136-151.

BARDY, G., *L'église romaine sous le pontificat de saint Anicet (154-155)*, RecSR 17 (1927) 481-511.

BARDY, G., *La théologie de l'église de saint Clément de Rome à saint Irénée* (Unam Sanctam 13), Parijs, 1945.

BARDY, G., *La vie spirituelle d'après les Pères des trois premiers siècles*, 2de ed. door A. HAMMAN, Doornik, 1968 (1ste ed. 1935).

*BARNARD, L.W., *In Defence of Pseudo-Pionius' Account of Saint Polycarp's Martyrdom*, in *Kyriakon. Festschrift J. Quasten* (ed. P. GRANFIELD-J.A. JUNGMANN), dl. 1, Münster, 1970, p. 192-204.

BARNES, T.D., *A Note on Polycarp*, JTS 18 (1967) 433-437.

BARNES, T.D., *Pre-Decian Acta Martyrum*, JTS 19 (1968) 509-531.

BAUMEISTER, T., *Martyr Invictus. Der Martyrer als Sinnbild der Erlösung in der Legende und im Kult der frühen koptischen Kirche* (Forschungen zur Volkskunde 46), Münster, 1972.

BAUMEISTER, T., *Die Anfänge der Märtyrertheologie*, Habilitationsschrift, Münster, 1976.

BAUS, K., *Das Gebet der Märtyrer*, TrierTZ 62 (1953) 19-32.

BEYSCHLAG, K., *Das Jakobusmartyrium und seine Verwandten in der frühchristlichen Literatur*, ZNW 56 (1965) 149-178.

BEYSCHLAG, K., *Clemens Romanus und der Frühkatholizismus. Untersuchungen zu 1 Clemens 1-7* (BHT 35), Tübingen, 1966.

BIDEZ, J., *Description d'un manuscrit hagiographique grec palimpseste, avec des fragments d'un panégyrique de saint Polycarpe, attribué à saint Jean Chrysostome*, AcRoyBelg, BLett 1900, p. 579-624.

BIHLMEYER, K., *Der Besuch Polykarps bei Anicet und der Osterfeierstreit*, in *Der Katholik* 82 (1902) 314-327.

BLUMENTHAL, M., *Formen und Motive in den apokryphen Apostelgeschichten* (TU 48,1), Leipzig, 1933.

BONWETSCH, N., *Märtyrer und Bekenner*, in *Realencyklopädie für protestantische Theologie und Kirche* 3de ed., 12 (1903) 48-52.

BONWETSCH, N., *Polykarp*, in *Realencyklopädie für protestantische Theologie und Kirche* 3de ed., 15 (1904) 535-537.

BOULANGER, A., *Chronologie de la vie du rhéteur Aelius Aristide*, in *Revue de Philologie* 46 (1922) 26-55.

BOULANGER, A., *Aelius Aristide et la sophistique dans la province d'Asie au IIe siècle de notre ère* (Bibliothèque des écoles françaises d'Athènes et de Rome 126), Parijs, 1923.

BRAUN, F.M., *Jean le théologien et son évangile dans l'église ancienne* (Études bibliques), Parijs, 1959.

BREKELMANS, A.J., *Martyrerkranz. Eine symbolgeschichtliche Untersuchung im frühchristlichen Schrifttum* (Analecta Gregoriana 150), Rome, 1965.

BRIGHTMANN, F.E., *The Prayer of St Polycarp and its concluding Doxology*, JTS 23 (1922) 391-392 (noot bij J.W. Tyrer).

*BROX, N., *Zeuge und Märtyrer. Untersuchungen zur frühchristlichen Zeugnis-Terminologie* (StANT 6), München, 1961.

CAGIN, P., *L'anaphore apostolique et ses témoins*, Parijs, 1919.

CAMELOT, P.T., *Le Martyre de Polycarpe*, in *Les écrits des Pères Apostoliques* (ed. L. BOUYER e.a.), Parijs, 1963, p. 219-237.

*CAMPENHAUSEN, H. von, *Die Idee des Martyriums in der alten Kirche*, Göttingen, 1936; 2de ed., 1964.

CAMPENHAUSEN, H. von, *Polykarp von Smyrna und die Pastoralbriefe*, SbHeidelberg 1951, p. 5-51; in *Aus der Frühzeit des Christentums. Studien zur Kirchengeschichte des ersten und zweiten Jahrhunderts*, Tübingen, 1963, p. 197-252.

CAMPENHAUSEN, H. von, *Bearbeitungen und Interpolationen des Polykarpmartyriums*, SbHeidelberg 1957, p. 5-48; in *Aus der Frühzeit des Christentums*, p. 253-301.

CAMPENHAUSEN, H. von, *Das Martyrium des Zacharias. Seine früheste Bezeugung im zweiten Jahrhundert*, in *Historisches Jahrbuch* 77 (1958) 383-386; in *Aus der Frühzeit des Christentums*, p. 302-307.-

CAMPENHAUSEN, H. von, *Märtyrerakten*, RGG 4 (1960) 592-593.

CARRINGTON, P., *The Early Christian Church*, dl. 2, Cambridge, 1957, p. 122-138.

CHAPMAN, J., *La chronologie des premières listes épiscopales de Rome, XVI. La date de la mort de saint Polycarpe*, RBén 19 (1902) 145-149.

COLOMBO, S., *Gli „Acta Martyrum" e la loro origine*, in *La Scuola Cattolica* 52 (1924) 30-38; 109-122; 189-203.

CONNOLLY, R.H., *The Doxology in the Prayer of St Polycarp*, JTS 24 (1923) 144-146.

CORSSEN, P., *Das Todesjahr Polykarps*, ZNW 3 (1902) 61-82.

CORSSEN, P., *Die Vita Polycarpi*, ZNW 5 (1904) 266-302.

DEKKERS, E., *„Politiek Morgengebed". Over enkele oudchristelijke technische termen in verband met het gebed*, in *Zetesis. Bijdragen aangeboden aan E. de Strycker*, Antwerpen-Utrecht, 1973, p. 637-645.

DELEHAYE, H., *Sanctus. Essai sur le culte des saints dans l'antiquité* (SH 17), Brussel, 1927 (herdruk 1954).

DELEHAYE, H., *Les actes des martyrs de Pergame*, AnBoll 58 (1940) 142-176.

DELEHAYE, H., *Les légendes hagiographiques* (SH 18), Brussel, 1955 (4de ed. door P. PEETERS).

*DELEHAYE, H., *Les passions des martyrs et les genres littéraires* (SH 13B), 2de ed., Brussel, 1966 (1ste ed. 1921).

DONALDSON, J., e.a., *The Writings of the Apostolic Fathers* (Ante-Nicene Library 1), Edinburgh, 1867 (herdruk 1910).

DORMEYER, D., *Die Passion Jesu als Verhaltensmodell. Literarische und theologische Analyse der Traditions- und Redaktionsgeschichte der Markuspassion* (Neutestamentliche Abhandlungen 11), Münster, 1974.

DUCHESNE, L., *Vita sancti Polycarpi Smyrnaeorum episcopi, auctore Pionio, primum graece edita*, Parijs, 1881.

EGLI, E., *Das Martyrium des Polycarp und seine Zeitbestimmung*, ZWT 25 (1882) 227-249.

EGLI, E., *Lucian und Polycarp*, ZWT 26 (1883) 166-180.

EGLI, E., *Zum Todesjahr des Polykarp*, ZWT 27 (1884) 216-219.

EGLI, E., *Altchristliche Studien. Martyrien und Martyrologien ältester Zeit*, Zürich, 1887, p. 61-79.

EGLI, E., *Zu den urchristlichen Martyrien*, ZWT 31 (1888) 385-397.

EGLI, E., *Zum Polykarpustag*, ZWT 34 (1891) 96-102.

EHRHARD, A., *Die altchristliche Literatur und ihre Erforschung seit 1880. Allgemeine Übersicht und erster Literaturbericht (1880-1884)*, Freiburg, 1894.

EHRHARD, A., *Die altchristliche Literatur und ihre Erforschung von 1884-1900. I. Die vornicänische Literatur*, Freiburg, 1900.

EHRHARD, A., *Die griechischen Martyrien* (Schriften der wissenschaftlichen Gesellschaft in Strassburg 4), Straatsburg, 1907.

*EHRHARD, A., *Ueberlieferung und Bestand der hagiographischen und homiletischen Literatur der griechischen Kirche von den Anfängen bis zum Ende des 16. Jahrhunderts. Erster Teil. Die Ueberlieferung* (TU 50-52), Leipzig-Berlijn, 1936-1952.

FOSTER, J., *A Note on St. Polycarp*, ExpTim 76 (1965-1966) 319.

FRANSES, D., *De Apostolische Vaders*, Antwerpen, 1941, p. 153-163.

FREND, W. H. C., *A Note on the Chronology of the Martyrdom of Polycarp and the Outbreak of Montanism*, in *Oikoumene. Studi paleocristiani*, Catania, 1964, p. 499-506.

*FREND, W. H. C., *Martyrdom and Persecution in the Early Church. A Study of a Conflict from the Maccabees to Donatus*, Oxford, 1965.

FREUDENBERGER, R., *Die Ueberlieferung vom Martyrium des römischen Christen Apollonius*, ZNW 70 (1969) 111-130.

FUNK, F. X., *Das Martyrium des hl. Polykarp im Codex Hierosol. S. Sepulchri 1*, in *Centralblatt für Bibliothekswesen* 15 (1898) 364-366.

GAIFFIER, B. DE, *Réflexions sur les origines du culte des martyrs*, in *La Maison Dieu* 52 (1957) 19-43; in *Etudes critiques d'hagiographie et d'iconologie* (SH 43), Brussel, 1967, p. 7-30.

GASS, F. W., *Das christliche Märtyrerthum in den ersten Jahrhunderten, und dessen Idee*, ZHT 29 (1859) 323-392; 30 (1860) 315-381.

GEBHARDT, O., *Collation einer Moskauer Handschrift des Martyrium Polycarpi nebst Excursen über das Todesjahr Polykarp's und über die Verwechselung von Namen wie Μάρκος, Μαρκιανός, Μαρκίων durch Abschreiber*, ZHT 45 (1875) 355-395.

GEBHARDT, O., *Das Martyrium des hl. Pionius, aus dem cod. Ven. Marc. 359 zum ersten Male herausgegeben*, in *Archiv für slavische Philologie* 18 (1896) 156-171.

GEFFCKEN, J., *Die christlichen Martyrien*, in *Hermes* 45 (1910) 481-505.

GENSLER, F., *Der Todestag des Polykarp von Smyrna aus dem gleichzeitigen Ostersabbat berechnet*, ZWT 7 (1864) 62-68.

GREGOIRE, H., ORGELS, P., *La véritable date du martyre de S. Polycarpe (23 février 177) et le „Corpus Polycarpianum"*, AnBoll 69 (1951) 1-38.

GREGOIRE, H., *La date du martyre de Polycarpe*, in *La nouvelle Clio* 4 (1952) 392-394.

GREGOIRE, H., ORGELS, P., MOREAU, J., *Les martyres de Pionios et de Polycarpe*, AcRoyBelg BLett 47 (1961) 72-83.

GREGOIRE, H., ORGELS, P., MOREAU, J., MARICQ, A., *Les persécutions dans l'empire romain* (MémAcRoyBelg, ClLett, 2e Sér; T. LVI,5), Brussel, 1951; 2de ed., 1964.

GRIFFE, E., *A propos de la date du martyre de S. Polycarpe*, BLitE 52 (1951) 170-177.

GRIFFE, E., *A propos de la date du martyre de S. Polycarpe*, RHEglFrance 37 (1951) 40-52.

GRIFFE, E., *Un nouvel article sur la date du martyre de saint Polycarpe*, BLitE 54 (1953) 178-181.

GRIFFE, E., *Les persécutions contre les chrétiens aux Ier et IIe siècles*, Parijs, 1967, p. 90-104.

GRODECKIUS, G., *Dissertatio de anno et die passionis sancti Polycarpi*, Gdansk, 1704.

GUENTHER, E., ΜΑΡΤΥΣ. *Die Geschichte eines Wortes*, Gütersloh, 1941.

GUELZOW, H., *Christentum und Sklaverei in den ersten drei Jahrhunderten*, Bonn, 1969.

GUILLAUMIN, M.L., *En marge du „Martyre de Polycarpe". Le discernement des allusions scripturaires*, in *Forma Futuri. Studi in onore del Cardinale M. Pellegrino*, Turijn, 1975, p. 462-469.

HAGEN, L., *Keur van enkele martelaarsakten uit de eerste eeuwen des christendoms*, Utrecht, 1910, p. 12-22.

HAMMAN, A., *La geste du sang* (Textes pour l'histoire sacrée 7), Parijs, 1953.

HAMMAN, A., *La signification doctrinale des Actes des Martyrs*, NRT 75 (1953) 739-745.

HAMMAN, A., *L'empire et la croix*, (Ichtus. Littérature chrétienne 2), Parijs, 1957, p. 157-167.

HAMMAN, A., *Märtyrerakten*, LTK 7 (1962) 133-134.

HAMMAN, A., *La prière II. Les trois premiers siècles*, Doornik, 1963.

HAMMAN, A., *La confession de la foi dans les premiers actes des martyrs*, in *Epektasis. Mélanges J. Daniélou*, Parijs, 1972, p. 99-105.

HARE, D.R.A., *The Theme of Jewish Persecution of Christians in the Gospel according to St. Matthew* (SNTS Mon. Ser. 6), Cambridge, 1967.

HARNACK, A., *Zu Eusebius h.e. IV, 15, 37*, ZKG 2 (1878) 291-296.

HARNACK, A., *Die Zeit des Ignatius und die Chronologie der antiochenischen Bischöfe bis Tyrannus*, Leipzig, 1878.

HARNACK, A., *Lightfoot's Ignatius and Polycarp*, in *The Expositor* 3th Ser. 3 (1886) 9-22; 175-192; 401-414.

HARNACK, A., *Die Acten des Karpus, des Papylus und der Agathonike. Eine Urkunde aus der Zeit M. Aurel's* (TU 3,3-4), Leipzig, 1888.

HARNACK, A., *Das ursprüngliche Motiv der Abfassung von Märtyrer- und Heilungsakten in der Kirche*, SbBerlin, 1910, p. 106-125.

HARRISON, P.N., *Polycarp's Two Epistles to the Philippians*, Cambridge, 1936.

HEUMANN, C.A., *Examen fabulae de columba ex Polycarpo rogo evolante*, in *Bibliotheca historico-philologico-theologica III,3*, Bremen, 1720, p. 429-438.

HILGENFELD, A., *Der Paschastreit der alten Kirche nach seiner Bedeutung für die Kirchengeschichte und für die Evangelienforschung*, Halle, 1860.

HILGENFELD, A., *Der Quartodecimanismus Kleinasiens und die kanonischen Evangelien*, ZWT 4 (1861) 285-318.

HILGENFELD, A., *Polykarp von Smyrna*, ZWT 17 (1874) 305-345.

HILGENFELD, A., *Das Martyrium Polykarp's von Smyrna*, ZWT 22 (1879) 145-170.

HILGENFELD, A., *Des Chrysostomos Lobrede auf Polykarp*, ZWT 45 (1902) 569-572.

HILGENFELD, A., *Eine dreiste Fälschung in alter Zeit und deren neueste Verteidigung*, ZWT 48 (1905) 444-458.

HILGENFELD, R., *Verhältnis des römischen Staates zum Christenthume in den beiden ersten Jahrhunderten*, ZWT 24 (1881) 291-331.

HOFFMANN, M., *Der Dialog bei den christlichen Schriftstellern der ersten vier Jahrhunderte* (TU 96), Berlijn, 1966.

HOLL, K., *Die Vorstellung vom Märtyrer und die Märtyrerakte in ihrer geschichtlichen Entwicklung*, in *Neue Jahrbücher für das klassische Altertum* 33 (1914) 521-556; in *Gesammelte Aufsätze zur Kirchengeschichte II. Der Osten*, Tübingen, 1928, p. 68-102.

HOLTZMANN, H., *Das Verhältnis des Johannes zu Ignatius und Polykarp*, ZWT 20 (1877) 187-214.

HOPPENBROUWERS, H.A.M., *Recherches sur la terminologie du martyre de Tertullien à Lactance*. Nijmegen-Utrecht, 1961.

JACOB, R., *Le martyre, épanouissement du sacerdoce des chrétiens dans la littérature patristique jusqu'en 258*, in *Mélanges de science religieuse* 24 (1967) 57-83; 153-172; 177-209.

KEHNSCHERPER, G., *Apokalyptische Redewendungen in der griechischen Passio des Presbyters Pionios von Smyrna*, in *Studia Patristica XII, Part I* (ed. E.A. LIVINGSTONE; TU 115), Berlijn, 1975, p. 96-103.

KEIM, T., *Aus dem Urchristentum, dl. 1*, Zürich, 1878.

KEMLER, H., *Der Herrenbruder Jakobus bei Hegesipp und in der frühchristlichen Literatur*, Diss., Göttingen, 1966.

*KLEIST, J.A., *The Didachè. The Epistle of Barnabas. The Epistle and the Martyrdom of St. Polycarp. The Fragments of Papias. Epistle to Diognetus* (ACW 6), Londen, 1948 (herdruk 1961).

KLEIST, J.A., *An Early Christian Prayer*, in *Orate Fratres* 22 (1948) 201-206.

KLIJN, A.F.J., *Apostolische Vaders*, dl. 1 (Bibliotheek van Boeken bij de Bijbel 50), Baarn, 1966, p. 123-131.

KOEP, L., *Antikes Kaisertum und Christusbekenntnis im Widerspruch*, JbAC 4 (1961) 58-76.

KRAFT, H., e.a., *Eusebius von Cäsarea. Kirchengeschichte*, München, 1967.

KRETSCHMAR, G., *Christliches Passa im 2. Jahrhundert und die Ausbildung der christlichen Theologie*, RecSR 60 (1972) 287-323.

KUNZE, L., *Der Stand des Mondes bei dem Todestage Polykarp's von Smyrna*, ZWT 4 (1861) 330-331.

LANARO, P., *Presenze scritturistiche nella Lettera dei martiri lionesi*, in *Studia patavina* 14 (1967) 56-76.

LANARO, P., *Temi di martirio nell'antichità cristiana. I martiri di Lione*, in *Studia patavina* 14 (1967) 204-235; 325-359.

LANATA, G., *Gli Atti dei Martiri come documenta processuali*, Milaan, 1973, p. 99-108.

*LAWLOR, H.J., OULTON, J.E.L., *Eusebius. Ecclesiastical History*, dl. 2., Londen, 1928.

LAWLOR, H.J., OULTON, J.E.L., *Eusebius, Bishop of Caesarea*, dl. 2., Londen, 1954, p. 131-133.

LAZZATI, G., *Gli atti di S. Giustino martire*, in *Aevum* 27 (1953) 473-497.

LAZZATI, G., *Note su Eusebio epitomatore di atti dei martiri*, in *Studi in onore di A. Calderini e R. Paribeni*, dl. 1, Milaan, 1956, p. 377-384.

LECLERCQ, H., *Actes des Martyrs*, DACL 1 (1907) 373-446.

LECLERCQ, H., *Lettres chrétiennes*, DACL 8, 2 (1929) 2683-2885.

LECLERCQ, H., *Martyr*, DACL 10 (1932) 2359-2512.

LIETZMANN, H., *Ein liturgisches Bruchstück des zweiten Jahrhunderts*, ZWT 54 (1912) 54-61; in *Kleine Schriften*, dl. 3 (TU 74), Berlijn, 1962, p. 43-47.

LIETZMANN, H., *Die älteste Gestalt der Passio SS. Carpi, Papylae et Agathonices*, in *Festgabe für K. Müller*, Tübingen, 1922, p. 46-57; in *Kleine Schriften I. Studien zur spätantiken Religionsgeschichte* (TU 67), Berlijn, 1958, p. 239-250.

LIETZMANN, H., *Martys*, PWK 14 (1930) 2044-2052.

*LIGHTFOOT, J.B., *The Apostolic Fathers. Part I.S. Clement of Rome*, 2 vol. Londen, 1890; *Part II. S. Ignatius. S. Polycarp*, 3 vol., 2de ed., Londen, 1889 (herdruk 1973).

LIPSIUS, R.A., *Der Märtyrertod Polykarps*, ZWT 17 (1874) 188-214.

LIPSIUS, R.A., *Das Todesjahr Polycarps*, in *Jahrbuch für protestantische Theologie* 4 (1878) 751-768.

LIPSIUS, R.A., *Noch einmal das Todesjahr Polycarps*, in *Jahrbuch für protestantische Theologie* 9 (1883) 525-526.

MARROU, H.I., *La date du martyre de S. Polycarpe*, AnBoll 71 (1953) 5-20; = *Patristique et Humanisme. Mélanges* (Patristica Sorbonensia 9), Parijs, 1976, p. 281-294.

MASSAUX, É., *Influence de l'Évangile de saint Matthieu sur la littérature chrétienne avant saint Irénée* (Dissertationes ad gradum Magistri ... Ser. II, 42), Leuven-Gembloux, 1950.

MASSON, J., *Collectanea historica ad Aristidis vitam*, in W. DINDORF (ed.), *Aristides*, dl. 3, Leipzig, 1829 (oorspronkelijke editie 1722).

MEINHOLD, P., *Polykarpos 1*, PWK 21, 2 (1952) 1662-1693.

MERKELBACH, R., *Der griechische Wortschatz und die Christen*, ZPapEpigr 18 (1975) 101-148.

MILTNER, J., *L. Statius Quadratus*, PWK 3A (1929) 2221-2223.

MOREAU, J., *Die Christenverfolgung im römischen Reich* (Aus der Welt der Religion NF 2), Berlijn, 1961 (herdruk 1971).

*MUELLER, H., *Aus der Ueberlieferungsgeschichte des Polykarpmartyriums. Eine hagiographische Studie*, Paderborn, 1908.

MUELLER, H., *Das Martyrium Polykarps. Ein Beitrag zur altchristlichen Heiligengeschichte*, RömQ 22 (1908) 1-16.

MUELLER, H., *Eine Bemerkung zum Martyrium Polycarpi*, in *Theologie und Glaube* 2 (1910) 669-670.

MUSURILLO, H., *History and Symbol: A Study of Form in Early Christian Literature*, in *Theological Studies* 18 (1957) 357-386.

NAUTIN, P., *Lettres et écrivains chrétiens des IIe et IIIe siècles* (Patristica 2), Parijs, 1961.

NESTLE, E., *Der süsse Geruch als Erweis des Geistes*, ZNW 4 (1903) 72.

NESTLE, E., *Eine kleine Interpunktionsverschiedenheit im Martyrium des Polycarp*, ZNW 4 (1903) 345-346.

NESTLE, E., *Zur Taube als Symbol des Geistes*, ZNW 7 (1906) 358-359.

NESTLE, E., *Ein Gegenstück zum Gewölbe und zur Taube im Martyrium des Polykarp*, ZNW 7 (1906) 359-360.

OWEN, E.C.E., *Some Authentic Acts of the Early Martyrs*, Oxford, 1927.

PELLEGRINO, M., *L'imitation du Christ dans les actes des Martyrs*, in *Vie Spirituelle* 98 (1958) 38-54.

PERLER, O., *Das vierte Makkabäerbuch, Ignatius von Antiochien und die ältesten Martyrerberichte*, RArchCr 25 (1949) 47-72.

PETERSON, E., *Das Praescriptum des 1. Clemensbriefes*, in *Frühkirche, Judentum und Gnosis. Studien und Untersuchungen*, Freiburg, 1959, p. 129-136.

POWER, M., *The Date of Polycarps Martyrdom*, ExpTim 15 (1903-1904) 330-331.

RAHNER, H., *Die Märtyrerakten des zweiten Jahrhunderts* (Zeugen des Wortes 32), Freiburg, 1941, p. 23-37.

RAMSAY, W. M., *The Date of St. Polycarp's Martyrdom*, ExpTim 15 (1903-1904) 221-222.

RAMSAY, W. M., *New Evidence on the Date of Polycarp's Martyrdom*, ExpTim 18 (1906-1907) 188-189.

RAMSAY, W. M., *The Date of St. Polycarp's Martyrdom*, in *Beiblätter der Jahreshefte des österreichischen archäologischen Instituts* 27 (1932) 245-258.

RANDELL, T., *The Date of St. Polycarp's Martyrdom*, in *Studia Biblica. Essays in Biblical Archaeology and Criticism*, Oxford, 1885, p. 175-207.

RAUSCHEN, G., *Echte alte Märtyrerakten aus dem griechischen oder lateinischen übersetzt* (Bibliothek der Kirchenväter 14), Kempten, 1913.

REINACH, S., *St. Polycarpe et les juifs de Smyrne*, in *Revue des études juives* 11 (1885) 235-238.

REITZENSTEIN, R., *Bemerkungen zur Martyrienliteratur I. Die Bezeichnung Märtyrer*, NGG 1916, p. 417-467.

RENAN, E., *L'Antéchrist* (Histoire des origines du christianisme 4), Parijs, 1873.

RENAN, E., *Les évangiles et la seconde génération chrétienne* (Histoire des origines du christianisme 5), Parijs, 1877.

RENAN, E., *L'église chrétienne* (Histoire des origines du christianisme 6), Parijs, 1879.

RENAN, E., *Marc-Aurèle et la fin du monde antique* (Histoire des origines du christianisme 7), Parijs, 1899.

*REUNING, W., *Zur Erklärung des Polykarpmartyriums*, Giessen, 1917.

REVILLE, J., *Etude critique sur la date de la mort de S. Polycarpe*, RHR 3 (1881) 369-381.

REVILLE, J., *De anno dieque quibus Polycarpus Smyrnae martyrium tulit*, Genève, 1880.

RIDDLE, D. W., *The Martyrs. A Study in Social Control*, Chicago, 1931.

ROBINSON, J. A., *The Passion of S. Perpetua newly edited from the Mss, with an introduction and notes, together with an Appendix containing the Original Latin Text of the Scillitan Martyrdom* (Texts and Studies 1,2), Cambridge, 1891.

ROBINSON, J. A., *The „Apostolic Anaphora" and the Prayer of St Polycarp*, JTS 21 (1920) 97-105.

ROBINSON, J. A., *The Doxology in the Prayer of St Polycarp*, JTS 24 (1923) 141-144.

ROBINSON, J. A., *Liturgical Echoes in Polycarp's Prayer*, in *The Expositor* 5th Ser. 9 (1899) 63-72.

RONCONI, A., *Exitus illustrium virorum*, RAC 6 (1966) 1258-1268.

RORDORF, W., *Aux origines du culte des martyrs*, in *Irenikon* 46 (1972) 315-331.

ROVERS, M. A. N., *De marteldood van Polycarp*, in *Theologisch Tijdschrift* 15 (1881) 450-464.

SALMON, G., *The Date of Polycarp's Martyrdom*, in *The Academy* 24 (1883) 46-47.

SALMON, G., *Polycarpus of Smyrna*, in *Dictionary of Christian Biography, Literature, Sects and Doctrine* 4 (1887) 423-431.

SCHEIDWEILER, F., *Zur Kirchengeschichte des Eusebius von Kaisareia*, ZNW 49 (1958) 123-129.

SCHMID, W., *Die Lebensgeschichte des Rhetors Aristides*, in *Rheinisches Museum für Philologie N.F.* 48 (1893) 53-83.

*SCHOEDEL, W.R., *Polycarp. Martyrdom of Polycarp. Fragments of Papias* (The Apostolic Fathers. A New Translation and Commentary 5), Londen, 1966.

SCHRANT, J.M., *Bloemlezing uit de christelijke oudheid*, Leiden, 1836, p. 124-133.

SCHUERER, E., *Die Passastreitigkeiten des 2. Jahrhunderts*, ZHT 40 (1870) 182-284.

SCHURMANS, M.F., *Bloedgetuigen van Christus. Martelaarsdocumenten uit de eerste eeuwen der Kerk*, 2de ed., Roermond, 1943, p. 26-35 (3de ed., 1947, p. 20-29).

SCHWARTZ, E., *Zu Eusebius Kirchengeschichte I. Das Martyrium Jakobus des Gerechten*, ZNW 4 (1903) 48-61.

*SCHWARTZ, E., *De Pionio et Polycarpo* (Academica Goettingensia 1904-1905), Göttingen, 1905.

SCHWARTZ, E., *Christliche und jüdische Ostertafeln*, AbhGöttingen 8,6 (1905), p. 125-138.

SCHWARTZ, E., *Osterbetrachtungen*, ZNW 7 (1906) 1-33.

SCHWARTZ, J., *Note sur le martyre de Polycarpe de Smyrne*, RHPhilRel 52 (1972) 331-335.

SEPP, B., *Das Martyrium Polycarpi nebst Anhang über die Afralegende*, Regensburg, 1911.

SEPP, B., *Das Datum des Todes des hl. Polykarp*, in *Der Katholik* 1 (1914) 135-142.

SEVERUS, E. VON, *Gebet 1*, RAC 8 (1972) 1134-1256.

SIMON, M., *Verus Israel. Etude sur les relations entre chrétiens et juifs dans l'Empire Romain (135-425)*, 2de ed., Parijs, 1964.

SIMONETTI, M., *Studi agiografici*, Rome, 1955.

SIMONETTI, M., *Alcune osservazioni sul martirio di S. Policarpo*, GiornItF 9 (1956) 328-344.

SIMONETTI, M., *Qualche osservazioni a proposito dell'origine degli Atti dei martiri*, in *Mémorial G. Bardy*, Parijs, 1956, p. 39-57.

SIMONETTI, M., *Qualche osservazioni sui luoghi comuni negli Atti dei martiri*, GiornItF 10 (1957) 147-155.

SIZOO, A., *Christenen in de antieke wereld*, Kampen, 1953, p. 9-14.

SORDI, M., *La data del martirio di Policarpo e di Pionio e il rescritto di Antonino Pio*, RStorChIt 15 (1961) 277-285.

STEITZ, G.E., *Der Charakter der kleinasiatischen Kirche und Festsitte um die Mitte des zweiten Jahrhunderts*, in *Jahrbuch für deutsche Theologie* 6 (1861) 102-141.

STIEREN, A., *Ueber das Todesjahr Justins des Märtyrers*, ZHT 12 (1842) 21-37.

*STRATHMANN, H., μάρτυς, μαρτυρέω, μαρτυρία κτλ., TWNT 4 (1942) 477-520.

STRYCKER, E. de, *La forme la plus ancienne du protévangile de Jacques* (SH 33), Brussel, 1961.

SUEHLING, F., *Die Taube als religiöses Symbol im christlichen Altertum* (RömQ Suppl 24), Freiburg, 1930, p. 124-130.

*SURKAU, H. W., *Martyrien in jüdischer und frühchristlicher Zeit* (FRLANT 54 NF 36), Göttingen, 1938.

TELFER, W., *The Date of the Martyrdom of Polycarp*, JTS 3 (1952) 79-83.

TRITES, A. A., *The New Testament Conception of Witness*, Diss., Oxford, 1967.

TRITES, A. A., *The New Testament Concept of Witness* (SNTS MonSer 31), Cambridge, 1977.

TURMEL, J., *Lettre et martyre de S. Polycarpe*, in *Annales de Philosophie Chrétienne* 76 (1905) 22-33.

TURNER, C. H., *The Day and Year of St. Polycarp's Martyrdom*, in *Studia biblica et ecclesiastica*, dl. 2, Oxford, 1890, p. 105-155.

TURNER, C. H., *The Early Episcopal Lists*, JTS 1 (1900) 181-200; 529-553.

TYRER, J. W., *The Prayer of St Polycarp and its Concluding Doxology*, JTS 23 (1922) 390-391.

VALESIUS, H., *Eusebii Pamphili Ecclesiasticae Historiae Libri Decem*, Parijs, 1659, p. 70-75.

VAN BEEK, C. J. M. J., *Passio sanctarum Perpetuae et Felicitatis*, Nijmegen, 1936.

VAN DAMME, D., μάρτυς-χριστιανός. *Überlegungen zur ursprünglichen Bedeutung des altchristlichen Märtyrertitels*, FreibZ 23 (1976) 286-303.

VAN DEN BERGH VAN EYSINGA, G. A., *De Apostolische Vaders*, dl. 2, Leiden, 1916, p. 55-68.

VAN DEN GHEYN, J., *Acta Martyrum*, DTC 1 (1900) 321-334.

VAN EIJK, T. H. C., *La résurrection des morts chez les Pères Apostoliques* (Théologie historique 25), Parijs, 1974.

VAN KOEVERDEN, W., *De marteling van den H. Polycarpus, bisschop van Smyrna*, 's Hertogenbosch, 1925.

VETTER, P., *Ueber die armenische Uebersetzung der Kirchengeschichte des Eusebius*, in *Theologische Quartalschrift* 63 (1881) 250-276.

VOELKER, W., *Von welchen Tendenzen liess sich Eusebius bei Abfassung seiner „Kirchengeschichte" leiten?*, VigChr 4 (1950) 157-180.

WADDINGTON, W. H., *Mémoire sur la chronologie de la vie du rhéteur Aelius Aristide*, in *Mémoires de l'Institut impérial de France, Académie des Inscriptions et Belles-Lettres* 26 (1867) 203-268.

WADDINGTON, W. H., *Fastes des provinces asiatiques de l'Empire Romain, depuis leur origine jusqu'au règne de Dioclétien*, Parijs, 1872.

WESTBERG, F., *Die biblische Chronologie nach Flavius Josephus und das Todesjahr Jesu*, Leipzig, 1910, p. 124-126.

WIESELER, K., *Die Christenverfolgungen der Caesaren bis zum dritten Jahrhundert historisch und chronologisch untersucht*, Gütersloh, 1878, p. 34-101.

WIESELER, K., *Das Todesjahr Polykarps*, TSK 53 (1880) 141-165.

WILDE, V. R., *The Treatment of the Jews in the Christian Writers of the First Centuries*, Washington, 1949.

WIRSCHING, J., *Polykarpos*, KlPauly 4 (1972) 998-999.

WOHLEB, L., *Die Ueberlieferung des Pioniosmartyriums*, RömQ 37 (1929) 173-177.

ZAHN, T., *Zur Biographie des Polykarpus und des Irenäus*, in *Forschungen zur Geschichte des neutestamentlichen Kanons und der altkirchlichen Literatur*, dl. 4, Erlangen, 1891, p. 249-283.

ZAHN, T., *Apostel und Apostelschüler in der Provinz Asien*, in *Forschungen zur Geschichte des neutestamentlichen Kanons und der altchristlichen Literatur*, dl. 6, Erlangen-Leipzig, 1900, p. 94-109.

INLEIDING

De brief van de christenen van Smyrna aan de christenen van Filomelium over de marteldood van Polycarpus, bisschop van Smyrna, genoot reeds in de christelijke oudheid een grote bekendheid. Eusebius van Caesarea citeert hem bijna volledig in zijn *Kerkgeschiedenis*. Ook in de middeleeuwen bleef het *Martyrium Polycarpi* in de Latijnse en Griekse hagiografische overlevering bewaard. In de moderne tijd werd het omwille van zijn relatie tot Polycarpus bij de geschriften van de Apostolische Vaders gerekend, maar het ging tegelijkertijd als oudst bekend martelaarsdocument een voorname plaats bekleden in de uitgaven van martelaarsakten. De vernieuwde belangstelling voor de martelaarsliteratuur in de recente tijd (men denke slechts aan de tekstuitgave met Engelse vertaling van H. Musurillo, *The Acts of the Christian Martyrs*, Oxford, 1972) heeft er ons toe gebracht enkele kritische problemen van *Martyrium Polycarpi* aan een nader onderzoek te onderwerpen. Wij stelden namelijk vast dat het gebruik van dit belangrijke geschrift bezwaard wordt door allerhande problemen en tegenspraken in de wetenschappelijke literatuur over de tekstoverlevering, de authenticiteit en de datering.

De eerste twee hoofdstukken van ons werk zijn gewijd aan de tekstkritiek. Wij stellen voor vijfendertig wijzigingen aan te brengen aan de tekst van de gangbare uitgave van K. Bihlmeyer, *Die apostolischen Väter*, Tübingen, 1924. Onze tekstuitgave wordt in de appendices vervolledigd met een eigen Nederlandse vertaling van *Martyrium Polycarpi* en een lijst van overeenkomsten met en reminiscenties aan het *Nieuwe Testament*. Hoofdstuk III handelt over de authenticiteit en integriteit van de tekst en treedt, na een *status quaestionis*, vooral 'in discussie met de invloedrijke interpolatiehypothese van H. von Campenhausen. In hoofdstuk IV wordt ingegaan op het literaire genre. Wij stellen vast dat *Martyrium Polycarpi* een echte brief is en niet slechts een martyrium in briefvorm, een genre waarvan te weinig concrete sporen zijn overgebleven om met zekerheid te kunnen aanvaarden dat het ooit heeft bestaan. De datering van het geschrift is het onderwerp van hoofdstuk V. Centraal staan het probleem van de sterfdatum van Polycarpus en de vraag of de brief gegevens verschaft die toelaten met enige zekerheid een direct verband te leggen tussen zijn ontstaan en de dood van Polycarpus. Na de studie van de bekende gegevens zijn wij ertoe geneigd de dood van Polycarpus te situeren rond 150-160 en het ontstaan van de brief binnen het jaar na de marteldood.

De lezer zij nog op het volgende opmerkzaam gemaakt. Voor bijbelse namen wordt de schrijfwijze gevolgd van de tweede editie van de *Lijst van bijbelse persoons- en plaatsnamen opgesteld in opdracht van de Katholieke Bijbelstichting en het Nederlands Bijbelgenootschap*, Haarlem, 1976. Ook de afkortingen van bijbelboeken worden overgenomen van dezelfde lijst (p. 8-9). In de noten worden een aantal titels afgekort met de auteursnaam (zie bibliografie). In die gevallen worden meerdelige werken als volgt aangeduid : HARNACK I 1, BARDENHEWER II, enz. De werken van Altaner-Stuiber en Schmid-Stählin worden in dat geval afgekort als STUIBER; STAEHLIN. Meermaals geciteerde titels worden afgekort en in de regel gevolgd door een verwijzing naar de plaats waar zij voor het eerst voorkomen.

Behoudens anders vermeld worden de volgende tekstuitgaven gebruikt : voor het *Nieuwe Testament* de uitgave van Nestle (26ste ed., = GNT³); voor de Apostolische Vaders de uitgave van Bihlmeyer (zie bibliografie); voor de martelaarsakten de uitgave van Knopf-Krüger (zie bibliografie).

DE TEKSTOVERLEVERING

De tekst van *MPol* is ons rechtstreeks bekend in Griekse handschriften, maar ook in een gedeeltelijke overname door Eusebius in
zijn *Historia Ecclesiastica*, een Griekse indirecte overlevering en Latijnse
en Oosterse vertalingen.

§ 1. *De Griekse handschriften*

De zes voornaamste manuscripten die *MPol* overleveren zijn menologia voor de maand februari[1] : codex *Baroccianus* 238 (B), *Parisinus
graecus* 1452 (P), *Vindobonensis historicus graecus* 3 (V), *Chalcensis*
95 (C), *Hierosolymitanus S. Sepulchri* 1 (H), *Mosquensis* 390 (M)[2].
De beschrijving van de inhoud en de materiële toestand van deze
codices vindt men in de catalogen van de Bollandisten en in andere
werken die wij in de voetnoten vermelden[3]. Naast de bestaande collaties
hadden wij microfilms of fotocopieën van de codices B, H, P, V, M,
en de nog te vermelden *Ottobonianus*, ter onzer beschikking.

B 1. Codex *Baroccianus* 238 van de *Bodleian Library* te Oxford[4] is een

---

[1] De rol van deze liturgische overleveringsvorm in de hagiografische traditie werd
beschreven door EHRHARD I; zie p. 566-580 over onze codices. Over Ehrhards methode,
zie F. WINKELMANN, *Albert Ehrhard und die Erforschung der griechisch-byzantinischen
Hagiographie* (TU 111), Berlijn, 1971, inz. p. 11-20; vooral F. PASCHKE, *Die beiden
griechischen Klementinen-Epitomen und ihre Anhänge. Ueberlieferungsgeschichtliche Vor-
arbeiten zu einer Neuausgabe der Texte* (TU 90), Berlijn, 1966, p. 81-108. BIHLMEYER,
p. XLIII, spreekt slechts van menologium voor codices C en V, maar zijn beoordeling
komt nog voor Ehrhards studie van de hagiografische overlevering. Reeds JACOBSON,
p. V, ZAHN, p. LIII, en LIGHTFOOT II 3, p. 357 karakteriseren V als menologium.
Als menologium wordt ook codex B beschreven door MUELLER, p. 6, en vroeger door
ZAHN, p. LIII; HEFELE, p. LXXIV; DRESSEL, p. XXXIX. (Voor de volledige titels van deze
werken zie de bibliografie.)
[2] De orde die hier gevolgd wordt in de voorstelling van de handschriften houdt
rekening met hun onderlinge verwantschap betreffende de tekst van *MPol*.
[3] Vergelijk nog de korte beschrijving van de codices bij LIGHTFOOT II 3, p. 355-357;
MUELLER, p. 4-7.
[4] Cf. H.O. COXE, *Catalogi codicum mss. bibliothecae Bodleianae*, dl. 1, Oxford,
1853, col. 406-407; C. VAN DE VORST-H. DELEHAYE, *Catalogus codicum hagiographicorum graecorum Germaniae Belgii Angliae* (SH 13), Brussel, 1913, p. 319-320.

onvolledig handschrift uit de elfde eeuw (volgens Ehrhard iets vroeger)[5].
MPol beslaat de folio's 14v-18 en is goed bewaard. De tekst van
MPol in codex B werd in 1647 uitgegeven door J. Ussher. Dit was de
eerste publikatie van de Griekse tekst van het martyrium[6].

P   2.   Codex *Parisinus graecus* 1452 (olim *Mediceus*) bevindt zich in de
Bibliothèque Nationale te Parijs[7]. Deze codex, die enkele lacunes
vertoont, wordt algemeen in de tiende eeuw gedateerd[8]. *MPol* staat op
fol. 192v-196v, voorafgegaan door de *Vita Polycarpi*, fol. 182-192v.
De codex is bekend sinds Bollandus' voorloper, H. Rosweyde (1569-
1629)[9], hem beschreef en er een transcriptie van maakte, die als basis
diende voor de levensbeschrijving van Polycarpus in het werk van
P. Halloix over de bekende schrijvers van de „Oosterse Kerk"[10].
P wordt slechts vanaf de uitgave van W. Jacobson (1838) bij de kritische
editie van *MPol* betrokken.

V   3.   Codex *Vindobonensis historicus graecus* 3 (olim 11) bevindt zich
in de *Nationalbibliothek* te Wenen (BHG 1560a)[11]. *MPol* beslaat fol.
200v-205. De datering gaat van de vroege elfde eeuw tot de twaalfde
eeuw[12]. Ook deze codex werd pas door Jacobson voor het geheel van
MPol opgenomen. Codex V „betrays all the marks of an arbitrary
literary revision", aldus Lightfoot[13]. Hij bevat opvallende omissies
door homoioteleuton :

    [5] Zie EHRHARD I, p. 575 en *ibid.*, n. 3. Vergelijk verder, naast de werken geciteerd
hierboven in n. 4, LIGHTFOOT II 3, p. 356; BIHLMEYER, p. XLII.
    [6] J. USSHER, *Ignatii Antiocheni et Polycarpi Smyrnaei episcopi martyria*, Londen,
1647, p. 13-30. Over de Latijnse tekst zie infra § 4,1.
    [7] Cf. F. HALKIN, *Manuscrits grecs de Paris. Inventaire hagiographique* (SH 44),
Brussel, 1968, p. 161-162 (*MPol*: p. 162). Dit werk vervangt de niet steeds betrouwbare catalogus van HAGIOGRAPHI BOLLANDIANI - H. OMONT, *Catalogus codicum hagiographicorum bibliothecae nationalis Parisiensis* (SH 5), Brussel-Parijs, 1896, p. 118-121
(*MPol*: p. 120).
    [8] Zie, naast de in n. 7 geciteerde werken, LIGHTFOOT II 3, p. 356; EHRHARD I, p. 577;
BIHLMEYER, p. XLIII.
    [9] Cf. H. DELEHAYE, *L'œuvre des Bollandistes à travers trois siècles 1615-1915*, 2de ed.
(SH 13A), Brussel, 1959, p. 11-21.
    [10] P. HALLOIX, *Illustrium ecclesiae orientalis scriptorum vitae et documenta*, Douai,
1633. (Vergelijk ZAHN, p. LII; LIGHTFOOT II 3, p. 357; 423-424).
    [11] Cf. C. VAN DE VORST - H. DELEHAYE, *Catalogus*, p. 38-42 (*MPol*: p. 41);
H. HUNGER, *Katalog der griechischen Handschriften der österreichischen Nationalbiblio-
thek* (Museion 4. Reihe 1), Wenen, 1961, p. 2-4 (MPol p. 4). De oude catalogi van
Lambecius-Kollar en Nessel laten wij hier onvermeld. Het is ons wel een raadsel
hoe Hunger ertoe komt de publikatie van de zeventiendeeeuwse fragmenten van *MPol*
door C. A. Papadopoulos (cf. infra n. 33) als tekstuitgave van codex V aan te duiden.
    [12] Zie EHRHARD I, p. 570, n. 2: vroege elfde eeuw; C. VAN DE VORST - H. DELEHAYE,
Catalogus, p. 38: elfde eeuw; H. HUNGER, *Katalog*, p. 2: elfde eeuw; LIGHTFOOT
II 3, p. 357: elfde-twaalfde eeuw; BIHLMEYER, p. XLII: elfde-twaalfde eeuw.
    [13] LIGHTFOOT II 3, p. 357.

6,2 καὶ ὁ εἰρηνάρχος – τιμωρίαν (C)

14,1 καὶ εὐλογητοῦ (C, H)

15,1 ἀναπέμψαντος δὲ αὐτοῦ τὸ ἀμήν (C, H)

16,1-2 wordt vanaf ὄχλον aldus weergegeven : τῆς τοσαύτης διαφορᾶς τῶν τε πιστῶν καὶ τῶν ἀπίστων καὶ οὕτως ἐτελειώθη ὁ ἅγιος ἱεράρχης καὶ ἔνδοξος μάρτυς τοῦ χριστοῦ Πολύκαρπος τῇ εἰκάδι τρίτῃ τοῦ φεβρουαρίου μηνός.

17,2 begint als volgt : ὅθεν ὑπέβαλεν ὡς δεινὸς καὶ μισάγιος ὁ πονηρός... (C)

17,2b-3 wordt geheel weggelaten vanaf ἀγνοοῦντες en dit gedeelte wordt in enigszins gewijzigde vorm[14] toegevoegd als slot na 19,2 ter vervanging van 20-22

20-22 worden weggelaten.

Karakteristiek zijn een aantal addities van hagiografische aard, die de tekst verduidelijken, het onderwerp bepalen of epitheta toevoegen[15].

---

[14] Zie de tekst bij LIGHTFOOT II 3, p. 398-399, *apparatus criticus*.

[15] Zie het *apparatus criticus* bij LIGHTFOOT II 3, p. 363-398. Door Bihlmeyer niet aangeduid zijn volgende toevoegingen :

5,2 ante δεῖ : ἀδελφοὶ καὶ τέκνα

6,1 ante εὐθέως : ἅμα τοῦ ἐπαναχωρῆσαι

8,2 post ὁ δέ : ἅγιος Πολύκαρπος

9,1 post τῷ δέ : μακαρίῳ

9,2 post ἡλικίαν : ὦ καλὲ Πολύκαρπε (zo ook Bihlmeyer, die voor het volgende naar Lightfoot verwijst : καὶ φίλε ἡμῶν καὶ θῦσον τοῖς θεοῖς ἵνα καὶ τιμῶν μεγίστων καὶ δωρεῶν παρ' ἡμῖν ἀξιωθείς)

9,2 post ἀθέους ὁ δέ : τίμιος καὶ μακάριος

post 2de αἶρε τοὺς ἀθέους : ἀπὸ προσώπου τῆς γῆς (vergelijk *Hnd* 22,22)

9,3 post βλασφημῆσαι : τὸν κύριόν μου καί (om τόν ante βασιλέα)

post σώσαντά με : ἀπὸ πολλῶν θλίψεων καὶ ἀναγκῶν

10,1 post ἀπεκρίνατο : ὁ μακάριος

10,2 post ὁ δέ : ἅγιος

post σὲ μέν : ὦ ἀνθύπατε

11,1 post καλεῖ : ἐν τάχει

11,2 post ὁ δέ : ἀνθύπατος

post βούλει : ἐν τάχει

13,3 post εἶπεν : ὁ ἅγιος

14,1 post ὁ δέ : ἅγιος Πολύκαρπος

post κτίσεως : δημιουργός

14,2 post μέρος : καὶ κλῆρον

15,2 post καὶ ἦν μέσον : τοῦ πυρός

17,1 post ἀντικείμενος : ὁ βδελυττόμενος

ante ἀφθαρσίας : καὶ δικαιοσύνης

ante ἀνεπίληπτον : καθαρὰν καί

18,2 post ἀποθέμεθα : εἰς ὃν εὐδόκησαν ὁ θεὸς τόπον

19,1 post μάρτυς : τίμιος καὶ ἐξοχώτατος

19,2 post ἀποστόλοις : καὶ μάρτυσι

Toe te voegen zijn nog de wijzigingen

C   4.   Codex *Chalcensis* 95, van het klooster van de H. Drievuldigheid
op het eiland Chalci, wordt nu bewaard in de *Bibliotheek van het
Oecumenisch Patriarchaat* te Istanbul (BHG 1560a)[16]. Deze codex bevat
MPol op fol. 78v-82. Volgens Ehrhard dateert hij uit de tiende-elfde
eeuw, volgens Delehaye en Bihlmeyer uit de elfde eeuw[17]. De tekst
van *MPol* in deze codex werd bekend in 1919[18]. C vertoont dezelfde
kenmerken als V wat de weglatingen en veranderingen in hoofdstukken
6, 16, 17 en het slot van het martyrium aangaat. Voor zover wij kunnen
opmaken uit het apparaat van Bihlmeyer zijn ook hun lezingen meestal
gemeenschappelijk. Bihlmeyer merkt op: „Leider brachte die neuge-
fundene Hs.c keinen sonderlichen Gewinn"[19].

H   5.   Codex *Hierosolymitanus S. Sepulchri 1* bevindt zich in de *Bibliotheek
van het Orthodox Patriarchaat* in Jeruzalem[20]. Over de datering van
deze codex lopen de meningen het meest uiteen: tiende eeuw volgens
Bihlmeyer, elfde eeuw volgens Funk, twaalfde eeuw volgens P. Franchi
de Cavalieri[21]. Deze laatste datering wordt door Ehrhard afgewezen[22].

11,1 ἀπεκρίθη ὁ ἅγιος Πολύκαρπος loco ὁ δὲ εἶπεν
18,1 τὸ σῶμα τοῦ ἁγίου μάρτυρος loco αὐτόν

[16] Cf. H. DELEHAYE, *Catalogus codicum hagiographicorum graecorum bibliothecae
scholae theologicae in Chalce insula*, AnBoll 44 (1926) 5-63, inz. 25-27; vergelijk
E. TSAKOPOULOS, Περιγραφικὸς κατάλογος τῶν χειρογράφων τῆς βιβλιοθήκης τοῦ
οἰκουμενικοῦ πατριαρχείου B, Istanbul, 1956, p. 99; de aanduidingen over deze codex
bij Delehaye worden verbeterd door A. EHRHARD, ByZ 27 (1927) 124; vergelijk AnBoll
46 (1928) 158-160.

[17] Zie EHRHARD I, p. 573; H. DELEHAYE, *Catalogus Chalce*, p. 25; BIHLMEYER,
p. XLII.

[18] Van deze codex beweert MUSURILLO, p. XV verkeerdelijk: „missing now". De
codex is samengebonden met nr. 103, cf. F. HALKIN, AnBoll 90 (1972) 195, en reeds
H. DELEHAYE, *Catalogus Chalce*, p. 25; 37; EHRHARD I, p. 573, n. 1. Musurillo steunt
waarschijnlijk op een onnauwkeurigheid van M. RICHARD, *Répertoire des bibliothèques
et des catalogues de manuscrits grecs*, 2de ed., Parijs, 1958, p. 110. De tekst van het
handschrift werd gepubliceerd in Ὁ Νεὸς Ποιμήν 1 (1919) 608-624. Volgens STAEHLIN,
p. 1253, is de uitgever B. Antoniades. BIHLMEYER, p. XLII, n. 1, merkt op dat het tijdschrift
zelf geen uitgever aangeeft. F. HALKIN, BHG p. 213 vermeldt de naam Germanos.

[19] BIHLMEYER, p. XLIV.

[20] Cf. A. PAPADOPOULOS-KERAMEUS, Ἱεροσολομιτικὴ βιβλιοθήκη ἤτοι κατάλογος
τῶν ἐν ταῖς βιβλιοθήκαις τοῦ ἁγιωτάτου ἀποστολικοῦ τε καὶ καθολικοῦ ὀρθοδόξου
πατριαρχικοῦ θρόνου ἑλληνίκων κωδίκων, dl. 1, St. Petersburg, 1891, p. 1-8 (*MPol*:
p. 7). Vergelijk A. EHRHARD, *Die griechische Patriarchalbibliothek von Jerusalem*, RömQ
6 (1892) 339-365, inz. p. 353.

[21] Zie EHRHARD I, p. 567; LIGHTFOOT II 3, p. 357: „probably the earliest manuscript
of that group" (namelijk BHPV); BIHLMEYER, p. XLII; F.X. FUNK, *Das Martyrium des
hl. Polykarp im Codex Hierosol. S. Sepulchri 1*, in *Centralblatt für Bibliothekwesen* 15
(1898) 364-366, zie p. 364; P. FRANCHI DE CAVALIERI, *La Passio SS. Perpetuae et
Felicitatis* (RömQ Suppl. 5), Freiburg, 1896, p. 98 en 166 (= *Scritti agiografici*, dl. 1,
Vaticaanstad, 1962, 41-155, cf. p. 103; 155).

De lezingen van de codex werden door Lightfoot opgenomen in de tweede editie van zijn *Apostolic Fathers, Part* II (1889), op basis van een collatie van J. Rendel Harris[23]. Funk publiceerde later een eigen collatie (1898)[24], in de overtuiging als eerste de lezingen van H bekend te maken[25]. Hij geeft nergens blijk de tweede editie van Lightfoot te kennen. Beide collaties wijken soms af van elkaar[26].

H bevat *MPol* op fol. 136-140v en onderscheidt zich door enkele omissies die alle, behalve de eerste, door homoioteleuton verklaard kunnen worden :

7,3 ἐπὶ δύο ὥρας

8,3-9,1 θορύβου – στάδιον

9,2 καὶ ἐπισείσας – ἀναβλέψας

10,1 ἀπεκρίνατο – τύχην

12,1 ἀλλὰ τοὐνάντιον τόν

14,1 καὶ εὐλογητοῦ (C, V)

15,1 ἀναπέμψαντος – ἀμήν (C, V).

In het geval van 8,3-9,1 verschilt Funk van Rendel Harris. De meest waarschijnlijke omissie geeft Rendel Harris : de kopiist is overgegaan van het ene (ἀγόμενος) εἰς τὸ στάδιον naar het andere (εἰσιόντι) εἰς

---

[22] A. EHRHARD, *Forschungen zur Hagiographie der griechischen Kirche vornehmlich auf Grund der hagiographischen Hss. von Mailand, München und Moskau*, RömQ 11 (1897) 67-205, inz. p. 116, n. 1; vergelijk nog AnBoll 15 (1896) 335.

[23] LIGHTFOOT II 3, p. 357. Lightfoot, Hilgenfeld en Rauschen gebruiken het sigel S, de andere uitgevers H.

[24] *Das Martyrium des hl. Polykarp*, geciteerd boven in n. 21.

[25] Zie p. CV : „... codicem hierosolymitanum ... primus adhibeo".

[26] BIHLMEYER volgt Funk, cf. p. XLIII : „Ich folge in allen Fällen letzterem [Funk], der die Hs. 1893 selbst in Jerusalem einsah und ihre Lesarten (ohne Kenntnis der Lightfootschen Kollation) in dem Zentrallblatt ... mitteilte". Nochtans moet Funk voor enkele details verbeterd worden : de voor 6,1 aangegeven omissie αὐτοῦ ... αὐτόν is onbestaande (zij wordt niet door Lightfoot genoteerd). De omissie van αὐτόν na εἰς τὸ στάδιον in 6,2 wordt niet genoteerd in de collatie, wel in de tekstuitgave van 1901 (eveneens door Lightfoot). De vergissing aangaande 8,3-9,1 wordt boven vermeld. Funk verwaarloost de omissie van τι voor βραδύνῃς in 11,2 (wel bij Lightfoot). In 12,1 klopt de lezing προσωμολόγησεν, hernomen in de uitgave van 1901, niet met de tekst van het handschrift (Lightfoot vermeldt ze ook niet; H ὡμολόγησεν). In 12,2 leest H ἤρωτα loco ἠρώτων, wat niet door Funk wordt vermeld (wel door Lightfoot), evenmin als het merkwaardige εἰ voor ἀναβλέψας in 14,1 (Lightfoot). In 14,3 verwaarloost Funk μεθ᾽ οὗ σοὶ loco οὗ σοὶ σὺν αὐτῷ te noteren, wat wel gebeurt in de uitgave van 1901 (Lightfoot). In 16,2 is aan Funk θαυμάσιος loco θαυμασιώτατος ontgaan. Voor 17,2 noteert hij οὖν ὁ πονηρός loco οὖν ὡς πονηρός (Lightfoot leest ook niet helemaal juist γοῦν ὡς πονηρός) voor Νικήτην. Voor 20,1 *in fine* wordt de omissie van κύριον en de lezing Ἰησοῦν niet aangeduid. In 20,2 is de te vermelden lezing τὸν καὶ δυνάμενον en niet τό κτλ. (zo ook in de uitgave van 1901; Lightfoot leest τόν maar vergist zich met het volgende δέ loco καί).

τὸ στάδιον. Funk duidt hier als omissie aan θορύβου τηλικούτου ὄντος ἐν τῷ σταδίῳ, met andere woorden zij blijft beperkt tot dezelfde zin. Merkwaardigerwijze herstelt Funk deze vergissing in de teksteditie van 1901.

Opmerkelijke lezingen zijn nog :

12,1 de zinsnede ἐνεπίμπλατο tot en met χάριτος wordt vervangen door ὡς

17,2 ὑπέβαλεν οὖν ὁ πονηρός

17,3 inversie van μιμητάς voor μαθητάς.

Tenslotte kan nog opgemerkt worden dat Bihlmeyer de omissie in 7,3 niet vermeldt.

Het oordeel van Lightfoot over de waarde van H verschilt wel enigszins van dat van Funk : ,,It possesses little or no distinctive peculiarity. It is however valuable as being probably the earliest ms. of that group"[27]. Volgens de Duitse geleerde ,,nimmt die Hs. in der Reihe ihrer Schwestern eine nicht geringe Stelle ein"[28].

De opgesomde handschriften behoren alle tot eenzelfde groep (BCHPV). Daarvan onderscheidt zich één handschrift :

M   6.   Codex *Mosquensis* 390, van de bibliotheek van de Heilige Synode, bevindt zich thans in het *Historisch Museum van de Staat* te Moskou[29]. Het manuscript wordt algemeen in de dertiende eeuw gedateerd. Een collatie van *MPol* werd in 1875 gepubliceerd door Gebhardt[30]. Codex M bevat in zijn tekst van *MPol* op fol. 96-99 een opvallend aantal lezingen die afwijken van de groep BCHPV, maar des te meer aansluiten bij de tekst van *MPol* zoals die door Eusebius in *HE* IV,15 gegeven wordt. Eusebius citeert de *inscriptio* en 1,1 tot διωγμόν letterlijk, gaat dan verder met een parafraserende samenvatting van 2,2-7,3, om van 8,1 tot 19,1 (tot λαλεῖσθαι) de tekst weer letterlijk over te nemen (cf. infra p. 34-35)[31].

---

[27] LIGHTFOOT II 3, p. 357.

[28] *Das Martyrium des hl. Polykarp* (zie n. 21), p. 366.

[29] Cf. C.F. DE MATTHAEI, *Accurata codicum graecorum manuscriptorum bibliothecarum Mosquensium notitia*, Leipzig, 1805, p. 89-91; Archimandriet VLADIMIR, *Sistematičeskoe opisanie rukopisej Moskovskoj Sinodal'noj (Patriaršej) biblioteki I*, Moskou, 1894, p. 586-588. De nummering van de codex verschilt volgens de catalogi : volgens Vladimir 390, volgens Matthaei 160, volgens Savva (*Ukazatel' dlja obozrěnija Moskovskoj Patriaršej (nyně Sinodal'noj) Biblioteki*, Moskou, 1855) 159. (MUSURILLO, p. XV, geeft een foutieve aanduiding : 150).

[30] O. GEBHARDT, *Collation einer Moskauer Handschrift des Martyrium Polycarpi*, ZHT 45 (1875) 355-395, inz. 356-363.

[31] Zie de editie van E. SCHWARTZ-T. MOMMSEN, *Eusebius Werke II. Die Kirchen-*

Ook de epiloog van M (*epilogus Mosquensis*) wijkt volledig af van de andere handschriften. Het belang van deze tekstgetuige mag niet onderschat worden, maar evenmin overschat. Bihlmeyer merkt terecht op „dass m doch auch zahlreiche Verderbnisse aufweist, die den Wert der Hs. herabdrücken"[32]. De relatie van M en Eusebius ten opzichte van de andere manuscripten zal in hoofdstuk II bij de studie van een aantal lezingen nader toegelicht worden.

Hier moeten wij nog ingaan op drie andere handschriften die de tekst van *MPol* bevatten. Over de laatste twee wordt in de tekstuitgaven meestal niet gesproken.

7. De fragmentarisch bewaarde tekst van *MPol* (5 einde — 9 en 14 einde — 19 begin) in een handschrift van *Jeruzalem* uit de zeventiende eeuw (BHC 1560c) werd in 1908 uitgegeven door C.A. Papadopoulos[33]. Hij wordt door Bihlmeyer beschreven als „mit gekürztem und sehr verderbtem Text ähnlich der Hs. c und v"[34]. H. Müller beschouwde deze fragmenten als de bevestiging van zijn theorie over het geleidelijk ontstaan van *MPol*[35]. Door anderen worden zij geacht van geen belang te zijn voor de kritische editie van *MPol*[36].

8. Codex *Ottobonianus* 92, die in de bibliotheek van het *Vaticaan* berust, dateert uit de zestiende eeuw (BHG 1560a)[37]. *MPol* staat op fol. 228v-233. Reeds in 1897 vermoedde H. Delehaye dat de codex een afschrift was van V[38]. Later wordt dit door Ehrhard bevestigd[39]. Wij hebben kunnen nagaan dat deze codex, tenminste wat *MPol*

---

geschichte, dl. 1 (GCS 9,1), Leipzig, 1903, p. 336-353. De Griekse tekst wordt overgenomen in BARDY I, p. 183-189.

[32] BIHLMEYER, p. XLIV.

[33] C.A. PAPADOPOULOS, Μαρτύριον τοῦ ἁγίου Πολυκάρπου, in Ἐκκλησιαστικὸς Φάρος 1 (1908) 218-228; cf. C. WEYMAN, ByZ 18 (1909) 265.

[34] BIHLMEYER, p. XLIII.

[35] H. MUELLER, *Eine Bemerkung zum Martyrium Polycarpi*, in *Theologie und Glaube* 2 (1910) 669-670; zie verder hoofdstuk III, § 2.

[36] Zie onder meer BIHLMEYER, p. XLIII; B. SEPP, *Das Martyrium Polycarpi*, Regensburg, 1911, p. 33-34, die wijst op verwantschap met V en H; C. VAN DE VORST, AnBoll 29 (1910) 202; REUNING, p. 4; DELEHAYE, p. 22, n. 1.

[37] Cf. HAGIOGRAPHI BOLLANDIANI-P. FRANCHI DE CAVALIERI, *Catalogus codicum hagiographicorum graecorum bibliothecae vaticanae* (SH 7), Brussel, 1899, p. 257-260; E. FERON-F. BATTAGLINI, *Bibliothecae apostolicae vaticanae ... codices manuscripti graeci Ottoboniani*, Rome, 1893, p. 56-57.

[38] H. DELEHAYE, *Eusebii Caesariensis de martyribus Palestinae longioris libelli fragmenta*, AnBoll 16 (1897) 113-139, inz. p. 116.

[39] EHRHARD I, p. 570-571; vergelijk *Forschungen zur Hagiographie* (zie n. 22), p. 116, n. 2.

betreft, een copie is van V, wat onder meer tot uiting komt in het niet
oplossen van afkortingen die in V op het einde van een regel gebruikt
worden (7,2 θαυμαζόντω; 13,1 ὄχλῳ) en in *Ottobonianus* in het midden
van de regel voorkomen. Elders lost de schrijver wel afkortingen op
(overal de afkorting voor καί; in 19,1 het afgekorte ἀγαλλιώμενος).
Op enkele plaatsen na wordt de tekst van V getrouw weergegeven : in
3,1 is door haplografie het onmogelijke αυτουτοικτειραι ontstaan uit
αὐτοῦ κατοικτεῖραι; in 7,1 is ληστη van V verbeterd tot ληστήν;
in 15,1 wordt door *Ottobonianus* δέ weggelaten na μεγάλης[40]. Aangezien
het om een afschrift van een bekende codex gaat is het handschrift
onbelangrijk.

9. In 1886 signaleerde A. Papadopoulos-Kerameus een tekst van *MPol*
in codex *Kosinitza* 28 (fol. 15-17v), die uit de twaalfde eeuw dateert[41]
(BHG 1560b). Ehrhard gaf in 1936 enkele bijzonderheden over dit
handschrift op grond van notities van M. Sprengling[42]. Hieruit blijkt
vooral dat de epiloog verschilt van de reeds bekende vormen. Hij bevat,
in andere volgorde, enkele elementen van de *epilogus Mosquensis* en
is nog langer[43]. De codex is, samen met een groot gedeelte van de
bibliotheek waartoe hij behoorde, spoorloos verdwenen[44]. Men kan
slechts hopen dat hij ooit teruggevonden wordt, temeer daar hij voor
MPol nieuwe tekstvarianten zou kunnen bevatten.

§ 2. *Eusebius HE IV,15*

Een apart probleem vormt de juiste beoordeling van de tekst van
MPol die Eusebius in zijn *Historia Ecclesiastica* citeert. Hij citeert
letterlijk het begin (*inscriptio* en 1,1 tot διωγμόν), laat dan een samen-

---

[40] Andere kenmerken van afhankelijkheid ten opzichte van V worden vermeld door
EHRHARD I, p. 571, n. 1.

[41] A. PAPADOPOULOS-KERAMEUS, Ἔκθεσις παλαιογραφικὸν καὶ φιλολογικὸν ἐρευ-
νῶν ἐν Θράκει καὶ Μακεδονία, in Ἑλληνικὸς φιλολογικὸς Σύλλογος. Παράρτημα
τοῦ ιζʹ τόμου, Istanbul, 1886, p. 41; vergelijk Ἱεροσολυμιτικὴ Βιβλιοθήκη I (zie n. 20),
p. 7; A. EHRHARD, *Die altchristliche Literatur und ihre Erforschung von 1884-1900*,
Freiburg, 1900, p. 571; FUNK, p. CV, n. 4; MUELLER, p. 7.

[42] EHRHARD II, p. 87-88.

[43] *Ibid.*, p. 88, n. 3.

[44] Zie hiervoor M. RICHARD, *Répertoire des bibliothèques* (zie n. 18), p. 87; deze
noteert ook : „il est possible qu'une partie notable de cette collection soit restée à Sophia".
Vergelijk onlangs F. HALKIN, *Un fragment palimpseste du manuscrit 23 de Kosinitza
retrouvé à Bruxelles*, AnBoll 85 (1967) 458-459; *Un manuscrit grec de Kosinitza à
Amsterdam?*, AnBoll 91 (1973) 104.

vatting volgen van 2,2-7,3, om van 8,1 tot 19,1 (tot λαλεῖσθαι) de tekst weer getrouw over te nemen. In verband met het gebruik van deze Eusebiustekst in de reconstructie van *MPol* rijzen twee moeilijkheden : a) Waar de tekst van Eusebius met de tekst van de Griekse codices overeenstemt, vertoont hij soms varianten die overeenkomen met de lezing van sommige vertegenwoordigers van de Griekse tekst. Aldus treft men bv. de omissie door CHV van τῇ ἐκκλησίᾳ τοῦ θεοῦ in de *inscriptio* ook aan in de *HE*-handschriften BD. E. Schwartz publiceerde een lijst van dergelijke gevallen in zijn studie *De Pionio et Polycarpo*[45]. Een uitvoerige lijst ervan wordt in appendix toegevoegd aan de tekstuitgave. Meestal gaat het om onbelangrijke verschillen, maar toch valt het op dat ook waar alleen M met de door Schwartz gereconstrueerde tekst van Eusebius overeenstemt, men toch steeds nog Eusebiushandschriften vindt die de lezing van de andere Griekse codices hebben bewaard. Het is bijgevolg moeilijk vast te stellen welke tekst van *MPol* Eusebius eigenlijk kende. Het afbreken van zijn weergave in het midden van 19,1 wordt later uitvoerig besproken.

b) In tweede instantie blijft het probleem gesteld of men er zonder meer mag van uitgaan dat Eusebius de tekst van *MPol* ongewijzigd heeft overgenomen. Als dit niet het geval is, wat uit het volgende zal blijken, blijft dit niet zonder consequenties voor de beoordeling van de waarde van de Eusebiustekst in zijn geheel voor de tekstkritiek van *MPol*.

De hand van Eusebius wordt in de eerste plaats teruggevonden waar hij een aantal minder gebruikelijke woorden vervangt : aldus het bekende geval van ὄχημα voor het latinisme καροῦχα in 8,2 en 8,3. Men merke op dat het woord dat Eusebius gebruikt ook voorkomt in de toevoeging van de Griekse codices, uitgezonderd M, in 8,2 ἐπὶ τὸ ὄχημα en in 8,3 ἀπὸ τοῦ ὀχήματος. In beide gevallen gaat het om randglossen die het woord καροῦχα verklaren en op een verkeerde plaats in de tekst geraakt zijn[46].

B. Sepp, die in het begin van deze eeuw de tekst van de Griekse manuscripten verdedigde, haalt nog andere gevallen aan, waar de lezing

---

[45] SCHWARTZ, p. 5-6.

[46] Cf. LIGHTFOOT II 3, p. 375; B. SEPP, *Das Martyrium Polycarpi* (zie n. 36), p. 15-16; 17. Ook de oudere uitgevers erkennen deze woorden als glossen (USSHER, JACOBSON, HEFELE, DRESSEL). In 8,3 brengt Hilgenfeld ἀπὸ τοῦ ὀχήματος nochtans in de tekst, uit reactie tegen het gewicht dat aan de weglating ervan in M en Eusebius toegekend wordt.

van de codices de voorkeur verdient boven Eusebius en M of boven
Eusebius alleen[47]. De belangrijkste zijn : in 13,2 de oude uitdrukking
πυρκαϊά (BCHPV), die door M en Eusebius (§ 30) vervangen wordt
door het meer bekende πυρά, tenzij het ook hier om een randglosse
gaat; in 14,1, de lezing ὁλοκάρπωμα te verkiezen boven ὁλοκαύτωμα
van CHMVEus (zie verder p. 96); het latinisme κεντυρίων (18,1)
wordt vervangen door ἑκατοντάρχης in § 43 (ook hier kan niet uitgesloten worden dat het om een glosse gaat, zoals in 8,2 en 8,3; de
codices BHP schrijven beide woorden naast elkaar). Eusebius verandert
ten onrechte het ,,pregnante" δαπανηθῆναι (11,2) in het ,,triviale"
δαμασθῆναι (§ 24) en kiest ξίφος (§ 38) in plaats van het ,,markante"
ξιφίδιον (16,1). Ook de variant ἀσκύλτως bij Eusebius (§ 31) kan
volgens Sepp niet correct zijn, wel ἀσάλευτον (13,3) van de Griekse
codices (ἄσκυλτον in M!). Polycarpus kan slechts bedoeld hebben
dat hij het vuur zou verdragen zonder beweging, niet dat hij hoopte
ongedeerd te blijven. Het laatste is te beschouwen als een interpretatie
vanuit het vervolg van het verhaal. Ten onrechte schrijft Eusebius
Ἀσίας in plaats van ἀσεβείας (12,2) (zie verder p. 91-92). Zijn wijziging
van 8,3 in § 17 is evenmin erg gelukkig. In § 36 is er tenslotte de
willekeurige verandering van ἐτηρήθημεν in ἐτηρήθησαν, terwijl alleen
de eerste persoon meervoud grammaticaal correct is; Eusebius verloor
uit het oog dat de auteur van *MPol* hier zichzelf als ooggetuige in het
verhaal betrok (15,1).

Naast de bemerkingen van Sepp leert de vergelijking van *MPol*
met de Eusebiustekst ons nog het volgende : ook in de samenvattende
parafrase van de eerste hoofdstukken tonen de vele overeenkomsten
met *MPol* aan dat Eusebius een tekst voor ogen had die hoofdzakelijk
met de ons bekende overeenstemde. In de samenvatting is Eusebius'
woordkeuze vrijer dan wanneer hij de tekst later weer letterlijk citeert[48].
Soms vervangt hij een woord door een eigen voorkeurwoord, bv. ποιεῖν
door πράττειν, zie § 9 (5,1) en § 16 (8,2). Het gebeurt dat hij in de
parafrase een woord vervangt, maar in de letterlijke overname de
MPol-tekst behoudt, bv. προσκεφάλαιον wordt in § 10 (5,2) omschreven als ὑπὸ κεφαλῆς αὐτῷ στρῶμα, maar keert terug in § 28
(12,3). Hetzelfde geldt voor δεῖ με ζῶντα καῆναι, omschreven in § 10
(5,2), maar letterlijk overgenomen in § 28 (12,3). In § 18 verandert

---

[47] Cf. B. SEPP, *Das Martyrium Polycarpi* (zie n. 36), p. 17-20; vergelijk H. BADEN,
Das Polykarpmartyrium, in *Pastor Bonus* 25 (1912) 71-81, zie p. 78-79; REUNING, p. 13-14.

[48] Vergelijk LAWLOR-OULTON, p. 134 : ,,The passage is instructive as an example
of Eusebius' method of paraphrasing his documents".

Eusebius ὧν ἔθος αὐτοῖς in ἃ σύνηθες αὐτοῖς ἐστι, wat in feite door *MPol* zelf geïnspireerd is (cf. 5,1 en de overname in § 9 bij Eusebius). Anderzijds neemt Eusebius in § 29 en § 43 gewoon ὡς ἔθος αὐτοῖς van 13,1 en 18,1 over. Dat Eusebius de tekst van het martyrium wijzigde (of een gewijzigde tekst voor zich had) wordt verder geïllustreerd door het begin van het gebed (14,1): ondanks de omissie van ἡτοιμασμένον ἀναβλέψας εἰς τὸν οὐρανόν, en κύριε ὁ θεὸς ὁ παντοκράτωρ wijst de titel παντοκράτορι bij θεῷ van de voorgaande zin er op dat de tekst van *MPol* als „Vorlage" diende[49]. Waar Eusebius de tekst van *MPol* letterlijk citeert — wat voorbereid wordt door de overgang van *oratio obliqua* naar *oratio recta* in § 13 — is het niet moeilijk zijn versie nogmaals te verstaan als een bewerking van de tekst die ons bekend is uit de manuscripten. Naast een aantal eigen termen gaat het in geval van afwijking meestal om wijzigingen van de grammaticale constructie, die de soms moeilijke tekst van *MPol* vlotter willen maken: in § 21 ligt de nadruk op de participium-constructie προσποιούμενος ἀγνοεῖν ὅστις εἰμί[50]; in § 37 wordt de genitief ὀθόνης... πληρουμένης (15,2) anders opgevat, „het uitzicht als *van* een...". Hetzelfde is te zeggen in verband met § 40, waar de directe rede τὸ σωμάτιον ... ληφθείη, de infinitiefzin vervangt. De weglating van het tweede καί in het begin van § 40 maakt πονηρός tot substantief („de boze", een veelvuldig voorkomende benaming in de vroegchristelijke literatuur), waarbij de voorafgaande adjectieven als bepaling horen, een geheel dat stilistisch wel de voorkeur verdient boven de opsomming van 17,1, zodat Bihlmeyer dezelfde weglating (codex B) in *MPol* als „vielleicht richtig" beschouwt[51]. In § 41 maakt Eusebius door de toevoeging van τινές en de verandering van het werkwoord tot ὑπέβαλον de zin grammaticaal onafhankelijk van de vorige, terwijl in 17,2 ἀντίζηλος κτλ. nog steeds als onderwerp gedacht moet worden. Ook door de additie van εἶπον voor ὑποβαλλόντων in dezelfde passage construeert Eusebius de zin beter, daar deze bij de losse genitief ὑποβαλλόντων κτλ. nu een hoofdwerkwoord heeft. De genitiefconstructie in § 45 tenslotte

---

[49] De uitdrukking ἀναβλέψας εἰς τὸν οὐρανόν als inleiding tot een (dank)-gebed komt nog voor in *Martyrium Pionii* 21,2 en *Acta Felicis* 6,1 en zeer parallel aan *MPol* 9,2 in *Martyrium Cononis* 5,1: ὁ δὲ μακάριος μάρτυς στενάξας καὶ ἀναβλέψας εἰς τὸν οὐρανόν, πρὸς τὸν τῶν ὅλων θεὸν προσευξάμενος ... (vergelijk *ibid.* 6,3).

[50] SCHWARTZ, p. 13, houdt de lezing van Eusebius voor oorspronkelijk: „hic προσποιῆι δέ turbat periodum". Dit is niet zo wanneer men προσποιεῖ δέ als tweede lid van de voorwaardelijke voorzin verstaat, met andere woorden εἰ δὲ προσποιεῖ.

[51] BIHLMEYER, p. 129, *apparatus criticus*.

vermijdt de harde overgang van 19,1 : Πολύκαρπον ὅς en brengt de relatiefzin (ὅς μόνος…) later.

Uit dit alles blijkt dat Eusebius met een grote mate van vrijheid zijn bron(nen) citeert. Men moet er dus rekening mee houden dat, waar zijn tekst verschilt van *MPol*, hij niet noodzakelijk op een andere overlevering steunt.

In de verdere bespreking van variante lezingen zal het zelden voorkomen dat de tekst van Eusebius, met of zonder steun van M, de voorkeur kan wegdragen.

§ 3. *De Griekse indirecte tekstgetuigen*

Wij kunnen twee soorten indirecte (Griekse) tekstgetuigen onderscheiden : geschriften die op Polycarpus betrekking hebben (nrs. 1-4)[52],

---

[52] Andere indirecte getuigen worden opgesomd door MUELLER, p. 9-11 :

a. *Epistula Canonica* van Petrus van Alexandrië, Canon X (PG 18, col. 487). Müller twijfelt er sterk aan dat uit dit werk de kennis van *MPol* valt af te leiden. Zijn gegevens zijn echter niet geheel correct. Beter had hij verwezen naar Canon IX (PG 18, col. 484-485). Daarin wordt vanuit de Schrift het zichzelf aangeven in de vervolging afgekeurd en als voorbeeld worden Stefanus, Jakobus, Petrus en Paulus opgesomd. Hierbij wordt verwezen naar enkele teksten waarop ook in *MPol* gealludeerd wordt (*Mt* 26,55; 10,23), maar dit veronderstelt geenszins de kennis van *MPol* zelf (over de huidige vorm van de Canones, cf. BARDENHEWER II, p. 242-243).

b. Enkele capita uit de *Kerkgeschiedenis* van de Byzantijnse historicus Niceforus Callistus Xantopoulos (begin veertiende eeuw, PG 145, col. 965-973). Dit werk biedt in boek III, hoofdstukken 34-35 een aantal excerpten uit *MPol* volgens de versie van Eusebius, naar de vergelijking der teksten leert. Niceforus gebruikt naast andere bronnen Eusebius rechtstreeks, en niet onrechtstreeks door middel van een anonieme kerkgeschiedenis uit de tiende eeuw, zoals het voorgesteld wordt door K. KRUMBACHER, *Geschichte der byzantinischen Literatur*, dl. 1, 2de ed., München, 1896, p. 291; zie H. BECK, *Kirche und theologische Literatur im byzantinischen Reich*, München, 1959, p. 705-706 (zie literatuur p. 706, n. 1) en vooral G. GENTZ †-F. WINKELMANN, *Die Kirchengeschichte des Nicephorus Callistus Xanthopulus und ihre Quellen* (TU 98), Berlijn, 1966, p. 4-19; 57; 182-183. De tekst van *MPol* wordt geciteerd waar Eusebius het doet, namelijk de *inscriptio* tot 1,1 διωγμόν en vanaf 8,1 (Eusebius, *HE* IV,15,15). Ook voor de capita 2-7 wordt de parafrase van Eusebius gevolgd. Het citeren van *MPol* houdt op ongeveer dezelfde plaats op als bij Eusebius : bij 17,2 met nog een verwijzing naar 18,3 (Eusebius eindigt bij 19,1). Bovendien worden, aansluitend bij *MPol*, Eusebius' gegevens over de andere martelaars te Smyrna uit dezelfde periode overgenomen (boek III, hoofdstuk 36), met dezelfde woorden en wendingen als in Eusebius, *HE* IV,15,47-48. Hoewel Eusebius dus de basis vormt van het verhaal, vertelt de auteur van de *Kerkgeschiedenis* het op een eigen wijze, ook al zegt hij woordelijk te citeren (τούτοις δὲ κατὰ λέξιν ἡ περὶ αὐτοῦ γραφὴ ἐπιφέρει, bij de inzet van 8,1). Slechts het gebed van Polycarpus wordt weer κατὰ λέξιν weergegeven : op de inleiding en het slot van de doxologie na vrijwel de tekst van Eusebius, ook diens tekst bij het omstreden ἐν πνεύματι loco καὶ πνεύματι der Griekse handschriften. Daarna volgt nog vrij letterlijk *HE* IV,15,37-38 met weglating van καὶ ἦν μέσον tot πυρούμενος. Voor de tekstkritiek is deze versie ons inziens niet

en martyrologische geschriften die na *MPol* onstaan zijn en waarin *MPol* zo gebruikt is dat het voor de tekstkritiek interessant kan zijn (nrs. 5-6).

1. Een *Lofrede op Polycarpus* van de hand van een pseudo-Johannes Chrysostomus (BHG 1564). Fragmenten van deze lofrede behoren tot de leesbare gedeelten van een achttal palimpsestkaternen op het einde van een hagiografisch handschrift, dat door F. Cumont aan de *Koninklijke Bibliotheek* te Brussel geschonken werd en gecatalogeerd onder het nummer II,2407. Het geschrift van de palimpseststukken kan in de tiende of elfde eeuw gedateerd worden, althans volgens J. Bidez, die in 1900 een beschrijving van het handschrift publiceerde met de leesbare delen van de tekst[53]. De lofrede verwijst duidelijk naar *MPol*, vanaf het optreden van Polycarpus in het stadion tot zijn dood, met name naar 9,1; 13; 14,1; 15,1-2; 16,1. Bij de bespreking van de waarde voor de tekstkritiek is Bidez van mening dat de auteur van de lofrede de brief van de gemeente van Smyrna gelezen heeft „dans une version assez ancienne et encore très pure d'altérations"[54], meer dan eens in overeenstemming met M en Eusebius. Zijns inziens zijn volgende lezingen opmerkelijk :

13,1 συναγόντων MPEus; συναγαγόντων BCHV

13,1 om καὶ βαλανείων M

13,3 ἄσκυλτον M; ἀσκύλτως Eus; ἀσάλευτον BCHPV

14,1 προσέδησαν MEus; ἔδησαν BCHPV

14,1 ὁλοκαύτωμα CHMVEus; ὁλοκάρπωμα BP

16,1 περιστερὰ καί (onzekere lezing) BCHMPV; om Eus.

Funk, die de gegevens van dit handschrift nog niet in zijn *Patres Apostolici* (1901) kon opnemen, publiceerde achteraf de bovenvermelde

---

meer bruikbaar gezien de veelvuldige tussenkomsten van Niceforus. De gevallen waarin de tekst duidelijk van Eusebius afwijkt zijn dan ook niet als steun voor de tekst der Griekse codices te gebruiken. Bijvoorbeeld : de volgorde van de woorden van de hemelse stem in 9,1 klopt met die van de Griekse handschriften (behalve M) tegenover Eusebius' ἴσχυε καὶ ἀνδρίζου Πολύκαρπε; dit gebeurt echter in een sterk bewerkte versie van Polycarpus' intrede in het stadion, waarin het doublet van de huidige tekst is weggewerkt.

c. Een *Encomium* van Metrophanes van Smyrna (BHG 1563), uitgegeven door B. GEORGIADES in 'Εκκλησιαστικὴ ἀλήθεια 3 (1882/1883) 299-302 (ons niet toegankelijk).

[53] J. BIDEZ, *Description d'un manuscrit hagiographique grec palimpseste avec des fragments d'un panégyrique de saint Polycarpe attribué à saint Jean Chrysostome*, AcRoy BelgBLett, 1900, p. 579-624, inz. p. 586-605; vergelijk J. DE ALMADA, *Repertorium Pseudo-Chrysostomicum*, Parijs, 1965, p. 204.

[54] J. BIDEZ, *Description* (zie n. 53), p. 592.

lezingen van Bidez[55]. Hij is van mening dat, voor de duidelijke
lezingen, de overeenkomst met M de bestaande tekst van *MPol* niet
hoeft te wijzigen. Hij vindt dat het handschrift περιστερὰ καί van *MPol*
16,1 bevestigt, waardoor blijkt dat Funk onvoldoende rekening houdt
met het hypothetisch karakter van Bidez' lezingen. Kritischer is
A. Hilgenfeld[56], die geneigd is de Eusebiusversie als bron voor de
Lofrede te veronderstellen. Hij twijfelt dan ook meer dan Bidez aan
de aanwezigheid van περιστερὰ καί in 16,1. „Wird sie doch durch
φασίν von dem vorhergehenden genauen Berichte, welcher mindestens
aus Eusebius geschöpft ist, bestimmt unterschieden und zusammengestellt mit einer späteren christlichen Versammlung, welcher Polykarp
himmelhoch erschien. Auf alle Fälle hat Chrysostomos diese Taube
nicht zuversichtlich erwähnt"[57]. Ook E. Schwartz is zeer terughoudend :
„nihil fere proficitur homiliae cuiusdam Chrysostomo male ascriptae
ruderibus quae ... eruit J. Bidez"[58]. K. Bihlmeyer betrekt de fragmenten
voor het eerst bij een kritische editie in de nieuwe uitgave van Funks
Apostolische Väter. Ook hij is van oordeel dat de auteur van de
Lofrede MPol gebruikte „in einer der Moskauer Hs. nahestehenden
Fassung"[59]. Hij verwijst enkele malen naar deze getuige in het kritisch
apparaat, bij 13; 14,1; 15 en 16,1, dit wil zeggen de reeds door Bidez
gesignaleerde lezingen, benevens :

13,1 ante τῶν ἐργαστηρίων om τε PEus; τε BCHMV

13,2 πυρά MEus; πυρκαϊά BCHPV (πυρά is evenwel een onzekere
lezing)

14,1 τῷ ante θεῷ alle Griekse codices; om Eus

15,2 μάρτυρος BCMPVEus; ἀρχιερέως M

16,1 αἰμ[ατοει]δές; αἵματος de andere tekstgetuigen.

Ook Bihlmeyer is voorzichtig wat περιστερὰ καί in 16,1 betreft. In het
kritisch apparaat plaatst hij de aanduiding tussen haakjes (zoals πυρά
in 13,2).

De waarde van deze getuige mag dus niet overdreven worden :
slechts twee lezingen (προσέδησαν en ὁλοκαύτωμα in 14,1) zijn volgens
Bidez' reconstructie van de palimpsesttekst zeker. Voor het overige
is men aangewezen op gissingen.

---

[55] F.X. Funk, *Theologische Quartalschrift* 84 (1902) 479-480.
[56] A. Hilgenfeld, *Des Chrysostomos Lobrede auf Polykarp*, ZWT 43 (1902) 569-572; zie reeds AnBoll 20 (1901) 210-211.
[57] A. Hilgenfeld, *Des Chrysostomus Lobrede* (zie n. 56), p. 572.
[58] Schwartz, p. 5.
[59] Bihlmeyer, p. xliii.

2. *Vita Polycarpi* (BHG 1561), toegeschreven aan een pseudo-Pionius, is (onvolledig) bewaard in codex *Parisinus* 1452 (zie § 1,2). Het geschrift was reeds bekend aan P. Halloix, die het samen met *MPol* gebruikte in zijn levensbeschrijving van Polycarpus[60]. Bollandus publiceerde er een Latijnse vertaling van[61], waaruit Zahn enige excerpten toevoegde aan zijn editie van *MPol*[62]. Na L. Duchesnes *editio princeps*[63] volgden nog uitgaven van Funk, Lightfoot, Diekamp en Ruiz-Bueno[64]. Bollandus vermeldt dat in het manuscript *MPol* aan *Vita* voorafgaat en interpreteert de beginwoorden van *Vita* (ἐπανελθὼν ἀνωτέρω) als een verwijzing naar het martyrium[65]. In het manuscript zelf volgt evenwel het martyrium op *Vita*[66]. Oorzaak van deze vergissing is waarschijnlijk het feit dat de oorspronkelijke volgorde omgekeerd werd in het afschrift van de Griekse tekst dat werd gemaakt door Rosweyde en als basis diende voor de Latijnse vertaling van Bollandus[67].

Men neemt aan dat de auteur van het werk de Pionius is die zichzelf introduceert in *MPol* 22,3 als laatste schakel in de tekstoverlevering. Vrijwel iedereen is het erover eens dat dit personage de naam van de martelaar Pionius (gestorven onder de vervolging van Decius) heeft overgenomen om zijn geschrift meer geloofwaardigheid te verlenen[68]. Het werk ontstond waarschijnlijk tussen 350 en 400 : in een apologetisch

---

[60] P. HALLOIX, *Illustrium scriptorum* (zie n. 10), p. 542 (vergelijk LIGHTFOOT II 3, p. 423-424).

[61] J. BOLLANDUS, *ASS Januarii tom. III*, Parijs, 1863, p. 311-317. Wij gebruikten de ASS in de editie van Parijs. De eerste editie van onze tekst verscheen te Antwerpen in 1643; een tweede editie te Venetië in 1734 (*Vita: ASS Januarii tom. II*, p. 695-702). De indeling in volumes verschilt tussen de eerste twee edities en de derde. Over deze verschillen, zie H. DELEHAYE, *L'œuvre des Bollandistes* (zie n. 9), p. 166-173.

[62] ZAHN, p. 169-170.

[63] L. DUCHESNE, *Vita sancti Polycarpi Smyrnaeorum episcopi auctore Pionio primum graece edita*, Parijs, 1881; vergelijk M. BONNET, *Revue critique d'histoire et de littérature* 14 (1882) 361-365.

[64] F.X. FUNK, *Opera Patrum Apostolicorum*, dl. 2, Tübingen, 1881, p. 315-357 (Funk kon beschikken over de drukproeven van Duchesnes publikatie en was aldus in staat nog in hetzelfde jaar *Vita Polycarpi* te publiceren in de eerste uitgave van het volume over de verkeerdelijk aan de Apostolische Vaders toegeschreven werken); LIGHTFOOT II 3, p. 433-465; FUNK, dl. 2, p. 291-336; F. DIEKAMP, *Patres Apostolici*, dl. 2, Tübingen, 1913, p. 402-450; D. RUIZ-BUENO, *Padres apostolicos*, Madrid, 1950, p. 691-726.

[65] Cf. *ASS Januarii tom. III*, p. 307.

[66] Cf. F. HALKIN, *Manuscrits grecs de Paris* (zie n. 7), p. 162.

[67] Zie LIGHTFOOT II 3, p. 424; 426-431; vergelijk F. DIEKAMP, *Patres Apostolici* (zie n. 64), p. LXXXIV.

[68] LIGHFOOT II 3, p. 427-431; A. EHRHARD, *Die altchristliche Literatur und ihre Erforschung* (zie n. 41), p. 572; F. DIEKAMP, *Patres Apostolici* (zie n. 64), p. LXXXIV-LXXXV; HARNACK I 1, p. 71.

werk van Macarius Magnes, *Apokritikos* (ca. 400)[69], wordt duidelijk op enkele passages uit *Vita* gealludeerd. Bovendien lijkt hoofdstuk 12,3 van *Vita* afhankelijk van Eusebius' gegevens over de geschriften van Polycarpus (zie verder p. 68-69)[70]. *Vita* is dus te beschouwen als een hagiografische βίος πρὸ τοῦ μαρτυρίου[71], zonder historische waarde voor Polycarpus' tijd. Slechts voor de geschiedenis van de vierde eeuw kan het werk van enig belang zijn, bv. wat de bisschopskeuze betreft[72].

Ofschoon het probleem van de historische betekenis van *Vita* ons niet rechtstreeks bezighoudt, moeten wij de discussie daarover even volgen, want voor de tekstkritiek maakt het wel enig verschil indien *Vita* niet in de vierde eeuw, maar in de derde eeuw zou zijn ontstaan, zoals nog verdedigd werd in het begin van deze eeuw. Toen kwam P. Corssen, gevolgd door E. Schwartz[73], tot de conclusie dat *Vita* wel degelijk afkomstig was uit de tijd van de martelaar Pionius. Corssen trachtte dit vooral aan te tonen op grond van overeenkomsten tussen *Vita Polycarpi* en *Martyrium Pionii*. Hij was van oordeel dat *Vita* de onbetrouwbaarheid van Irenaeus' bericht over Johannes als apostel van Klein-Azië bewees. Instemming vond hij slechts bij C. Erbes[74]. Een negatieve reactie kwam vrijwel onmiddellijk van A. Hilgenfeld[75]. Deze karakteriseerde *Vita* met dezelfde woorden als die waarmee Corssen de Irenaeustekst beschreven had : „ein dreiste Fälschung". De

---

[69]	Zie LIGHTFOOT II 1, p. 561-562 en de inleiding in de verschillende edities van Funk.

[70]	Cf. F. DIEKAMP, *Patres Apostolici* (zie n. 64), p. LXXXVII. Uit de anti-quarto-decimaanse en anti-montanistische houding van de auteur van *Vita* (hoofdstuk 2) inzake de paasdatum valt voor de datering weinig met zekerheid af te leiden. Cf. L. DUCHESNE, *Vita sancti Polycarpi* (zie n. 63), p. 9-10 (tegen Zahn).

[71]	Aldus DELEHAYE, p. 24.

[72]	Alleen Zahn was geneigd te aanvaarden dat *Vita* enkele betrouwbare gegevens overlevert, cf. ZAHN, p. L; ID., *Zur Biographie des Polykarpus und des Irenäus*, in *Forschungen zur Geschichte des neutestamentlichen Kanons*, dl. 4, Erlangen, 1891, 249-283, inz. p. 265; ID., *Apostel und Apostelschüler in der Provinz Asien*, in *Forschungen zur Geschichte des neutestamentlichen Kanons*, dl. 6, Erlangen-Leipzig, 1900, p. 94-109, inz. p. 96-97; 101; ID., *Irenäus von Lyon*, in *Realencyklopädie für protestantische Theologie und Kirche* 9 (1901) 401-411, inz. p. 409 (vergelijk N. BONWETSCH, *ibid.*, 15 [1904] 537); *Zu Makarius von Magnesia*, ZKG 2 (1878) 450-459, inz. p. 454-457; GGA 1 (1882) 289-305.

[73]	P. CORSSEN, *Die Vita Polycarpi*, ZNW 5 (1904) 266-302; SCHWARTZ, p. 24.

[74]	C. ERBES, *Der Jünger, welchen Jesus lieb hatte*, ZKG 36 (1916) 283-318, p. 301-302. Wat de vroege datering, maar niet de historische waarde, betreft werden Corssen en Schwartz aanvankelijk gevolgd door O. STAEHLIN, *Geschichte der griechischen Literatur*, 5de ed., München, 1913, p. 1077, n. 6, maar later komt hij erop terug, zie STAEHLIN, p. 1253, n. 6.

[75]	A. HILGENFELD, *Eine dreiste Fälschung in alter Zeit und deren neuesten Verteidigung*, ZWT 48 (1905) 444-458.

andere negatieve reacties tegen Corssen en Schwartz kunnen worden samengevat met de woorden van Bihlmeyer : ,,so bedeutete dies einen starken Fehlgriff der philologischen Kritik" [76]. Desondanks bleef de kwestie doorwerken in de literatuur. Zo wilde onder meer B. H. Streeter, blijkbaar zonder kennis van de tegenargumenten van Schmidt en Delehaye [77] en reagerend op Lightfoot, de waarde van *Vita* bewijzen [78]. C. J. Cadoux meende, met een beroep op Corssen en Schwartz, de latere kritiek te kunnen weerleggen [79]. Dit heeft niet belet dat de recente auteurs zich kritisch uitlaten over *Vita* [80].

Welk is dan het belang van *Vita* voor de tekstkritiek van *MPol*? Het valt te betwijfelen of het wonder van de duif in 21,2, te vergelijken met *MPol* 16,1, een echte parallel is en bijgevolg de aanwezigheid van περιστερὰ καί zou bevestigen. In *Vita* daalt de duif neer op Polycarpus als teken van zijn uitverkiezing tot bisschop, wat te vergelijken is met Eusebius, *HE* VI,29,3, waar hetzelfde gebeurt bij de verkiezing van Fabianus tot bisschop van Rome. Het gaat om een ander symbool dan in *MPol* 16,1, waar de duif die uit Polycarpus' lichaam komt op het ogenblik van zijn dood naar het weggaan van de ziel of de geest verwijst (zie nog p. 99-100). Op dit punt is niets met zekerheid te besluiten over de tekst van *MPol* die de auteur van *Vita* kende (zie p. 64-69).

Van de duidelijke reminiscenties aan *MPol* (cf. 6,1 ; 12,1 en *MPol* 13,2 ; 18,3 en *MPol* 9,2 ; 28,4 en *MPol* 12,2) is alleen van enige waarde voor de tekstkritiek :

[76] BIHLMEYER, p. XLI; vergelijk nog BARDENHEWER II, p. 671; REUNING, p. 6-8; F. DIEKAMP, *Patres Apostolici* (zie n. 64), p. LXXXV-LXXXVIII; LELONG, p. LXII.

[77] C. SCHMIDT, *Gespräche Jesu mit seinen Jüngern nach der Auferstehung. Ein katholisch-apostolisches Sendschreiben des 2. Jahrhunderts* (TU 43), Leipzig, 1919, p. 705-725; DELEHAYE, p. 22-46, inz. p. 37-43 tegen Corssen; verder nog A. HARNACK, *Die Mission und Ausbreitung des Christentums in den ersten drei Jahrhunderten. II. Die Verbreitung*, 4de ed., Leipzig, 1924, p. 782, n. 3.

[78] B. H. STREETER, *The Primitive Church*, Londen, 1929, p. 94-95; 164-171; P.N. HARRISON, *Polycarp's Two Epistles to the Philippians*, Cambridge, 1936 schijnt Streeters beoordeling van *Vita* te volgen (p. 18, 309). Tegen Streeter, zie P. MEINHOLD, *Polykarpos*, PWK 21,2 (1952) 1662-1693, inz. col. 1681.

[79] C.J. CADOUX, *Ancient Smyrna*, Oxford, 1938, p. 306-310; tegen Cadoux : P. DEVOS, AnBoll 57 (1939) 143.

[80] R. AIGRAIN, *L'hagiographie. Ses sources, ses méthodes, son histoire*, Parijs, 1953, p. 156; F.M. BRAUN, *Jean le théologien et son évangile dans l'église ancienne* (Études Bibliques), Parijs, 1959, p. 343-345; H. von CAMPENHAUSEN, *Polykarpos*, RGG 5 (1961) 449; J.A. FISCHER, *Polykarpos*, LTK 5 (1963) 597; STUIBER, p. 52; K. BIHLMEYER-H. TUECHLE, *Kirchengeschichte*, dl. 1, 18de ed., München, 1966, p. 177; SCHOEDEL, p. 72; 80-81.

6,3 : νύκτωρ τε καὶ μεθ᾽ ἡμέραν ἑαυτὸν ὅλον δι᾽ ὅλου ὥσπερ καθω-
σιωμένον ὁλοκαύτωμα προσενήνοχε θεῷ,
te vergelijken met *MPol* 14,1, dezelfde lezing bij CHMV Eus ps-Chr.

Het eigenlijke belang van *Vita* voor de tekstkritiek van *MPol* ligt
in de verder uiteen te zetten hypothese van het *Corpus Polycarpianum*
(zie p. 63-70).

3. Een βίος καὶ μαρτύριον τοῦ ἁγίου Πολυκάρπου is een derde
indirecte tekstgetuige, die Bihlmeyer niet vermeldt. Het geschrift is
bewaard in codex 376, fol. 106-108v (BHG 1562) van de bibliotheek
van de Heilige Synode te Moskou (nu in het *Historisch Museum van
de Staat*)[81]. Het gaat om een epitome over leven en dood van Polycarpus ten tijde van Decius[82]. *MPol* wordt in dit geschrift enkele
malen geciteerd op een wijze die aansluit bij de groep BCHPV :
καὶ ἀνδρίζου Πολύκαρπε (loco Πολύκαρπε καὶ ἀνδρίζου) met de
toevoeging μετὰ σοῦ γάρ εἰμι (CV in *MPol* 9,1)[83]
ὁ τῆς ἀσεβείας διδάσκαλος (loco ὁ τῆς Ἀσίας διδάσκαλος in *MPol*
12,2)
ἀσάλευτον (BCHPV; ἄσκυλτον M; ἀσκύλτως Eus, in *MPol* 13,3)
De kennis van *MPol* blijkt uit de gevangenneming door „de irenarch
Herodes onder Filippus de hogepriester en onder het proconsulaat
van Trallianos". De passage berust op het samenbrengen van Τραλλια-

---

[81] VLADIMIR, *Sistematičeskoe opisanie rukopisej* (zie n. 29), p. 563; vergelijk C.F.
DE MATTHAEI, *Accurata notitia* (zie n. 29), p. 120; A. EHRHARD, *Forschungen zur
Hagiographie* (zie n. 22), p. 155; ID., *Die griechischen Martyrien*, Straatsburg, 1907, p. 24;
ID., *Die altchristliche Literatur und ihre Erforschung* (zie n. 41), p. 572-573. De tekst is
uitgegeven door B. LATYŠEV, *Menologii anonymi Byzantini saeculi X quae supersunt*,
dl. 1, St. Petersburg, 1911, p. 123-126 (herdruk 1970). Voor andere uitgaven cf. BHG
1562; de belangrijkste vóór Latyšev is die van A. PAPADOPOULOS-KERAMEUS, Ἀνα-
κοινώσεις ἐξ ἱστορίας τῆς Σμυρναϊκῆς Ἐκκλησίας, St. Petersburg, 1894, p. 6-9.
(B. LATYŠEV, *Menologii anonymi quae supersunt*, p. VI, n. 3 deelt mee dat het werk van de
Griekse geleerde in feite te Smyrna verschenen is).

[82] Zie daarvoor DELEHAYE, p. 100. Dezelfde late datering van de dood van Poly-
carpus vindt men in *Synaxarium Ecclesiae Constantinopolitanae*, zie H. DELEHAYE, *Acta
Sanctorum. Propylaeum ad Acta Sanctorum Novembris*, Brussel, 1902, col. 485; vergelijk
LIGHTFOOT II 1, p. 651 (tekst *ibid.*, p. 577). Ook het *Synaxarium* put zijn kennis over
Polycarpus uit *Vita*.

[83] De additie μετὰ σοῦ εἰμί vindt men nog in *Martyrium Matthaei* 10 (ed. M. BONNET,
Acta apostolorum apocrypha, dl. 2, Leipzig, 1898, p. 228), waar Jezus aan Matteüs
verschijnt en zegt μετὰ σοῦ εἰμι τοῦ σῴζειν σε Ματθαῖε· ἴσχυε καὶ ἀνδρίζου (vergelijk
Hnd 18,9-10). De oproep tot sterkte wordt een *topos* in de latere martyria, cf. DELEHAYE,
p. 214, en de teksten geciteerd *ibid.*, noten 3, 4, 5, 6. In *Acta Nestoris* is het eveneens een
stem uit de hemel die de woorden spreekt : φωνὴ οὐρανόθεν ἐνέχθη αὐτῷ λέγουσα·
Ἀνδρίζου καὶ ἴσχυε, cf. het citaat bij FUNK, p. 323; men merke nog de additie van
λέγουσα na ἐγένετο op in *codices* CV.

νοῦ ἀνθυπατεύοντος in plaats van de verbinding van de naam met het voorafgaande Φιλίππου. Die lezing lijkt slechts mogelijk wanneer na ἀνθυπατεύοντος de naam Στατίου Κοδράτου zou ontbreken, wat het geval is in codex P. Men kan bijgevolg veronderstellen dat althans voor deze passage βίος MPol gekend heeft in een tekstvorm die met die van P overeenstemt.

Andere verwijzingen zijn het feit dat Filippus weigert wilde dieren op Polycarpus los te laten, de rol van de Joden bij het verzamelen van de brandstapel, het niet vastmaken van Polycarpus op zijn verzoek (vergelijk MPol 13,3 en βίος : ἄφετε … ὁ γὰρ δούς … πρὸς ὑπομονήν), de beschrijving van Polycarpus als een offerdier (14,1), het wonder van het vuur en het vermelden van het brood en het goud en de merkwaardige geur (15,1), tenslotte de grote hoeveelheid bloed die de martelaar verliest (16,1) en het opzettelijk verhinderen van de begrafenis (17-18).

Merkwaardig is πολιᾷ (loco μαρτυρίας 13,2) zoals bij Eusebius (genitief) en de afwezigheid van het wonder van de duif. Tevens blijkt dat *Vita Polycarpi* bekend is[84]. Het menologium waartoe de tekst behoort werd door Ehrhard als na-metafrastisch gekarakteriseerd, met deze bijzonderheid evenwel dat sommige teksten op oudere „Vorlagen" kunnen teruggaan. Dit zou het geval zijn voor deze βίος καὶ μαρτύριον[85]. Wanneer die stelling juist is, zou onze tekst een getuige kunnen zijn van een mengvorm in de overlevering van *MPol*, die naast de lezingen van de BCHPV-groep kenmerken bevat van de Eusebiaanse versie. Het is echter moeilijk de reële waarde van de lezingen van deze getuige na te gaan : berusten zij op afhankelijkheid van de bekende hand-

---

[84] EHRHARD III, p. 353; F. DIEKAMP, *Patres Apostolici* (zie noot 64), p. LXXXVIII (van de uitgevers schijnt Diekamp de enige te zijn die het bestaan van deze βίος heeft opgemerkt). Naar *Vita Polycarpi* verwijzen de vermelding van Boukolos die Polycarpus als bisschop voorafging, en het regenwonder. De mening van Papadopoulos dat het geschrift teruggaat op een tot dan toe onbekende bron van dezelfde aard als het *Encomium* van Metrophanes van Smyrna (zie n. 52) wordt terecht afgewezen in AnBoll 15 (1896) 86-87; vergelijk MUELLER, p. 8. De besprekingen van de *Bulletin des publications hagiographiques* in AnBoll zijn voor een groot deel van de hand van H. Delehaye, die pas vanaf 1903 met de initialen H.D. signeerde. Met betrekking tot onze literatuur zijn de hier aangehaalde anonieme besprekingen waarschijnlijk voor het grootste deel van hem, cf. P. PEETERS, *Le R.P. Hippolyte Delehaye*, in H. DELEHAYE, *Les légendes hagiographiques*, 4de ed. (SH 18), Brussel, 1955, p. XXXIX; vergelijk p. XV-XVI.

[85] EHRHARD III, p. 342-355; vergelijk *Forschungen zur Hagiographie* (zie n. 22), p. 117. Over de rol van Simeon Metaphrastes in de overlevering van de Byzantijnse hagiografie, zie A. EHRHARD in K. KRUMBACHER, *Geschichte der byzantinischen Literatur I* (zie n. 52), p. 200-203; EHRHARD II, p. 306-318; H.G. BECK, *Kirche und theologische Literatur* (zie n. 52), p. 570-575.

schriften, of zijn zij toe te schrijven aan de hand van de auteur van het epitome? Zo komt bv. het bovenvermelde πολιᾷ voor in een zin die slechts van verre herinnert aan het einde van 13,2 (ἵστατο μὲν οὖν ὁ τοῦ χριστοῦ ἀρχιερεὺς πολιᾷ καὶ συνέσει κεκοσμημένος...). Βίος gebruikt ook het werkwoord ὁλοκαρποῦν op een plaats waar de lezing ὁλοκάρπωμα in BP verschilt van het normalere ὁλοκαύτωμα, maar daarom is dit nog niet evident terug te voeren op de aanwezigheid van de eerste lezing in de tekst van *MPol* die de auteur van het epitome ter beschikking had.

4. Het *Chronicon Paschale* (ca. 630) is een belangrijk en door veel uitgevers gebruikt werk. Het sluit op enkele punten aan bij Eusebius[86], maar het moet voor de chronologische gegevens (die Eusebius niet vermeldt) het afzonderlijk overgeleverd martyrium gekend hebben[87]. Met Eusebius komen overeen:

9,1 Πολύκαρπε καὶ ἀνδρίζου (M) loco καὶ ἀνδρίζου |Πολύκαρπε
9,1 πολλοί loco οἱ παρόντες
9,3 δουλεύω (M) loco ἔχω δουλεύων

Tenslotte geven ook nog twee latere martyria enige informatie over de tekst van *MPol*:
5. *Martyrium Sabae*[88] (tweede helft van de vierde eeuw)[89]. Reeds Halloix merkte op dat dit geschrift de *inscriptio* van *MPol* getrouw nabootst[90], evenwel met omissie van πάντα in de uitdrukking κατὰ πάντα τόπον (en van ἀπό voor θεοῦ, M). Belangrijker zijn de overeenkomsten met *MPol* op het einde van het martyrium (8,3), waarin *MPol* 20,1-2 op een eigen wijze verwerkt wordt. De gebruikte tekst van *MPol* komt in enkele gevallen overeen met lezingen van M:

20,1 τὸν ἐκλογὰς ποιούμενον (M) loco ποιοῦντα ἀπό ... BHP
20,2 εἰσαγαγεῖν τῇ ἑαυτοῦ χάριτι (M) loco ἐν τῇ ἑαυτοῦ χάριτι BHP

---

[86] De afhankelijkheid van Eusebius is vooral te merken aan de bijgevoegde notitie over de Pergameense martelaren (Eusebius, *HE* IV,15,48). Ook het begin verwijst naar Eusebius, vergelijk *HE* IV,15,1 μεγίστων τὴν Ἀσίαν ἀναθορυβησάντων διωγμῶν en *Chronicon Paschale* μεγίστων τὴν Ἀσίαν ἀνασοβησάντων διωγμῶν; verder de in *Chronicon Paschale* aan de passage over het martyrium voorafgaande anecdote aangaande de ontmoeting van Polycarpus met Marcion, vergelijk *HE* IV,14,7.

[87] Zie de tekst bij LIGHTFOOT II 1, p. 568-569 (ed. L. DINDORF, Bonn, 1832, dl. 1, p. 479-481); verder p. 649-650.

[88] Zie de tekst in H. DELEHAYE, *Saints de Thrace et de Mésie*, AnBoll 31 (1912) 161-300, inz. p. 216-221; = RUHBACH, p. 119-124.

[89] Cf. H. DELEHAYE, *Saints de Thrace et de Mésie* (zie n. 88), p. 291.

[90] P. HALLOIX, *Illustrium scriptorum* (zie n. 10), p. 594; dit werd opgemerkt door ZAHN, p. 132 en na hem door FUNK, p. 315.

20,2 ἐπουράνιον βασιλείαν (M) loco αἰώνιον βασιλείαν BHP
20,2 δόξα τιμή κτλ. (M) loco ᾧ ἡ δόξα κτλ. BHP.
Hoe weinig ook met zekerheid uit deze enkele gevallen af te leiden valt, toch lijkt het dat ten tijde van het ontstaan van *Martyrium Sabae MPol* in de versie van codex M bekend was.

6. Ook in het *Martyrium Olbiani*[91], dat recent door F. Halkin uitgegeven werd, komen enkele passages uit *MPol* voor. Vooral het einde van het geschrift, over de begrafenis van de martelaar, is geschreven in bewoordingen die rechtstreeks ontleend zijn aan *MPol* 18,2-3; 19,1; 20,1 en 21. Opvallend is ook hier de affiniteit met lezingen van M :

18,2 ἀκολουθῶς (M) loco καὶ ἀκόλουθον ἦν
18,3 om ἔνθα (M)
  om τήν (ante τῶν προηθληκότων) (MP)
  προηθληκότων (MPEus) loco ἠθληκότων B αὐτοῦ CHV
19,2 θεόν (M) loco τὸν θεὸν καί
  παντοκράτορα (hs. B van Mart. Olb.) (M) om BCHPV
20,1 ποιούμενον (M) loco ποιοῦντα ἀπό BHP
Merkwaardig is evenzeer de afwijking van de lezingen van M in enkele duidelijke gevallen[92] :
18,3 μαρτυρίου loco μάρτυρος M
17,3 συγκοινωνούς PEus loco κοινωνούς BHM
21 μαρτυρεῖ BHP loco ἐμαρτύρησεν M
21 om τοῦ κυρίου ἡμῶν BHP, maar ook manuscript B van *Martyrium Olbiani* laat deze woorden weg.

Uit deze gegevens kan men besluiten dat de tekstoverlevering van *MPol* gevarieerder geweest is dan men geneigd zou zijn te denken op grond van de nu bekende directe getuigen. Meer materiaal is (nog) niet bekend. De andere martyria waarop *MPol* invloed heeft uitge-

---

[91] F. HALKIN, *La passion inédite de S. Olbianos, évêque d'Anaea*, AnBoll 93 (1975) 29-37.
[92] Het einde van het geschrift staat voor de doxologie dichter bij (door het liturgisch gebruik beïnvloede) formules van andere martelaarsakten. Vergelijk :

Martyrium Olbiani	Acta Apollonii 47	Martyrium Pionii 23
κατὰ δὲ ἡμᾶς βασιλεύοντος τοῦ Κυρίου ἡμῶν Ἰησοῦ Χριστοῦ	κατὰ δὲ ἡμᾶς βασιλεύοντος τοῦ Κυρίου ἡμῶν Ἰησοῦ Χριστοῦ	κατὰ δὲ ἡμᾶς βασιλεύοντος τοῦ Κυρίου ἡμῶν Ἰησοῦ Χριστοῦ
Martyrium Olbiani	Acta Carpi 47	
ᾧ ἡ δόξα καὶ τὸ κράτος νῦν καὶ ἀεὶ καὶ εἰς τοὺς αἰῶνας τῶν αἰώνων.ἀμήν.	αὐτῷ...ἡ δόξα καὶ τὸ κράτος ... νῦν καὶ ἀεὶ καὶ εἰς τοὺς αἰῶνας τῶν αἰώνων.ἀμήν.	

oefend (onder meer *Acta Carpi, MLugd, Martyrium Pionii*)[93] laten niet toe iets te concluderen aangaande de tekst van *MPol* die hun bekend was.

§ 4. *De vertalingen*

1. De Latijnse *Passio Polycarpi*

De overlevering van de Latijnse *Passio Polycarpi* is vrij omvangrijk. Nochtans kende men voor het einde van de vorige eeuw slechts een beperkt aantal handschriften. De *Passio* werd uitgegeven door Bollandus op basis van codex *Maximini Trevirensis* (nu *Parisinus latinus* 9741), codex *Audomarensis* en lezingen uit codex *Chiffletianus*[94]. Ussher gaf op zijn beurt de Latijnse vertaling van *MPol* uit aan de hand van twee andere codices: *Sarisburiensis* en *Cottonianus*[95]. Ruinart gebruikte voor zijn editie van de martelaarsakten de tekst van Ussher met verwijzing naar de manuscripten *Colbertinus* en *Pratellensis*[96]. In de addenda spreekt hij eveneens over een codex *Carmelitarum Excalcea-torum*[97], die later door Harnack met een *Parisinus* (*Bibliothèque de l'Arsenal* 996)[98] geïdentificeerd werd. Voor de editie van Zahn, de laatste uitgave van de *Passio*, werd van de acht bekende manuscripten gebruik gemaakt[99]. Daarna publiceerde Harnack nog nieuw materiaal uit enkele handschriften uit de *Bibliothèque Nationale* te Parijs[100]. Harnack onderscheidde de volgende tekstvormen[101]: Rufinus' ver-taling van *HE* IV,15, met excerpten uit *HE* over Polycarpus (aldus in

---

[93] Zie infra hoofdstuk V, § 1 over de invloed van *MPol* op de latere martelaarsakten; tevens DELEHAYE, p. 223; 309, en boven n. 83.

[94] *ASS Januarii tom. III*, p. 307; 320.

[95] J. USSHER, *Ignatii et Polycarpi martyria* (zie n. 6), p. 13-30. Deze vertaling werd herdrukt door T. ITTIG, *Bibliotheca Patrum Apostolicorum graeco-latine*, dl. 3, Leipzig, 1699, p. 418-431.

[96] T. RUINART, *Acta primorum martyrum sincera et selecta*, Parijs, 1689, p. 23-24, en volgende edities (onder meer 2de ed., 1713, zie p. 28).

[97] *Ibid.*, p. 708 (2de ed.).

[98] A. HARNACK, *Zur Geschichte der Verbreitung der Passio S. Polycarpi im Abend-lande*, in *Die Zeit des Ignatius*, Leipzig, 1878, p. 75-90, inz. p. 86.

[99] ZAHN, p. LIII-LVI. De Latijnse vertaling die Funk naast de uitgave van de Griekse tekst afdrukt is een getrouwe weergave van het Griekse *MPol*, niet de Latijnse *Passio* (F.X. FUNK, *Opera Patrum Apostolicorum*, dl. 1, Tübingen, 1881, p. 283-309; FUNK, p. 315-345).

[100] Cf. HARNACK, *Zur Geschichte* (zie n. 98).

[101] Cf. *Ibid.*; HARNACK I 1, p. 74-75; vergelijk LIGHTFOOT II 3, p. 358-360; MUELLER, p. 11-13.

Parisinus latinus 5568), en de zelfstandige vertaling volgens de Griekse tekst van de *Passio*. Bij de laatste zijn volgende groepen te onderscheiden : 1. De volledige *Passio* : codex *Audomarensis, Parisinus latinus* 9741, *Sarisburiensis, Cottonianus*. 2. Tot ongeveer hoofdstuk 19 van de Griekse tekst (wat practisch overeenkomt met het einde van de *Passio* bij Rufinus) : codex *Chiffletianus*. 3. Tot hoofdstuk 13 : codex *Parisinus latinus* 17003, 5291, 5341. 4. Tot hoofdstuk 13, met toevoeging van een excerpt uit Rufinus : *Parisinus Arsenal* 996 en *Pratellensis*. Sommige handschriften bevatten zowel de Rufinus-versie als de zelfstandige vertaling, aldus *Parisinus latinus* 17003, 5291, 5341.

De handschriftencatalogi van de Bollandisten [102] brachten nieuwe

---

[102] Wij geven in chronologische volgorde de catalogen die handschriften van de *Passio* bevatten :

HAGIOGRAPHI BOLLANDIANI, *Catalogus codicum hagiographicorum bibliothecae regiae Bruxellensis I. Codices latini membranei* (SH 1), Brussel, 1886-1889.

C. DE SMEDT, *Catalogus codicum hagiographicorum bibliothecae civitatis Carnotensis*, AnBoll 8 (1889) 86-208.

HAGIOGRAPHI BOLLANDIANI, *Catalogus codicum hagiographicorum latinorum antiquiorum saeculo XVI qui asservantur in bibliotheca nationali Parisiensi* (SH 2), Brussel, 1889-1893.

F. VAN ORTROY, *Catalogus codicum hagiographicorum latinorum bibliothecae Ambrosianae Mediolanensis*, AnBoll 11 (1892) 205-368.

J. VAN DEN GHEYN, *Catalogus codicum hagiographicorum latinorum bibliothecae publicae Cenomanensis*, AnBoll 12 (1893) 43-73.

A. PONCELET, *Catalogus codicum hagiographicorum qui Vindobonae asservantur in bibliotheca privata serenissimi caesaris Austriaci*, AnBoll 14 (1895) 231-283.

A. PONCELET, *Catalogus codicum hagiographicorum latinorum bibliothecae publicae Duacensis*, AnBoll 20 (1901) 361-470.

A. PONCELET, *Catalogus codicum hagiographicorum latinorum bibliothecae publicae Rotomagensis*, AnBoll 23 (1904) 129-275.

H. MORETUS, *Catalogus codicum hagiographicorum latinorum bibliothecae Bollandianae*, AnBoll 24 (1905) 425-472.

A. PONCELET, *Catalogus codicum hagiographicorum latinorum bibliothecarum Romanarum praeter quam Vaticanae* (SH 9), Brussel, 1909.

A. PONCELET, *Catalogus codicum hagiographicorum latinorum bibliothecae Vaticanae* (SH 11), Brussel, 1910.

A. PONCELET, *Catalogus codicum hagiographicorum latinorum bibliothecarum Neapolitanarum*, AnBoll 30 (1911) 137-251.

H. MORETUS, *Catalogus codicum hagiographicorum latinorum bibliothecae scholae medicinae in universitate Montepessulanensi*, AnBoll 34 (1915) 228-305.

A. PONCELET, *Catalogus codicum hagiographicorum latinorum bibliothecae capituli Novariensis*, AnBoll 43 (1925) 330-376.

A. PONCELET, *Catalogus codicum hagiographicorum latinorum bibliothecae capituli ecclesiae cathedralis Beneventanae*, AnBoll 51 (1933) 337-377.

M. COENS, *Catalogus codicum hagiographicorum latinorum bibliothecae civitatis Treverensis*, AnBoll 52 (1934) 157-285.

J. VAN DER STRAETEN, *Manuscrits hagiographiques de Bourges*, AnBoll 85 (1967) 75-112.

J. VAN DER STRAETEN, *Les manuscrits hagiographiques d'Arras et de Boulogne-sur-Mer*,

codices aan het licht, die wij hier, voor zover mogelijk, met behulp van de *Bibliotheca hagiographica latina*[103] trachten te ordenen. Wij volgen hierbij Harnacks indeling :

1. De volledige *Passio* (cf. BHL 6870) vindt men in :

codex *Augensis* 32, fol. 106-108v (RömQ 1908,21)

codex *Arras* 600, fol. 32-34v (SH 50,48)

codex *Bibl. Alexandrina* 91, fol. 936-938 (SH 9,143)

codes *Trevirensis* 1152, fol. 235-237v (AB 52,211)

codex *Trevirensis* 1179, fol. 35-37v (AB 52,244)

codex *Rotomagensis* U 28, fol. 221-225v (AB 23,172)

De catalogi duiden volgende codices aan als overeenkomend met BHL 6870 :

codex *Bibl. Caes. austr.* 9394, fol. 218-220 (AB 14,261)

codex *Cenomanensis* 214, fol. 219v-222 (AB 12,48)

codex *Parisinus lat.* 5306, fol. 63v-64 (SH 2,2,46)

codex *Parisinus lat.* 5318, fol. 136-137 (SH 2,2,177)

codex *Parisinus lat.* 5319, fol. 215-217 (SH 2,2,185-186)

codex *Parisinus lat.* 11749, fol. 210v-213 (SH 2,3,15)

codex *Parisinus lat.* 14650, fol. 128-130v (SH 2,3,257)

codex *Parisinus lat.* 16737, fol. 149-150 (SH 2,3,357)

codex *Parisinus lat. N.A.* 2179, fol. 45-48 (SH 2,3,477)

codex *Charleville* 254 I, nr. 32, fol. 116v-121

2. Met hoofdstuk 19 van de Griekse tekst eindigt codex *Carnotensis* 190, fol. 54v-56 (AB 8,114) zoals *Chiffletianus*.

3. Eindigen met hoofdstuk 13 (BHL 6871) :

codex *Rotomagensis* U 67, fol. 228v-230v (AB 23,203)

codex *Carnotensis* 150, fol. 99-101 (AB 8,138)

codex *Carnotensis* 192, fol. 40-41v (AB 8,144)

codex *Carnotensis* 193, fol. 86v-88v (AB 8,170)

---

avec quelques textes inédits (SH 50), Brussel, 1971.

B. DE GAIFFIER, *Catalogue des passionnaires de la bibliothèque capitulaire de Bourges*, in *Recherches d'hagiographie latine* (SH 52), Brussel, 1971, p. 77-124.

F. DOLBEAU, *Le légendrier de l'Abbaye cistercienne de Clairmarais*, AnBoll 91 (1973) 273-286.

J. VAN DER STRAETEN, *Les manuscrits hagiographiques de Charleville, Verdun en Saint-Mihiel* (SH 56), Brussel, 1974.

Wat codex *Augensis* betreft moet verwezen worden naar K. KUENSTLE, *Eine wichtige hagiographische Handschrift*, RömQ 22 (1908) 17-29.

[103] A. PONCELET, *Bibliotheca hagiographica latina* (SH 5-6), Brussel, 1900-1901; ID., *Supplementum secundae editionis* (SH 12), Brussel, 1911. Zie ook A. SIEGMUND, *Die Ueberlieferung der griechischen christlichen Literatur in der lateinischen Kirche bis zum zwölften Jahrhundert*, München, 1949, p. 248.

4. Dicht bij de vorige tekstvorm staan :
codex *Parisinus lat.* 5280, fol. 103v-105v, (des. „facere non solebat")
(SH 2,1,488)
codex *Parisinus lat.* 5300, fol. 61-62 (SH 2,2,22), die, zoals *Parisinus lat.* 17003, 5291 en 5341 een excerpt uit Gregorius van Tours, *In gloria martyrum* c. 85[104], toevoegt.
codex *Montepessulanensis* 22, fol. 205-206v (AB 34,242)
5. De vorm van de *Passio* die na hoofdstuk 13 nog excerpten uit Rufinus toevoegt zou ook te vinden zijn in codex *Arch. S. Petri in Vaticano A* 2, fol. 215v-218 (SH 9,5); cf. BHL 6872b.
6. Codex *Montepessulanensis* 22 combineert de versie van Rufinus met de zelfstandige *Passio* (cf. p. 48-49) met als bindtekst het fragment van Gregorius van Tours, *In gloria martyrum* c. 85.
7. Codex *Arras* 281, fol. 103-104v (SH 50,25) moet een mengvorm van de zelfstandige vertaling en de versie van Rufinus bevatten.

Talrijker nog zijn de manuscripten die de *Passio* bevatten in de versie van Rufinus. Wij geven de lijst volgens de tekstvormen aangeduid in BHL :
6873 : codex *Parisinus lat.* 5292, fol. 203-206 (SH 2,1,559)
    codex *Parisinus lat.* 5318, fol. 137-138v (SH 2,2,178)
    codex *Parisinus lat.* 5319, fol. 212v-215 (SH 2,2,195)
    codex *Parisinus lat.* 14650, fol. 130-134v (SH 2,3,257)
    codex *Hag. Boulogne-sur-Mer* 101, fol. 42v-45v (SH 50,134)
6873a : codex *Rotomagensis U* 67, fol. 230v-233 (AB 23,203)
6874 : codex *Beneventanus* V, fol. 96-101 (AB 51,354)
    codex *Vaticanus lat.* 9499, fol. 200v-201 (SH 11,238)
6875 : codex *Bruxellensis* 9119, fol. 77-78v (SH 1,2,270)
    codex *Bruxellensis* 11550-55, fol. 212v-214 (SH 1,2,404)
    codex *Parisinus lat.* 5269, fol. 83-86 (SH 2,1,407)
    codex *Parisinus lat.* 11756, fol. 145-146v (SH 2,3,64)
    codex *Parisinus lat.* 12613, fol. 202-205 (SH 2,3,167)
    codex *Bruxellensis D. Phill.* 12461, fol. 192-194 (SH 1,2,524)
6875a : codex *Casanatensis* 718, fol. 145v-146 (SH 9,233)
6876 inc ⎫
6875 des ⎭ codex *Duacensis* 840, fol. 73-75 (AB 20,395)
    codex *Duacensis* 846, fol. 46v-50v (AB 20,402)
    codex *Rotomagensis U* 35, fol. 119-121 (AB 23,180)
    codex *Vaticanus Ottob.* 120, fol. 160-162v (SH 11,417)
    codex *Vaticanus lat. Reg. Suec.* 541, fol. 56-57v (SH 11,365)
6876 : codex *Clairmarais tom. A* 29 (AB 91,297)
6877 : codex *Neapolitanus VIII.B.* 5, fol. 11-15v (AB 30,159)
    codex *Vallicellanus VI* fol. 213v-216v (SH 9,314)
    codex *Vaticanus lat.* 1197, fol. 135-137 (SH 11,65)

---

[104] Zie voor de tekst LIGHTFOOT II 1, p. 568 (= Migne).

6877 inc } codex *Pass. Lucques G*, fol. 55v-58 (SH 52,112)
6873 des

6878 : codex *Parisinus lat.* 5312, fol. 41v-43v (SH 2,2,83)
6879 : codex *Bruxellensis* 581, fol. 92v-94v (SH 1,1,255)
    codex *Bruxellensis* 9742, fol. 66v-69 (SH 1,2,358)
6880 : codex *Parisinus lat.* 791, fol. 111v-116 (SH 2,3,575)
6880 inc } codex *Vaticanus lat.* 1188, fol. 80-82v (SH 11,31)
6875 des

6881 : codex *Parisinus lat.* 5231, fol. 134-136v (SH 2,1,390-391)
6881a : codex *Bollandianus* 5, fol. 145v-146v (AB 24,430)
        codex *Vaticanus lat. Burghes* 297, fol. 37-38v (SH 11,144)

Van een viertal codices wordt in de catalogi nog vermeld dat zij „ex Rufino" zijn :
codex *Ambros. Mediolanus A.* 251inf, fol. 53v-56 (AB 11,23), die aan de *Passio* nog excerpten uit *HE* V,20 en V,24 over Polycarpus toevoegt;
codex *Novariensis* XXVII, fol. 77v-78v (AB 43,343)
codex *Parisinus lat.* 16737, fol. 147-149 (SH 2,3,357)
codex *Parisinus lat.* 17004, fol. 176v-179 (SH 2,3,389)
Een Rufinustekst van *MPol* is ook bewaard in het *Legendarium van Wissemburg* te Hannover[105].
Een viertal andere codices kunnen wij met geen enkele vorm identificeren :
codex *Bibl. Caes. austr.* 9394, fol. 218-220 (AB 14,261)
codex *Bibl. Caes. austr.* 9397a, fol. 166v-168v (AB 14,36)
codex *Carnotensis* 473 tom. I, fol. 85-87 (AB 8,193)
codex *Trevirensis* 1146, fol. 12v-13v (AB 52,189)

Alles samen vinden wij vierentwintig nieuwe codices die het zelfstandig overgeleverde martyrium bevatten, naast zesendertig handschriften met de Rufinustekst. Deze laatste zijn van minder belang. Men moet evenwel rekening houden met het feit dat de Rufinustekst de overlevering van de zelfstandige *Passio* heeft beïnvloed[106].

Het nieuwe materiaal maakt het moeilijk verder nog genoegen te nemen met de tekstuitgave van Zahn. Er zal eerst een nieuwe editie van de *Passio* moeten komen voor zij nog met zekerheid voor het herstellen van de Griekse tekst kan aangewend worden[107]. In haar geheel wordt de *Passio* evenwel van weinig belang geacht voor de Griekse tekst,

---

[105] Cf. G. PHILIPPART, *Catalogues récents de manuscrits*, AnBoll 92 (1974) 173-206, inz. p. 196.

[106] Cf. A. HARNACK, *Zur Geschichte* (zie n. 98), p. 82.

[107] Het belang hiervan kan nog verduidelijkt worden door het volgende voorbeeld : BP wijken af van de andere Griekse codices en Eusebius door ἐν Φιλαδελφίᾳ te lezen in de *inscriptio* loco ἐν Φιλομηλίῳ. De laatste lezing is ook die van de Latijnse handschriften van de *Passio* door Zahn gebruikt, behalve codex *Pratellensis* die *Philadelphia* leest. De Latijnse *Passio* steunt dus niet unaniem de meest waarschijnlijke Griekse lezing. Het blijkt integendeel dat de Latijnse overlevering niet tot één model van de Griekse terug te brengen is.

vanwege haar parafraserend karakter[108]. Daarom vond Lightfoot, die nochtans alle mogelijke materiaal verzamelde, het overbodig ze in zijn werk over de Apostolische Vaders op te nemen[109].

2. De Oosterse vertalingen

Men kent een Armenische, een Syrische, een Koptische en een Oud-Slavische vertaling van *MPol.*

De *Armenische vertaling* verscheen in 1874 in een verzameling van legenden en werd later door P. Vetter vergeleken met de Armenische vertaling van *HE*, uitgegeven door P. A. Dschari[110]. Volgens Vetter werd deze vertaling uit de Armenische Eusebiusvertaling overgenomen en door de samensteller van het corpus van de Armenische martyrologische teksten ingekort en veranderd[111]. De betekenis van deze vertaling werd door H. Müller verregaand overschat[112]. Hetzelfde geldt voor zijn beoordeling van de Syrische en Koptische vertalingen. De problematiek van de verhouding van de Armenische vertaling van *MPol* tot de Armenische *HE* en de verhouding van deze laatste tot de Syrische vertaling van hetzelfde werk kan hier niet behandeld worden[113].

---

[108] Cf. O. GEBHARDT, *Collation* (zie n. 30), p. 355, n. 1; BIHLMEYER, p. XLIII; LIGHTFOOT II 3, p. 360; FUNK, p. CVI : „Interpres enim, nisi forte aliam textus recensionem habuit, liberrime vertit, modo omittens, modo addens, et saepe magis metaphrasin quam versionem exhibens". Funks reserve, namelijk de mogelijkheid dat de Latijnse vertaling afhankelijk zou zijn van een geheel andere Griekse versie, wordt door Zahn waarschijnlijker geacht dan de parafrase-opvatting (ZAHN, p. LIV : „... aut, quod veri similius est, graecus textus, quo ille usus est, toto coelo distabat ab eo, quem ex Eusebio et graecis actorum codicibus recognoscimus").

[109] LIGHTFOOT II 3, p. 360; vergelijk HARNACK I 1, p. 75.

[110] Zie Anon., *Vitae et passiones sanctorum selectae ex eclogariis II*, Venetië, 1874, p. 233-238 (aldus BHO nr. 999); P. VETTER, *Ueber die armenische Uebersetzung der Kirchengeschichte des Eusebius*, in *Theologische Quartalschrift* 63 (1881) 250-276; cf. nog MUELLER, p. 14.

[111] P. VETTER, *Ueber die armenische Uebersetzung* (zie n. 110), p. 255. Recent publiceerde M. VAN ESBROECK, *La passion de saint Gordius de Césarée*, AnBol 94 (1976) 357-386, een Armenische *passio* die in de beschrijving van de vuurdood van de martelaar opvallend met *MPol* 15 overeenkomt. Ook het gebed van Gordius heeft vele punten van overeenstemming met dat van Polycarpus (*MPol* 14); zie zijn opmerkingen *ibid.*, p. 361-362. Het geheel van de *passio* sluit aan bij de lofrede van Basilius van Caesarea op de martelaar Gordius.

[112] MUELLER, p. 15; tegen Müller : REUNING, p. 4-6; B. SEPP, *Das Martyrium Polycarpi* (zie n. 36), p. 31-32.

[113] Cf. P. VETTER, *Ueber die armenische Uebersetzung* (zie n. 110), p. 250-254; E. NESTLE, *Die Kirchengeschichte des Eusebius aus dem Syrischen übersetzt* (TU 21,2), Leipzig, 1901, p. VI-VII; MUELLER, p. 25-30; REUNING, p. 4.

De *Syrische vertaling* werd in 1896 uitgegeven door P. Bedjan in zijn verzameling van Syrische martelaarsakten op basis van de handschriften BM Add 14650, fol. 73 e.v. en BM Add 14641, fol. 146 e.v., gecollationeerd met het verhaal van Eusebius in de Syrische vertaling van *HE* (bewaard in BM Add 14639)[114]. Zahn meende dat deze Syrische vertaling de zelfstandig overgeleverde tekst zou weergeven[115]. Dat dit een vergissing is werd reeds opgemerkt door Lightfoot, met verwijzing naar de cataloog van W. Wright[116], die de Syrische tekst als een excerpt uit *HE* beschrijft. Wrights werk leert trouwens dat in de handschriften die het Syrische *MPol* bevatten, de tekst door andere fragmenten uit *HE* voorafgegaan wordt.

De *Koptische (Bohairische) vertaling* werd in 1924 uitgegeven door Balestri en Hyvernat. Zij gebruikten het handschrift *Vaticanus copt.* 58, fol. 79-89v[117]. Lightfoot kende deze versie door een transcriptie van Guidi, maar publiceerde ze niet, gezien het een vertaling van de tekst van Eusebius betreft, die vooral bij het begin en op het einde bewerkt is[118]. E. Amélineau echter publiceerde reeds in 1886 een Koptische vertaling van *MPol* uit een *Vaticanus copt.* 66[119]. Volgens deze uitgever zou de Koptische vertaling afhankelijk zijn van de Griekse tekst en het origineel zelfs dichter benaderen dan de bewaarde Griekse handschriften. A. Harnack trekt deze opvatting sterk in twijfel[120]. Hij merkt op dat Amélineau de tekst van Eusebius uit het oog verliest en dat Lightfoot

---

[114] P. BEDJAN, *Acta martyrum et sanctorum*, dl. 6, Parijs, 1896, p. VI; tekst p. 56-67. Cf. ook E. NESTLE, TLZ 21 (1896) 420.

[115] ZAHN, p. LIV, n. 2; 157.

[116] Cf. W. WRIGHT, *Catalogue of the Syriac Manuscripts in the British Museum*, dl. 3, Cambridge, 1872, p. 1045a en 1104a; vergelijk W. WRIGHT-N. MCLEAN, *The Ecclesiastical History in Syriac*, Cambridge, 1898, p. VII; E. NESTLE, *Die Kirchengeschichte* (zie n. 113), p. VII en BHO nr. 998. Vergelijk nog LIGHTFOOT II 3, p. 360-361; HARNACK I 1, p. 75; MUELLER, p. 13-14.

[117] I. BALESTRI-H. HYVERNAT, *Acta martyrum*, dl. 2 (CSCO 86), Leuven, 1924, p. 62-72; 363-364. Het handschrift wordt reeds gesignaleerd door G. ZOEGA, *Catalogus codicum copticorum manuscriptorum qui in museo Borgiano Velitris adservantur*, Rome, 1810, p. 133; vergelijk ook de herdruk, Hildesheim, 1973, „avec une introduction historique et des notes bibliographiques par J.M. Sauget" (= *Le Muséon* 85(1972)25-63), p. XX*). In de cataloog wordt op de vermelde pagina het *incipit* gegeven.

[118] LIGHTFOOT II 3, p. 361, waar het *incipit* staat afgedrukt; vergelijk BARDENHEWER II, p. 670.

[119] E. AMELINEAU, *Les actes coptes du martyre de St. Polycarpe*, in *Proceedings of the Society of Biblical Archeology* 10(1888)391-417. BHO nr. 997 schijnt deze aanduiding te volgen.

[120] A. HARNACK, TLZ 14(1889)30-31; vergelijk HARNACK I 2, p. 817; A. EHRHARD, *Die altchristliche Literatur und ihre Erforschung* (zie n. 41), p. 572; FUNK, p. CV, n. 4.

reeds de Koptische vertaling als de Eusebiustekst herkende. De uit-weiding over de persoon van Polycarpus bijvoorbeeld gaat duidelijk terug op Eusebius, *HE* IV,14,3-4. Ook de beschrijving van het hand-schrift als een *Vaticanus copt. 66* is problematisch. De tekst door Amélineau gepubliceerd is namelijk identiek met die van *Vaticanus copt. 58*. Harnack houdt rekening met de mogelijkheid van twee identieke vertalingen, die afzonderlijk overgeleverd werden. Ter staving wijst hij op het verschil in datering van het prescript : ,,29 mechir" bij Lightfoot (Balestri-Hyvernat), ,,9 mechir" bij Amélineau. Müller kon echter laten nagaan dat het om eenzelfde handschrift ging[121]. De datering bij Amélineau moet dus een fout zijn, wat verder bevestigd wordt door een toevoeging van de Koptische vertaler elders in de tekst, waarin van 29 mechir sprake is. Het belang dat Müller aan deze tekst hecht, kan niet aanvaard worden. Een aantal verklarende toevoegingen in de Koptische tekst bewijzen voldoende het secundaire karakter van deze vertaling.

Een *Oud-Slavische vertaling*, bekend door drie handschriften, wordt vermeld door N. Bonwetsch en H. Müller[122]. Volgens de gegevens van Bonwetsch is het moeilijk vast te stellen over welke tekst het gaat. Twee van de drie handschriften hebben als titel *Leven en lijden van de heilige martelaar Polycarpus* enz. Bonwetsch noteert slechts : ,,Soll fast wörtlich dem Text der gedrückten Menäen des Demetrius von Rostow entsprechen"[123].

---

[121] MUELLER, p. 16.
[122] N. BONWETSCH, in HARNACK I 2, p. 892; vergelijk MUELLER, p. 18.
[123] N. BONWETSCH, in HARNACK I 2, p. 892.

TEKSTUITGAVE

§ 1. *De bestaande uitgaven*

1. De oudere edities

De Griekse tekst van *MPol* was bekend aan P. Halloix [124] die er in 1633 gebruik van maakte voor zijn beschrijving van het leven van Polycarpus [125]. J. Bollandus vertaalde de Griekse tekst van dezelfde codex (*Mediceus*, dit is de huidige *Parisinus graecus* 1452) in het Latijn voor zijn uitgave van de *Passio Polycarpi* [126]. In Engeland gaf J. Ussher in 1647 de volledige Griekse tekst uit volgens codex *Baroccianus* [127]. De noten bevatten, naast historische gegevens, ook varianten uit Eusebius en de oude Latijnse vertaling. Ussher kent het bestaan van codex P: „in Medicaeo Regis Gallorum...codice" [128]. De editie van J.S. Cotelier, die voor het eerst de *Sancti Patres qui temporibus apostolicis floruerunt* samenbracht (1672) en de heruitgave van zijn werk door J. Clericus (1698) waren bepalend voor de tekstuitgave van *MPol* tot in de negentiende eeuw [129]. Cotelier volgt de editie van Ussher, maar in de noten besteedt hij, zoals Ussher zelf, ook aandacht aan de tekst van Eusebius en de oude Latijnse vertaling. Op één plaats herstelt hij de tekst zelf volgens die vertaling: in hoofdstuk 21 leest hij Κοδράτου loco Κοράτου. De werken van T. Ittig (1699) [130] en T. Ruinart [131] hernemen de tekst van Cotelier. Ittig kent de varianten van V uit de catalogus

---

[124] Zie hoofdstuk I, § 1 bij codex *Parisinus*.

[125] P. HALLOIX, *Illustrium scriptorum* (zie n. 10), p. 582.

[126] *ASS Januarii tom. III*, p. 317-320.

[127] J. USSHER, *Ignatii et Polycarpi martyria* (zie n. 6), p. 13-30.

[128] J. USSHER, *Ignatii et Polycarpi martyria* (zie n. 6), ongepagineerd voorwoord.

[129] J.B. COTELIER, *Sanctorum patrum qui temporibus apostolicis floruerunt opera edita et inedita*, dl. 2, Parijs, 1672, p. 1019-1027, en latere edities, vanaf 1698 door J. Clericus. Wij gebruikten de editie van Amsterdam, 1724. Over de edities van Cotelier, Clericus en Ittig zie J.A. FISCHER, *Die ältesten Ausgaben der Patres Apostolici. Ein Beitrag zu Begriff und Begrenzung der Apostolischen Väter*, in *Historisches Jahrbuch* 94 (1974) 157-190; 95 (1975) 88-119, over *MPol* zie jg. 94, p. 168-169; 174; 176; 189-190.

[130] T. ITTIG, *Bibliotheca Patrum Apostolicorum* (zie n. 95), dl. 3, p. 392-417.

[131] T. RUINART, *Acta primorum martyrum* (zie n. 96), 2de ed., p. 37-46.

van Lambecius van de Weense keizerlijke bibliotheek, maar maakt er geen gebruik van [132].

Het is typisch voor deze tijd dat men meer aandacht heeft voor de Latijnse tekst dan voor de Griekse : de eerste editie van Ruinart (1689) bevat alleen de Latijnse tekst van *MPol*[133]. De Griekse wordt pas in de tweede postume editie (1713) afgedrukt. In de ongepagineerde inleiding wordt gezegd : „Accesserunt praeterea amicorum iussu De Martyrio Polycarpi epistola Ecclesiae Smyrnensis, graece cum versione latina Cotelerii, huiusque et Usserii notis". Het is de Griekse tekst van codex *Baroccianus*. De omissie van B in 19,2 ('Ιησοῦν tot ἡμῶν) wordt in de noten vanuit de Latijnse vertaling aangevuld [134]. In de uitgave van T. Smith (1709) vindt men de door Ittig opgemerkte varianten uit codex V vermeld [135]. De catalogus van Lambecius drukt namelijk een fragment af van het begin (*inscriptio* en 1,1 tot ὅστις) en het slot volgens de verkorte versie van V (19,1 τοιαῦτα...ἀμήν) [136]. Dezelfde varianten worden nog gebruikt door A. Gallandi (1756) [137]. De algemene situatie dat men in de Griekse tekstuitgaven hoofdzakelijk de tekst van codex B terugvindt, met af en toe veranderingen of emendaties vanuit Eusebius of de Latijnse vertaling, wordt er niet door gewijzigd.

De langst bekende codex, codex P, die reeds in de zeventiende eeuw door Rosweyde was beschreven, kreeg pas direct belang voor de Griekse tekst in de tekstuitgave van W. Jacobson (1838), die een volledige collatie van de toen bekende handschriften B, P en V maakte [138]. Zijn grond-tekst is B, maar deze wordt niet minder dan vijfenvijftig maal veranderd of geëmendeerd volgens lezingen van P en V, Eusebius of de Latijnse vertaling. Zowel de editie van J. Hefele (1842) als die van A. R. M. Dressel (1856) hernemen Jacobsons tekst nagenoeg zonder wijzingen [139].

[132] T. ITTIG, *Bibliotheca Patrum Apostolicorum* (zie n. 95), p. 290.
[133] Zie boven n. 96.
[134] T. RUINART, *Acta primorum martyrum* (zie n. 96), p. 51; deze noten (p. 46-52) hernemen die van Ussher en Cotelier.
[135] T. SMITH, *S. Ignatii epistolae genuinae*, Oxford, 1709, p. 62-75; 2de ed., Basel, 1741, p. 167-190.
[136] P. LAMBECIUS, *Commentariorum de augustissima bibliotheca caesaris Vindobonensi*, dl. 8, Wenen, 1679, p. 88.
[137] A. GALLANDI, *Bibliotheca veterum patrum antiquorumque scriptorum ecclesiastico-rum*, dl. 1, Venetië, 1765, p. XCIV : „secutus Smithum"; tekst p. 613-622.
[138] W. JACOBSON, *Patrum Apostolicorum quae supersunt*, dl. 2, Oxford, 1838. Wij gebruiken de 3de ed. van 1847, zie p. 584-639 voor *MPol*.
[139] C. J. HEFELE, *Patrum Apostolicorum Opera*, Tübingen, 1842; wij gebruikten de 3de ed. van 1847, zie p. 274-299; J. P. MIGNE, *Patrologia Graeca*, dl. 5, Parijs, 1857,

Het oordeel van Bihlmeyer dat Hefele zich nog hoofdzakelijk met de tekst van Cotelier tevreden stelde, moet tenminste wat *MPol* betreft genuanceerd worden [140].

2. De edities na 1875

Gebhardts collatie van codex M, gepubliceerd in 1875, wijzigde die situatie grondig. Omwille van de overeenkomsten van deze codex met de Eusebiustekst zal M algemeen als de belangrijkste Griekse codex beschouwd worden. Dat blijkt duidelijk uit Zahns kritische editie (1876) en de eerste uitgaven van Funks *Opera Patrum Apostolicorum* [141]. Kort daarop ontdekt J. Rendel Harris codex H. Lightfoot gebruikte hem voor de tweede editie van zijn *Apostolic Fathers* (1889) [142]. Funks nieuwe editie van *MPol* in *Patres Apostolici* (1901) steunt op het toen bekende materiaal [143]. Enigszins apart staat de uitgave van de Ignatiusbrieven en de Polycarpusgeschriften door A. Hilgenfeld (1902), die met betrekking tot *MPol* het belang van codex M bestrijdt en B als de voornaamste codex beschouwt [144].

Uit het begin van deze eeuw zijn nog een aantal handuitgaven te vermelden, die alle op een van de boven aangehaalde *editiones maiores* van Zahn, Lightfoot of Funk teruggaan. Het gaat om uitgaven van de Apostolische Vaders (de *editiones minores* van Zahn en Lightfoot en de werken van Funk, Rauschen, Lelong en Lake) [145], of om uitgaven van martelaarsakten (de werken van Knopf en Gebhardt) [146].

col. 1029-1045, drukt de tekst van Hefele af. A.R.M. DRESSEL, *Patrum Apostolicorum Opera*, Leipzig, 1857, p. 391-407, inz. p. 391 : „Jacobsonum in criticis fere repetivi".

[140] BIHLMEYER, p. IX.

[141] Zie ZAHN, p. LV; F.X. FUNK, *Opera Patrum Apostolicorum*, dl. I., Tübingen, 1881, p. 282-303. Het eerste volume (met de authentieke geschriften van de *Patres*) van dit tweedelige werk van Funk dat de uitgave van Hefele vernieuwde, werd reeds in 1878 een eerste maal uitgegeven met de vermelding „post Hefelianam quartam quinta", een aanduiding die later verdween. Wij gebruiken de editie van 1881.

[142] Cf. LIGHTFOOT II 3, p. 357. Het feit dat Lightfoot codex H kon gebruiken wordt uit het oog verloren door H. Delehaye die Funk als eerste vermeldt (AnBoll 21(1902)83); vergelijk boven p. 31.

[143] FUNK, p. 314-345.

[144] A. HILGENFELD, *Ignatii Antiocheni et Polycarpi Smyrnaei epistulae et martyria*, Berlijn, 1902, zie p. XXI; tekstuitgave p. 56-70.

[145] Zie O. GEBHARDT-A. HARNACK-T. ZAHN, *Patrum Apostolicorum Opera*, 4de ed., Leipzig, 1902; J.B. LIGHTFOOT-J.B. HARMER, *The Apostolic Fathers*, Londen, 1907, en de in de bibliografie vermelde uitgaven van LELONG, die de tekst van *MPol* aan Funk ontleent, LAKE, FUNK en RAUSCHEN.

[146] R. KNOPF, *Ausgewählte Märtyrerakten*, Tübingen 1901; nieuwe editie door G. KRUEGER (1929) die de tekst van Bihlmeyer afdrukt (cf. *ibid.*, p. 8).

O. GEBHARDT, *Acta martyrum selecta*, Berlijn, 1902; hij benut de edities van Zahn en Lightfoot (p. VI).

3. De recente handuitgaven

Fundamenteel voor de huidige studie van *MPol* is de nieuwe uitgave die Bihlmeyer in 1924 van Funks *editio minor* van de Apostolische Vaders bezorgde [147]. Hij voegde er een nieuw, uitgebreid kritisch apparaat aan toe en kon de lezingen van een nieuwe codex (C) opnemen. Belangrijk is bij Bihlmeyer de invloed van een studie van Schwartz over de tekst van *MPol*[148], waarin de lezingen van codex M het grootste gewicht kregen. Ofschoon Funk zelf in de tweede editie van zijn *Apostolische Väter* tegen Schwartz' opvatting reageerde en slechts drie van diens suggesties opnam [149], veranderde Bihlmeyer op verschillende plaatsen Funks tekst overeenkomstig de voorstellen van Schwartz [150]. In zijn apparaat herneemt Bihlmeyer de gegevens van Funk. Hij voegt er de lezingen van C aan toe en die van pseudo-Chrysostomus. Af en toe worden de stellingnamen van Schwartz en Reuning genoteerd, alsook de positie van Zahn, Lightfoot, Funk en Hilgenfeld. De studie van de handschriften liet ons toe het apparaat van Bihlmeyer op enkele plaatsen te corrigeren :

p. 121 lijn 21 lees τοῦ b̲h

p. 123 lijn 16 lees ἠβουλήθη c̲h̲mv : ἐβ. b

lijn 22 lees πρὸς ἀνατολάς m

p. 125 lijn 7 lees τόν² mpvE

p. 129 lijn 7 lees καί² chmpv

lijn 9-10 schrap (τον b?)

lijn 13 lees ὑπέβαλεν m

ὑπέβαλεν οὖν ὡ̲ς̲ πονηρός h

lijn 15 lees ἄρξονται b̲h̲pv

p. 130 lijn 3 schrap na m : (v?), lees λεγομένων cv.

De latere uitgaven van Lazzati, Camelot en Ruhbach hernemen de tekst van Bihlmeyer [151]. De recente uitgave van *MPol* door H. Musurillo

---

[147] K. Bihlmeyer, *Die Apostolischen Väter. Neubearbeitung der Funkschen Ausgabe*, Tübingen, 1924.

[148] E. Schwartz, *De Pionio et Polycarpo*.

[149] F.X. Funk, *Die Apostolischen Väter*, 2de ed., 1906, p. xxix.

[150] Bihlmeyer, p. xlvi. De lezingen waar Bihlmeyer Schwartz volgt zijn : 2,3 : ζωήν, ἐνέβλεπον 2,4 : δυνηθείη 4 : προσιόντας ἑαυτοῖς 7,2 : ὁρώντων, εἰ 8,1 : τῶν καί 8,3 : προθύμως 9,2 : ὦν 10,2 : καὶ λόγου ἠξίωκα 13,2 ἐν παντὶ γάρ 16,2 Πολύκαρπος 17,2 : καὶ ταῦτα.

[151] Zie de bibliografie. De uitgave van Camelot met Griekse tekst verscheen voor het eerst in 1951 (daarna in 1958 en 1969). G. Ruhbach bezorgde de 4de editie van Knopf-Krueger, zonder wijzigingen aan de tekst. In de vroegere edities van hetzelfde werk

wijkt opmerkelijk af van Bihlmeyers tekst, zoals zal blijken uit de bespreking van de varianten in § 3 [152].

verwees Knopf slechts bij 7,2 παρόντων naar het voorstel van Schwartz ὁρώντων.
Krüger nam, zoals gezegd, de tekst van Bihlmeyer over. Hij vermeldt in noot vier variante lezingen, die ook door Ruhbach hernomen worden : 7,2 ὁρώντων/παρόντων 8,1 τῶν καί 13,2 πολιᾶς/μαρτυρίας 14,3 πνεύματι/ἐν πνεύματι.
Het apparaat van CAMELOT is iets omvangrijker en duidt vooral aan wanneer Bihlmeyers tekst van die van Eusebius afwijkt. Men kan nog opmerken dat in 12,1 het accent van κηρύξαι (Bihlmeyer) in κηρῦξαι veranderd wordt, tegen BLASS-DEBRUNNER-REHKOPF, nr. 13, n. 3. Drukfouten zijn 7,2 ὡρώντων (ὁ-), 18,2 χρυσίου (-ν), *epilogus Mosquensis* ἀντιγράφου (-ων).

[152] MUSURILLO, p. xiv beschrijft zijn uitgave als ,,adapted from" Bihlmeyer.

§ 2. Het tekstkritisch probleem

Wij hebben reeds gewezen op het belang dat gehecht wordt aan de
overeenkomsten van de Eusebiustekst met de lezingen van codex M.
Dit wordt door Gebhardt geformuleerd en door Zahn overgenomen [153].
Toch zijn Zahn en nadien Funk zich bewust van de onvolkomenheden
van codex M. Zahn formuleert het principe van zijn tekstreconstructie
dan ook vrij algemeen : ,,In recensendo martyrio eam secutus sum
rationem, ut quod ab Eusebio una cum uno vel altero codice graeco
traditum inveni, reliquorum lectionibus plerumque praeferrem" [154].
Funk is het daarmee eens : ,,Eandem viam ego quoque ingressus sum.
Sed aliquoties alia lectio mihi recipienda esse videbatur" [155]. Later
meende Schwartz te moeten vaststellen dat de eigenlijke waarde van
codex M onvoldoende erkend was : ,,... neque tamen qui epistulam
edidere, postquam codex ab O. de Gebhardt inventus est, novis eius
lectionibus ita uti ausi sunt sicut debuerunt" [156]. Inderdaad, onder
meer Funk was in zijn nieuwe uitgave *Patres Apostolici* van 1901
voorzichtiger geworden in de beoordeling van M : ,,Attamen vitiis
haud paucis laborat, et codices alterius familiae ei plerumque antepo-
nendi esse videntur" [157], en het was vooral tegen Funk dat Schwartz
reageerde [158]. De nadruk op het belang van codex M en Eusebius
leidde bij Schwartz tot het veronderstellen van een aantal interpolaties,
die in de meeste gevallen onaanvaardbaar zijn (zie hoofdstuk III).

Bihlmeyer formuleerde een tamelijk streng tekstkritisch principe :
,,Bei der Herstellung des Textes ist davon auszugehen, dass das Zu-
sammentreffen von m und E, namentlich wenn noch b und p dazutreten,
als günstiges Kriterium für die Ursprunglichkeit einer Lesart gelten
darf" [159]. Maar in feite is hij verplicht een meer eclectisch standpunt in

---

[153] O. GEBHARDT, *Collation* (zie n. 30), p. 363; ZAHN, p. LV.

[154] ZAHN, *ibidem*; vergelijk LIGHTFOOT II 3, p. 358; ,,As Eusebius is much the earliest
authority for the text of this document, so he is the most valuable; and, wherever he is
confirmed by any one other authority, we can (as a rule) have little doubt about
accepting his reading". Het gewicht van de lezingen van Eusebius komt ook tot uiting
in de presentatie van de tekst bij Lightfoot, waarin op sommige plaatsen de lezingen
van de Griekse codices tussen haakjes voorkomen vooral omdat Eusebius daar afwijkt :
inscr. [τοῦ] Κυρίου om C H Eus 7,2 ἀκούσας οὖν [αὐτούς] om Eus 14,1 ὁ θεὸς [ὁ] om
HMP Eus 14,2 χριστοῦ [σου] om P Eus 14,3 [ἡ] δόξα om M Eus 16,1 [περιστερὰ καί]
om Eus 16,2 [Πολύκαρπος] om Eus 19,1 [μᾶλλον] add Eus.

[155] F.X. FUNK, *Opera Patrum Apostolicorum* (zie n. 141), p. XCIX.

[156] SCHWARTZ, p. 4.

[157] FUNK, p. CVI.

[158] BIHLMEYER, p. XLIV.

[159] BIHLMEYER, p. XLIII.

te nemen. Dat brengt hem tot een meer evenwichtige beoordeling van M, die op sommige plaatsen toch nog voor verbetering vatbaar blijft[160]. Wel is voor Bihlmeyer het samengaan van codex M en Eusebius nog dikwijls een voldoende reden om de lezing van de andere Griekse codices te verwaarlozen.

Vooraleer aan de hand van een aantal varianten na te gaan of deze voorkeur wel steeds rechtmatig is (zie § 3), moeten wij nog even ingaan op de voornaamste reden voor het belang dat gehecht wordt aan M en Eusebius. De negatieve houding ten opzichte van de codices die *MPol* bevatten is ongetwijfeld het gevolg van de door Lightfoot verdedigde theorie over het *Corpus Polycarpianum*[161]. Reeds P. Halloix[162] identificeerde de auteur van *Vita Polycarpi* met de Pionius die aan het woord komt in *MPol* 22,3. Bollandus neemt deze opvatting over en beschouwt *MPol* 22 als het ware als de overgang tussen *Martyrium* en *Vita*, waarvan de beginwoorden ἐπανελθὼν ἀνωτέρω het verhaal over Polycarpus voor zijn dood zouden opnemen en de band met het voorafgaande *Martyrium* verstevigen[163]. Deze interpretatie van de beginwoorden is, zoals boven reeds opgemerkt werd[164], te wijten aan de verkeerde voorstelling die Bollandus had van de volgorde van *Vita* en *Martyrium* in het handschrift. Nog voor de publikatie van de Griekse tekst van *Vita* kwamen zowel Hefele als Dressel tot hetzelfde besluit als Bollandus[165]. Volgens Zahn moet er zelfs een vollediger

---

[160] Vergelijk J. SIMON, AnBoll 43(1925)157 : „Vingtquatre variantes ont été introduites dans le texte de Funk. Toutes ne sont peut-être pas également heureuses". Bihlmeyer blijft teveel onder de invloed van Schwartz' voorkeur voor M. Interessant in dat verband is de reactie van Bardy aan te halen op Schwartz' principe van tekstuitgave van Eusebius' *Historia Ecclesiastica*. Daarvoor baseert Schwartz zich op het consequent volgen van één tekstfamilie. „On n'a pas le droit, dans ces conditions, de donner une confiance exclusive à un seul groupe; les manuscrits BD eux-mêmes, auxquels Schwartz donne la préférence, ont été en certains cas interpolés, si bien que l'éditeur ne peut pas se contenter d'accepter par principe la leçon d'un groupe, en rejetant celle d'un autre. L'éclectisme seul peut lui dicter sa conduite qui sera différente selon les cas" (BARDY IV p. 133).

[161] Zie LIGHTFOOT II 1, p. 642-645; II 2, p. 423-431.

[162] P. HALLOIX, *Illustrium scriptorum* (zie n. 10), p. 542.

[163] *ASS Januarii tom. III*, p. 307. Maar reeds M. LENAIN DE TILLEMONT, *Mémoires pour servir à l'histoire ecclésiastique des six premiers siècles*, dl. 2, Brussel, 1732, p. 303, toont zich sceptisch tegenover deze auteurshypothese van Halloix en Bollandus. In een recentere periode wordt deze scepsis nog slechts gedeeld door REUNING, p. 7-8.

[164] Zie boven hoofdstuk I, § 3,2.

[165] Zie HEFELE, p. LXXIV; DRESSEL, p. XXXVIII; F.X. FUNK, *Opera Patrum Apostolicorum* (zie n. 141), p. XCVI-XCVII; Funk geeft hier nog geen blijk van kennis van de Griekse tekst van *Vita Polycarpi*, maar verwijst naar Hefele en Zahn (p. 166-167); vergelijk *ibid.*, p. 307; in deel 2 van hetzelfde werk kon hij dank zij de uitgave van *Vita* door

versie van *Vita* bestaan hebben, waarin wat in *MPol* 22,3 aangekondigd wordt ook is beschreven. Lightfoot leidde uit het verband tussen *MPol* 22 en *Vita* een nieuwe hypothese af : *MPol* heeft geen plaats gehad voor of na *Vita*, maar in *Vita*. Het gedeelte dat na *MPol* nog moest volgen is verloren (Lightfoot wijst hier op de lacunes in het manuscript), maar men kan tot het bestaan ervan besluiten uit de aankondiging in *MPol* 22,3 : καθὼς δηλώσω ἐν τῷ καθεξῆς, wat volgens de context een verhaal over de verschijning van Polycarpus belooft.

Dat *MPol* zoals wij het nu kennen uit de Griekse handschriften identiek was met de vorm van het *Martyrium* dat de pseudo-Pionius in zijn *Vita* inlast, leidt Lightfoot af uit de overeenkomst in stijl en inhoud van *MPol* 22 met *Vita*. De pseudo-Pionius schreef op het einde van de vierde eeuw zijn *Corpus Polycarpianum*, waarin, naar het schijnt, naast *MPol*, ook de brief aan de Filippenzen opgenomen was. Daar Eusebius hier chronologisch aan voorafgaat, moet zijn tekst onafhankelijk zijn van de Pionius-versie [166] en dus vrij van de wijzigingen in de tekst van *MPol* die het gevolg waren van het inlassen van *MPol* in de hagiografische context van *Vita*. De pseudo-Pionius is volgens Lightfoot een „miracle monger". Het wonder van de duif die opvliegt op het ogenblik van Polycarpus' dood (16,1), afwezig in de tekst van Eusebius, is zonder twijfel aan hem toe te schrijven [167].

Het hypothetisch karakter van Lightfoots invloedrijke theorie [168] mag ons niet ontgaan. De teksten zelf laten slechts toe te veronderstellen dat de auteur van *Vita MPol* kende zoals wij het nu kennen, dat wil zeggen tot en met 22,3. Maar dat heeft geen gevolgen voor de tekst van *MPol* zelf. Laten wij deze stellingname verder verantwoorden.

Duchesne het werk beter beoordelen en betwijfelde hij de auteurshypothese van Halloix („Dubito, num rebus sic stantibus scriptura Pionio adiudicanda sit", p. LVII). Later werd hij overtuigd door Lightfoot, cf. infra, n. 168.
Ook na Duchesnes publikatie van *Vita* met beschrijving van het handschrift, bleef Zahn staande houden dat de oorspronkelijke volgorde moet geweest zijn *Martyrium-Vita*. Hij handhaaft tevens de interpretatie van ἐπανελθὼν ἀνωτέρω als verwijzend naar de levensperiode van Polycarpus voor zijn marteldood, cf. zijn bespreking *Duchesne, Vita Polycarpi*, GGA 1(1882)289-305, inz. p. 290-291.

[166] LIGHTFOOT II 1, p. 608; 644; II 3, p. 425; vergelijk FUNK, p. CIII; 342-343.
[167] LIGHTFOOT II 1, p. 643-645; vergelijk DELEHAYE, p. 36; CAMELOT, p. 229, n. 3.
[168] Zie onder meer FUNK, p. 343-343; dl. 2, p. LVIII-LIX; F. DIEKAMP, *Patres Apostolici*, dl. 2 (zie n. 64), p. LXXXV; LAKE, p. 343, n. 1; DELEHAYE, p. 34; recenter H. VON CAMPENHAUSEN, *Bearbeitungen und Interpolationen des Polykarpmartyriums*, in *Aus der Frühzeit des Christentums*, Tübingen, 1963, p. 253-301 (oorspronkelijke editie 1957, zie n. 353), p. 256.

Uit de relatie tussen *MPol* 22,3[169] en het begin van *Vita* blijkt niets meer dan dat de auteur van *Vita* het einde van *MPol* kende en er enkele wendingen uit overnam, hoewel hij die ook elders kan gelezen hebben. Men vergelijke *MPol* 22,3 : καθὼς δηλώσω ἐν τῷ καθεξῆς, συναγαγὼν αὐτὰ ἤδη σχεδὸν ἐκ τοῦ χρόνου κεκμηκότα... en *Vita* 1 : καθὼς εὗρον ἐν ἀρχαίοις ἀντιγράφοις, ποιήσομαι καθεξῆς τὸν λό-γον... Het woord ἀντίγραφον wordt gebruikt in *MPol* 22,2. In de *epilogus Mosquensis* evenwel komt het voor in een zinsnede die op Pionius zelf betrekking heeft. Het is echter duidelijk dat de auteur van de *epilogus* hier secundair is tegenover de andere manuscripten : na de lange uitweiding over Irenaeus worden in § 5 dezelfde gegevens over de genealogie van de teksttraditie korter samengevat[170].

In zijn geheel doet de aanvang van *Vita* sterk denken aan de proloog van *Lucasevangelie* en *Handelingen* :

Lc 1,3	*Vita*
παρηκολουθηκότι ἄνωθεν	ἐπανελθὼν ἀνωτέρω
Lc 1,3	
καθεξῆς σοι γράψαι	ποιήσομαι καθεξῆς τὸν λόγον
Hnd 1,1	

τὸν μὲν πρῶτον λόγον ἐποιησάμην

Vita 2,1 vangt aan met de vermelding van de reis van Paulus vanuit Galatië naar Asia, wat op *Hnd* 18,23 teruggaat en in dat vers ontmoet men merkwaardigerwijze opnieuw καθεξῆς. *MPol* 22,3 is dus niet van exclusief belang om het begin van *Vita* te verklaren. Bovendien behoort de notie ἀντίγραφον tot *MPol* 22,2, dit wil zeggen vóór de inbreng van de pseudo-Pionius.

Het toeschrijven van *Vita* aan deze pseudo-Pionius steunt nergens op. *Vita* is anoniem overgeleverd als βίος καὶ πολιτεία τοῦ ἁγίου

---

[169] Zonder er hier verder op in te gaan (zie verder p. 173-175, over het einde van *MPol*) kunnen wij er hier op wijzen dat niet heel hoofdstuk 22 voor de hypothese van Lightfoot in aanmerking komt, maar slechts 22,3. Dit is te constateren tegen Zahn en Funk. Zahn is van mening dat ook 22,2 een schepping van de pseudo-Pionius is, die een geloof-waardige band met de tijd van Polycarpus moest suggereren (ZAHN, p. XLIX-LI). Funk betwijfelde aanvankelijk Zahns opvatting (cf. F.X. FUNK, *Opera Patrum Apostolicorum* (zie n. 141), p. XCVII), maar kon er zich later mee verzoenen (FUNK, p. CIV) : het geheel van hoofdstuk 22 is wellicht van de pseudo-Pionius afkomstig, die misschien zelfs verantwoordelijk is voor de toevoeging van 21 (ofschoon hij deze paragraaf van elders overneemt). Recent keert H. von Campenhausen terug tot de voorstelling van Zahn : 22,2-3 zijn van de hand van de pseudo-Pionius; 21,1 komt op rekening van de ,,Evangelien-Redaktor" (zie verder hoofdstuk III en H. VON CAMPENHAUSEN, *Bearbeitungen*, p. 284).

[170] Zie ZAHN, p. 167; vooral P. CORSSEN, *Die Vita Polycarpi* (zie n. 73), p. 270-271; anders O. GEBHARDT, *Collation* (zie n. 30), p. 368.

καὶ μακαρίου μάρτυρος Πολυκάρπου. Ofschoon men geen gewicht kan hechten aan een titel die later kan toegevoegd zijn, blijkt toch dat ook volgens deze aanduiding van een verwijzing naar het verhaal over de marteldood van Polycarpus geen sprake is. In het werk zelf, dat *MPol* wel kent, vindt men evenmin een spoor van de combinatie van *Vita* en *Martyrium*. Die mogelijkheid lijkt alleen gesuggereerd te worden door de opeenvolging van *Vita* en *MPol* in codex P. Het is echter te verwachten dat in de hagiografische overlevering deze beide geschriften, voor zover bekend, bij elkaar geplaatst worden in een chronologische volgorde. In codex P is *MPol* door een duidelijke titel van *Vita* gescheiden : ἄθλησις τοῦ ἁγίου πατρὸς Πολυκάρπου ἐπισκόπου γενομένου Σμύρνησ[νης (sic)] τῆς κατὰ τὴν ᾿Ασίαν κειμένης. Met andere woorden de tekstoverlevering wijst op twee gescheiden geschriften.

De woorden καθὼς δηλώσω ἐν τῷ καθεξῆς in 22,3, die in feite het hoofdargument vormen van de bestreden hypothese, verwijzen naar een gegeven dat nergens in de Polycarpusoverlevering te vinden is, allerminst in *Vita*. Als er ooit een verhaal bestaan heeft over de verschijning van Polycarpus aan Pionius, was het alleszins niet bekend aan de ,,Vorlagen'' van de codices die *MPol* tot 22,3 inclusief bevatten (ongetwijfeld omdat 22,3 als informatie over de overlevering aangezien werd, evenwaardig met 22,2). Een verloren gegaan vervolg na 22,3 is onwaarschijnlijk, daar er een duidelijk einde is, met afsluitende doxologie, die 20,2 εἰσαγαγεῖν...εἰς τὴν αἰώνιον αὐτοῦ βασιλείαν in συναγάγῃ...εἰς τὴν οὐράνιον βασιλείαν αὐτοῦ herneemt.

Blijft nochtans καθὼς δηλώσω ἐν τῷ καθεξῆς. Het lijkt er sterk op dat de gebruikelijke interpretatie van ἐν τῷ καθεξῆς door de *Corpus*-hypothese beïnvloed is. De uitdrukking wordt namelijk inhoudelijk opgevat, als aankondiging van wat in een volgend geschrift of deel zal worden verhaald. Men ziet aldus over het hoofd dat de gebruikte uitdrukking primair een tijdelijke betekenis heeft, het is een verkorting van ἐν τῷ καθεξῆς χρόνῳ. Zo komt zij voor in *Lc* 8,1 καὶ ἐγένετο ἐν τῷ καθεξῆς...[171] en dezelfde betekenis heeft zij in *MPol* 22,3. Er wordt niet meer gezegd dan dat de auteur zich voorneemt

---

[171] In *Lc* 8,1 verwijst de uitdrukking naar 7,11 ἐν τῷ ἑξῆς (dit is de meest waarschijnlijke lezing, cf. B. M. METZGER, *A Textual Commentary on the Greek New Testament*, Londen-New York, 1971, p. 142); cf. de (meestal oudere) commentaren die de temporele betekenis expliciet vermelden (Plummer, Zahn, Lagrange). Voor *MPol* 22,3 vergelijke men nog LAMPE, p. 688, waar evenwel slechts naar 22,3 verwezen wordt.

„daarna", „vervolgens" het verhaal te doen over de verschijning van Polycarpus. Dat dit gewoon op de toekomst slaat en niet op een volgend verhaal in het geschrift, kan blijken uit de eenvoudige vraag of een verhaal over de verschijning van Polycarpus aan Pionius denkbaar is in het kader van *Vita Polycarpi*. Het zou beter passen in een *Vita Pionii* (vergelijk het visioen dat de dood van Pionius voorspelt in *Martyrium Pionii* 2,2), en dit valt toch wel buiten het kader van het *Corpus Polycarpianum*.

Een apart probleem vormt de relatie tussen *Vita* en *epilogus Mosquensis*. Inderdaad komt in § 2 van deze epiloog een gedachte voor die in *Vita* 12,2 terugkeert, namelijk dat de genoemde *Irenaeus* ἱκανῶς τε πᾶσιν αἵρεσιν ἤλεγξεν καὶ τὸν ἐκκλησιαστικὸν κανόνα καὶ καθο-λικὸν παρέδωκεν. In *Vita* heet het dat *Polycarpus*, toen hij nog diaken was ... ἔργοις ἀγαθοῖς κεκοσμημένος... τοὺς αἱρετικοὺς ἤλεγχε... en verder ἐδόθη οὖν ὑπὸ χριστοῦ τὸ μὲν πρῶτον διδασκαλίας ὀρθῆς ἐκκλησιαστικὸς καθολικὸς κανών... Deze gemeenschappelijke aandacht voor een richtsnoer voor de orthodoxe leer, vooral bij de leidende figuren (de genoemde Irenaeus is voor de auteur van de *epilogus* de bisschop van Lyon, leerling van Polycarpus; cf. Eusebius, *HE* V,20, 5-6) wijst misschien op dezelfde tijd, maar niet *per se* op een literair verband. Daartegen is zelfs een aanwijzing te vinden in het feit dat de *epilogus* de woorden καθὼς δηλώσω ἐν τῷ καθεξῆς, voor Lightfoot een aanwijzing voor het verband tussen *MPol* en *Vita*, weggelaten heeft, blijkbaar omdat, zoals ook Funk suggereert, op het niveau van de overlevering van codex M het verband van *MPol* met een andere tekst niet duidelijk was[172]. Het is waarschijnlijker dat zowel *epilogus* als *Vita* voor wat betreft de informatie over de personen onafhankelijk van elkaar op Eusebius teruggaan. Voor *Vita* kan dit nog blijken uit de dadelijk te bespreken passage 12,3; voor de *epilogus* uit de aanwezigheid van de anecdote over de ontmoeting van Polycarpus met Marcion (*HE* IV,14,7 en Irenaeus, *Adversus Haereses* III,3,4)[173].

---

[172] Vergelijk FUNK, p. 344-345 en reeds ZAHN, p. 167.

[173] Zie nog C. SCHMIDT, *Gespräche Jesu* (zie n. 77), p. 707-711. O. GEBHARDT, *Collation* (zie n. 30), p. 369 houdt echter vol dat de compilator van de *epilogus Mosquensis* een verloren gegaan werk van Irenaeus gekend kan hebben. Volgens T. ZAHN, GGA 1 (1882)298-299, verraadt de *epilogus* dezelfde Pioniushand, van Eusebius afhankelijk. De opmerking van L. DUCHESNE, *Vita Polycarpi* (zie n. 63), p. 39, dat Pionius een andere *Vita* zou geschreven hebben als hij Eusebius' *Historia Ecclesiastica* had gekend, wijst Zahn terecht van de hand. Onze voorstelling van zaken gaat in tegen de oplossing die P. Corssen voorstelde voor de

Uit dat alles volgt dat niet alleen *Vita*, maar ook *epilogus Mosquensis* dateert uit de tijd na Eusebius. Het pleit ten gunste van de andere codices, waarin de invloed van Eusebius ontbreekt. Aangezien zij ten opzichte van de *epilogus* oorspronkelijker zijn (het toevoegen van de passage over Irenaeus leidt in de *epilogus* tot enkele duidelijk secundaire wijzigingen) kan men met reden zeggen dat hun tekst van *MPol* chronologisch voor Eusebius te situeren is.

In *Vita* valt een passage die de hypothese van een *Corpus Polycarpianum* zou ondersteunen moeilijk te ontdekken. Alleen 12,3 zou hiervoor in aanmerking kunnen komen. Bij nader toezien is dit stuk niets anders dan een combinatie van gegevens over Polycarpus die de auteur waarschijnlijk uit Eusebius kende [174]. Het gaat er over dat Poly-

moeilijkheden betreffende de relatie tussen *MPol* en *Vita Polycarpi*. Hij steunt op de hypothese van een *Corpus Polycarpianum*, maar op een eigen wijze. Een echte band tussen beide geschriften is moeilijk te verdedigen op grond van de huidige teksten. Daarom gaat Corssen er toe over via een reeks emendaties de oorspronkelijke toedracht te herstellen. De overeenkomst tussen *epilogus Mosquensis* en *Vita Polycarpi* is slechts mogelijk wanneer *Martyrium* en *Vita* voordien verbonden waren. De uitweiding van de *epilogus* over Irenaeus moet ontstaan zijn naar aanleiding van een passage in *Vita* die nu verloren is. De invloed van de auteur van de *epilogus Mosquensis* op *Vita* valt anderzijds af te leiden uit het feit dat ook *Vita* eindigt met een doxologie die een anomalie bevat, dezelfde namelijk als die van de *epilogus*, wat oorspronkelijk niet het geval was. Het gaat om de volledig trinitarische formule σὺν τῷ πατρὶ καὶ τῷ υἱῷ καὶ τῷ ἁγίῳ πνεύματι terwijl de datiefinleiding reeds naar θεός verwijst (een verschil met de *epilogus Mosquensis* is dat de verwijzing daar op Christus betrekking heeft). De *epilogus Mosquensis* is verder secundair ten opzichte van de epiloog in 22,2-3. Zodoende moeten ook in deze vorm van overlevering *Martyrium* en *Vita* op elkaar gevolgd hebben, wat verklaart dat *Vita* niet over *Martyrium* rept. De relatie met iets wat nog moet volgen blijkt niet alleen uit καθὼς δηλώσω ἐν τῷ καθεξῆς (in de *epilogus Mosquensis* verdwenen, omdat op dat ogenblik van de overlevering *Martyrium* en *Vita* reeds gescheiden waren, ofwel omdat de auteur van de *epilogus* de scheiding voltrok), maar ook uit ἀναζητήσας κτλ. dat oorspronkelijk geweest moet zijn ἀναζητήσας τὰ Πολυκάρπου συγγράμματα φανερώσαντός μοι αὐτοῦ ... συναγαγεῖν αὐτά (cf. *Vita* 12,3). Deze tekst werd gewijzigd toen het verzamelwerk over Polycarpus in de traditie uiteenviel (*Die Vita Polycarpi* [zie n. 73], p. 266-277).
Corssen heeft ons inziens te veel oncontroleerbare hypothesen bij elkaar gebracht om een betere fundering voor de theorie van een *Corpus Polycarpianum* te kunnen aanbieden. Vooral de stelling van een onvolledig bewaard begin van *Vita* om het gemis aan samenhang tussen *MPol* en *Vita* te verantwoorden is zeer zwak.
Evenmin lijkt ons Delehaye's oplossing waarschijnlijk, die vasthoudt aan de kennis van Irenaeus' werken door de pseudo-Pionius (DELEHAYE, p. 25). Hij wil twee edities van *MPol* aan deze hagiograaf toeschrijven, een met de korte tekst van 22,3 en de verwijzing καθὼς δηλώσω ἐν τῷ καθεξῆς, dat wil zeggen een editie in het kader van een *Corpus Polycarpianum*, en een tweede editie, los van *Vita*, waarop codex M teruggaat en die de lange epiloog bevat (DELEHAYE, p. 34-36).
[174] Zelfs Zahn is het daarmee eens, zie T. ZAHN, *Apostel und Apostelschüler* (zie n. 72), p. 103.

carpus vele geschriften naliet, homilieën en brieven, die verloren gingen in de vervolging die zijn tijd trof. Tijdens die vervolging kwam hij zelf als martelaar om. De inhoud van de geschriften valt af te leiden uit wat nog teruggevonden is, vooral de brief aan de Filippenzen. De auteur van *Vita* belooft die weer te geven op een geschikte plaats. Het terugvinden van de geschriften van Polycarpus herinnert aan *MPol* 22,3, maar daar is sprake van het (op goddelijke aanwijzing!) terugvinden van het *Martyrium*. Opmerkelijk is vooral dat de auteur van *Vita* alleen de Polycarpusbrief met name kent. Dat hij die informatie uit Eusebius heeft (deze heeft ze op zijn beurt van Irenaeus, *Adversus Haereses* III,3,4; vergelijk *HE* IV,14,8) blijkt uit de omschrijving van de brief als ἱκανωτάτη, die ook Eusebius gebruikt. Alleen van dit geschrift wordt gezegd dat het zal opgenomen worden ἐν τῷ δέοντι τόπῳ, wat overigens niet gebeurd is. De marteldood van Polycarpus wordt alleen als feit vermeld. Men zou verwachten, indien het *Martyrium* nog zou aangehaald worden, ook hier een verwijzing naar het geschrift zelf aan te treffen.

Maar zelfs indien *MPol* 22,3 en *Vita* van dezelfde hand zouden zijn en dit een bewijs zou vormen voor het geheel van Lightfoots hypothese, blijft nog de vraag welke gevolgen dit zou hebben voor de kwaliteit van de tekst van *MPol*. Lightfoot geeft slechts één voorbeeld van de ingreep van de auteur van *Vita* in *MPol*: het wonder in 16,1. Wanneer de auteur werkelijk een ,,miracle monger" was, kan men verwachten in *MPol* nog andere sporen van zijn activiteit aan te treffen die zouden ontbreken in de Eusebiustekst. De vergelijking van beide versies leert ons echter dat in Eusebius' tekst de wonderlijke elementen van het verhaal evenzeer aanwezig zijn. Het enig mogelijke geval van interpolatie in de tekst van *MPol*, het wonder van de stem in 9,1, vindt men ook terug bij Eusebius (*HE* IV,15,17)[175]. De veranderingen van Eusebius wijzen er op dat de kerkhistoricus de corrupte tekst heeft willen verbeteren. De verbetering is niet zo geslaagd, daar door het afzwakken van ὡς μήδε ἀκουσθῆναί τινα δύνασθαι tot ὡς μήδε πολλοῖς ἀκουσθῆναι, het voorwerp van ἀκουσθῆναι weggevallen is; de hemelse stem kan het niet zijn, want die wordt wel door velen

---

[175] Er is misschien een doublet προσαχθέντος-προσελθόντα, respectievelijk ἀγόμενος εἰσιόντι. Volgens BARDY I, p. 185, n. 15, was de oorspronkelijke tekst misschien de volgende : ἀγομένου δ' εἰς τὸ στάδιον, θορύβου τηλικούτου ὄντος ὡς μηδὲ πολλοῖς ἀκουσθῆναι ὅτι συνείληπται, ἀνηρώτα ... aldus ook E. SCHWARTZ-T. MOMMSEN, *Eusebius*, dl. 1 (zie n. 31), p. 342.

(vergelijk *MPol* οἱ παρόντες) gehoord[176]. Eusebius laat ook niet na melding te maken van het visioen dat Polycarpus' dood voorspelt, noch van de verwijzing ernaar verder in het verhaal, § 10 en 28. Ook de weergave van het wonder van het vuur dat de martelaar niet deert (*MPol* 15,2) vindt men terug in § 37, weliswaar met weglating van de eerste vergelijking (zodat de tekst nog meer met *Wijsheid* 3,6 overeenstemt). Evenmin wordt geraakt aan de profetische kracht van Polycarpus' woorden in § 39. Eusebius versterkt bovendien het wonderlijk aspect van Polycarpus' verschijning in § 13. Men vergelijke

MPol 7,2	*HE* IV,15,13
καταβὰς διελέχθη αὐτοῖς	καταβὰς αὐτοῖς διελέξατο εὖ μάλα
	φαιδρῷ καὶ πραοτάτῳ προσώπῳ
θαυμαζόντων τῶν παρόντων[177]	ὡς καὶ θαῦμα δοκεῖν ὁρᾶν τοὺς
	πάλαι τοῦ ἀνδρὸς ἀγνῶτας
τὴν ἡλικίαν αὐτοῦ	ἐναποβλέποντας τῷ τῆς ἡλικίας
	αὐτοῦ παλαιῷ καὶ σεμνῷ
καὶ τὸ εὐσταθές	καὶ εὐσταθεῖ τοῦ τρόπου

Het lijkt ons weinig waarschijnlijk dat men op voornamelijk tekstkritische gronden de voorkeur kan geven aan de tekst van Eusebius, als men het hypothetisch karakter van de theorie over het *Corpus Polycarpianum* vaststelt[178] en nagaat welke de belangstelling van Eusebius is geweest bij het weergeven van zijn tekst (zie p. 150). Een kritische benadering van de Eusebiustekst en van die Griekse codices, waarin de latere toevoegingen gemakkelijk te onderscheiden zijn, blijft geboden.

---

[176] Vergelijk B. Sepp, *Das Martyrium Polycarpi* (zie n. 36), p. 18.

[177] Ὁρώντων is de lezing van Bihlmeyer; verder verdedigen wij de lezing παρόντων.

[178] Lightfoots argument van de chronologische prioriteit van Eusebius is slechts een schijnargument, aangezien de redenen voor de datering van *Vita* op het einde de vierde eeuw niet van doorslaggevende aard zijn (cf. Lightfoot II 3, p. 429-430). Zij steunen op de anti-quartodecimaanse ingesteldheid van *Vita*, wat slechts mogelijk is wanneer de vroege geschiedenis van deze controverse uit het geheugen verdwenen is (Polycarpus was een verdediger van de quartodecimaanse practijk). Een tweede argument is een zekere vorm van martyrium dat *Vita* blijkt te kennen, en dat ook pas in de vierde, vijfde eeuw moet gesitueerd worden. Dat alles is echter niet decisief voor de datering na de eerste helft van de vierde eeuw.

Vanuit het standpunt van de tekstoverlevering is de vraag naar de chronologische verhouding tussen Eusebius en de pseudo-Pionius slechts relevant wat de datering van de manuscripten betreft. Het blijkt dat de Eusebiusmanuscripten uit dezelfde tijd zijn als de codices van *MPol*; zie E. Schwartz-T. Mommsen, *Eusebius Werke II. Die Kirchengeschichte*, dl. 3, Leipzig, 1909, p. XVII-XLI; verder B. Sepp, *Das Martyrium Polycarpi* (zie n. 36), p. 19, n. 1.

In elk geval is duidelijk dat de tekst van Eusebius niet substantieel
verschilt van die der Griekse codices. Zelfs Schwartz geeft toe dat de
Eusebiustekst dezelfde onvolkomenheden bevat als de Pionius-tekst,
dat wil zeggen dat beide op hetzelfde archetype moeten teruggaan.
Naar aanleiding van de wellicht geïnterpoleerde tekst in 8,3-9,1 en
11,2 stelt hij vast : „utroque loco quod iidem lapsus Eusebio cum
Martyrii codicibus aut multis aut omnibus communes sunt, probatur,
quod gravissimum est, eandem epistulae recensionem praesto fuisse
Eusebio eique editori ad quem codicum Martyrii archetypus recedit"[179].
Schwartz heeft blijkbaar de consequenties van deze uitspraak niet
ingezien.

---

[179] SCHWARTZ, p. 11; vergelijk nog p. 9. SCHWARTZ' conclusie is ook van belang (p. 17) :
„saeculo tertio epistulae extitisse editionem haud paucis locis corruptam et interpolatam
apparuit, qua et Eusebius usus est et is qui codicem archetypum confecit qui ad Byzan-
tinos usque pervenit ... casu fieri potuisse aegre concedam ut Eusebius Martyriique codex
archetypus ad eandem editionem recedant".

§ 3. *Bespreking van belangrijke lezingen*

De volgende bespreking betreft lezingen die voor alle uitgevers een probleem stelden, benevens, wat hier van bijzonder belang is, alle gevallen waar M Eus afwijken van de tekst der andere Griekse codices. In deze gevallen zal onze reactie vaak overeenstemmen met die van Hilgenfeld. Algemeen kan men spreken van een te groot vertrouwen in M en/of Eus bij Zahn en Lightfoot, minder bij Funk, maar weer meer bij Bihlmeyer. Aangezien zijn tekst vandaag toch de meest gebruikte is, achten wij het ook niet overbodig geregeld te wijzen op de onvoldoende motivering van de keuze voor M Eus bij Bihlmeyer (en zijn voorgangers).

In onze voorstelling van de lezingen geven wij het teken † voor de referentie om een geval van invloed van M op de tekstedities aan te duiden. De lezing die wij verkiezen staat bovenaan, gevolgd door (een) variante lezing(en) op een nieuwe regel. Men houde rekening met de volgende afkortingen : de letter g is de aanduiding voor alle Griekse codices op M na, G voor alle Griekse codices, zoals bij Bihlmeyer. Lat staat voor Latijnse vertaling. De indirecte tekstgetuigen en de namen van de uitgevers worden afgekort volgens de lijst in de inleiding tot de tekstuitgave. Het aldaar vermelde principe voor het opnemen van Camelot en Lazzati geldt ook hier. Bij Funk moet soms onderscheid gemaakt worden tussen de editie van 1881 (Fu[op]), 1901 (Fu[pa]) en 1906 (Fu[av]). Is dit niet het geval, dan duidt de naam Funk de drie edities aan.

† *inscr.* ἔλεος   g Eus JaHeDrFuHiRaLeLaKnBi
   add καί   M Lat ZaLiGeMu

Het getuigenis van M Lat is te zwak om in aanmerking genomen te worden. Misschien heeft de reminiscentie aan *Jud* 2, die in de gehele formule een rol speelt, de additie van καί veroorzaakt.

† *inscr.* ἀπὸ θεοῦ   g JaHeDrHi
   om ἀπό   M Eus Lat ZaFuLiGeRaLeLaKnBiMu

Dit is een eerste typisch voorbeeld waar g en M Eus tegenover elkaar staan en waar vanaf Zahn de meeste uitgevers gekozen hebben voor M. Ook de uitzondering Hilgenfeld is hier regel : in de meeste van deze gevallen keert de tekst van Hilgenfeld terug tot de situatie van vóór de publikatie van M.

Hier valt het moeilijk uit te maken welke lezing de juiste is. De invloed van de paulinische *inscriptio* is duidelijk : zie ἀπὸ θεοῦ πατρός in *Rom* 1,7; *1 Kor* 1,3; *2 Kor* 1,2; *Gal* 1,3; *Ef* 1,2; *Fil* 1,2; *Kol* 1,2; *2 Tes* 1,2; *Filemon* 3; verder *1 Tim* 1,2; *2 Tim* 1,2 (vergelijk ook de *inscriptio* van *1 Clemens* ἀπὸ παντοκράτορος θεοῦ en *MLugd* ἀπὸ θεοῦ πατρός). De vraag is of ἀπό aanwezig was in de oorspronkelijke tekst of eerst in een later stadium van de overlevering opgenomen werd (g). De eerste mogelijkheid wordt gesteund door de aanwezigheid van het voorzetsel zowel in *1 Clemens* als in *MLugd*, in zover *MPol* door het eerste van deze geschriften (onrechtstreeks) beïnvloed is, en zelf het tweede beïnvloed heeft.

† 1,1 τῇ μαρτυρίᾳ   g   JaHeDrHi
     διὰ τῆς μαρτυρίας   M Eus ZaFuLiGeRaLeLaKnBiMu

Er is geen reden om de lezing van g op te geven ten voordele van die van M Eus, ofschoon de datief (van middel) hier misschien als *lectio facilior* beschouwd moet worden.

1,2 τοὺς πέλας   JaHeDrFuLiHiGeRaLeLaKnBiMu
    τοῦ πέλας   BM Za
    τοὺς παῖδας   CHV
    τοὺς πλείονας   P

De emendatie van τοῦ tot τούς die op Ussher teruggaat, wordt door vrijwel alle uitgevers aanvaard. Slechts Zahn koos voor het enkelvoud op gezag van M : „Haec lectio, quam facile quisque emendandam esse putabat, defendi potest"[180]. De lezing van BM is op zichzelf niet onmogelijk : de uitdrukking kan in het enkelvoud voorkomen (LXX *Spr* 27,2). Maar de reminiscentie aan *Fil* 2,4 doet voor een meervoudig begrip kiezen (cf. *Fil* 2,4 : τὰ ἑτέρων). Ook de varianten wijzen op een meervoud, bv. τοὺς παῖδας (uit πέλας ontstaan). Men vergelijke nog het einde van 1,2 : πάντας τοὺς ἀδελφούς.

2,1 ἀνατιθέναι   CHPV JaHeDrZaFuLiHiGeRaLeLaKnBiMu
    ἀνατεθῆναι   B
    ἀνατεθηκέναι   M

Reeds Jacobson verlaat B om PV te volgen. Bij deze lezing merkt Hefele op : „Ita Jacobsonus, qui multis locis textum e codice Vindobonensi emendavit"[181]. Jacobsons lezing werd later door CH nog versterkt.

2,2 μήτε στενάξαι   g JaHeDrZaFuLiHiGeRaLeLaKnBiMu
    om   M

[180] ZAHN, p. 134.
[181] HEFELE, p. 277.

Slechts Schwartz wil M volgen en vergelijkt met *Martyrium Pionii* 5,1 waar men inderdaad ook slechts ὡς μηδὲ γρῦξαί τινα leest. Daartegenover kan men de uitdrukking in *MLugd* 1,51 plaatsen μήτε στενάξαντος μήτε γρύξαντός τι ὅλως. In *MPol* en *MLugd* heeft de uitdrukking te maken met de reactie van de martelaar op de foltering, wat niet het geval is in *Martyrium Pionii*.

2,2 οἱ γενναιότατοι μάρτυρες   HMP Fu^{pa}Fu^{av}RaLeLaBi
    om γενναιότατοι   BCV JaHeDrZaFu^{op}LiHiGeKnMu

Ofschoon de additie voorkomt bij M (en HP) wordt zij door de oudere uitgevers niet opgenomen. Pas in 1901 liet Funk zich overtuigen, wellicht door de versterking van de lezing door H. In de context van *MPol* pleit niet veel voor of tegen de additie en is er misschien iets meer reden om aan te nemen dat zij origineel is, gezien het gebruik van γενναῖος κτλ. in capita 2-3. De kwaliteit van de getuigen moet hier de doorslag geven en dan is HMP te verkiezen boven BCV, waar nog bijkomt dat C, door zijn verwantschap met V, als zelfstandig getuige minder gewicht heeft. Niettemin blijft dat in 3,1 M alleen staat met de toevoeging van γενναίας bij ὑπομονῆς.

† 2,3 κόλασιν   g JaHeDrZaFuLiHiGeRaLeKnMu
    ζωήν   M LaBi

Bihlmeyer leest διὰ μιᾶς ὥρας τὴν αἰώνιον ζωὴν ἐξαγοραζόμενοι[182], blijkbaar beïnvloed door Schwartz' voorkeur voor M. In Eusebius' tekst is niets van deze zin bewaard. Veel hangt af van de betekenis die men aan ἐξαγοραζόμενοι toekent. Schwartz aanvaardt slechts de betekenis „emere", kopen, verwerven[183]. In dat geval is alleen de lezing ζωήν mogelijk. Enkele lexica geven daarentegen ook de betekenis „zich vrijkopen van", wat bij de lezing κόλασιν zou passen[184]. Maar deze lexica verwijzen voor die betekenis slechts naar de tekst van *MPol*. Toch kan de lezing verdedigd worden door verwijzing naar de context :

---

[182] Een reminiscentie aan deze tekst kan men terugvinden in het gnostische *Apocryphon Jacobi* (CG I,1), p. 5,29 : „vous reconnaîtrez que votre existence est (d')un jour et que vos souffrances sont *d'une seule heure*" (M. MALININE e.a. (ed.), *Epistula Jacobi Apocrypha*, Zürich, 1968, p. 11 en de commentaar p. 52). De positieve houding van dit geschrift ten aanzien van het martyrium wijkt sterk af van de normale gnostische reactie (zie onder meer E. RENAN, *L'Eglise chrétienne*, Parijs, 1879, p. 153; A. HARNACK, *Mission und Ausbreitung* (zie n. 77), dl. 1, p. 507, n. 1; dl. 2, p. 930. CAMPENHAUSEN, p. 109-115. Volgens Irenaeus, *Adversus Haereses* IV, 33, 9 gebeurde het slechts zelden dat gnostici tot het martyrium kwamen, vergelijk F.M.M. SAGNARD, *La gnose valentinienne et le témoignage de St. Irénée*, Parijs, 1947, p. 86.

[183] SCHWARTZ, p. 6; vergelijk LAKE, p. 314, n. 2.

[184] BAUER, col. 537, vergelijk col. 872; LAMPE, p. 489-490, vergelijk p. 765.

de auteur heeft de „eeuwige straf" in tegenstelling willen brengen met de aardse foltering die de martelaars verkozen te ondergaan (2,4). Ook de passage 11,2 pleit voor deze mogelijkheid: ἀγνοεῖς γὰρ τὸ τῆς μελλούσης κρίσεως καὶ αἰωνίου κολάσεως τοῖς ἀσεβέσι τηρούμενον πῦρ (vergelijk nog *MLugd* 1,26)[185]. Misschien heeft een reminiscentie aan *Mt* 25,46 meegespeeld (καὶ ἀπελεύσονται οὗτοι εἰς κόλασιν αἰώνιον, οἱ δὲ δίκαιοι εἰς ζωὴν αἰώνιον), maar die kan gelden voor beide lezingen (vergelijk nog *Joh* 5,29)[186]. Alleszins zijn er genoeg redenen om de lezing κόλασιν mogelijk te achten, en is de lezing van M onvoldoende om de keuze van de meeste uitgevers vanaf Zahn te verlaten. Musurillo geeft hier terecht de lezing g de voorkeur tegen Bihlmeyer.

† 2,3 ἀπηνῶν   g   JaHeDrFuHiRaLeLa
     ἀπανθρώπων M (ἀπᾱνῶν) ZaLiGeKnBiMu

De lezing van M zou volgens sommige uitgevers de voorkeur verdienen. De verkorte schrijfwijze zou de variant ἀπηνῶν (van het adjectif ἀπήνης, „hard") doen ontstaan hebben. Nochtans is het de vraag of M alleen kan opwegen tegen de lezing van g, die in elk geval niet onmogelijk is. Funk en anderen hebben het gewicht van M als onvoldoende beoordeeld. De twee betekenissen zijn nochtans mogelijk.

2,3 σβεννύμενον   BHP LiFu[pa]Fu[av]LeLaKnBiMu
   add πῦρ   CMV JaHeDrZaFu[op]HiGeRa

De additie van πῦρ is een overbodige verklarende toevoeging (onder invloed van *Mc* 9,43?)[187], vooral wanneer men op de constructie van het voorafgaande τὸ πῦρ ... τὸ τῶν ... let en πρὸ ὀφθαλμῶν γὰρ κτλ. tot zelfstandige tussenzin maakt, in plaats van, zoals meestal gebeurt, het meer bij het volgende καὶ τοῖς τῆς κτλ. te betrekken. Γάρ heeft namelijk een verklarende betekenis ten opzichte van het voorafgaande, maar de zinsnede reikt niet verder dan σβεννύμενον. Men kan na dit woord gewoon een punt plaatsen. Ook de zinsconstructie in 11,2 πῦρ ἀπειλεῖς κτλ kan vergeleken worden.

---

[185] Vergelijk nog *2 Clemens* 6,7; 17,7; 18,2; *Ad Diognetum* 10,7 (zie H.I. MARROU, *A Diognète* (SC 33bis), Parijs, 1965, p. 217); *Martyrium Ptolemaei et Lucii* 2; *Martyrium Cononis* 5,7 met citaat van *Mc* 9,48; *Testamentum XL Martyrum* 2,3; *Martyrium Pionii* 4,24. Codex P schrijft in 11,2 μελλούσης κολάσεως καὶ αἰωνίου κρίσεως, vergelijk *Heb* 6,2. Zie nog J. SCHNEIDER, κόλασις, TWNT 3(1938)816-817.

[186] Zie nog de lijst van verwijzingen naar *NT*, appendix II, bij 11,2.

[187] Zie nog de lijst van verwijzingen naar *NT*, appendix II, bij 2,3.

† 2,3 ἀνέβλεπον   g JaHeDrZaFuLiHiGeRaLeLaKnMu
   ἐνέβλεπον   M Bi

Onder invloed van Schwartz verkiest Bihlmeyer de lezing van M.
Zijns inziens kan ἀναβλέπειν niet met een direct object geconstrueerd
worden. Dit is nochtans wel het geval wanneer het werkwoord de
betekenis heeft van zien „met de geest" [188]. Overigens geldt het bezwaar
van Schwartz evenzeer voor ἐμβλέπειν dat voor zaken slechts uitzonderlijk met de accusatief staat, maar meestal met εἴς τι (cf. MPol
9,2 εἰς πάντα τὸν ὄχλον ... ἐμβλέψας). Musurillo komt terecht terug
van Schwartz' invloed op Bihlmeyer.

† 2,4 εἰς τὰ θηρία κριθέντες   g JaHeDrFuᵒᵖFuᵖᵃHiRaLe
   οἱ εἰς τὰ θηρία κατακριθέντες M FuᵃᵛLaKnBiMu
   οἱ εἰς τὰ θηρία κριθέντες   ZaLiGe

Pas Funk kwam in de tweede editie van Die apostolischen Väter
ertoe (onder invloed van Schwartz) de lange lezing van M op te
nemen, hierin gevolgd door Bihlmeyer. Slechts het lidwoord οἱ werd
sinds Zahn door enkele uitgevers in de tekst gebracht. Alleen de
lange lezing geeft volgens Schwartz een bevredigende betekenis, maar
juist daarom moet men, volgens het principe van de lectio difficilior,
voorzichtig zijn.

† 2,4 ποικίλαις βασάνοις   g JaHeDrHi
   ποικίλων βασάνων ἰδέαις   M ZaFuLiGeRaLeLaKnBiMu
   κολαφιζόμενοι   g JaHeDrLiFuᵖᵃRaLe
   κολαζόμενοι   M ZaFuᵒᵖFuᵃᵛHiGeLaKnBiMu

Ook hier is in beide gevallen de lezing van g niet zonder meer voor
de tekst van M op te geven. Men vergelijke het gebruik van κολαφίζω
in Mt 26,67; Mc 14,65; van κολάζω in Hnd 4,21; vooral 2 Clemens
17,7; Ad Diognetum 5,16; 6, 9; 7, 8; 10, 7[189].

† 2,4 εἰ δυνηθείη   M LiGeKnBi
   add ὁ τύραννος g JaHeDrZaFuHiRaLeLaLazMu

Na εἰ δυνηθείη vindt men bij de oudere uitgevers nog ὁ τύραννος,
wat door Bihlmeyer op Schwartz' voorstel uit de tekst verwijderd
werd. Musurillo neemt het woord terug op (zoals vroeger Lazzati)[190].
Hij schijnt daarbij te steunen op het voorkomen van het woord in

---

[188] LAMPE, p. 96; vergelijk nog 2 Clemens 1,6.
[189] Zie J. SCHNEIDER, κολάζω, TWNT 3(1938)815-816; K.L. SCHMIDT, κολαφίζω,
ibid., inz. p. 819 en ibid. n. 8.
[190] LAZZATI, p. 100.

Martyrium Cononis[191]. Laat men ὁ τύραννος weg — de vermelding van deze persoon komt inderdaad onvoorbereid en de benaming wordt verder in *MPol* niet meer gebruikt — dan moet men een ander onderwerp vinden voor de zin. Lightfoot lost deze moeilijkheid op door het onderwerp van de volgende zin, ὁ διάβολος, ook op de voorafgaande te betrekken. Daarom rekent hij πολλὰ...ὁ διάβολος tot het tweede hoofdstuk en niet tot het derde. Hij is van oordeel dat het achteraan plaatsen van ὁ διάβολος de invoeging van ὁ τύραννος heeft veroorzaakt[192]. Lightfoots oplossing werd overgenomen door Gehbardt[193].

Een andere mogelijkheid is εἰ δυνηθείη onpersoonlijk te verstaan en zoals Schwartz (en Schoedel)[194] een onderwerp als ὁ κολάζων te veronderstellen bij τρέψῃ. Musurillo wijkt overigens af van de overige uitgevers die ὁ τύραννος bewaren, door deze woorden door middel van een leesteken bij εἰ δυνηθείη te plaatsen, in plaats van ὁ τύραννος op τρέψῃ te betrekken en εἰ δυνηθείη onpersoonlijk te begrijpen (cf. Funk, Hilgenfeld, Rauschen, Lelong, Lake). Wanneer men de lezing van Bihlmeyer aanvaardt — en zijn vertrouwen in M schijnt hier wel gerechtvaardigd te zijn — dan moet men het geheel van de tekst opvatten zoals Lightfoot het doet of een onderwerp veronderstellen bij τρέψῃ.

3,1 κατὰ πάντων γὰρ οὐκ	BCHV JaHeDrZaFu(Li)HiGeRaLeLaKn BiMu
ὅτι κατὰ πάντων οὐκ	P
κατὰ πάντων μὲν οὐκ	M

Alleen Schwartz volgt hier M en leest μέν in plaats van γάρ. Lightfoot emendeert οὐκ tot οὖν en begrijpt de zin als volgt: κατὰ πάντων (τῶν μηχανημάτων) ἴσχυσεν (ὁ Θεός). Daarvoor kan hij slechts steunen op de Latijnse vertaling, waarin de negatie ontbreekt „sed gratia domino nostro Jesu Christo qui contra omnes fidus servorum suorum defensor adsistit". Dit is evenwel meer een interpretatie dan een vertaling. Het voornaamste bezwaar tegen Lightfoots correctie is dat zij de anakoloet aan het begin van het hoofdstuk niet opheft.

---

[191] Cf. MUSURILLO, p. 189, n. 5; τύραννος komt in andere martelaarsakten niet voor Men kan slechts verwijzen naar de uitdrukking τυραννικῶν κολαστηρίων in *MLugd* 1,27; vergelijk KLEIST, p. 199.

[192] LIGHFOOT II 3, p. 368.

[193] O. GEBHARDT, *Acta Martyrum* (zie n. 146), p. 2.

[194] SCHWARTZ, p. 7; SCHOEDEL, p. 56. Vergelijk KLEIST, p. 199, n. 10.

3,1 ἐπερρώννυεν αὐτῶν τὴν δειλίαν   g   JaHeDrZaFuLiHiGeRaLeLa
                                                 KnBiMu
    om   M

Deze omissie in M heeft blijkbaar alleen tot doel een minder gunstig oordeel over de martelaars uit de tekst te verwijderen, cf. Lightfoot app. crit.

3,2 θαυμάσαν   MPV JaHeDrZaFuLiHiGeRaLeLaKnBiMu
    θαυμάσας   B
    ἀποθαυμάσαν   Eus

Reeds Jacobson kiest hier voor de lezing van de hem bekende codices PV, met de opmerking : „quo vitio libri omnes laborant, Cod. Barocc. scilicet, pressius quam oportebat, secuti"[195].

3,2 ἐπεβόησεν   G JaHeDrZaFuLiHiGeRaLeLaKnBi
    ἐβόησεν   Mu

Musurillo's variant heeft geen steun in de tekstoverlevering. Wellicht is hij door de uiteenlopende lezingen in 12,2-3 beïnvloed; vergelijk het simplex van hetzelfde werkwoord in Acta Carpi 30, 43, 46; het compositum in MLugd 1,38 (1,7 ἐπιβόησις).

4   προσιόντας   BMP ZaGeKnBiMu
    προδιδόντας   HV JaHeDrFuLiHiRaLeLa
    δίδοντας   C

    ἑαυτοῖς   BCPV Lat GeKnBiMu
    ἑαυτούς   HM JaHeDrFuLiHiRaLeLa
    ἑκουσίους   Za

Musurillo wil in de uitdrukking τοὺς προσιόντας ἑαυτοῖς het laatste woord emenderen tot ἐφ᾽ ἑαυτοῖς. Dit lijkt overbodig, ofschoon ook Zahn een conjectuur, ἑκουσίους, vooropstelde[196]. Gebhardt en Schwartz[197] wezen echter op hetzelfde gebruik van ἑαυτοῖς in de betekenis „uit zichzelf, spontaan" in Martyrium Pionii (4,13; 18,2) en in Vita Polycarpi (14,3). Recent voegde F. Halkin er nog twee voorbeelden aan toe uit Martyrium Tatianae[198]. Men moet er (met

---

[195] JACOBSON, p. 592.
[196] ZAHN, p. 138.
[197] O. GEBHARDT, Acta Martyrum (zie n. 116), p. 3; SCHWARTZ, p. 8-9.
[198] F. HALKIN, Sainte Tatiana. Légende grecque d'une „martyre romaine", AnBoll 89(1971)265-309, inz. p. 294 en 295, vooral p. 294, n. 1; ID. ibid., 90(1972)195. Het artikel van AnBoll 1971 werd herdrukt in F. HALKIN, Légendes grecques de „Martyres Romaines" (SH 55), Brussel, 1973, p. 38-39; vergelijk ibid., p. 225, nog een voorbeeld van hetzelfde gebruik in de derde recensie van Les trois filles de Ste Sophie.

Schwartz) vóór alles op wijzen dat dezelfde uitdrukking nogmaals voorkomt in *MPol* zelf, in 13,2 ἀποθέμενος ἑαυτῷ πάντα τὰ ἱμάτια. Maar ook hier verandert Musurillo de tekst in ἑαυτοῦ met CPV, tegen BH en Eus die de datief hebben (M αὐτοῦ!). Hoe weinig waarschijnlijk de lezing van Musurillo is, blijkt uit hetzelfde gebruik van ἑαυτῷ in 3,1, waar tekstkritisch geen twijfel bestaat: ἑαυτῷ ἐπεσπάσατο τὸ θηρίον[199]. Men vergelijke ook hoger in 4 προσελθεῖν ἑκόντας.

Het probleem van deze variant hangt samen met een verschil in lezing bij het voorafgaande woord προσιόντας (BMP); twee manuscripten lezen daar προδιδόντας (HV; vergelijk 6,2). Daarbij past natuurlijk ἑαυτούς het best[200]. Het verkeerd begrijpen van de betekenis van ἑαυτοῖς zal wel de oorzaak geweest zijn van deze keuze, want het gewicht van de codices BMP aangaande προσιόντας valt niet te ontkennen. Merkwaardig genoeg is de lezing van Bihlmeyer een terugkeer naar de tekst voor Jacobson, toen men op basis van B προσιόντας ἑαυτοῖς las. Pas Jacobson begon de tekst te veranderen onder invloed van V (προδιδόντας). Maar ook voordien reeds gaf de lezing van B aanleiding tot een aantal conjecturen. Jacobson vermeldt die van Smith, προδόντας of προσδόντας ἑαυτούς, en van Langbainius, προσιόντας ἑκόντως. Deze staat het dichtst bij die van Zahn, die ze samen met de andere aangehaalde vermeldt. Dressel maakt melding van een conjectuur van Nolte: προσιέντας ἑαυτούς (προσίημι „mittere, tradere")[201].

† 5,2 συνόντας αὐτῷ g JaHeDrHiRa
σὺν αὐτῷ M ZaFuLiGeLeLaKnBiLazMu

προφητικῶς g JaHeDrHiRa
om M Lat ZaFuLiGeLeLaKnBiMu

De lezing van g mag niet zonder meer opgegeven worden, ondanks σὺν αὐτῷ van 12,3 (lezing van g; Eus μετ' αὐτοῦ). Het verschil tussen 5,2 en 12,3 heeft eveneveel kans op oorspronkelijkheid. Eusebius (τοῖς ἀμφ' αὐτόν) wijkt in feite af van M en kan het getuigenis niet onmiddellijk versterken.

---

[199] Vergelijk BLASS-DEBRUNNER-REHKOPF, nr. 188, n. 2; H. LIETZMANN, *Zur Würdigung des Chester-Beatty-Papyrus der Paulusbriefe*, SbBerlin, 1934, p. 774-782, inz. p. 779; D. TABACHOWITZ, *Ein Paar Beobachtungen zum spätgriechischen Sprachgebrauch*, in *Eranos* 44(1946)296-305, inz. p. 301-304; A. DIHLE, *Noch einmal* ἑαυτῷ, in *Glotta* 39 (1961)83-92.

[200] Vergelijk *1 Clemens* 55,1: παρέδωκαν ἑαυτοὺς εἰς θάνατον. I.v.m. de voorafgaande context, cf. nog Ign., *Rom* 5,2.

[201] Zie JACOBSON, p. 594; ZAHN, p. 138; DRESSEL, p. 394.

Ook προφητικῶς is in 5,2 evenzeer op zijn plaats als in 12,3. Men kan zich namelijk moeilijk een interpolatie naar voren voorstellen bij het overschrijven van de tekst. Het omgekeerde is waarschijnlijker, maar in 12,3 is er voor προφητικῶς geen probleem; ook Eusebius heeft het bewaard. Een onoplettendheid van M in 5,2 is beter te verdedigen dan een additie in g.

† 5,2 καυθῆναι   g   JaHeDrZaFuHiRaLe
     καῆναι   M LiGeLaKnBiLazMu

Ook hier kan men aan M niet het gewicht geven, waartoe Bihl-meyer, onder invloed van Schwartz, besluit. Het probleem stelt zich evenzeer voor 12,3, waar καῆναι van M Eus tegenover κατακαυθῆναι van BCHP (καυθῆναι V) staat. Hierbij moet men rekening houden met κατακαῦσαι van de vorige zin, waar Eusebius (en Lat) de beste lezing bewaard heeft. Men kan het argument aanhalen dat καῆναι *lectio difficilior* is. Maar precies het zelden voorkomen van deze hellenistische tweede aorist (in ·NT slechts driemaal in *Apk* 8,7; verder *1 Kor* 3,15; in *2 Petrus* 3,10 is de lezing omstreden; vóór *MPol* nog slechts in *Pastor Hermae* ̓53,4, niet zonder variant met de normale vorming) kan een reden tot voorzichtigheid zijn. Vergelijk echter *Acta Carpi* 36 ζῶντας καῆναι.

6,2 Ἡρῴδης ἐπιλεγόμενος   BHP JaHeDrLiFuᵖᵃFuᵃᵛHiGeRaLeLaBi
     Mu
     Ἡρῴδης λεγόμενος   M
     Ἡρῴδη   ZaFuᵒᵖKn

     ἔσπευδεν   BHP   JaHeDrLiFuᵖᵃFuᵃᵛHiRaLeLaBi
     Mu
     ἔσπευσεν   M ZaFuᵒᵖGeKn

Ἡρῴδης ἐπιλεγόμενος is de verklaring van het voorafgaande (καὶ ὁ εἰρήναρχος,) ὁ κεκληρωμένος τὸ αὐτὸ ὄνομα.

Het is een tamelijk omslachtige wending, maar zij kan verdedigd worden tegen de verkorting die Zahn voorstelt, κεκληρωμένος τὸ αὐτὸ ὄνομα Ἡρῴδη, met een beroep op het gebruik van het Grieks uitdrukkingen die betekenen „hetzelfde als" enz. met de datief te construeren[202]. De lezing van BHP wordt door Lightfoot behouden.

---

[202] Zie R. Kuehner-B. Gerth, *Grammatik der griechischen Sprache*, dl. 2, 3de ed., Leipzig, 1898, p. 412; vergelijk Blass-Debrunner-Rehkopf, nr. 194,1 en n. 1 : slechts één voorbeeld in *NT* : *1 Kor* 11,5.

Zahns emendatie noemt hij „violently (dealing) with the text"[203]. Hij begrijpt de passage als volgt : „... the captain of the police, who chanced to have the very name, being called Herod...", met andere woorden de auteur van *MPol* veronderstelt bij de lezer een onmiddellijke associatie met de vervolger Herodes uit het evangelie (cf. *Lc* 13,31). Dat hij in deze richting denkt, wordt bevestigd door het einde van de paragraaf, waarin een tweede allusie op de evangelietekst volgt in verband met Judas. Schwartz, die de emendatie van Zahn volgt, heeft hier Bihlmeyer niet kunnen overtuigen. De lezing (zoals de volgende) is een goed voorbeeld van een geval waarbij Funk achteraf de invloed van M bestrijdt, in tegenstelling tot zijn eerste overtuiging.

6,2 τὴν αὐτοῦ	BHP JaHeDrLiFu^{pa}Fu^{av}HiRaLeLaBiMu
τῆς αὐτῆς	M Fu^{op}GeKn
τὴν αὐτήν	Za
τοῦ Ἰούδα	BHMP JaHeDrLiFu^{pa}Fu^{av}HiRaLeLaBi Mu
τῷ Ἰούδα	ZaFu^{op}GeKn
ὑπόσχοιεν τιμωρίαν	BHP JaHeDrZaLiFu^{pa}Fu^{av}HiRaLeLaBi Mu
τύχωσιν τιμωρίαν	M Fu^{op}GeKn

De lezing van M wordt door Funk en later Schwartz behouden (Fu^{op} en Schwartz aanvaarden ook Zahns emendatie van τοῦ tot τῷ). Reeds Jacobson meende de tekst van B te moeten wijzigen : „melius forsitan τὴν αὐτήν"[204], en hij wordt door Zahn gevolgd.

† 7,1 περὶ δείπνου ὥραν   M ZaFuLiGeRaLeLaKnBiMu
    δείπνου ὥρᾳ   g (ὥραν B) JaHeDrHi

In het geheel van de context van 7,1-2 maakt de lezing van M meer kans op originaliteit, vooral na de voorafgaande datief (τῇ παρασκευῇ). Het wegvallen van περί (cf. B) kan het opduiken van een tweede datief in de overlevering veroorzaakt hebben.

7,1 συνεπελθόντες	HeDrZaFuLiHiGeRaLeLaKnBiMu
συναπελθόντες	BCHV Ja
ἀπελθόντες	M
ἐπελθόντας	Eus
καταλαβόντες	P

---

[203] LIGHTFOOT II 3, p. 372.
[204] JACOBSON, p. 598.

Ussher, nagevolgd door Smith, emendeerde de lezing van B op basis van Eusebius. Niettemin blijft in de uitgaven tot en met Jacobson de lezing van B gedrukt.

7,2 παρόντων   G JaHeDrZaFuLiHiGeRaLeLaKnLazMu
     ὁρώντων   Bi

Musurillo herstelt tegen Bihlmeyer de lezing παρόντων. Ὁρώντων had Bihlmeyer van Schwartz overgenomen, die het woord niet als een conjectuur beschouwde : „restituisse mihi videor quae tradita sunt"[205]. Toch heeft Schwartz als enige steun de tekst van Eusebius, die de passage uit *MPol* aldus omschrijft : ὡς γὰρ θαῦμα δοκεῖν ὁρᾶν τοὺς πάλαι τοῦ ἀνδρὸς ἀγνῶτας. In de tekst van *MPol* is echter geen sprake van een verschijning. Het lijkt weinig waarschijnlijk dat Schwartz' voorstel, dat ingaat tegen de gemeenschappelijke lezing van de Griekse codices, een echte verbetering van de tekst inhoudt. De tekst van Eusebius' samenvatting van hoofdstuk 7 staat te ver af van die van *MPol* om als basis van correctie aanvaardbaar te zijn. Wij zijn geneigd in dit geval met Musurillo's terugkeer naar de gewone lezing in te stemmen (ook Lazzati veranderde vroeger de Bihl-meyertekst weer in παρόντων)[206]. Het directe object τὴν ἡλικίαν hoort dan bij θαυμαζόντων, wat mogelijk is omdat θαυμάζω met de accusatief kan geconstreerd worden (cf. *Lc* 7,9; 24,12; *Joh* 5,28; *Hnd* 7,31; *Jud* 16)[207].

7,2 καὶ εἰ τοσαύτη σπουδὴ ἦν :

καί   P Eus JaHeDrZaFuLiHiRaLeLaKnBiMu
om   CHMV Ge
τινες ἔλεγον   B

εἰ   M Eus LiHiGeRaLaKnBiMu
ἤ   BCHV, ἤ ZaFuLe
ὅτι   JaHeDr

De lezing καί wordt door alle uitgevers aanvaard (Lightfoot tussen vierkante haken), behalve door Gebhardt[208]. Εἰ na θαυμαζόντων is wel de beste oplossing[209]. De andere lezingen zijn ofwel het gevolg

---

[205] SCHWARTZ, p. 10. Vergelijk, naast de tekst van Ruhbach en Camelot, ook de vertaling van Schoedel.

[206] LAZZATI, p. 101.

[207] Zie BLASS-DEBRUNNER-REHKOPF, nr. 148, n. 3.

[208] Καί is in feite overbodig in Bihlmeyers tekst : aanvaardt men ὁρώντων, dan kan τήν κτλ. als object daarvan gedacht worden en εἰ als inleiding van de indirecte vraag na θαυμάζειν zonder dat er een voegwoord nodig is.

[209] Cf. BLASS-DEBRUNNER-REHKOPF, nr. 454,1; vergelijk LIGHTFOOT II 3, p. 373.

van een vergissing door de gelijkluidende klank (met daarbij het volgende τοσαύτη) of grammaticaal gemakkelijker (ὅτι). Voor de voorgestelde lezing pleit vooral dezelfde constructie in 16,1.

ἦν	CHV Fu^paFu^avRaLeLaKnBiMu
ἦ	B (ZaFu^opGe)
εἰ	M (Hi)
ἐχρήσαντο	P JaHeDr (met τοσαύτη σπουδή in de datief)
γένοιτο	Eus

Zahn, Funk^op en Gebhardt emenderen de lezingen van B tot een conjunctief ἦ. Hilgenfeld en Schwartz emenderen de lezing van M tot εἴη. Deze optatief is grammaticaal mogelijk [210] (vergelijk de toevoeging van εἴη in 16,1 door HP), maar ἦν is evenzeer te verdedigen [211] en men heeft geen emendatie nodig.

7,2 δῶσιν BHP JaHeDrFuLiHiRaLeLaBiMu
δώσωσιν CMV ZaGeKn

Zahn aanvaardt het futurum als de beste lezing (omwille van M?). Grammaticaal is dit futurum na ἵνα mogelijk [212]. Vergelijk 11,2 ποιῶ.

† 7,3 σταθείς g JaHeDrZaFuLiHiGeRaLeLaKnBi
add πρὸς ἀνατολήν M Mu

Musurillo neemt deze eigen additie van M in de tekst op, terwijl dit ongetwijfeld een latere toevoeging is, gezien de moeilijkheid een zeker contemporain getuigenis te vinden voor het naar het oosten gerichte christelijke gebed [213]. MPol verwijst alleen naar het staande gebed;

---

[210] Cf. BLASS-DEBRUNNER-REHKOPF, nr. 386,2; vergelijk N. TURNER, A Grammar of New Testament Greek, dl. 3, Edinburgh, 1963, p. 127.

[211] Cf. BLASS-DEBRUNNER-REHKOPF, nr. 330: imperfectum als plusquamperfectum; vergelijk N. TURNER, A Grammar of New Testament Greek (zie n. 210), p. 67.

[212] Zie BLASS-DEBRUNNER-REHKOPF, nr. 369,2; vergelijk N. TURNER, A Grammar of New Testament Greek (zie n. 210), p. 100.

[213] Pas op het einde van de tweede eeuw vindt men duidelijke teksten bij Tertullianus (Ad Nationes I,13,1; Apologeticum 16,10) en Clemens Alexandrinus (Stromateis VII,7; = 43,7). F.J. DOELGER, Sol Salutis, 3de ed., Münster, 1972, (2de ed. 1925), p. 137-138, verwijst nog naar Martyrium Pauli 5. De Paulusakten moeten evenwel later gedateerd worden dan Dölger het doet (185-195 in plaats van 160-180). Deze akten schijnen trouwens MPol te kennen (zie daarover E. HENNECKE, Neutestamentliche Apokryphen, 2de ed., Tübingen, 1924, p. 196). Dölger meent dat de „Ostung" van het christelijk gebed reeds in Pastor Hermae is terug te vinden. Ons inziens worden de desbetreffende teksten van Pastor (4,1.3; cf. Sol Salutis, p. 136-137) „hineininterpretiert": er is slechts sprake van personages die in de richting van het oosten gaan; vergelijk nog R. JOLY, Hermas. Le Pasteur, 2de ed. (SC 53bis), Parijs, 1968, p. 86, n. 2. Een nog vroeger getuigenis ontdekt Dölger in het bericht van Epifanius over Elchasai (ongeveer 100),

vergelijk *Mt* 6,5; *Lc* 18,11.13. Bovendien is het de uitgever ontgaan dat ἀνατολήν een fout is voor ἀνατολάς door Funk in de editie van 1901 opgenomen en door Bihlmeyer herhaald, ondanks Gebhardts correcte aanduiding.

† 7,3 ὥστε (ἐπί)   g JaHeDrFuHiRaLeLa
     ὡς   M Eus ZaLiGeKnBiMu

Het getuigenis van M Eus is ook hier onvoldoende sterk om de lezing van g te vervangen. Ὥστε is als inleiding van een infinitief die een gevolg uitdrukt het normale partikel (cf. de vergelijking οὕτως ὥστε in *Hnd* 14,1; ook *Joh* 3,16), terwijl ὡς in die functie weinig betuigd is in de vroegchristelijke literatuur[214]. Ὥστε is de normale constructie in *MPol* : 2,2; 12,1.3; 16,1; 17,2; 19,1. (Vergelijk evenwel 8,3 καθῄρουν... ὡς...ἀποσῦραι; 17,1 ἐπετήδευσεν ὡς...ληφθῆναι).

† 7,3 σιωπῆσαι   BHP JaHeDrFuHiRaLeBiMu
    σιγῆσαι   CMV ZaLiGeLaKn

Bihlmeyer heeft zich hier terecht niet laten beïnvloeden door de lezing van M, die Zahn en anderen verkozen.

† 8,1 ὡς δέ   g JaHeDrHi
   ἐπεὶ δέ ποτε   M Eus ZaFuLiGeRaLeLaKnBiMu

De lezing van g is niet te vervangen, daar ὡς temporele betekenis kan hebben (met aorist : „wanneer, nadat")[215].

† 8,1 τῶν καὶ πώποτε συμβεβληκότων
   τῶν καί   M BiMu
   καὶ τῶν   g Eus JaHeDrZaFuLiHiGeRaLeLaKnCa

die reageert tegen deze gebedspractijk bij de christenen (*Panarion* 19,3,5-6). Epifanius moet evenwel als een te late bron beschouwd worden om zonder voorbehoud gebruikt te kunnen worden. Andere argumenten voor de „Ostung" van het gebed in de eerste eeuw zelf zijn te hypothetisch en te dikwijls belast met de oncontroleerbare overgang van iconografische naar literaire bronnen. E. PETERSON volgde Dölger in zijn belangrijke bijdrage over dit probleem (*Frühkirche, Judentum und Gnosis*, Freiburg, 1959, p. 1-35, inz. p. 6, n. 28; p. 29; vergelijk echter p. 261, waar het verband van een Hermastekst met een passage uit *Passio Perpetuae* 11,1 besproken wordt : de beweging πρὸς τὴν ἀνατολήν „ist vielmehr von den antiken Himmelfahrtvorstellungen her zu verstehen"). Ook het recente artikel van E. von SEVERUS, *Gebet 1*, RAC 8(1972)1134-1258, inz. col. 1191; 1225-1226 aanvaardt de stelling van Dölger. Voorzichtiger is wel C. VOGEL, *Versus ad orientem*, in *Studi medievali* 3de ser. 1(1960)447-469, inz. p. 448, n. 3.
In latere martelaarsakten komt het thema van de „Ostung" nog wel voor, onder meer in *Martyrium Pionii* 21,6 : Pionius (en Metrodorus) sterft, de blik naar het oosten gericht; in de Latijnse versie van *Acta Phileae* 3,4 heft Phileas zijn handen „ad orientem".

[214] Aldus BLASS-DEBRUNNER-REHKOPF, nr. 391.
[215] Zie BLASS-DEBRUNNER-REHKOPF, nr. 455,2; BAUER, col. 1775-1776.

Bihlmeyer volgt hier terecht Schwartz bij het omkeren van de volgorde van de woorden in g Eus.

πώποτε   HPV Eus JaHeDrZaFuLiHiGeRaLeLa KnBiMu

ποτέ   BM

Hier aanvaarden de uitgevers vanaf Jacobson terecht de lezing πώποτε.

συμβεβληκότων   Eus ZaFuLiHiGeRaLeLaKnBiMu

συμβαλόντων   M

συμβεβηκότων   g JaHeDr

Jacobson merkt op dat Cotelier de lezing van Eusebius verdedigt, maar houdt zich nog aan BPV. Zahn volgt de lezing van de beste Eusebiushandschriften[216], die als *lectio difficilior* kan gelden.

8,1 ὄνῳ   CHMV Eus LiFu[pa]Fu[av]HiGeRaLeLaKn BiMu

ἐν ὄνῳ   BP JaZaFu[op]

Beide lezingen zijn ongewoon na καθίζω, dat meestal met ἐπί geconstrueerd wordt. Waarschijnlijk is het voorzetsel ἐν secundair aan de ongewone datief toegevoegd.

† 8,1 ἦγον   g JaHeDrHi

ἤγαγον   M Eus ZaFuLiGeRaLeLaKnBiMu

Ondanks de tendens van de uitgevers om ook hier aan M Eus de voorkeur te geven, is er geen reden om de lezing van g af te wijzen[217].

8,2 ὑπήντα   BM Eus JaHeDrZaFuLiGeRaLeLaKnBi Mu

ὑπαντᾷ   CHV Hi

ὕπαντα   P

αὐτῷ   MP Eus JaHeDrZaFuLiHiGeRaLeLaKn BiMu

αὐτόν   BCHV

Te beginnen met Jacobson lezen bijna alle uitgevers ὑπήντα αὐτῷ. De lezing van CHV en P (foutief) houdt een ongewoon historisch praesens in.

8,2 ἀπεκρίνατο αὐτοῖς   BCPV   JaHeDrZaFu[op]Fu[av]LiHiGeRaLeLa KnBiMu

αὐτούς   HM Fu[pa]

om αὐτοῖς   Eus

---

[216] Zie de appendix bij de tekstuitgave.
[217] Zie de appendix bij de tekstuitgave.

Waarom Funk in de editie van 1901 een lezing aanvaardde die hij achteraf weer moest corrigeren, is niet duidelijk. Misschien was hij onder de indruk van het samengaan van HM. Het mag niet onopgemerkt blijven dat Lightfoot (dat wil zeggen Rendel Harris) ook in H αὐτοῖς leest. Het handschrift is op dit punt dubbelzinnig, maar het lijkt ons dat Funk hier gelijk heeft met αὐτούς. Nochtans is voor de tekst αὐτοῖς te verkiezen.

† 8,3 ἔλεγον αὐτῷ   g JaHeDrFuHiRaLeLa
     om αὐτῷ   M Eus ZaLiGeKnBiMu

Ondanks het voorafgaande αὐτόν, wellicht de reden van de omissie bij M Eus, is er geen reden om de lezing van g af te wijzen.

† 8,3 καθήρουν   CM Eus JaHeDrZaFuLiHiGeRaLeLaKnBiMu
     καθήρον   BHPV

Hier hebben CM Eus de juiste lezing bewaard, wat reeds door Jacobson werd ingezien.

† 8,3 ἀποσῦραι   M Eus (Lat) ZaFuLiGeRaLeLaKnBiMu
     ἀποσυρῆναι   g JaHeDrHi

De actieve vorm van het werkwoord heeft meer kans op originaliteit gezien de persoonlijke constructie κατιόντα (scil. Polycarpus) ἀποσῦραι. Het uit het oog verliezen van dit onderwerp gaf wellicht aanleiding tot de passieve vorm.

† 8,3 μετὰ σπουδῆς ἐπορεύετο   g Eus JaHeDrZaFuLiHiGeRaLeLaKn
     om μετὰ σπουδῆς   M BiMu

Onder invloed van Schwartz laat Bihlmeyer μετὰ σπουδῆς weg : het zou een zinloze herhaling zijn van dezelfde woorden in de vorige zin. Deze herhaling kan nochtans even goed de reden geweest zijn voor het wegvallen van de woorden in M. De tekst van g kan beschouwd worden als een versterking van het buitengewoon optreden van Polycarpus, dat niet noodzakelijk aan een interpolator moet toegeschreven worden.

† 9,1 Πολύκαρπε καὶ ἀνδρίζου   M Eus Chron ZaFuLiGeRaLeLaKn
                                  BiMu
     καὶ ἀνδρίζου Πολύκαρπε   g Bios JaHeDrHi

De volgorde, die de meeste uitgevers aanhouden is stilistisch wel de betere. In enkele codices (CV) kan de plaatsing van de naam verband houden met de toevoeging van μετὰ σοῦ γάρ εἰμι[218].

---

[218] Zie boven n. 83.

† 9,2 προσχαθέντα οὖν   M ZaLiFuGeLeLaKnBiMu
     προσαχθέντα δέ   P
     λοιπὸν προσαχθέντα   BH JaHeDrHi
     λοιπὸν οὖν προσελθόντα   Eus (Ra)
     τοῦ δὲ προσαχθέντος   CV

Gezien de context lijkt de lezing van M de meest waarschijnlijke : zij wordt dan ook algemeen door de uitgevers verkozen. De andere lezingen zijn het gevolg van een verwarring met de woorden van de voorafgaande zin (9,1 einde). Jacobson, die de lezing van B volgt, plaatst λοιπόν in 9,1 tussen vierkante haken. Hilgenfeld emendeert λοιπόν in 9,1 tot λοιπῶν en betrekt het op het voorafgaande, zodat 9,2 met λοιπὸν προσαχθέντα kan beginnen. Rauschen combineert de varianten tot λοιπὸν οὖν προσαχθέντα.

† 9,2 εἰ αὐτὸς εἴη Πολύκαρπος   g Eus JaHeDrFuHiGeRaLeLaKnBi
                                          Mu
     om Πολύκαρπος   M Li

Lightfoot volgt M en begrijpt de indirecte vraag dan als „if it were the man himself, αὐτός being the predicate, not the subject"[219]. Het vermelden van de naam is waarschijnlijker : men vergelijke de vraag naar de identiteit van de martelaar in andere martelaarsakten (*Acta Carpi* 2; *MLugd* 1,50; *Martyrium Pionii* 9,1.5.7).

† 9,2 ὡς ἔθος αὐτοῖς   g JaHeDrZaFuLiHiGeLeLaKn
     ὧν   M BiMu
     ἅ   Eus

De lezing van g is hier niet te verwerpen omwille van de andere. De keuze van Bihlmeyer (en van Schwartz, die Eusebius volgt), is misschien grammaticaal meer doordacht in verband met het volgende λέγειν, maar de uitdrukking ὡς ἔθος αὐτοῖς is tamelijk vast (cf. 13,1; 18,1)[220]. Musurillo plaatst de hele zin van καὶ ἕτερα tot λέγειν tussen vierkante haken, met de commentaar : „would seem to be an editorial comment"[221]. De vraag is echter of er enig verschil is tussen de „editor" van *MPol* en zijn auteur. Ofschoon de tekst een herhaling is na 8,2, is hij niet overbodig (de omissie in 8,2 τὰ τούτοις ἀκόλουθα καί bij Eusebius is wellicht door een oversprong ontstaan).

---

[219] LIGHTFOOT II 3, p. 377.
[220] De additie van een verbum in de uitdrukking, M ἦν, P ὡς ἔστιν αὐτοῖς ἔθος, Eus σύνηθες αὐτοῖς ἐστι (afhankelijk van 5,1 maar door Schwartz als de juiste lezing beschouwd) kan als een secundaire ontwikkeling verklaard worden.
[221] MUSURILLO, p. 9, n. 12.

† 9,2 εἰπέ   g JaHeDrHi
    εἶπον   M Eus ZaFuLiGeRaLeLaKnBiMu

De tweede vorm van imperatief aorist die in M Eus voorkomt is in het hellenistisch Grieks mogelijk[222]. Bihlmeyer verwijst naar een gelijkaardig geval in *1 Clemens* 8,3[223]. Deze mogelijkheid is evenwel onvoldoende om de lezing van g te verwerpen (vergelijk voor εἰπέ in de martelaarsakten bv. *Acta Justini* 3,2; 4,1; εἶπον in *Martyrium Pionii* 19,12; *Martyrium Cononis* 4,1.4.5).

† 9,2 τον ὄχλον τόν   MPV Eus ZaFuLiHiGeRaLeLaKnBiMu
    τῶν   BCH JaHeDr

De herhaling van τόν als lidwoord voor een voorzetselbepaling bij het bepaalde nomen lijkt oorspronkelijker dan het op het eerste gezicht gemakkelijkere τῶν (bij ἐθνῶν gedacht).

† 9,3 ἔφη ὁ Πολύκαρπος   M Eus ZaFuLiGeRaLeLaKnBiMu
    ὁ Πολύκαρπος ἔφη   g JaHeDrHi

De woordorde van M Eus is te verkiezen gezien de struktuur van de zin (zo ook in 10,2).

† 9,3 ἔχω δουλεύων   g JaHeDr(Li)Hi(Kn)
    δουλεύω   M Eus Chron ZaFuGeRaLeLaBiMu

Lightfoot bewaart hier nog de lezing van g (tegen zijn gewone reactie) door ze tussen vierkante haken te plaatsen. Hij neigt ertoe ze voor oorspronkelijker te houden en vergelijkt met de woorden van Polycrates in Eusebius, *HE* V,24,7: ἐγὼ οὖν, ἀδελφοί, ἑξήκοντα πέντε ἔτη ἔχων ἐν κυρίῳ κτλ. De lezing δουλεύω is misschien ook het gevolg van het veelvuldig gebruik van δουλεύω θεῷ, Χριστῷ in *NT*. Zie nog *Acta Carpi* 34.

10,1 εἰ κενοδοξεῖς   Eus JaHeDrZaFuLiHiGeRaLeLaKnBiMu
    ἐκεῖνο δόξης   M
    ἐκεῖνο δόξειν   BCV
    μή μοι γένοιτο   P

Reeds Jacobson verkiest hier terecht de lezing van Eus boven die van de codices. Voor P was de tekst zo onbegrijpelijk dat hij door

---

[222] BLASS-DEBRUNNER-REHKOPF, nr. 81,1; vergelijk G. RAUSCHEN, *Florilegium Patristicum*, Bonn, 1904, p. 47: „Rarior imperativi forma haec est". Dezelfde opmerking wordt gemaakt door ZAHN, p. 147.

[223] De tekst van *1 Clemens* 8,3 stelt het probleem van zijn afkomst: het is een niet-geïdentificeerd citaat dat meestal gerekend wordt tot een Ezechiël-apocryphon, zie recent D. A. HAGNER, *The Use of the Old and New Testaments in Clement of Rome* (SupplNT 34), Leiden, 1973, p. 69-73.

μή μοι γένοιτο vervangen werd. De uitdrukking zoals ze bij Eusebius voorkomt, heeft zowat de betekenis van θέλειν ἵνα (+ conj.)[224].

† 10,1 εἰ δὲ θέλεις...μαθεῖν M Eus ZaFuLiGeRaLeLaKnBiMu
    εἰ δὲ μαθεῖν θέλεις   g JaHeDrHi
De woordorde van M en Eusebius werd door vrijwel alle uitgevers
als de beste aanvaard.

10,2 σὲ μὲν καὶ λόγου   B Eus JaHeDrZaFu[op]HiRaBiMu
    σὲ μὲν κἂν λόγου   CHMPV Li Fu[pa]Fu[av]GeLeLaKn

†   ἠξίωκα   M Eus BiMu
    ἠξίωσα   g JaHeDrZaFuLiHiGeRaLeLaKn
Bihlmeyer is in beide gevallen door Schwartz beïnvloed. Deze stelt
vast : „etsi enim de perfecto sive aoristo disceptari posse concedam,
ἄν particulam falsam esse contendo"[225]. Καί (explicativum) is beter
op zijn plaats dan κἂν (concessivum), gezien het volgende δεδιδάγμεθα γάρ... Het perfectum is misschien een reden om ook voor
ἀξιοῦν dezelfde tijd te kiezen.

† 11,1 ὁ δὲ ἀνθύπατος εἶπεν M Eus Lat ZaFuLiGeRaLeLaKnBiMu
    add πρὸς αὐτόν   g JaHeDrHi (V ἔφη πρὸς αὐτὸν ὁ α.)
De additie van g is gezien de context geheel overbodig. Het is
waarschijnlijk een secundaire aanvulling van het object.

† 11,1 μετατίθεσθαι   M Eus ZaFuLiGeRaLeLaKnBiMu
    add με   g JaHeDrHi
Lightfoot merkte op dat de toevoeging van με ontstaan is uit een
misverstand : καλὸν δὲ κτλ. heeft betrekking op de proconsul. Op
Polycarpus toegepast heeft het weinig zin.

† 11,2 ποιῶ   g JaHeDrZaLiHiGeKn
    ποιήσω   M Eus FuRaLeLaBiMu
Dat de lezing van g hier even, zo niet meer waarschijnlijk is, wordt
ook aanvaard door die uitgevers die meestal M Eus verkiezen. Vergelijk
7,2 δῶσιν, en in appendix bij de tekstuitgave, p. 128.

† 11,2 ὁ δὲ Πολύκαρπος BP JaHeDrLiHi
    add εἶπεν   M Eus ZaFuGeRaLeLaKnBiMu
    add ἔφη   H
    add λέγει   CV

---

[224] LIGHTFOOT II 3, p. 388.
[225] SCHWARTZ, p. 13.

Het ontbreken van een verbum dicendi in de oorspronkelijke tekst is niet alleen waarschijnlijk omwille van de context van 11,1-2, maar ook omwille van de diversiteit in de gevallen van additie.

† 12,1 ἕτερα   M Eus ZaFuLiGeRaLeLaKnBiMu
      ἄλλα   g JaHeDrHi

De lezing van M Eus is hier misschien iets waarschijnlijker, maar geenszins dwingend. Ἕτερα met verlies van de dualisbetekenis is mogelijk aan het slot van een opsomming[226].

12,1 ταραχθέντα   BM Eus HeDrZaFuHiGeRaLeLaKnBiMu
     ταραχθέντος   CHPV JaLi

De lezing van BM Eus werd door de uitgevers vanaf Zahn verkozen omwille van M Eus, maar was merkwaardigerwijze reeds voordien aanwezig bij Hefele en Dressel. In de context is zij wel de meest aanvaardbare. Lightfoot ziet nochtans twee mogelijkheden : ,,If ταραχθέντος be read, the subject of συμπεσεῖν will be τὸ πρόσωπον; if ταραχθέντα, the subject must be Polycarp himself, and the construction will be μὴ συμπεσεῖν αὐτὸν τῷ προσώπῳ''[227]. Beide mogelijkheden hebben een voorbeeld in LXX *Gn* 4,5.6[228]. De laatste lijkt nochtans verkieslijk, daar de hele zin op de tegenstelling Polycarpusproconsul draagt.

12,1 ἐν μέσῳ τοῦ σταδίου   CHMPV ZaFuᵖᵃFuᵃᵛHiGeRaLeLaKnBi
                             Mu
    ἐν μέσῳ τῷ σταδίῳ   B Eus JaHeDrFuᵒᵖLi

Beide lezingen zijn mogelijk. Men kan alleen zeggen dat de reeks getuigen uitgebreider is voor de eerste dan voor de tweede.

12,1 κηρύξαι   BM Eus
    καὶ κηρύξαι   CHPV

Het accent van κηρύξαι, door Jacobson nog juist geplaatst, maar sindsdien gewijzigd in een circumflexus, werd door Bihlmeyer gecorrigeerd tot een paroxytonon. Camelot en Musurillo veranderen het opnieuw, zonder reden (zie noot 151). De additie van καί is wellicht secundair aangebracht, toen het aan de scriba ontgaan was dat κηρύξαι op te vatten is als een infinitief van doel.

---

[226] BLASS-DEBRUNNER-REHKOPF, nr. 306,2.
[227] LIGHTFOOT II 3, p. 382.
[228] Vergelijk ook het citaat in *1 Clemens* 4,3.4 (in v. 3 is met codex Alexandrinus τῷ προσώπῳ te lezen, zie de edities van Gebhardt, Lightfoot, Funk).

† τρίς   M Eus Lat ZaFuLiHiGeRaLeLaKnBiMu
  τρίτον   g JaHeDr

Het is moeilijk vast te stellen welke van beide lezingen de originele is en deze moeilijkheid wordt nog gecompliceerd door een probleem van interpunctie : tegen de gewone opvatting in plaatst Schwartz in zijn Eusebiuseditie τρίς bij Πολύκαρπος, zodat hij de zin als volgt interpreteert : „Polycarpus heeft driemaal bekend...". De uitgevers van *MPol* plaatsen τρίς bij het voorafgaande : „(hij) stuurde zijn heraut in het midden van het stadion om driemaal aan te kondigen".

E. Nestle was de eerste om de nieuwe interpretatie van Schwartz op te merken[229]. Zij komt wel overeen met de vertaling van Rufinus „Polycarpus tertio confessus...", maar wijkt af van de interpunctie van de Syrische vertaling van *HE*. Volgens Schoedel[230] komt Schwartz' voorstelling meer overeen met wat Plinius in de bekende brief aan Trajanus (*Epistulae* X, 96, 3) zegt : „Interrogavi ipsos an essent Christiani. Confitentes iterum ac tertio interrogavi supplicium minatus". De Griekse tekst is dus wel voor dubbele interpretatie vatbaar.

† 12,2 ἀσεβείας   g Bios JaHeDrHi
   'Ασίας   M Eus Lat ZaFuLiHiGeRaLeLaKnBiMu

De meeste tekstuitgaven lezen hier ὁ τῆς 'Ασίας διδάσκαλος met codex M, Eusebius en de Latijnse vertaling. Nochtans is de mogelijkheid dat de lezing van g de juiste is even groot. 'Ασεβείας is de lezing van Hilgenfeld en vroeger van Jacobson, Hefele en Dressel, die evenwel, Ussher citerend, het belang van de variant van Eus onderstreepten. Vanaf Zahn is de invloed van M overwegend[231]. Nochtans wees deze uitgever op de goede betekenis van de lezing ἀσεβείας „... quamquam altera (lectio) haud inepta est"[232]. Men kan opmerken dat ἀσεβείας beter in de context past : het is een aankondiging van ὁ τῶν ἡμετέρων θεῶν καθαιρέτης, ὁ πολλοὺς διδάσκων μὴ θύειν μηδὲ προσκυνεῖν. 'Ασίας kan beschouwd worden als de verandering van een vroom lezer die er aanstoot aan nam dat Polycarpus als leraar der goddeloosheid werd voorgesteld. Bovendien kan men 'Ασίας verklaren

---

[229] E. NESTLE, *Eine kleine Interpunktionsverschiedenheit im Martyrium des Polykarp*, ZNW 4(1903)345-346. Vergelijk BIHLMEYER, p. 126 *apparatus criticus*; H. DELEHAYE, AnBoll 25(1906)358.
[230] SCHOEDEL, p. 67.
[231] Zie bijvoorbeeld R. REITZENSTEIN, GGA 173(1911)538-539.
[232] ZAHN, p. 151.

door het wegvallen van een lettergreep[233]. Dat ἀσεβείας uit 'Ασίας ontstaan zou zijn, zoals H. Müller meent, is eerder onwaarschijnlijk, vooral als men zich moet tevreden stellen met zijn aan Delehaye ontleend argument van het optreden van de legende, die in plaats van het individuele type de abstracte vorm introduceert[234]. Het is zeer de vraag of Delehaye het met deze toepassing van zijn principe eens zou zijn. In zijn door Müller geciteerde werk stelt Delehaye *MPol* en andere vroege martelaarsakten precies tegenover de generaliserende werking van de hagiografische legende[235]. Men vergelijke de gehele passage nog met *Vita Polycarpi* 28,4.

† 12,2 προσκυνεῖν   M Eus ZaFuLiGeRaLeLaKnBiMu
      add τοῖς θεοῖς   g JaHeDrHi

De tekst van g kan als een overbodige additie gelden : προσκυνεῖν kan absoluut gebruikt worden (aldus ook in *NT*, bv. *Mt* 20,20; 28,17; *Joh* 4,20; 12,20; *Hnd* 8,27; 10,25; 24,11; *Heb* 11,21; *Apk* 5,14; 11,1)[236] en τοῖς θεοῖς komt enigszins overbodig na θεῶν van de voorafgaande uitdrukking (vergelijk nog 17,3)[237].

† 12,2 ὁ δὲ ἔφη   M Eus (Lat) ZaFuLiGeRaLeLaKnBiMu
      add Φίλιππος post δέ   g JaHeDrHi

De nadere precisering van het onderwerp is hier overbodig na de voorafgaande zin.

12,3 ζῶντα κατακαῦσαι   Eus Lat LiFu^{pa}Fu^{av}BiMu
      ζῶντα καῦσαι   M
      ζῶντα κατακαυθῆναι   g (om ζῶντα B) JaHeDrZaFu^{op}Hi
      ζῶντα κατακαῆναι   Kn

Vergelijk 5,2. Volgens Lightfoot is de lezing van g afgeleid van de volgende passage. De lezing van M zou zijns inziens ontstaan zijn door homoioteleuton : ζῶν[τα κα]τακαῦσαι. Het aan het werkwoord

---

[233] B. SEPP, *Das Martyrium Polycarpi* (zie n. 36), p. 17; vergelijk HILGENFELD, p. 337.

[234] H. MUELLER, *Das Martyrium Polykarps*, RömQ 22(1908)1-16, zie p. 5; vergelijk SCHOEDEL, p. 68; Schoedel aanvaardt toch de mogelijkheid van een „christian estimation projected on the crowd" (*ibid.*, p. 67-68).

[235] H. DELEHAYE, *Les légendes hagiographiques* (zie n. 84), p. 23-24. Müller citeert het werk volgens de 2de ed., 1906.

[236] Bij *Mt* 28,17 en *Apk* 5,14 zijn er ook varianten die een voorwerp aanvullen.

[237] Volgens H. GREEVEN, προσκυνέω, TWNT VI, p. 759-767, zie p. 766, zou *MPol* 17,3 buiten de gewone betekenis van de Apostolische Vaders vallen, waar προσκυνεῖν altijd gebruikt wordt voor de houding tegenover heidense goden. Hij volgt de interpolatiehypothese van von Campenhausen voor deze tekst.

voorafgaande participium ζῶντα wordt door Jacobson op basis van
PV in de tekst gebracht, ook op gezag van Ussher en Smith, die
naar Eusebius, Rufinus en de oude Latijnse vertaling verwijzen. Knopf
komt wellicht naar analogie van 5,2 en 12,3 *in fine* tot de eigen lezing
κατακαῆναι.

† 12,3 φανερωθείσης   g JaHeDrZaLiHiGeKn
     add αὐτῷ   M Eus FuRaLeLaBiMu

De lezing van g is even waarschijnlijk als die van M Eus en door
een aantal uitgevers die meestal anders kiezen terecht bewaard.

† 13,1 θᾶττον ἢ ἐλέγετο   M Eus ZaFuLiGeRaLeLaKnBiMu
   θᾶττον τοῦ λεχθῆναι g JaHeDrHi

De lezing M Eus kan men wat de stijl betreft als de betere beschouwen,
wat wel in de lijn ligt van de auteur van *MPol*. Het atticiserende θᾶττον
(niet in *NT*, waar alleen het hellenistische τάχιον voorkomt), wijst
in die richting[238]. Schwartz meent dat de huidige zin zou ontstaan
zijn uit de verbinding van twee andere lezingen : μετὰ τοσούτου τάχους
ἐγένετο ὡς ἐλέγετο en ἐγένετο θᾶττον ἢ ἐλέγετο[239], maar dit is een
kwestie van interpretatie. Schwartz ziet de zin als logisch geheel tot
en met ἐλέγετο terwijl de meeste uitgevers θᾶττον ἢ ἐλέγετο opvatten
als afzonderlijk zinsdeel om het voorafgaande te verklaren en te
versterken.

13,1 συναγόντων   MP Eus ps-Chr ZaFuLiGeRaLeLaKnBi
                Mu
   συναγαγόντων   BCHV JaHeDrHi

Ook dit is een geval van de invloed van M. Pas na de ontdekking van
deze codex komt men er toe deze lezing in de uitgaven te betrekken,
ofschoon zij reeds bij P Eus te vinden was (Jacobson vermeldt de
lezing van P in noot). In het zinsverband is de eerst vermelde lezing de
meest waarschijnlijke (vergelijk het volgende participium praesens
ὑπουργούντων). Enkele Eusebiushandschriften hebben de lezing van
BCHV bewaard[240].

† 13,2 πυρκαϊά   g JaHeDrFuLiHiRaLeLaKn
   πυρά   M Eus (ps-Chr) ZaGeBiMu

---

[238] Zie BLASS-DEBRUNNER-REHKOPF, nr. 61, n. 1; naast θᾶττον komt daarop τάχιον
voor in 13,2; ook vroeger in 3,1. Het naast elkaar staan van beide vormen vindt men reeds
in *1 Clemens* 65,1.

[239] SCHWARTZ, p. 14; vergelijk de Eusebiuseditie, p. 346 : „... man verlangt ὡς".

[240] Zie de appendix bij de tekstuitgave.

De lezing van g is niet onmogelijk als *lectio difficilior*, zelfs ondanks het feit dat πυρά nog tweemaal voorkomt in 13,3. De meeste uitgevers hebben de uitdrukking bewaard ondanks M Eus. Zo ook Funk, terwijl Bihlmeyer voor M Eus kiest.

13,2 ἀποθέμενος ἑαυτῷ   BH Eus JaHeDrZaFuLiHiGeRaLeLaKn
                                  Bi
         ἑαυτοῦ   CPV Mu
         αὐτοῦ   M

Musurillo verandert hier de tekst zonder te letten op de eigen betekenis van ἑαυτῷ op deze plaats (vergelijk 4 προσιόντας ἑαυτοῖς).

† 13,2 ζώνην   M Eus ZaFuLiGeLeLaKnBiMu
      add ἑαυτοῦ   HP (Ja)HiRa
      add αὐτοῦ   BCV HeDr

De preciesere bepaling van ζώνην is in het geheel van de zin overbodig en waar ze in de handschriften verschijnt, betekent het een verklarende additie (onder invloed van het voorafgaande ἑαυτῷ en het volgende ἑαυτόν?). Jacobson harmoniseert de hem bekende lezingen tot αὐτοῦ, zonder reden een spiritus asper lezend, waar het duidelijk om een lenis gaat. Hefele en Dressel corrigeren dit terecht.

13,2 ἐν παντὶ γάρ   Eus LiGeKnBiMu
     παντὶ γὰρ καλῷ   B JaHeDrZaFuRaLeLa
     πράξεις γὰρ καλάς   CHPV Hi
     πάσης γὰρ (ἀγαθῆς)   M

Weinig uitgevers aanvaarden dat Eusebius hier de beste lezing biedt[241]. Zelfs Lightfoot aarzelt en plaatst ἐν tussen vierkante haken. De andere lezingen zijn verklarende interpretaties, evenzo de opvatting van Schwartz dat na παντί oorspronkelijk een woord als χαρίσματι moest volgen (de invloed van de *inscriptio* van Ignatius, *Smyr*, vergelijk de *inscriptio* van Ignatius, *Fil*, is hier duidelijk).

13,2 πρὸ τῆς μαρτυρίας   g JaHeDrZaFuHiGeRaLeLaKnBiMu
     πρὸ τῆς πολιᾶς   Eus Bios Li

De Griekse handschriften, op M na dat de bewuste plaats weglaat, lezen καὶ πρὸ τῆς μαρτυρίας ἐκεκόσμητο. Eusebius leest echter πολιᾶς in plaats van μαρτυρίας, daarin gevolgd door Lightfoot, die veronderstelde dat de „Vorlage" van M πολιᾶς bevatte, wat dan door

---

[241] Nochtans is het weer Ussher die in zijn tijd al het belang van de Eusebiustekst voor deze lezing inzag, cf. J. Ussher, *Ignatii et Polycarpi martyria* (zie n. 6), p. 65.

haplografie met πολιτείας weggevallen zou zijn[242]. Delehaye vraagt zich af of het mogelijk is dat de lezing van de Griekse handschriften ontstaan is door dittografie (πολιᾶς naar aanleiding van πολιτείας), achteraf verbeterd tot μαρτυρίας[243]. Ook volgens Schwartz zijn alle handschriften hier geïnterpoleerd. „Πρὸ τῆς μαρτυρίας correctum est, postquam antiqua de donis spiritalibus opinio ex Christianorum fide evanuit"[244]. Reunings verklaring van deze passage, die hij in het licht van de reeds bestaande martelarencultus plaatst, pleit evenwel tegen zijn optie voor de lezing van Eusebius (met Schwartz en Lightfoot)[245]. Wanneer de auteur van *MPol* schrijft vanuit de situatie van de verering van Polycarpus, is de lezing μαρτυρίας normaler dan πολιᾶς. De eerste lezing als interpolatie opvatten is in die hypothese overbodig. Ook volgens Sepp moet men de lezing van Eusebius verwerpen, daar zij wellicht een door het voorafgaande ἕνεκεν πολιτείας veroorzaakte tekstcorruptie is, die gemakkelijk door het wegvallen van een letter-greep (πολι[τεί]ας) kon ontstaan[246].

† 13,3 ἀσάλευτον   g Bios JaHeDrHi
     ἄσκυλτον   M ps-Chr ZaFuLiGeLeLaKnBiMu
     ἀσκύλτως   Eus

De lezing van de Griekse codices is niet te verwaarlozen. Ἀσάλευτον heeft hier meer betekenis, tenzij men met Bauer zou voorhouden dat ἄσκυλτον gezien de context meer de betekenis van „onbewogen, onbeweeglijk" schijnt te hebben[247] (cf. p. 36).

† 14,1 ἔδησαν   g JaHeDrHi
     προσέδησαν   M Eus ps-Chr ZaFuLiGeRaLeLaKnBiMu

De lezing van g moet hier niet verworpen worden. Alleen omwille van het belang dat aan Eus wordt gehecht heeft men gekozen voor het ongewone compositum. In de volgende zin vraagt het participium passief aorist om een voorzetsel (προσδεθείς), maar dit is hier geenszins het geval.

---

[242] LIGHTFOOT II 3, p. 386 *app. crit.*; hij verwijst nog naar een tekst over Poly-carpus in Macarius, *Apokritikos* III,24 : καὶ δὴ πρὸ τῆς ἐπισκοπῆς ... καλῶς ἔσχεν ἄπαντα.
[243] H. DELEHAYE, AnBoll 38(1920)201.
[244] SCHWARTZ, p. 14.
[245] REUNING, p. 45.
[246] B. SEPP, *Das Martyrium Polycarpi* (zie n. 36), p. 19.
[247] BAUER, col. 231; vergelijk LAMPE, p. 245.

14,1 ὁλοκάρπωμα   BP JaHeDr

ὁλοκαύτωμα   CHMV Eus ps-Chr VitaPol ZaFuLiHi
GeRaLeLaKnBiMu

Met Sepp[248] kan men deze lezing verdedigen tegen die van de meerderheid der manuscripten. De lezing van BP bevat een woordspeling op de naam van de martelaar, die door de andere mogelijkheid verdwijnt. Ὁλοκάρπωμα komt in LXX enkele malen voor als vertaling van עלה (naast ὁλοκαύτωμα): *Lv* 16,24; *Nu* 15,3; *Judit* 16,16 (*v.l.*); *Wijsheid* 3,6; in *Lv* en *Nu* vindt men beide woorden in hetzelfde vers (vergelijk het werkwoord ὁλοκαρποῦν in *Sir* 45,14 en *4 Mak* 18,11 καὶ τὸν ὁλοκαρπούμενον Ἰσάακ). Het metaforisch gebruik van ὁλοκάρπωμα komt nog voor bij Clemens Alexandrinus, *Stromateis* V,11 = 70,4; VII,3 = 14,1.

De mogelijkheid van deze variant voor ὁλοκαύτωμα wordt reeds door Ussher aanvaard. Jacobson (en Hefele en Dressel) handhaaft de lezing van BP nog in zijn tekst, ofschoon hij de variant van V en Eus kent[249].

14,1 ὁ θεὸς ἀγγέλων   MP Eus JaHeDrZaFuHiGeRaLeLaKnBi
Mu

ὁ θεὸς ὁ ἀγγέλων   BCHV [Li]

De eerste lezing is grammaticaal zinvoller dan de tweede, die bovendien beïnvloed kan zijn door het voorafgaande ὁ θεὸς ὁ παντοκράτωρ. Lightfoot aarzelt nog en plaatst het tweede ὁ tussen vierkante haken, maar de andere uitgevers, vanaf Jacobson, laten het lidwoord weg.

† 14,1 παντός τε τοῦ γένους   M Eus ZaFuLiGeRaLeLaKnBiMu

καὶ παντὸς τοῦ γένους   g JaHeDrHi

De lezing van M Eus is stilistisch (τε...καί) de betere en daarom waarschijnlijk origineel (vergelijk 4; 8,1²; 9,2; 12,2; 13,1; 14,2; 16,1; 17,1².3; 18,3²).

† 14,2 λαβεῖν   CM Eus ZaGeBiMu

add με   BHPV JaHeDrFuLiHiRaLeLaKnCa

De additie van με komt pleonastisch na ἠξίωσάς με (Zahn vergelijkt nog met *Apk* 20,6; Polycarpus, *Fil* 12,2).

† 14,2 μαρτύρων   M Eus ZaFuLiGeRaLeLaKnBiMu

add σου   g JaHeDrHi

---

[248] Zie B. SEPP, *Das Martyrium Polycarpi* (zie n. 36), p. 16.
[249] Zie nog LIGHFOOT II 3, p. 386; ZAHN, p. 154-155.

De additie van het possessivum is ontstaan door de invloed van formuleringen die de martelaar als aan God, respectievelijk aan Christus „toebehorend" beschrijven; cf. *MPol* 2,2 en reeds *Apk* 2,13; 11,3.

† 14,2 προσδεχθείην   M Eus (Lat) JaHeDrZaFuLiHiGeRaLeLaKn BiMu

   προσδεχθείη   B

   προσδέχθημεν   C(H)PV

De eerste persoon enkelvoud werd reeds door Jacobson op basis van Eus in de tekst gebracht. Het is de enig zinvolle mogelijkheid binnen de context.

† 14,3 σε αἰνῶ κτλ.   M Eus (Lat) ZaFuLiGeRaLeLaKnBiMu

   αἰνῶ σε κτλ.   g JaHeDrHi

De woordorde van M Eus wordt waarschijnlijk terecht door de meeste uitgevers verkozen. De omkering in g werd wellicht veroorzaakt door εὐλογῶ σε in 14,2. Voor dit geval geldt, zoals voor het hele gebed, dat dit soort formules in de loop van de overlevering meer beïnvloed wordt door latere liturgische formuleringen (vergelijk bv. *Constitutiones apostolorum* 7,47).

† 14,3 διὰ τοῦ αἰωνίου κτλ.   M Eus ZaFuLiHiGeRaLeLaKnBiMu

   σὺν τῷ αἰωνίῳ κτλ.   g JaHeDr

De lezing van g is waarschijnlijk ook hier te wijten aan de invloed van de liturgie. Gezien het volgende σὺν αὐτῷ is zij alleszins minder aan te bevelen. Vergelijk anderzijds met 14,3 de parallele formulering van 20,2 διὰ τοῦ παιδὸς αὐτοῦ τοῦ μονογενοῦς Ἰησοῦ Χριστοῦ.

† 14,3 δι' οὗ σοι κτλ.   M Eus ZaFuLiHiGeRaLeLaKnBiMu

   μεθ' οὗ σοι κτλ.   g JaHeDr

Met bijna alle uitgevers verkiezen wij de eerste lezing (vergelijk *1 Clemens* 65,2; *2 Clemens* 20,5), ofschoon de andere niet uitgesloten is (vergelijk *MPol* 22,1; later: *Martyrium Agapès* 7,2).

† 14,3 ἡ δόξα   g JaHeDrFu[pa]Fu[av]RaLe

   om ἡ   M Eus ZaFu[op][Li]HiGeLaKnBiMu

Het al dan niet behouden van het lidwoord op deze plaats in de doxologie is een omstreden zaak. Men vergelijke ἡ δόξα in *2 Clemens* 20,5 met δόξα in *1 Clemens* 65,2 (voor *MPol* 20,2 zie verder). Lightfoot aarzelt en plaatst het lidwoord tussen vierkante haken. De doxologische formules in *NT* hebben meestal het lidwoord, maar dit kan geen argument voor of tegen een van beide lezingen zijn (zie *MPol* 20,2).

Hetzelfde geldt voor de doxologische formules op het einde van de martelaarsakten.

14,3 νῦν g JaHeDrZaFuHiGeRaLeLaKnBiMu
add καὶ ἀεί M [Li]

Deze eigen lezing van M na νῦν acht Lightfoot nog in zover mogelijk dat hij het tussen vierkante haken in de tekst bewaart. De invloed van de liturgie is hier duidelijk (vergelijk *Acta Carpi* 47; *Acta Eupli* 2,3).

† 15,1 θαῦμα M Eus ZaFuLiGeRaLeLaKnBiMu
add μέγα g JaHeDrHi

De additie van g is niet onmogelijk, maar evenmin dwingend. Of er invloed van *Apk* 17,6 aanwezig is kan niet met zekerheid gezegd worden. De additie van pseudo-Chrysostomus μάγικον is alleszins secundair.

15,1 εἴδομεν Eus JaHeDrZaFuLiHiGeRaLeLaKnBiMu
ἴδομεν G

Reeds Jacobson kiest hier de lezing van Eusebius. De vorm van de Griekse handschriften is waarschijnlijk te wijten aan itacisme.

15,2 ἢ ὡς χρυσός...πυρούμενος g JaHeDrZaFuLiHiGeRaLeLaKn
Bi Mu
om M

Deze opvallende omissie, voor Schwartz en Reuning aanleiding om een interpolatie te veronderstellen[250], is waarschijnlijk door homoioteleuton ontstaan. Hetzelfde kan gezegd worden van het weglaten van de eerste vergelijking (ὡς ἄρτος ὀπτώμενος ἤ) bij Eusebius. Lightfoot verkiest eerder de mogelijkheid dat deze omissie het gevolg is van Eusebius' literaire smaak[251].

16,1 γοῦν CV Eus LiFu[pa]Fu[av]GeRaLeLaBiMu
δ᾿ οὖν M
οὖν BHP JaHeDrZaFu[op]HiKn

De wijziging van een minder gebruikelijk partikel is de aanleiding voor de lezing van M en BHP (zie nog 17,2)[252].

† 16,1 μὴ δυνάμενον CM Eus ZaFuLiHeRaLeLaKnBiMu
οὐ δυνάμενον BHPV JaHeDrHi

---

[250] SCHWARTZ, p. 15; REUNING, p. 44.
[251] LIGHTFOOT II 3, p. 389; vergelijk SCHOEDEL, p. 72.
[252] Vergelijk nog LIGHTFOOT II 3, p. 390.

Hoewel οὐ als ontkenning niet uitgesloten is, is μή hier correcter voor het gesubstantiveerde participium[253].

16,1 περιστερὰ καί   G JaHeDrLiFu[pa]Fu[av]GeRaLeLaKnBi
om   Eus HiMu
περὶ στύρακα   ZaFu[op]

Waar in de meeste edities de woorden περιστερὰ καί nog,tenminste tussen vierkante haken te vinden zijn, laat Musurillo, zoals vroeger Hilgenfeld, ze weg met de bemerking: ,,... omitted by Eusebius and modern authors have deleted it"[254]. De weggelaten woorden behoren evenwel tot de tekst van alle Griekse manuscripten. Zij worden beschouwd als een origineel element van de tekst, een fout in de tekstoverlevering of een interpolatie.

De *originaliteit* wordt verdedigd door Nestle en Corssen, vroeger door Harnack, Salmon en Egli[255]. Egli merkt op dat dergelijke wonderlijke elementen in een martyrium te 'verwachten zijn. Het motief van de duif is zijns inziens een ,,Weiterbildung" van de tekst uit *Mc* 1,10, waarin de duif neerdaalt[256]. De Smyrneeërs zouden zich de duif dan voorstellen als de ziel of de Geest, een symbool dat algemeen bekend was in het oude christendom[257]. De hypothese van de echtheid steunt vooral op het feit dat in *Vita Polycarpi* 21 van een duif sprake is (deze daalt neer om Polycarpus als bisschop aan te wijzen)[258]. Een andere

---

[253] Zie BLASS-DEBRUNNER-REHKOPF, nr. 430.

[254] MUSURILLO, p. 15, n. 24; vergelijk p. XIV.

[255] E. NESTLE, *Ein Gegenstück zur Gewölbe und zur Taube im Martyrium des Polykarp*, ZNW 7(1906)359-360; hij verwijst naar een parallelle voorstelling in *Martyrium Mamae*; vergelijk nog *Zur Taube als Symbol des Geistes*, ZNW 7(1906)358-359. P. CORSSEN, *Begriff und Wesen der Märtyrer in der alten Kirche*, in *Neue Jahrbücher für das klassische Altertum* 34(1915)481-501, inz. p. 498: Eusebius heeft het wonderlijke element weggelaten (vergelijk nog DELEHAYE, p. 17, n. 2). A. HARNACK, *Lightfoot's Ignatius and Polycarp*, in *The Expositor* 3de ser. 3(1886)9-22; 175-192; 401-414, zie p. 410; G. SALMON, *Polycarpus of Smyrna*, in *Dictionary of Christian Biography* 4(1887)423-431, p. 428; E. EGLI, *Altchristliche Studien*, Zürich, 1887, p. 71.

[256] Egli sluit aan bij G. VOLKMAR, *Markus und die Synopse der Evangelien*, Zürich, 1876, p. 38; 695. Aangaande de Marcustekst zie J. DE COCK, *Het symbolisme van de duif bij het doopsel van Christus*, in *Bijdragen* 21(1960)363-376; A. FEUILLET, *Le symbolisme de la colombe dans les récits évangéliques du Baptême*, RecSR 46(1958)542-544. M. SABBE, *Het verhaal van Jezus' doopsel*, in *Collationes* 8(1962)456-474, inz. p. 470, n. 26 merkt terecht op dat De Cock naar *MPol* verwijst (in plaats van naar *Vita Polycarpi*); zie nu S. GERO, *The Spirit as a Dove at the Baptism of Jesus*, NT 18(1976)17-35.

[257] Zie onder meer FUNK, p. 333; REUNING, p. 10; KLEIST, p. 202, n. 45; F.J. DOELGER, ,,*Unserer Taube Haus*", AC 2(1930; 2de ed. 1974)41-56, inz. p. 45-50; LAKE, p. 333, n. 1; LAMPE, col. 1073, interpreteert de duif als de Heilige Geest die de martelaar verlaat, ons inziens ten onrechte.

[258] Cf. ZAHN, p. 157; FUNK, p. 333; LIGHTFOOT II 1, p. 644-645; II 3, p. 391. Zie boven p. 43. Ook in andere contexten kan de duif het teken zijn van een goddelijke

tekst die in dit verband wordt aangehaald is Lucianus van Samosate, *De morte Peregrini* 39, maar daar is in feite sprake van een gier die uit de brandstapel opstijgt[259]. Enige samenhang van *MPol* met het verhaal van Lucianus wordt dan ook meestal betwijfeld op basis van het ontbreken van elke woordelijke overeenkomst[260].

Vele auteurs maken veronderstellingen over de *corruptie van de tekst* in de loop van de overlevering. De bekendste conjectuur is die van Wordsworth : περιστερὰ καί moet oorspronkelijk geluid hebben περὶ στύρακα[261]. Een ander voorstel, ἐπ' ἀριστερᾷ, wordt vermeld door J. Donaldson[262]. Sepp verkiest deze mogelijkheid boven die van Wordsworth[263]. Dressel maakt melding van een derde conjectuur door Nolte[264], ἐξῆλθε περιπτερὰ αἵματος κατὰ πλῆθος. Zahn geeft nog een vierde mogelijkheid aan : περισσεία ὕδατος καί[265]. Tenslotte is er het voorstel van Ruchat[266], weer opgenomen door Grégoire, περὶ στερνά. De lezing περιστερά is het resultaat van een wijziging door de

---

aanwijzing, zie bijvoorbeeld *Protevangelium Jacobi* 9,1 : καὶ ἰδοὺ περιστερὰ ἐξῆλθεν ἀπὸ τῆς ῥάβδου καὶ ἐπεστάθη ἐπὶ τὴν κεφαλὴν τοῦ Ἰωσήφ (tekst volgens de uitgave van E. DE STRYCKER, *La forme la plus ancienne du protévangile de Jacques* (SH 33), Brussel, 1961, p. 106).

[259] Cf. bijvoorbeeld G. VOLKMAR, *Marcus* (zie n. 256), p. 695. De hypothese dat *MPol* 16,1 Lucianus beïnvloedde gaat terug op S. Le Moyne, zie T. ITTIG, *Bibliotheca Patrum Apostolicorum* (zie n. 95), dl. 3, p. 292. Volgens T. BAUMEISTER, *Martyr Invictus*, Münster, 1972, p. 48, n. 65, is de opvliegende gier een parodie op de adelaar die men bij de verbranding van de overleden keizer als symbool van het opstijgen naar de goddelijke wereld losliet; Baumeister verwijst hier naar K. LATTE, *Römische Religionsgeschichte*, München, 1960 (2de ed. 1967); zie reeds LIGHTFOOT II 3, p. 391.

[260] Zie T. ZAHN, *Ignatius von Antiochien*, Gotha, 1873, p. 524-525; LIGHTFOOT II 1, p. 606-607; G. SALMON, *Polycarpus* (zie n. 255), p. 428; E. EGLI, *Lucian und Polykarp*, ZWT 26(1883)166-180. Vgl. n. 573.

[261] C. WORDSWORTH, *St. Hippolytus and the Church of Rome*, 2de ed., Oxford, 1880, p. 318. Zij wordt overgenomen door Lagarde (cf. LIGHTFOOT II 3, p. 393), door ZAHN, p. 157; vergelijk ID., *Ignatius* (zie n. 260), p. 555-556; F.X. FUNK, *Opera Patrum apostolicorum* (zie n. 141), p. 300; F.J. DOELGER, AC 1 (1929; 2de ed. 1974), p. 245, n. 12. Zij wordt vermeld door FUNK, p. 333; P. ALLARD, *Histoire des persécutions*, dl. 1, 3de ed., Parijs, 1903, p. 324, n. 2; vergelijk E. RENAN, *L'Église chrétienne* (zie n. 188), p. 460, n. 2; LAKE, p. 334, n. 1; BAUER, col. 1293 meent dat de conjectuur van Wordsworth onverdiend bijval genoot.

[262] J. DONALDSON, *The Writings of the Apostolic Fathers*, Edinburgh, 1867, p. 92, n. 3; de conjectuur komt oorspronkelijk van Le Moyne, cf. LIGHTFOOT II 3, p. 393; ZAHN, p. 156 *app. crit.*; G. SALMON, *Polycarpus* (zie n. 255), p. 428, n. i.

[263] B. SEPP, *Das Martyrium Polycarpi* (zie n. 35), p. 21-22.

[264] DRESSEL, p. 403.

[265] ZAHN, p. 156; zijns inziens komt het van Whiston; dezelfde conjectuur schrijft G. SALMON, *Polycarpus* (zie n. 255), p. 428, n. i. toe aan Fitzgerald. Over deze en nog andere conjecturen, zie JACOBSON, p. 645-646; HILGENFELD, p. 66 *app. crit.*

[266] Cf. LIGHTFOOT II 3, p. 393; ZAHN, p. 156.

pseudo-Pionius, die het wonderlijk element wilde versterken[267]. Reeds Reuning veronderstelde deze vorm van interpolatie[268]. Ook Zahn was van mening dat στύρακα door een kopiist στερά καί gelezen is, waaruit Pionius de duif liet ontstaan: „Itaque Pionio columba fabulosa tribuenda est"[269].

De idee dat de omstreden woorden in 16,1 een *interpolatie* zijn, vond meer en meer ingang[270]. Men steunt vooral op het feit dat Eusebius in *HE* IV,15,39 de duif niet vermeldt[271]. Sommigen denken aan een marginale nota, door een vrome kopiist in de tekst gebracht, waarbij het symbolisme van de duif een rol kan gespeeld hebben[272].

De verwerping van de lezing van de Griekse codices is sterk beïnvloed door het belang dat men aan de tekst van Eusebius toekent. Wanneer men het gewicht van deze versie ontkent, blijft de mogelijkheid bestaan dat περιστερά καί een oorspronkelijk element van de tekst geweest is. Het is denkbaar dat de tekst op een of andere wijze naar *1 Joh* 5,6-8 verwijst.

16,2 ὁ θαυμασιώτατος Πολύκαρπος	[Li]BiMu
ὁ μακάριος καὶ θαυμασιώτατος Πολύκαρπος	M
ὁ θαυμασιώτατος	Eus
ὁ θαυμασιώτατος μάρτυς Πολύκαρπος	B JaHeDrZaFuHi [Ge]RaLeLa[Kn]
ὁ θαυμάσιος μάρτυς Πολύκαρπος	HP

[267] H. GREGOIRE, *La véritable date du martyre de S. Polycarpe*, AnBoll 69(1951) 1-38, inz. p. 14.

[268] REUNING, p. 10.

[269] ZAHN, p. 156-157.

[270] Zie onder meer T. KEIM, *Aus dem Urchristentum*, Zürich, 1878, p. 167, n. 1; K. WIESELER, *Die Christenverfolgungen der Caesaren*, Gütersloh, 1878, p. 39; M.A.N. ROVERS, *De marteldood van Polycarp*, in *Theologisch Tijdschrift* 15(1881)450-464, p. 454; H. MUELLER, *Das Martyrium Polykarps* (zie n. 234), p. 15; recenter BIHLMEYER, p. 128 *app. crit.*

[271] Aldus R.A. LIPSIUS, *Der Märtyrertod Polykarps*, ZWT 17(1874)188-214, inz. p. 199 (tegen Lipsius: G. VOLKMAR, *Marcus* (zie n. 256), p. 695); T. KEIM, *Aus dem Urchristentum* (zie n. 270), p. 94, n. 2; 166-167; FUNK, p. 333; H. MUELLER, *Das Martyrium Polykarps* (zie n. 234), p. 15; REUNING, p. 9-10; B. SEPP, *Das Martyrium Polycarpi* (zie n. 36), p. 21; LELONG, p. LXXI; 150; P. MEINHOLD, *Polykarpos* (zie n. 78), col. 1674; SCHOEDEL, p. 72-73; CAMELOT, p. 229, n. 3; H. GREEVEN, περιστερά, TWNT 6(1959)63-72, zie p. 71, n. 86; F. SUEHLING, *Die Taube als religiöses Symbol im christlichen Altertum*, Freiburg, 1930, p. 124-130; Sühling aanvaardt wel dat de voorstelling van de ziel als duif ten tijde van het ontstaan van *MPol* reeds bestaan kan hebben.

[272] DRESSEL, p. 402-403 (Dressel verwijst nog naar het ons ontoegankelijke werk van C. HEUMANN, *Examen fabulae de columba e Polycarpo rogo evolante*, in *Bibliotheca historico-philologico-theologica*, Bremen, 1720, p. 429-438); G. RAUSCHEN, *Florilegium patristicum* (zie n. 222), p. 54.

CV geven hier een andere tekst (parallel met deze passage is CV
ὁ ἅγιος ἱεράρχης καὶ ἔνδοξος μάρτυς τοῦ Χριστοῦ Πολύκαρπος).
De lezing die Bihlmeyer voorstelt, afhankelijk van Schwartz, werd
reeds door Lightfoot aanvaard, met dien verstande dat hij de naam
van de martelaar tussen vierkante haken plaatst, onder invloed van
Eusebius. De additie μάρτυς (BHP) vindt men bij de meeste uitgevers
(bij Gebhardt en Knopf tussen vierkante haken).

De vergelijking met 5,1 laat toe Bihlmeyers vorm van *lectio brevior*
te aanvaarden, vooral daar er op die plaats een grotere consensus
vanwege de tekstgetuigen bestaat voor ὁ δὲ θαυμασιώτατος Πολύκαρπος (BHM). Het is ook die vorm die het model was van Eusebius'
samenvatting (*HE* IV,15,9 : τόν γε μὴν θαυμασιώτατον Πολύκαρπον).
Ook V leest θαυμασιώτατος, voegt er echter τίμιος καί aan toe, wat
beantwoordt aan de tendens van dit handschrift[273]. Slechts HP
schrijven θαυμάσιος. De vergelijking met 5,1 geeft ook voldoende
antwoord op Schwartz, die de lezing van Eusebius als de juiste beschouwt[274].

16,2 ἐπίσκοπός τε   BP JaHeDrBiMu
    om τε   HM ZaFuLiHiGeRaLeLaKn

Het door de meeste uitgevers weggelaten partikel komt overeen
met de stijl van de auteur (vergelijk 7,2; 12,1; 14,1; 18,2), zodat de
waarschuwing van Turner, dat atticiserende scribae de neiging hebben
τε toe te voegen, hier wellicht niet opgaat[275]. Bihlmeyer brengt het
partikel terug in de tekst, in navolging van Schwartz[276].

16,2 καθολικῆς   BHP Eus JaHeDrZaFuHiGeRaLeLaKnBiMu
    ἁγίας   M Lat Li

De uitdrukking καθολικὴ ἐκκλησία is sinds lang omstreden. Sedert
Keim zag men er een reden in om *MPol* in een latere tijd te dateren,
of minstens de betrokken passage als een interpolatie te beschouwen.
In 16,2 is het namelijk niet mogelijk aan de uitdrukking dezelfde
betekenis toe te kennen als in de *inscriptio*, 8,1 en 19,2[277] : de algemene

---

[273] Zie de lijst van addities in n. 15.
[274] SCHWARTZ, p. 16.
[275] N. TURNER, *A Grammar of New Testament Greek* (zie n. 210), p. 339.
[276] Zie SCHWARTZ, p. 16 : τε is noodzakelijk om διδάσκαλος en ἐπίσκοπος te
verbinden; vergelijk ID., *Über den Tod der Söhne Zebedaei*, GGA NF 7,5 (1904); =
Gesammelte Aufsätze, dl. 5, Berlijn, 1963, p. 48-123, zie p. 114, n. 2: „ἐπίσκοπος
Dittographie zu διδάσκαλος".
[277] Dit is ook de betekenis van Ignatius, *Smyr* 8,2, cf. ZAHN, p. 91; W. BAUER,
Die Briefe des Ignatius von Antiochien (HzNT ErgB), Tübingen, 1920, p. 270. Volgens

Kerk ten overstaan van de plaatselijke christelijke gemeenschappen. In 16,2 kan καθολική slechts „orthodox" betekenen, tegengesteld aan ketterse opvattingen. Volgens sommige auteurs is deze betekenis in de tweede eeuw onmogelijk. Lightfoot aanvaardt wel de betekenis „orthodox", maar lost in feite de moeilijkheid op door in 16,2 de lezing van M de voorkeur te geven: ἁγίας (M heeft nogmaals ἁγία in 19,2[278]). Deze opvatting werd aanvaard door Harnack, die veronderstelt dat καθολική overal in de brief een (vroege) interpolatie geweest is[279]. Ook Lawlor-Oulton verkiezen ἁγία[280]. Reuning en later ook Schoedel lossen de moeilijkheid op door 16,2 geheel als geïnterpoleerd te aanzien. Bovendien zou de betekenis „orthodox" onmogelijk zijn, gezien de andere betekenis van καθολική elders in *MPol*[281].

Nochtans houden vele anderen de nieuwe betekenis in *MPol* voor mogelijk. Funk bewees het origineel karakter van καθολική in 16,2 en 19,2 en de mogelijkheid van de vertaling „orthodox" in de tweede eeuw[282]. Lelong en recenter Bardy en Camelot verdedigen dezelfde oplossing[283]. Er is geen dwingende reden om te twijfelen aan de mogelijkheid van καθολική als juiste lezing en vroeg voorbeeld van de nieuwe betekenis „orthodox".

FISCHER, p. 211, n. 50 kondigt de „kerkelijke" betekenis zich reeds bij Ignatius aan. R.M. GRANT, *Ignatius of Antioch* (The Apostolic Fathers. A New Translation and Commentary 4), Londen, 1966, p. 121 houdt de betekenis „orthodox" in *MPol* 16,2 voor onzeker.

[278] LIGHTFOOT II 1, p. 621-623; II 2, p. 310-311; II 3, p. 393.

[279] A. HARNACK, *Lightfoot's Ignatius and Polycarp* (zie n. 255), p. 410-411; vergelijk nog TLZ 11(1886)317; *Mission und Ausbreitung*, dl. 2 (zie n. 77), p. 422; *Lehrbuch der Dogmengeschichte*, 5de ed., dl. 1, Tübingen, 1931, p. 407, n. 2.

[280] LAWLOR-OULTON, p. 136; vergelijk nog SCHOEDEL, p. 73.

[281] REUNING, p. 21-22.

[282] FUNK, p. 334-335; vergelijk nog F. KATTENBUSCH, *Das apostolische Symbol*, dl. 2, Leipzig, 1900, p. 923-924, die καθολική als juiste lezing aanvaardt, maar de betekenis „orthodox" in 8,1 aanwezig acht in plaats van in 16,2; vergelijk verder G. SALMON, *Polycarpus* (zie n. 255), p. 425-426; LAKE, p. 335, n. 1; G. RAUSCHEN, *Florilegium patristicum* (zie n. 222), p. 39. De belangrijkste teksten met dezelfde betekenis van καθολικός voor of rond het einde van de tweede eeuw zijn *Canon Muratori* 66 en 69 (vergelijk 61; 62); Clemens Alexandrinus, *Stromateis* VII,17; = 106,3, cf. T. ZAHN, *Geschichte des neutestamentlichen Kanons*, dl. 2,1, Leipzig, 1890, p. 93-94.

[283] LELONG, p. LXXXI-LXXXIII; 151; G. BARDY, *La théologie de l'Eglise de saint Clément de Rome à saint Irénée*, Parijs, 1945, p. 65-67; CAMELOT, p. 139, n. 4; 210, n. 1; 231, n. 2. Zie verder KLEIST, p. 202, n. 46; G.J.M. BARTELINK, *Lexicologisch-semantische studie over de taal van de Apostolische Vaders. Een bijdrage tot de studie van de groeptaal der Griekse christenen*, Utrecht-Nijmegen, 1952, p. 120-121; M. SIMONETTI, *Studi agiografici*, Rome, 1955, p. 23, n. 3; BAUER, col. 772 noteert dat het in 16,2 niet gaat om de tegenstelling tot de afzonderlijke Kerken, maar verder onthoudt hij zich van precisering door op te merken dat de tekst onzeker is; vergelijk LAMPE, p. 690.

† 16,2 ἀφῆκεν   M Eus ZaFuLiGeRaLeLaKnBiMu
     ἐξαφῆκεν   BHP JaHeDrHi

Het ongewone compositum van BHP is ontstaan door het volgende ἐκ en de tendens tot het gebruik van gecompliceerder composita.

16,2 καὶ ἐτελειώθη   B Eus JaHeDrHiFu^{av}LaBiMu
   om καί   HMP ZaFu^{op}Fu^{pa}LiGeLeKn

De recentere uitgevers bewaren opnieuw καί in de tekst, en terecht: de weglating van het voegwoord is gemakkelijker te verklaren, gezien de herhaling, dan een latere additie.

17,1 ἀντίζηλος   BCHV Eus JaHeDrZaFuLiHiGeRaLeLaKnBi
                  Mu
    ἀντικείμενος   M
    ἀντίδικος   P

    καὶ πονηρός   CHMPV HeDrZaFuLiHiGeRaLeLaKnBiMu
    om πονηρός   B Eus Ja

De lezing van M, ἀντικείμενος voor ἀντίζηλος, heeft een onnodige herhaling van het eerste woord tot gevolg. P leest hier ἀντίδικος, beïnvloed door *1 Petrus* 5,8. Het voegwoord voor πονηρός wordt gelezen door CHMV en door de meeste uitgevers in de tekst bewaard. B en Eus laten het weg en Jacobson volgt deze getuigen. Ook Bihlmeyer noteert bij deze lezing: „vielleicht richtig"[284]. De drie adjectieven kunnen nochtans zelfstandig bedoeld zijn: zij bestaan afzonderlijk als aanduiding voor de duivel in de vroeg-christelijke literatuur[285].

† 17,1 λείψανον   g JaHeDrHi
    σωμάτιον   M Eus Lat ZaFuLiGeRaLeLaKnBiMu

De lezing van g mag hier niet verwaarloosd worden. Σωμάτιον is een ongebruikelijk verkleinwoord, zeker in deze context (cf. 17,2 τὸ σῶμα Lat reliquiae!). In *MLugd* wordt σωμάτιον gebruikt in 1,23.24, echter gezegd van het lichaam van de nog levende martelaar. In 1,59 vindt men, zoals in *Acta Carpi* 47 λείψανα gebruikt als verwijzing naar het stoffelijk overschot. Λείψανον in *MLugd* 1,62 heeft een andere betekenis. Parallel met het gebruik in g staat λείψανον in het door

---

[284] Zie ook boven hoofdstuk I, § 2 *in fine*.

[285] In verband met deze terminologie, zie G.J.M. BARTELINK, *Lexicologisch-semantische studie* (zie n. 283), p. 80-85; 162; ID., *Einige Bemerkungen über die Meidung heidnischer oder christlicher Termini in dem frühchristlichen Sprachgebrauch*, VigChr 19(1965) 193-209, inz. p. 198-199. F.X. GOKEY, *The Terminology for the Devil and Evil Spirits in the Apostolic Fathers*, Washington, 1961.

Funk geciteerde *Martyrium Nestoris*, in een passage, die niet vrij is van reminiscenties aan *MPol* 17,1[286].

† 17,2 ταῦτα M ZaGeKnBiMu
  add εἶπον Eus JaHeDrFu(Li)RaLeLaCa
  add εἰπών BCPV Hi

De lezing van M is hier de meest waarschijnlijke. Het toegevoegd verbum dicendi kan als een latere oplossing van de zinsconstructie worden aangezien[287]. Vele uitgevers achten het nochtans onontbeerlijk[288]. Jacobson veronderstelt dat er, afwijkend van de getuigen, misschien εἶπεν gelezen moest worden. Ook Schwartz, die de lezing van M aanvaardt, wil nog een woord als φησίν veronderstellen.

Lightfoot staat onder invloed van Eusebius, maar houdt rekening met de lezing van M : „but a probable inference from the authorities is that εἶπον should be omitted, in which case καὶ ταῦτα κτλ. will mean ,this too at the instigation of the Jews', with a reference to the active part they had taken at a previous stage of the martyrdom"[289].

17,2 αὐτὸν λαμβάνειν HP Eus FuLiRaLeLaBiMu
 αὐτό   M ZaHiGeKn
 om   B JaHeDr
 τοῦτον   C
 τοῦτο   V

De eerste lezing biedt het meest kans op originaliteit. De andere kunnen verklaard worden vanuit de context : αὐτό nog naar σωμάτιον verwijzend, de lezing van CV door het voorafgaande τοῦτον[290].

17,2 ἄμωμον ὑπὲρ ἁμαρτωλῶν G (JaHeDr)ZaFuLiHiGeRaLe
          LaKnBiMu
 om   Eus Lat

Reeds Ussher, gevolgd door Jacobson, Hefele en Dressel, twijfelde aan de authenticiteit van deze woorden. Jacobson meent dat zij geïnterpoleerd zijn door iemand die *1 Petrus* 3,18 in de geest had. De omissie bij Eusebius is in dit geval onvoldoende om de woorden in twijfel te trekken (men vergelijke eerder met *1 Petrus* 1,19).

---

[286] FUNK, p. 337.
[287] Zie ook boven hoofdstuk I, § 2 *in fine*.
[288] Zie nog H. VON CAMPENHAUSEN, *Bearbeitungen* (zie n. 168), p. 277; BAUER col. 1669.
[289] LIGHTFOOT II 3, p. 395; vergelijk de appendix bij de tekstuitgave.
[290] Vergelijk SCHWARTZ, p. 6.

17,3 κοινωνούς   BHM Lat ZaFuHiGeRaLeLaKnBiMu
     συγκοινωνούς   P Eus MartOlb JaHeDrLi

De eerste lezing is het best te verdedigen, vergelijk 5,2. Het compositum is wellicht ontstaan uit parallellisme met συμμαθητάς (vergelijk nog συγκοινωνός *Rom* 11,17; *1 Kor* 9,23; *Fil* 1,7).

† 18,1 ὡς ἔθος αὐτοῖς   M Eus ZaFuLiHiGeRaLeLaKnBiMu
      τοῦ πυρός   g JaHeDr
      om   Lat

De lezing van g kan beschouwd worden als een secundaire aanvulling van ἐν μέσῳ. De door de uitgevers verkozen lezing is daarom nog niet de originele; zij lijkt meer op een verklarende toevoeging, in de tekst gebracht naar aanleiding van 9,2 en 13,1. Misschien staat de oude Latijnse vertaling hier nog het dichtst bij de oorspronkelijke tekst : „... centurio posuit corpus in medium".

18,3 τῶν προηθληκότων   MP Eus MartOlb ZaFuLiHiGeRaLeLa
                               KnBiMu
     τῶν ἠθληκότων   B JaHeDr
     αὐτοῦ   CHV

De eerste lezing is de beste, gezien het zinsverband (tegenstelling met μελλόντων). CHV hebben de idee van herinnering secundair op Polycarpus toegepast.

19,1 ὑπὸ πάντων   G JaHeDrHi
     add μᾶλλον   Eus ZaFu(Li)GeRaLeLaKnBiMu

De lezing van Eus[291] is uit de tekst te weren als secundaire versterking van de vergelijking. Lightfoot plaatst het woord tussen vierkante haken. Wanneer men μᾶλλον niet aanvaardt, is de hypothese van Schwartz over de interpolatie van μόνος ὑπό overbodig[292].

19,2 ὑπομονῆς   CHMPV ZaFuLiGeLeLaKnBiMu
     add γάρ   B JaHeDrRa

De lezing van B is een overbodige additie. Zij illustreert nochtans het belang dat door sommige uitgevers aan deze codex gehecht wordt.

---

[291] Door Ussher reeds in de tekst gebracht, cf. J. Ussher, *Ignatii et Polycarpi martyria* (zie n. 6), p. 69.
[292] Schwartz, p. 17; E. Schwartz-T. Mommsen, *Die Kirchengeschichte* (zie n. 31), dl. 1, p. 352; echter B. Sepp, *Das Martyrium Polycarpi* (zie n. 36), p. 19-20.

† 20,2 τῷ δέ   M ZaFuLiGeRaLeLaKnBiMu
    καί   H
    om   BP JaHeDr
    τὸν δυνάμενον   H Hi

Ofschoon, voor Hilgenfeld, ook Jacobson, naar Ussher verwijzend, noteert dat de accusatief moet gelezen worden, kan men zeggen dat de passage te sterk onder invloed van de paulinische slotdoxologieën staat om niet de datief te kiezen [293] (zie volgende lezing).

† 20,2 ᾧ ἡ δόξα   BHP JaHeDrFuHiLe
    ἡ δόξα   ZaRa
    δόξα   M (MartSab) LiGeLaKnBiMu

De lezing van M is grammaticaal het best te verdedigen (zo ook de tekstreconstructie van Zahn). Nochtans lijkt de auteur hier sterk afhankelijk van *Rom* 16,25-27, waarin dezelfde anakoloet voorkomt, door διὰ Ἰησοῦ Χριστοῦ veroorzaakt (vergelijk *Jud* 24-25 en *Ef* 3,20-21; *2 Clemens* 20,5). Ofschoon de tekst van *Rom* niet geheel zeker is, valt hij toch te verdedigen [294] (cf. nog 21 *in fine*; het slot van *Martyrium Sabae* 8,4 vormt geen tegenargument, daar de aanloop van de doxologie anders geformuleerd wordt).

20,2 αἰῶνας ἀμήν   BHP JaHeDrHi
    om ἀμήν   M ZaFuLiGeRaLeLaKnBiMu

Er is geen reden om de omissie van M hier te verdedigen, indien men elders in *MPol* (14,3; 21; 22,3; *epilogus Mosquensis* 5) geen bezwaar maakt tegen ἀμήν als besluit van een doxologie.

20,2 γράψας   g JaHeDrZaFuLiHiGeRaLeLaKnBi
    add τὴν ἐπιστολήν   M Mu

Musurillo brengt hier zonder enige reden een additie van M, die herinnert aan *Rom* 16,22, in de tekst.

---

[293] Cf. onder meer LIGHTFOOT II 3, p. 399.

[294] Zie B.M. METZGER, *A Textual Commentary* (zie n. 171), p. 540; voor *MPol* zie de opmerkingen bij ZAHN, p. 163; LIGHTFOOT II 3, p. 399; FUNK, p. 339. Volgens F. BLASS-A. DEBRUNNER, *Grammatik des neutestamentlichen Griechisch*, 12de ed., Göttingen, 1965, nr. 467, is in *Rom* 16,27 ᾧ met B (codex *Vaticanus*) weg te laten, „nicht nur des Anakoluths wegen, sondern namentlich, damit διὰ Ἰ.Χρ. seine Verbindung gewinnt"; in de nieuwe editie van F. Rehkopf is deze passage weggelaten; zie nog O. MICHEL, *Der Brief an die Römer*, 13de ed., Göttingen, 1966, p. 391-392 („Das relativische ᾧ ist sicherlich ursprünglich", p. 391) en E. KAESEMANN, *An die Römer* (HzNT 8a), 3de ed., Tübingen, 1974, p. 407.

21 ἱσταμένου   BHP JaHeDrZaFuLiHiGeRaLeLaKnBi
    add κατὰ δὲ Ῥωμαίους   M Mu

Musurillo brengt zonder enige verantwoording deze additie van M
in de tekst. Dit soort toevoegingen (zie nog M κατὰ δὲ Ἀσιανούς ante
μηνός) komt in latere martelaarsakten wel voor, als tegenstelling tot de
christelijke opvatting κατὰ δὲ ἡμᾶς βασιλεύοντος τοῦ κυρίου ἡμῶν
Ἰησοῦ Χριστοῦ; cf. *Acta Apollonii* 47; *Martyrium Pionii* 23 [295].
Er is geen reden dit soort formules reeds in *MPol* te willen terugvinden (zie ook de volgende lezing).

21 Ἰησοῦ Χριστοῦ   BHP (MartOlb) JaHeDrZaLiHiGeLaKn
    pr τοῦ κυρίου ἡμῶν   M FuRaLeBiMu

De lezing van M hangt samen met het voorafgaande en heeft enkele
uitgevers te veel beïnvloed. Zij behoort meer tot de stijl van de boven
geschetste plechtige chronologische aanduidingen.

21 ᾧ ἡ δόξα κτλ.   BCHV JaHeDrZaFuLiHiGeRaLeLaKn
                                         Bi
    om   MP Mu

Deze doxologie zou volgens verschillende uitgevers naar *1 Clemens*
65,2 verwijzen; volgens Lightfoot is zij „taken from Clem. Rom. 65".
Musurillo baseert zich op MP om haar weg te laten [296]. De meeste
martelaarsakten eindigen hun chronologische notitie nochtans met een
doxologische formule (zie *Acta Carpi* 47; *Acta Justini* 6,2; *Acta
Apollonii* 47; *Martyrium Pionii* 23; *Martyrium Cononis* 6,7; *Martyrium Dasii* 12,2; *Martyrium Agapès* 7,2). *MPol* staat apart ten opzichte
van *1 Clemens* 65 en andere teksten met de formulering ἀπὸ γενεᾶς εἰς
γενεάν (vergelijk *Ef* 3,21).

Als resultaat van onze studie hebben wij vijfendertig wijzigingen van
de tekst van Bihlmeyer voorgesteld en daarbij steeds de tekst van g
verkozen boven M (en Eus), op vier gevallen na: in 7,2 (παρόντων)
en 19,1 (om μᾶλλον) worden alle Griekse codices gevolgd en in 11,2
(ὁ δὲ Πολύκαρπος) en 14,1 (ὁλοκάρπωμα) slechts de handschriften BP.
Enkele gevallen blijven twijfelachtig, maar meestal is het duidelijk dat
M een te grote betekenis krijgt bij Bihlmeyer. In één geval komt de
tekst die wij voorstellen overeen met die van Eusebius (8,3 μετὰ
σπουδῆς). De overige tekstwijzigingen betekenen een verwijdering van
de Eusebiusparallel. In drie gevallen evenwel vindt men de voorge-

---

[295] Men vergelijke sommige formules uit de apocalyptiek, bijvoorbeeld *Apk* 11,15.
[296] MUSURILLO, p. 19, n. 28.

stelde lezing als variante in de Eusebiushandschriften, § 15 ἤγαγον; § 24 ποιήσω; § 41 omissie van εἶπον (zie de lijst van dergelijke gevallen in de appendix).

De veranderingen van de Bihlmeyertekst zijn de volgende :

inscr. ἀπὸ θεοῦ	*loco* θεοῦ
1,1 τῇ μαρτυρίᾳ	διὰ τῆς μαρτυρίας
2,3 κόλασιν	ζωήν
ἀπηνῶν	ἀπανθρώπων
ἀνέβλεπον	ἐνέβλεπον
2,4 εἰς τὰ θηρία κριθέντες	οἱ εἰς τὰ θηρία κατακριθέντες
ποικίλαις βασάνοις	ποικίλων βασάνων ἰδέαις
κολαφιζόμενοι	κολαζόμενοι
5,2 συνόντας αὐτῷ	σὺν αὐτῷ
προφητικῶς	om
καυθῆναι	καῆναι
7,2 παρόντων	ὁρώντων
7,3 ὥστε	ὡς
8,1 ὡς δέ	ἐπεὶ δέ ποτε
ἦγον	ἤγαγον
8,3 ἔλεγον αὐτῷ	ἔλεγον
μετὰ σπουδῆς ἐπορεύετο	ἐπορεύετο
9,2 ὡς	ὤν
εἰπέ	εἶπον
9,3 ἔχω δουλεύων	δουλεύω
11,2 ποιῶ	ποιήσω
Πολύκαρπος	Πολύκαρπος εἶπεν
12,2 ἀσεβείας	Ἀσίας
12,3 φανερωθείσης	φανερωθείσης αὐτῷ
καυθῆναι	καῆναι
13,2 πυρκαϊά	πυρά
13,3 ἀσάλευτον	ἄσκυλτον
14,1 ἔδησαν	προσέδησαν
ὁλοκάρπωμα	ὁλοκαύτωμα
14,3 ἡ δόξα	δόξα
17,1 λείψανον	σωμάτιον
19,1 πάντων	πάντων μᾶλλον
20,2 ᾧ ἡ δόξα	δόξα
ἀμήν	om
21 Ἰησοῦ Χριστοῦ	τοῦ κυρίου ἡμῶν Ἰησοῦ Χριστοῦ

§ 4. *Tekst van Martyrium Polycarpi en Eusebius, HE IV,15,3-45*

In de hierna volgende tekst van *MPol* zijn onze voorstellen tot wijziging van de editie van K. Bihlmeyer, *Die apostolischen Väter*, Tübingen, 1924, p. 120-132 opgenomen. De Eusebiustekst van E. Schwartz-T. Mommsen, *Eusebius Werke II. Die Kirchengeschichte*, dl. 1, Leipzig, 1903, p. 336-352 wordt naast *MPol* geplaatst en de vergelijking van beide aldus vereenvoudigd : 1. Wanneer er geen onderstreping is zijn beide teksten identiek. 2. Een volle lijn vestigt de aandacht op de verschillen. 3. In *MPol* 2-7 en *HE* IV,15,4-15 worden gedeeltelijke overeenkomsten door een stippellijn gesignaleerd. De interpunctie in de Eusebiustekst is die van Schwartz. In de tekst van *MPol* hebben wij de interpunctie van Bihlmeyer gewijzigd.

Het kritisch apparaat wordt voorgesteld per tekstonderdeel van de gebruikelijke indeling (Bihlmeyer) en verder per regel van onze uitgave. Bij de opname van lezingen hebben wij ernaar gestreefd de eigen tekst van elk der codices zo goed mogelijk te waarderen. Ook konden een aantal onnauwkeurigheden van vroegere uitgevers verbeterd worden. Defectieve lezingen of orthografische verschillen (itacisme, enz.) zijn in de regel niet opgenomen. Het apparaat is negatief opgezet : afwijkende lezingen in handschriften en edities worden opgesomd. Onze tekst komt bijgevolg overeen met die van de niet vermelde lezingen en edities. Daarbij moet wel rekening worden gehouden met omissies in sommige handschriften (cf. 6,2; 16,2; 17,2-3; 20-22 voor V; 8,3-9,1; 9,2; 10,1; 15,1 voor H). De volgende edities werden verwerkt :

Bihlmeyer (Bi)	Knopf (Kn)
Camelot (Ca)	Krüger
Dressel (Dr)	Lake (La)
Funk, *Opera Patrum apostolicorum* (Fu^{op})	Lazzati (Laz)
Funk, *Patres apostolici* (Fu^{pa})	Lelong (Le)
Funk, *Apostolische Väter* (Fu^{av})	Lightfoot (Li)
Gebhardt (Ge)	Musurillo (Mu)
Hefele (He)	Rauschen (Ra)
Hilgenfeld (Hi)	Zahn (Za)
Jacobson (Ja)	

De edities van Krüger, Camelot en Lazzati hernemen de Bihlmeyertekst en worden niet afzonderlijk vermeld, tenzij zij uitzonderlijk toch van Bihlmeyer afwijken. (Cf. Camelot : 8,1 καὶ τῶν; τῶν καί Bi; 14,2 λαβεῖν με; λαβεῖν Bi; 17,2 ταῦτα εἶπον; ταῦτα Bi; Lazzati : 2,4 δυνηθείη. ὁ τύραννος; δυνηθείη Bi; 7,2 παρόντων; ὁρώντων Bi).

De lezingen van Eusebius zijn in ons apparaat opgenomen in zover zij aansluiten bij afwijkende getuigen; in andere gevallen is de eigen versie van Eusebius gemakkelijk te herkennen door de synoptische schikking. Een lijst van variante lezingen in de Eusebiustekst die samenvallen met varianten van *MPol* vindt men in de appendix. De passages die Schwartz (Schw) als geïnterpoleerd beschouwt (zie hoofdstuk III) zijn aangeduid. Een asterisk voor de lezing betekent dat zij in de bespreking van de belangrijke lezingen opgenomen is. Andere tekens en afkortingen in het kritisch apparaat zijn :

B	codex *Baroccianus*	Chron	*Chronicon Paschale*
C	codex *Chalcensis*	Lat	*versio latina*
H	codex *Hierosolymitanus*	MartOlb	*Martyrium Olbianae*
M	codex *Mosquensis*	MartSab	*Martyrium Sabae*
P	codex *Parisinus*	ps-Chr	*pseudo-Chrysostomus*
V	codex *Vindobonensis*	VitaPol	*Vita Polycarpi*
G	*omnes codices graeci*		
g	*omnes codices graeci praeter M*		

+	*addit*	cf	*confer*
>	*omittit*	cj	*coniecit*
~	*inversio*	em	*emendavit*
pr	*praemisit (-serunt)*	interp	*interpolatio*

MPol

inscr. Ἡ ἐκκλησία τοῦ θεοῦ ἡ παροικοῦσα Σμύρναν τῇ ἐκκλησίᾳ τοῦ θεοῦ τῇ παροικούσῃ ἐν Φιλομηλίῳ καὶ πάσαις ταῖς κατὰ πάντα τόπον
5 τῆς ἁγίας <u>καὶ</u> καθολικῆς ἐκκλησίας παροικίαις ἔλεος εἰρήνη καὶ ἀγάπη ἀπὸ θεοῦ πατρὸς καὶ <u>τοῦ</u> κυρίου ἡμῶν Ἰησοῦ Χριστοῦ πληθυνθείη.

1,1 ἐγράψαμεν ὑμῖν, ἀδελφοί, τὰ κατὰ τοὺς μαρτυρήσαντας καὶ τὸν μακάριον Πολύκαρπον, ὅστις ὥσπερ ἐπισφραγίσας   τῇ μαρτυρίᾳ αὐ
5 τοῦ κατέπαυσεν τὸν διωγμόν. <u>σχεδὸν γὰρ πάντα τὰ προάγοντα ἐγένετο, ἵνα ἡμῖν ὁ κύριος ἄνωθεν ἐπιδείξῃ τὸ κατὰ τὸ εὐαγγέλιον μαρτύριον.</u>

1,2 <u>περιέμενεν γὰρ ἵνα παραδοθῇ, ὡς καὶ ὁ κύριος, ἵνα μιμηταὶ καὶ ἡμεῖς αὐτοῦ γενώμεθα, μὴ μόνον σκοποῦντες τὸ καθ᾽ ἑαυτούς, ἀλλὰ καὶ τὸ κατὰ τοὺς</u>
5 <u>πέλας. ἀγάπης γὰρ ἀληθοῦς καὶ βεβαίας ἐστίν, μὴ μόνον ἑαυτὸν θέλειν σῴζεσθαι ἀλλὰ καὶ πάντας τοὺς ἀδελφούς.</u>

2,1 <u>μακάρια μὲν οὖν καὶ γενναῖα τὰ μαρτύρια πάντα τὰ κατὰ τὸ θέλημα τοῦ θεοῦ γεγονότα. δεῖ γὰρ εὐλαβεστέρους ἡμᾶς ὑπάρχοντας τῷ θεῷ</u>
5 <u>τὴν κατὰ πάντων ἐξουσίαν ἀνατιθέναι.</u>

2,2 τὸ γὰρ γενναῖον αὐτῶν καὶ ὑπομονητικὸν καὶ φιλοδέσποτον τίς οὐκ ἂν θαυμάσειεν;

<u>οἳ</u> μάστιξιν μὲν κατα<u>ξαν</u>θέντες <u>ὥστε</u>

HE IV,15

3 Ἡ ἐκκλησία τοῦ θεοῦ ἡ παροικοῦσα Σμύρναν τῇ ἐκκλησίᾳ τοῦ θεοῦ τῇ παροικούσῃ ἐν Φιλομηλίῳ καὶ πάσαις ταῖς κατὰ πάντα τόπον τῆς ἁγίας   καθολικῆς ἐκκλησίας παροικίαις ἔλεος εἰρήνη καὶ ἀγάπη θεοῦ πατρὸς καὶ   κυρίου ἡμῶν Ἰησοῦ Χριστοῦ πληθυνθείη. ἐγράψαμεν ὑμῖν, ἀδελφοί, τὰ κατὰ τοὺς μαρτυρήσαντας καὶ τὸν μακάριον Πολύκαρπον, ὅστις ὥσπερ ἐπισφραγίσας <u>διὰ</u> τῆς μαρτυρίας αὐτοῦ κατέπαυσε   τὸν διωγμόν.

4 ...   καταπλῆξαι γάρ φασι τοὺς ἐν κύκλῳ περιεστῶτας, θεω<u>μένους</u> τοτὲ μὲν μάστιξι

inscr. 2-3 τῇ ἐκκλησίᾳ τοῦ θεοῦ] ecclesiis dei Lat, > CHM — 3 Φιλομηλίῳ] Φιλαδελφίᾳ BP (cf n. 107; 443) — 5 καί] > V Eus — 6 *ἔλεος] + καί M Lat ZaLiGeMu — 7 *ἀπό] > M Eus Lat ZaFuLiGeRaLeLaKnBiMu — τοῦ] > CH Eus Li [τοῦ] (cf n. 154).
   1,1 1 ἀδελφοί] + ἀγαπητοί M — τά] > BM — 3 ὥσπερ] ὡς M — 4 *τῇ μαρτυρίᾳ] διὰ τῆς μαρτυρίας M Eus ZaFuLiGeRaLeLaKnBiMu — 6 πάντα] ἅπαντα M — 8 τὸ εὐαγγέλιον] τοῦ εὐαγγελίου M.
   1,2 1 ἵνα παραδοθῇ] παραδοθῆναι CV — ὡς] καθὼς CV — 1-2 καὶ ὁ κύριος] ὁ κύριος καί M — 3 τό] τά M — 4 καί] > P | τό] > HM — 4-5 *τοὺς πέλας] τοῦ πέλας BM Za, τοὺς παῖδας CHV, τοὺς πλείονας P.
   2,1 1 τά] > M — 2 τά] Li [τά] — 4 ἡμᾶς] ὑμᾶς MP — 5 ἐξουσίαν] + αὐτῷ P — 5-6 *ἀνατιθέναι] ἀνατεθῆναι B, ἀνατεθηκέναι M.
   2,2 1 αὐτῶν] αὐτοῦ P, > CHV — 4 ὥστε] τοσούτον pr CV

MPol

5 μέχρι τῶν ἔσω φλεβῶν καὶ
ἀρτηριῶν τὴν τῆς σαρκὸς οἰκονο-
μίαν θεωρεῖσθαι ὑπέμειναν, ὡς καὶ
τοὺς περιεστῶτας ἐλεεῖν καὶ ὀδύ-
ρεσθαι· τοὺς δὲ καὶ εἰς τοσοῦτον
10 γενναιότητος ἐλθεῖν ὥστε μήτε γρύ-
ξαι μήτε στενάξαι τινὰ αὐτῶν, ἐπι-
δεικνυμένους ἅπασιν ἡμῖν, ὅτι ἐκείνῃ
τῇ ὥρᾳ βασανιζόμενοι τῆς σαρκὸς
ἀπεδήμουν οἱ γενναιότατοι μάρτυρες
15 τοῦ Χριστοῦ, μᾶλλον δέ, ὅτι παρεστὼς ὁ κύριος ὡμίλει αὐτοῖς.

2,3 καὶ προσέχοντες τῇ τοῦ Χριστοῦ
χάριτι τῶν κοσμικῶν κατεφρόνουν
βασάνων, διὰ μιᾶς ὥρας τὴν αἰώνιον
κόλασιν ἐξαγοραζόμενοι. καὶ τὸ πῦρ
5 ἦν αὐτοῖς ψυχρὸν τὸ τῶν ἀπηνῶν
βασανιστῶν· πρὸ ὀφθαλμῶν γὰρ εἶ-
χον φυγεῖν τὸ αἰώνιον καὶ μηδέποτε
σβεννύμενον. καὶ τοῖς τῆς καρδίας
ὀφθαλμοῖς ἀνέβλεπον τὰ τηρού-
10 μενα τοῖς ὑπομείνασιν ἀγαθὰ ἃ οὔτε
οὖς ἤκουσεν οὔτε ὀφθαλμὸς εἶδεν
οὔτε ἐπὶ καρδίαν ἀνθρώπου ἀνέβη,
ἐκείνοις δὲ ὑπεδείκνυτο ὑπὸ τοῦ κυρίου οἵπερ μηκέτι ἄνθρωποι, ἀλλ᾽
15 ἤδη ἄγγελοι ἦσαν.

2,4 ὁμοίως δὲ καὶ εἰς τὰ θηρία κριθέντες ὑπέμειναν δεινὰς κολάσεις,
κήρυκας μὲν ὑποστρωννύμενοι καὶ
ἄλλαις ποικίλαις βασάνοις κολα-
5 λαφιζόμενοι, ἵνα, εἰ δυνηθείη, διὰ τῆς

HE IV,15

μέχρι καὶ τῶν ἐνδοτάτω φλεβῶν καὶ
ἀρτηριῶν καταξαινομένους, ὡς ἤδη
καὶ τὰ ἐν μυχοῖς ἀπόρρητα τοῦ σώματος σπλάγχνα τε αὐτῶν καὶ μέλη
κατοπτεύεσθαι,

τοτὲ δὲ τοὺς ἀπὸ θαλάττης κήρυκας
καί τινας ὀξεῖς ὀβελίσκους ὑπο-
στρωννυμένους, καὶ διὰ παντὸς εἴδους

---

7 θεωρεῖσθαι] τηρεῖσθαι Μ — 8-9 ὀδύρεσθαι] + αὐτούς CV — 9 τούς] τοῦ Β | καί]
> Μ — 11 *μήτε στενάξαι] > Μ, Schw μήτε...αὐτῶν interp | αὐτῶν] ἑαυτῶν Β, > Μ —
12 ὅτι] + ἐν CV JaHeDr — 14 *γενναιότατοι] > BCV JaHeDrZaFu^op^LiHiGeMu —
14-15 μάρτυρες τοῦ χριστοῦ] τοῦ χριστοῦ μάρτυρες Μ — 15 τοῦ] > ΒΗ.
2,3 2-3 κατεφρόνουν βασάνων] ∼ Μ — 4 *κόλασιν] ζωήν Μ LaBi — 5 *ἀπηνῶν]
ἀπανθρώπων Μ (ἀπᾱνῶν) ZaLiGeKnBiMu — 8 *σβεννύμενον] + πῦρ CMV JaHe
DrZaFu^op^HiGeRa — 9 ἀνέβλεπον] ἐνέβλεπον Μ KnBi — 10 ὑπομείνασιν] ὑπομένουσιν
Ρ, ἀπομείνασιν Η — 11 οὓς ἤκουσεν...ὀφθαλμὸς εἶδεν] ∼ MP (cf *1 Cor* 2,9) —
εἶδεν] ἴδεν BHPV JaHeDr — 12 ἀνέβη] pr οὐκ Η (cf *1 Cor* 2,9) — 13 δέ] + καί CV —
14 οἵπερ] εἴπερ CHPV, οἵτινες Μ | μηκέτι] μή Ρ, λοιπὸν οὐκέτι Μ.
2,4 1 δέ] > Ρ — 1-2 *εἰς τὰ θηρία κριθέντες] οἱ εἰς τὰ θηρία κατακριθέντες Μ
Fu^av^LaKnBiMu; οἱ εἰς τὰ θηρία κριθέντες ZaLiGe — 3 κήρυκας] ξίφη CPV, ξίφει
Η | μέν] τε CHV, > Μ ZaGe — ὑποστρωννύμενοι] ὑπεστρωμένοι Μ — 4 *ποικίλαις
βασάνοις] ποικίλων βασάνων ἰδέαις Μ ZaFuLiGeRaLeLaKnBiMu — 4-5 *κολαφιζό-
μενοι] κολαζόμενοι Μ ZaFu^op^HiFu^av^GeLaKnBiMu — 5 *δυνηθείη] + ὁ τύραννος
g JaHeDrZaFuHiRaLeLaLazMu.

MPol	*HE IV,15*

ἐπιμόνου κολάσεως εἰς ἄρνησιν αὐτοὺς τρέψῃ.

3,1 πολλὰ γὰρ ἐμηχανᾶτο κατ᾽ αὐτῶν ὁ
διάβολος, ἀλλὰ χάρις τῷ θεῷ, κατὰ
πάντων γὰρ οὐκ ἴσχυσεν. ὁ γὰρ γεν-
ναιότατος Γερμανικὸς ἐπερρώννυεν
5　αὐτῶν τὴν δειλίαν διὰ τῆς ἐν αὐτῷ
ὑπομονῆς· ὃς καὶ ἐπισήμως ἐθηριομάχησεν.
βουλομένου γὰρ τοῦ ἀνθυπάτου πεί-
θειν αὐτὸν καὶ λέγοντος τὴν
10　ἡλικίαν αὐτοῦ κατοικτεῖραι,

ἑαυτῷ ἐπεσπάσατο τὸ θηρίον προσ-
βιασάμενος,

τάχιον τοῦ ἀδίκου καὶ ἀνόμου βίου
αὐτῶν ἀπαλλαγῆναι βουλόμενος.
3,2 ἐκ τούτου οὖν
πᾶν τὸ πλῆθος, θαυμάσαν τὴν γεν-
ναιότητα τοῦ θεοφιλοῦς καὶ θεοσε-
βοῦς γένους τῶν χριστιανῶν, ἐπεβόη-
5　σεν·

αἶρε τοὺς ἀθέους· ζητείσθω Πολύκαρπος.

4 εἷς δέ, ὀνόματι Κόϊντος, Φρύξ,
προσφάτως ἐληλυθὼς ἀπὸ
τῆς Φρυγίας,
ἰδὼν τὰ θηρία ἐδειλίασεν. οὗτος δὲ
5　ἦν ὁ παραβιασάμενος ἑαυτόν τε καὶ
τινας προσελθεῖν ἑκόντας. τοῦτον ὁ
ἀνθύπατος πολλὰ ἐκλιπαρήσας ἔπει-
σεν ὀμόσαι καὶ ἐπιθῦσαι. διὰ τοῦτο

κολάσεων καὶ βασάνων προϊόντας
καὶ τέλος θηρσὶν εἰς βορὰν παραδι-
δομένους.

5　μάλιστα δὲ ἱστοροῦσιν διαπρέψαι
τὸν γενναιότατον Γερμανικόν, ὑπορ-
ρωννύντα σὺν θείᾳ χάριτι τὴν ἔμφυ-
τον περὶ τὸν θάνατον τοῦ σώματος
δειλίαν.
βουλομένου γέ τοι τοῦ ἀνθυπάτου πεί-
θειν αὐτὸν προβαλλομένου τε τὴν
ἡλικίαν καὶ ἀντιβολοῦντος κομιδῇ
νέον ὄντα καὶ ἀκμαῖον οἶκτον ἑαυτοῦ λαβεῖν, μὴ μελλῆσαι, προθύμως
δ᾽
ἐπισπάσασθαι εἰς ἑαυτὸν τὸ θηρίον,
μόνον οὐχὶ βιασάμενον καὶ παροξύ-
ναντα, ὡς ἂν
τάχιον τοῦ ἀδίκου καὶ ἀνόμου βίου
αὐτῶν ἀπαλλαγείη.
6　τούτου δ᾽ ἐπὶ τῷ διαπρεπεῖ θανάτῳ
τὸ πᾶν πλῆθος ἀποθαυμάσαν τῆς ἀν-
δρείας τὸν θεοφιλῆ μάρτυρα καὶ τὴν
καθόλου τοῦ γένους τῶν Χριστιανῶν
ἀρετήν, ἀθρόως ἐπιβοᾶν ἄρξασθαι

«αἶρε τοὺς ἀθέους· ζητείσθω Πολύκαρπος».

7　καὶ δὴ πλείστης ἐπὶ ταῖς βοαῖς
γενομένης ταραχῆς, Φρύγα τινὰ τὸ
γένος, Κόϊντον τοὔνομα, νεωστὶ ἐκ
τῆς Φρυγίας ἐπιστάντα,
ἰδόντα τοὺς θῆρας καὶ τὰς ἐπὶ τούτοις ἀπειλάς, καταπτῆξαι τὴν ψυχὴν
μαλακισθέντα καὶ τέλος τῆς σωτη-
ρίας ἐνδοῦναι.
8　ἐδήλου δὲ τοῦτον ὁ τῆς προειρη-

3,1 1 ἐμηχανᾶτο κατ᾽ αὐτῶν] ∼ M — 2-3 *κατὰ πάντων γάρ] ὅτι κατὰ πάντων
P, κατὰ πάντων μέν M Schw — 3 *οὐκ] οὖν em Li — 4-5 *ἐπερρώννυεν...δειλίαν] > M —
6 ὑπομονῆς] γενναίας pr M — 8 γὰρ τοῦ] > M — 9 λέγοντος] λέγειν BCHMV —
13 τάχιον] καί pr MP | ἀδίκου καὶ ἀνόμου] ∼ M — 14 αὐτῶν] αὐτόν CMV, > P.
3,2 2 *θαυμάσαν] θαυμάσας B — 3-4 θεοφιλοῦς καὶ θεοσεβοῦς] ∼ H — 4-5 *ἐπε-
βόησεν] ἐβόησεν Mu.
4 1 δέ] οὖν M, tunc Lat | Κόϊντος] κυστύς V, κυπτός H, κυστύς C — Φρύξ]
+ τῷ γένει CV, cf Eus — 6 τινας] + ἄλλους CV Ja — 7-8 ἐκλιπαρήσας ἔπεισεν] ἐξελι-
πάρησεν M

MPol

οὖν, ἀδελφοί, οὐκ ἐπαινοῦμεν τοὺς
10 προσιόντας ἑαυτοῖς, ἐπειδὴ οὐχ οὕτως διδάσκει τὸ εὐαγγέλιον.

5,1 ὁ δὲ θαυμασιώτατος Πολύκαρπος
τὸ μὲν πρῶτον
ἀκούσας οὐκ ἐταράχθη

ἀλλ᾽ ἐβούλετο   κατὰ πόλιν
5 μένειν. οἱ δὲ πλείους ἔπειθον
αὐτὸν
ὑπεξελθεῖν.   καὶ ὑπεξῆλθεν
εἰς ἀγρίδιον οὐ μακρὰν ἀπέχον ἀπὸ
τῆς πόλεως καὶ διέτριβεν μετ᾽ ὀλί-
10 γων, νύκτα καὶ ἡμέραν οὐδὲν
ἕτερον ποιῶν ἢ προσευχόμενος
περὶ πάντων καὶ τῶν κατὰ

τὴν οἰκουμένην ἐκκλησιῶν, ὅπερ ἦν
σύνηθες αὐτῷ.

5,2 καὶ προσευχόμενος ἐν ὀπτασίᾳ γέγονεν πρὸ τριῶν ἡμερῶν τοῦ συλληφθῆναι αὐτόν, καὶ
εἶδεν τὸ προσκεφάλαιον αὐτοῦ ὑπὸ
5 πυρὸς κατακαιόμενον.

καὶ στραφεὶς εἶπεν πρὸς τοὺς συνόντας αὐτῷ προφητικῶς·

δεῖ με ζῶντα καυθῆναι

HE IV,15

μένης γραφῆς λόγος προπετέστερον
ἀλλ᾽ οὐ κατ᾽ εὐλάβειαν ἐπιπηδῆσαι τῷ
δικαστηρίῳ σὺν ἑτέροις, ἁλόντα δ᾽
οὖν ὅμως καταφανὲς ὑπόδειγμα τοῖς
πᾶσιν παρασχεῖν, ὅτι μὴ δέοι τοῖς
τοιούτοις ῥιψοκινδύνως καὶ ἀνευλα-
βῶς ἐπιτολμᾶν.
ἀλλὰ ταύτῃ μὲν εἶχεν πέρας τὰ κατὰ
τούτους·
9 τόν γε μὴν θαυμασιώτατον Πολύκαρπον τὰ μὲν πρῶτα τούτων
ἀκούσαντα ἀτάραχον μεῖναι, εὐστα-
θὲς τὸ ἦθος καὶ ἀκίνητον φυλάξαντα,
βούλεσθαί τε αὐτοῦ κατὰ πόλιν περι-
μένειν· πεισθέντα γε μὴν ἀντιβο-
λοῦσι τοῖς ἀμφ᾽ αὐτὸν καὶ ὡς ἂν
ὑπεξέλθοι παρακαλοῦσι, προελθεῖν
εἰς οὐ πόρρω διεστῶτα τῆς πόλεως
ἀγρὸν διατρίβειν τε σὺν ὀλίγοις ἐν-
ταῦθα, νύκτωρ καὶ μεθ᾽ ἡμέραν οὔτι
ἕτερον πράττοντα ἢ ταῖς πρὸς τὸν
κύριον διακαρτεροῦντα εὐχαῖς·
δι᾽ ὧν δεῖσθαι καὶ ἱκετεύειν εἰρήνην
ἐξαιτούμενον ταῖς ἀνὰ πᾶσαν τὴν
οἰκουμένην ἐκκλησίαις, τοῦτο γὰρ
καὶ εἶναι ἐκ τοῦ παντὸς αὐτῷ σύνηθες.
10 καὶ δὴ εὐχόμενον, ἐν ὀπτασίᾳ τριῶν
πρότερον ἡμερῶν τῆς συλλήψεως
νύκτωρ
ἰδεῖν τὸ ὑπὸ κεφαλῆς αὐτῷ στρῶμα
ἀθρόως οὕτως ὑπὸ πυρὸς φλεχθὲν
δεδαπανῆσθαι, ἔξυπνον δ᾽ ἐπὶ τούτῳ
γενόμενον,
εὐθὺς ὑφερμηνεῦσαι τοῖς παροῦσι τὸ
φανέν, μόνον οὐχὶ τὸ μέλλον προ-
θεσπίσαντα σαφῶς τε ἀνειπόντα τοῖς
ἀμφ᾽ αὐτὸν ὅτι δέοι αὐτὸν διὰ Χριστὸν πυρὶ τὴν ζωὴν μεταλλάξαι.

10 *προσιόντας] προδιδόντας HV JaHeDrFuLiHiRaLeLa; διδόντας C — *ἑαυτοῖς]
ἑαυτούς HM JaHeDrFuLiHiRaLeLa; ἑκουσίους em Za — 11 τό] + ἅγιον V.
    5,1 1 θαυμασιώτατος] θαυμάσιος P, τίμιος καί pr CV — 4 κατά] + τήν CV —
7 ὑπεξελθεῖν] ὑπεξιέναι M — καί] > M, + πεισθείς CV | ὑπεξῆλθεν] ἐξῆλθεν C,
+ οὖν M — 8 ἀπέχον] ἀπέχων BHM — 9 ἀπό] > M — 9-10 ὀλίγων] + ἀδελφῶν
CV — 10 οὐδέν] μηδέν CMV.
    5,2 1 προσευχόμενος] Schw interp — 1-2 γέγονεν] > M — 4 τό] > B JaHeDr —
6-7 *συνόντας] σύν M Lat ZaFuLiGeLeLaKnBiMu — 7 *προφητικῶς] > M Lat
ZaFuLiGeLeLaKnBiMu — 8 *καυθῆναι] καῆναι M LiGeLaKnBiMu.

MPol

6,1 καὶ ἐπιμενόντων τῶν ζητούντων
αὐτὸν

μετέβη εἰς ἕτερον ἀγρίδιον, καὶ
εὐθέως ἐπέστησαν οἱ ζητοῦντες αὐ-
5 τόν. καὶ μὴ εὑρόντες
συνελάβοντο παιδάρια δύο,
ὧν τὸ ἕτερον βασανιζόμενον ὡμολόγησεν.

6,2 ἦν γὰρ καὶ ἀδύνατον λαθεῖν αὐτὸν
ἐπεὶ καὶ οἱ προδιδόντες αὐτὸν οἰκεῖοι
ὑπῆρχον. καὶ ὁ εἰρήναρχος, ὁ κεκληρωμένος τὸ αὐτὸ ὄνομα Ἡρῴδης
5 ἐπιλεγόμενος, ἔσπευδεν εἰς στάδιον
αὐτὸν εἰσαγαγεῖν, ἵνα ἐκεῖνος μὲν τὸν
ἴδιον κλῆρον ἀπαρτίσῃ Χριστοῦ
κοινωνὸς γενόμενος, οἱ δὲ προδόν-
τες αὐτὸν τὴν αὐτοῦ τοῦ Ἰούδα
10 ὑπόσχοιεν τιμωρίαν.
7,1 ἔχοντες οὖν τὸ παιδάριον, τῇ παρασκευῇ περὶ δείπνου ὥραν ἐξῆλθον
διωγμῖται καὶ ἱππεῖς μετὰ τῶν συνήθων αὐτοῖς ὅπλων ὡς ἐπὶ λῃστὴν
5 τρέχοντες.
καὶ ὀψὲ τῆς ὥρας συνεπελθόντες
ἐκεῖνον μὲν εὗρον ἔν τινι δωματίῳ
κατακείμενον ἐν ὑπερῴῳ.
κἀκεῖθεν δὲ ἠδύνατο εἰς ἕτερον
10 χωρίον ἀπελθεῖν, ἀλλ᾽ οὐκ ἠβουλήθη
εἰπὼν τὸ θέλημα τοῦ θεοῦ γενέσθω.

HE IV,15

11 ἐπικειμένων δὴ οὖν σὺν πάσῃ σπουδῇ
τῶν ἀναζητούντων
αὐτόν, αὖθις ὑπὸ τῆς τῶν ἀδελφῶν
διαθέσεως καὶ στοργῆς ἐκβεβιασ-
μένον
μεταβῆναί φασιν ἐφ᾽ ἕτερον ἀγρόν·
ἔνθα μετ᾽ οὐ πλεῖστον τοὺς συνελαύ-
νοντας ἐπελθεῖν,
δύο δὲ τῶν αὐτόθι συλλαβεῖν παί-
δων· ὧν θάτερον αἰκισαμένους ἐπι-
στῆναι δι᾽ αὐτοῦ τῇ τοῦ Πολυκάρπου καταγωγῇ.

12 ὀψὲ δὲ τῆς ὥρας ἐπελθόντας,
αὐτὸν μὲν εὑρεῖν
ἐν ὑπερῴῳ κατακείμενον,
ὅθεν δυνατὸν ὂν αὐτῷ ἐφ᾽ ἑτέραν
μεταστῆναι οἰκίαν, μὴ βεβουλῆσθαι,
εἰπόντα τὸ θέλημα τοῦ θεοῦ γινέσθω.

6,1   4 εὐθέως] ἅμα τοῦ ἐπαναχωρῆσαι V — 7 ὧν τὸ ἕτερον...] ἃ καὶ βασανιζόμενα
ὡμολόγησαν CV, βασανιζομένων δὲ τῶν παιδίων ὡμολόγησαν H.
   6,2   2 ἐπεί] ἐπειδή V | προδιδόντες] προδιδοῦντες M — 3-10 καὶ ὁ εἰρήναρχος ...
τιμωρίαν] > CV (cf p. 29) — 3 ὁ²] + καὶ B JaHeDr — 3-4 κεκληρωμένος] κληρονόμος
B JaHeDr — ὁ κεκληρομένος ... ὄνομα] fortasse melius post εἰσαγαγεῖν Mu —
4 *Ἡρῴδης] Ἡρῴδη em ZaFuᵒᵖSchwKn — 5 *ἐπιλεγόμενος] λεγόμενος M, > Za
FuᵒᵖKn — 5 ἔσπευδεν] ἔσπευσεν M ZaFuᵒᵖGeKn — 9 *τὴν αὐτοῦ] τῆς αὐτῆς M
FuᵒᵖGeKn; τὴν αὐτὴν cj Ja, Za in textu — *τοῦ] τῷ M ZaFuᵒᵖGeSchwKn —
10 *ὑπόσχοιεν τιμωρίαν] τύχωσιν τιμωρίας M FuᵒᵖGeKn.
   7,1   1 τὸ παιδάριον] τὰ παιδάρια CV — 2 *περὶ δείπνου ὥραν] δείπνου ὥρᾳ g
(ὥραν B) JaHeDrHi — 5 τρέχοντες] ἀπερχόμενοι M — 6 συνεπελθόντες] συναπελ-
θόντες BCHV Ja; ἀπελθόντες M, καταλαβόντες P — 8 ἐν] > BCMP ZaFuᵒᵖGe |
κατακείμενον ἐν ὑπερῴῳ] ~ M Eus (Eus : > ἔν τινι δωματίῳ, cf La ἐν ὑπερῴῳ
κατακείμενος) — 9 δέ] > B JaHeDrFuᵒᵖ — 10 ἠβουλήθη] ἐβουλήθη B JaHeDrZa
Fuᵒᵖ — 11 θεοῦ] κυρίου BM (cf *Act* 21,14).

MPol	HE IV,15

7,2 ἀκούσας οὖν αὐτοὺς παρόντας, κατα-
βὰς διελέχθη αὐτοῖς,

θαυμαζόντων τῶν παρόντων

τὴν ἡλικίαν αὐτοῦ
5 καὶ τὸ εὐσταθές,
καὶ εἰ τοσαύτη σπουδὴ ἦν τοῦ
συλληφθῆναι τοιοῦτον πρεσβύτην
ἄνδρα. εὐθέως οὖν
αὐτοῖς ἐκέλευσεν παρατεθῆναι φα-
10 γεῖν καὶ πιεῖν ἐν ἐκείνῃ τῇ ὥρᾳ ὅσον
ἂν βούλωνται, ἐξητήσατο δὲ αὐτοὺς
ἵνα δῶσιν αὐτῷ ὥραν πρὸς τὸ προσ-
εύξασθαι ἀδεῶς.
7,3 τῶν δὲ ἐπιτρεψάντων, σταθεὶς
προσηύξατο πλήρης ὢν τῆς χάριτος
τοῦ θεοῦ οὕτως ὥστε ἐπὶ δύο ὥρας
μὴ δύνασθαι σιωπῆσαι καὶ ἐκπλήτ-
5 τεσθαι τοὺς ἀκούοντας,

πολλούς τε μετανοεῖν ἐπὶ τῷ ἐληλυ-
θέναι ἐπὶ τοιοῦτον
θεοπρεπῆ πρεσβύτην.

8,1 ὡς δὲ κατέπαυσεν τὴν προσ-
ευχὴν μνημονεύσας ἁπάντων τῶν
καὶ πώποτε συμβεβηκότων αὐτῷ,
μικρῶν τε καὶ μεγάλων, ἐνδόξων τε
5 καὶ ἀδόξων καὶ πάσης τῆς κατὰ τὴν
οἰκουμένην καθολικῆς ἐκκλησίας,
τῆς ὥρας ἐλθούσης τοῦ ἐξιέναι, ὄνῳ

13 καὶ δὴ μαθὼν παρόντας, ... κατα-
βὰς αὐτοῖς διελέξατο εὖ μάλα φαιδρῷ
καὶ πραοτάτῳ προσώπῳ, ὡς καὶ
θαῦμα δοκεῖν ὁρᾶν τοὺς πάλαι τοῦ
ἀνδρὸς ἀγνῶτας, ἐναποβλέποντας τῷ
τῆς ἡλικίας αὐτοῦ παλαιῷ καὶ τῷ
σεμνῷ καὶ εὐσταθεῖ τοῦ τρόπου, καὶ
εἰ τοσαύτη γένοιτο σπουδὴ ὑπὲρ τοῦ
τοιοῦτον συλληφθῆναι πρεσβύτην.
14 ὃ δ᾿ οὐ μελλήσας εὐθέως τράπεζαν
αὐτοῖς παρατεθῆναι προστάττει, εἶτα
τροφῆς ἀφθόνου μεταλαβεῖν ἀξιοῖ,

μίαν τε ὥραν, ὡς ἂν προσ-
εύξοιτο ἀδεῶς, παρ᾿ αὐτῶν αἰτεῖται·
ἐπιτρεψάντων δὲ ἀναστὰς
ηὔχετο, ἔμπλεως τῆς χάριτος ὢν
τοῦ κυρίου, ὡς

ἐκπλήττεσθαι τοὺς παρόντας εὐχο-
μένου αὐτοῦ ἀκροωμένους
πολλούς τε αὐτῶν μετανοεῖν ἤδη
ἐπὶ τῷ τοιοῦτον ἀναιρεῖσθαι μέλλειν
σεμνὸν καὶ θεοπρεπῆ πρεσβύτην.
15 ...

ἐπεὶ δέ ποτε κατέπαυσε τὴν προσ-
ευχὴν μνημονεύσας ἁπάντων καὶ
τῶν πώποτε συμβεβηκότων αὐτῷ,
μικρῶν τε καὶ μεγάλων, ἐνδόξων τε
καὶ ἀδόξων, καὶ πάσης τῆς κατὰ τὴν
οἰκουμένην καθολικῆς ἐκκλησίας,
τῆς ὥρας ἐλθούσης τοῦ ἐξιέναι, ὄνῳ

7,2 1 οὖν] δέ BCV JaHeDrZaFuᵒᵖ | αὐτούς] [αὐτούς] LiKn, > Eus, τούς B | αὐτοὺς παρόντας] ∼ M — 1-2 καταβάς] pr καί BCHV JaHeDrHi; > M — 3 θαυμα-ζόντων] + δέ B, pr καί M, cf. Eus | *παρόντων] ὁρώντων cj SchwBi — 6 *καί] > CHMV Ge, [καί] Li; τινὲς ἔλεγον B — *εἰ] ἤ BCHV, ἤ ZaFuLe; ὅτι P JaHeDr — *ἤν] ἤ B, ἤ em ZaFuᵒᵖGe; εἰ M, εἴη em HiSchw; ἐχρήσαντο P JaHeDr, pr τοσαύτη σπουδῇ — 7 τοιοῦτον] + θεοφιλεῖ M — 9 αὐτοῖς] αὐτούς HP | αὐτοῖς ἐκέλευσεν] ∼ M | αὐτοῖς post παρατεθῆναι CV — 11 αὐτούς] αὐτοῖς CPV — 12 *δῶσιν] δώσωσιν CMV ZaLiGeLaKn | αὐτῷ] αὐτόν M — 12-13 προσεύξασθαι] εὔξασθαι HP.
7,3 1 *σταθείς] + πρὸς ἀνατολάς M (Mu ἀνατολήν!) — 3 *ὥστε] ὡς M Eus ZaLiGeKnBiMu — ἐπὶ δύο ὥρας] > H — 4 *σιωπῆσαι] σιγῆσαι CMV ZaLiGeLa Kn | καί] ἀλλ᾿ CV — 6 πολλούς] > CV | τε] δέ M, καί CV | ἐπὶ τῷ] καί P | τῷ] τό BCHMV — 8 θεοπρεπῆ] θεοφιλῆ M.
8,1 1 *ὡς δέ] ἐπεὶ δέ ποτε M Eus ZaFuLiGeRaLeLaKnBiMu — 2-3 *τῶν καί] ∼ g Eus JaHeDrZaFuLiHiGeRaLeLaKnCa — 3 *πώποτε] πότε BM | συμβεβηκό-των] συμβεβηκότων g JaHeDr, συμβαλόντων M — 5 πάσης] ἁπάσης BCHV JaHeDr — 7 *ὄνῳ] pr ἐν BP JaHeDrZaFuᵒᵖ.

MPol	*HE IV,15*

καθίσαντες αὐτὸν ἦγον   εἰς τὴν
πόλιν, ὄντος σαββάτου μεγάλου.

8,2 καὶ ὑπήντα αὐτῷ ὁ εἰρήναρχος Ἡρώ-
δης καὶ ὁ πατὴρ αὐτοῦ Νικήτης, οἳ
καὶ μεταθέντες αὐτὸν ἐπὶ τὴν καροῦ-
χαν ἔπειθον παρακαθεζόμενοι καὶ λέ-
5 γοντες τί γὰρ κακόν ἐστιν εἰπεῖν·
κύριος καῖσαρ, καὶ ἐπιθῦσαι καὶ
τὰ τούτοις ἀκόλουθα καὶ
διασῴζεσθαι; ὁ δὲ τὰ μὲν πρῶτα οὐκ
ἀπεκρίνατο αὐτοῖς, ἐπιμενόντων δὲ
10 αὐτῶν ἔφη· οὐ μέλλω ποιεῖν ὃ συμ-
βουλεύετέ μοι.

8,3 οἱ δὲ ἀποτυχόντες τοῦ πεῖσαι αὐτὸν
δεινὰ ῥήματα ἔλεγον αὐτῷ καὶ μετὰ
σπουδῆς καθήρουν αὐτόν, ὡς κατιόντα ἀπὸ τῆς καρούχας ἀποσῦραι τὸ
5 ἀντικνήμιον. καὶ   μὴ ἐπιστραφείς, ὡς οὐδὲν πεπονθὼς προθύμως
μετὰ σπουδῆς ἐπορεύετο ἀγόμενος
εἰς τὸ στάδιον, θορύβου τηλικούτου ὄντος ἐν τῷ σταδίῳ, ὡς μηδὲ
10 ἀκουσθῆναί τινα δύνασθαι.

9,1 τῷ δὲ Πολυκάρπῳ εἰσιόντι εἰς τὸ
στάδιον φωνὴ ἐξ οὐρανοῦ ἐγένετο
ἴσχυε, Πολύκαρπε, καὶ ἀνδρίζου.
καὶ τὸν μὲν εἰπόντα οὐδεὶς εἶδεν, τὴν
5 δὲ φωνὴν τῶν ἡμετέρων οἱ παρόντες
ἤκουσαν. καὶ λοιπὸν
προσαχθέντος   αὐτοῦ, θόρυβος ἦν
μέγας ἀκουσάντων ὅτι Πολύκαρπος
συνείληπται.

καθίσαντες αὐτὸν ἤγαγον εἰς τὴν
πόλιν, ὄντος σαββάτου μεγάλου.
καὶ ὑπήντα αὐτῷ ὁ εἰρήναρχος Ἡρώ-
δης καὶ ὁ πατὴρ αὐτοῦ Νικήτης· οἳ
καὶ μεταθέντες αὐτὸν εἰς τὸ ὄχημα,
ἔπειθον παρακαθεζόμενοι καὶ λέγοντες «τί γὰρ κακόν ἐστιν εἰπεῖν,
κύριος Καῖσαρ, καὶ   θῦσαι καὶ

διασῴζεσθαι»; ὁ δὲ τὰ μὲν πρῶτα οὐκ
16 ἀπεκρίνατο   , ἐπιμενόντων δὲ
αὐτῶν, ἔφη «οὐ μέλλω πράττειν ὃ συμ-
βουλεύετέ μοι».

οἳ δὲ ἀποτυχόντες τοῦ πεῖσαι αὐτόν,
δεινὰ ῥήματα ἔλεγον   καὶ μετὰ
σπουδῆς καθήρουν   , ὡς κατιόντα ἀπὸ τοῦ ὀχήματος ἀποσῦραι τὸ
ἀντικνήμιον· ἀλλὰ γὰρ μὴ ἐπιστραφείς, οἷα μηδὲν πεπονθὼς προθύμως
17 μετὰ σπουδῆς ἐπορεύετο, ἀγόμενος
εἰς τὸ στάδιον. θορύβου δὲ τηλικούτου ὄντος ἐν τῷ σταδίῳ, ὡς μηδὲ
πολλοῖς ἀκουσθῆναι,
τῷ   Πολυκάρπῳ εἰσιόντι εἰς τὸ
στάδιον φωνὴ ἐξ οὐρανοῦ γέγονεν
«ἴσχυε, Πολύκαρπε, καὶ ἀνδρίζου».
καὶ τὸν μὲν εἰπόντα οὐδεὶς εἶδεν, τὴν
δὲ φωνὴν τῶν ἡμετέρων πολλοὶ
ἤκουσαν.
18 προσαχθέντος οὖν αὐτοῦ, θόρυβος ἦν
μέγας ἀκουσάντων ὅτι Πολύκαρπος
συνείληπται.

---

8 *ἦγον] ἤγαγον M Eus ZaFuLiGeRaLeLaKnBiMu — 9 μεγάλου] > P.
 8,2 1 *ὑπήντα] ὑπαντᾷ CHPV· Hi | αὐτῷ] αὐτὸν BCHV | εἰρήναρχος] φρούραρχος
C — 1-2 Ἡρώδης] pr ὁ ἐπικληθεὶς CV — 2 αὐτοῦ] + ὀνόματι CV — Νικήτης] +
ἐπὶ τὸ ὄχημα g HeDr, Ja [ἐπὶ τὸ ὄχημα] — οἳ] > M — 3 τήν] > M — 9 αὐτοῖς] αὐτούς
HM Fu^{pa}Le — 10-11 συμβουλεύετε] συμβουλεύεται HMP.
 8,3 1 αὐτόν] + διὰ πειθανολογίας CV — 2 αὐτῷ] > M Eus ZaLiGeKnBiMu —
2 μετά] + πολλῆς CV — 3 καθῆρουν] καθήρον BHPV — αὐτόν] + ἀπὸ τοῦ
ὀχήματος g HeDrHi, Ja[ἀπὸ τοῦ ὀχήματος] (cf n. 46) — ὡς] + καὶ BCHV JaHeDrHi —
4 *ἀποσῦραι] ἀποσυρῆναι g JaHeDrHi — 7 *μετὰ σπουδῆς] > M SchwBiMu —
7-8 ἀγόμενος εἰς τὸ στάδιον] ∼ M — 8 θορύβου ... 9,1 στάδιον] > H.
 9,1 1 τῷ δὲ...εἰσιόντι] τῷ δὲ ...εἰσιόντος M — 2 ἐγένετο] + λέγουσα CV —
3 *Πολύκαρπε καὶ ἀνδρίζου] καὶ ἀνδρίζου Πολύκαρπε g Bios JaHeDrHi; + μετὰ
σοῦ γάρ εἰμι CV Bios (cf. n. 83) — 5 οἱ παρόντες] πολλοί Eus Chron — 6 λοιπόν]
[λοιπόν] JaHeDr; λοιπῶν em Hi — 8 Πολύκαρπος] pr ὁ M, Πολύκαρπον CV — 9 συνεί-
ληπται] συνελήφθη CHV.

MPol

9,2 προσαχθέντα οὖν αὐτὸν ἀνηρώτα ὁ
ἀνθύπατος εἰ αὐτὸς εἴη Πολύκαρπος.
τοῦ δὲ ὁμολογοῦντος ἔπειθεν ἀρνεῖ-
σθαι λέγων· αἰδέσθητί σου τὴν ἡλι-
5 κίαν, καὶ ἕτερα τούτοις ἀκόλουθα
ὡς ἔθος αὐτοῖς λέγειν· ὄμοσον τὴν καίσαρος τύχην, μετανόη-
σον, εἰπέ. αἶρε τοὺς ἀθέους.
ὁ δὲ Πολύκαρπος ἐμβριθεῖ τῷ προ-
10 σώπῳ εἰς πάντα τὸν ὄχλον τὸν ἐν
τῷ σταδίῳ ἀνόμων ἐθνῶν ἐμβλέψας
καὶ ἐπισείσας αὐτοῖς τὴν χεῖρα, στενάξας τε καὶ ἀναβλέψας εἰς τὸν
οὐρανὸν εἶπεν· αἶρε τοὺς ἀθέους.
9,3 ἐγκειμένου δὲ τοῦ ἀνθυπάτου καὶ
λέγοντος ὄμοσον, καὶ ἀπολύω σε,
λοιδόρησον τὸν Χριστόν, ἔφη ὁ
Πολύκαρπος· ὀγδοήκοντα καὶ ἓξ
5 ἔτη ἔχω δουλεύων αὐτῷ, καὶ οὐδέν
με ἠδίκησεν· καὶ πῶς δύναμαι
βλασφημῆσαι τὸν βασιλέα μου τὸν
σώσαντά με;
10,1 ἐπιμένοντος δὲ πάλιν αὐτοῦ καὶ λέ-
γοντος· ὄμοσον τὴν καίσαρος τύ-
χην, ἀπεκρίνατο· εἰ κενοδοξεῖς, ἵνα ὀμόσω τὴν καίσαρος τύ-
5 χην, ὡς σὺ λέγεις, προσποιεῖ δὲ
ἀγνοεῖν με, τίς εἰμι, μετὰ παρρησίας
ἄκουε· Χριστιανός εἰμι. εἰ δὲ θέλεις
τὸν τοῦ Χριστιανισμοῦ μαθεῖν λόγον,
δὸς ἡμέραν καὶ ἄκουσον.
10,2 ἔφη ὁ ἀνθύπατος πεῖσον τὸν δῆμον.

HE IV,15

λοιπὸν οὖν προσελθόντα ἀνηρώτα ὁ
ἀνθύπατος εἰ αὐτὸς εἴη Πολύκαρπος,
καὶ ὁμολογήσαντος, ἔπειθεν ἀρνεῖ-
σθαι λέγων· «αἰδέσθητί σου τὴν ἡλικίαν», καὶ ἕτερα τούτοις ἀκόλουθα,
ἃ σύνηθες αὐτοῖς ἐστι λέγειν, «ὄμοσον τὴν Καίσαρος τύχην, μετανόη-
σον, εἰπόν, αἶρε τοὺς ἀθέους».
19 ὁ δὲ Πολύκαρπος ἐμβριθεῖ τῷ προσώπῳ εἰς πάντα τὸν ὄχλον τὸν ἐν
τῷ σταδίῳ ἐμβλέψας,
ἐπισείσας αὐτοῖς τὴν χεῖρα στενάξας τε καὶ ἀναβλέψας εἰς τὸν
οὐρανόν, εἶπεν «αἶρε τοὺς ἀθέους».
20 ἐγκειμένου δὲ τοῦ ἡγουμένου καὶ
λέγοντος «ὄμοσον, καὶ ἀπολύσω σε,
λοιδόρησον τὸν Χριστόν», ἔφη ὁ
Πολύκαρπος «ὀγδοήκοντα καὶ ἓξ
ἔτη δουλεύω αὐτῷ, καὶ οὐδέν
με ἠδίκησεν· καὶ πῶς δύναμαι
βλασφημῆσαι τὸν βασιλέα μου, τὸν
σώσαντά με;»
21 ἐπιμένοντος δὲ πάλιν αὐτοῦ καὶ λέγοντος «ὄμοσον τὴν Καίσαρος τύχην», ὁ Πολύκαρπος· «εἰ κενοδοξεῖς», ... «ἵνα ὀμόσω Καίσαρος τύχην, ὡς λέγεις προσποιούμενος
ἀγνοεῖν ὅστις εἰμι, μετὰ παρρησίας
ἄκουε· Χριστιανός εἰμι. εἰ δὲ θέλεις
τὸν τοῦ Χριστιανισμοῦ μαθεῖν λόγον,
δὸς ἡμέραν καὶ ἄκουσον».
22 ἔφη ὁ ἀνθύπατος «πεῖσον τὸν δῆ-

9,2 1 *οὖν] δὲ P, λοιπόν ante προσαχθέντα BH JaHeDrHi; λοιπὸν οὖν προσαχ-
θέντα Ra, cf Eus; τοῦ δὲ προσαχθέντος CV | αὐτὸν ἀνηρώτα] ∼ CV — 2 εἴη] εἴ CP |
*Πολύκαρπος] > M Li — 3 ἔπειθεν] + ὡς ἐνόμιζεν CV — 4-5 ἡλικίαν] + addenda
CV (cf n. 15) — 5-6 καὶ ἕτερα ... λέγειν] haec verba [ ] Mu — 5 ἕτερα τούτοις]
ἔλεγεν M — 6 *ὡς] ὧν M BiMu | ἔθος] + ἦν M, pr ἔστιν αὐτοῖς P, cf Eus — λέγειν]
λέγων B — 8 *εἰπέ] εἶπον M Eus ZaFuLiGeRaLeLaKnBiMu — 9 ἐμβριθεῖ] ἐμβρι-
θείς M — 9-10 προσώπῳ] + καὶ στιβαρῷ CV — 10 τόν²] τῶν BCH JaHeDr — 12-13 καὶ
ἐπισείσας ... ἀναβλέψας] > H — 14 ἀθέους] + ἀπὸ προσώπου τῆς γῆς CV (cf *Act*
22,22).

9,3 3-4 *ἔφη ὁ Πολύκαρπος] ∼ g JaHeDrHi — 5 *ἔχω δουλεύων] [ἔχω] δουλεύω[ν]
LiKn; δουλεύω M EusChron ZaFu(Li)GeRaLeLa(Kn)BiMu — 5-6 οὐδέν με ἠδίκησεν]
ἐφύλαξέν με M + addenda CV, (cf Bi) — 7 βασιλέα μου] κύριόν μου καὶ βασιλέα CV,
cf Lat — 8 σώσαντά με] + addenda CV (cf n. 15).

10,1 1 πάλιν] > M — 3-4 ἀπεκρίνατο...τύχην] > H — 3 *εἰ κενοδοξεῖς] ἐκεῖνο
δόξης M, ἐκεῖνο δοξεῖν BCV, μή μοι γένοιτο P — 5 προσποιεῖ] προσποιεῖς M,
προσποιούμενος Eus Schw — 7-8 θέλεις ... μαθεῖν] μαθεῖν θέλεις g JaHeDrHi — 8 τοῦ]
> M.

10,2 1 ἔφη ὁ ἀνθύπατος] ∼ g JaHeDrHi —

MPol

ὁ δὲ Πολύκαρπος εἶπεν· σὲ μὲν καὶ
λόγου ἠξίωκα· δεδιδάγμεθα γὰρ ἀρ-
χαῖς καὶ ἐξουσίαις ὑπὸ τοῦ θεοῦ
5 τεταγμέναις τιμὴν κατὰ τὸ προσῆκον
τὴν μὴ βλάπτουσαν ἡμᾶς ἀπονέμειν·
ἐκείνους δὲ οὐχ ἡγοῦμαι ἀξίους τοῦ
ἀπολογεῖσθαι αὐτοῖς.
11,1 ὁ δὲ ἀνθύπατος εἶπεν θηρία ἔχω,
τούτοις σε παραβαλῶ, ἐὰν μὴ μετανοήσῃς. ὁ δὲ εἶπεν κάλει, ἀμετάθετος γὰρ ἡμῖν ἡ ἀπὸ τῶν κρειττόνων
5 ἐπὶ τὰ χείρω μετάνοια· καλὸν δὲ
μετατίθεσθαι ἀπὸ τῶν χαλεπῶν ἐπὶ
τὰ δίκαια.
11,2 ὁ δὲ πάλιν πρὸς αὐτὸν πυρί σε
ποιῶ δαπανηθῆναι, εἰ τῶν θηρίων
καταφρονεῖς, ἐὰν μὴ μετανοήσῃς.
ὁ δὲ Πολύκαρπος· πῦρ ἀπει-
5 λεῖς τὸ πρὸς ὥραν καιόμενον καὶ
μετ᾽ ὀλίγον σβεννύμενον· ἀγνοεῖς
γὰρ τὸ τῆς μελλούσης κρίσεως καὶ
αἰωνίου κολάσεως τοῖς ἀσεβέσι τηρούμενον πῦρ. ἀλλὰ τί βραδύνεις;
10 φέρε ὃ βούλει.
12,1 ταῦτα δὲ καὶ ἕτερα πλείονα λέγων
θάρσους καὶ χαρᾶς ἐνεπίμπλατο, καὶ
τὸ πρόσωπον αὐτοῦ χάριτος ἐπληροῦτο, ὥστε οὐ μόνον μὴ συμπεσεῖν
5 ταραχθέντα ὑπὸ τῶν λεγομένων πρὸς
αὐτόν, ἀλλὰ τοὐναντίον τὸν ἀνθύπατον ἐκστῆναι, πέμψαι τε τὸν ἑαυ-

HE IV,15

μον». Πολύκαρπος ἔφη «σὲ μὲν καὶ
λόγου ἠξίωκα, δεδιδάγμεθα γὰρ ἀρ-
χαῖς καὶ ἐξουσίαις ὑπὸ θεοῦ
τεταγμέναις τιμὴν κατὰ τὸ προσῆκον
τὴν μὴ βλάπτουσαν ἡμᾶς ἀπονέμειν·
ἐκείνους δὲ οὐκ ἀξίους ἡγοῦμαι τοῦ
ἀπολογεῖσθαι αὐτοῖς».
23 ὁ δ᾽ ἀνθύπατος εἶπεν «θηρία ἔχω·
τούτοις σε παραβαλῶ, ἐὰν μὴ μετανοήσῃς». ὁ δὲ εἶπεν «κάλει· ἀμετάθετος γὰρ ἡμῖν ἡ ἀπὸ τῶν κρειττόνων
ἐπὶ τὰ χείρω μετάνοια, καλὸν δὲ
μετατίθεσθαι ἀπὸ τῶν χαλεπῶν ἐπὶ
τὰ δίκαια».
24 ὁ δὲ πάλιν πρὸς αὐτὸν «πυρί σε
ποιήσω δαμασθῆναι, ἐὰν τῶν θηρίων
καταφρονῇς, ἐὰν μὴ μετανοήσῃς».
Πολύκαρπος εἶπεν «πῦρ ἀπειλεῖς πρὸς ὥραν καιόμενον καὶ
μετ᾽ ὀλίγον σβεννύμενον· ἀγνοεῖς
γὰρ τὸ τῆς μελλούσης κρίσεως καὶ
αἰωνίου κολάσεως τοῖς ἀσεβέσι τηρούμενον πῦρ. ἀλλὰ τί βραδύνεις;
φέρε ὃ βούλει».
25 ταῦτα δὲ καὶ ἕτερα πλείονα λέγων,
θάρσους καὶ χαρᾶς ἐνεπίμπλατο καὶ
τὸ πρόσωπον αὐτοῦ χάριτος ἐπληροῦτο, ὥστε μὴ μόνον μὴ συμπεσεῖν
ταραχθέντα ὑπὸ τῶν λεγομένων πρὸς
αὐτόν, ἀλλὰ τοὐναντίον τὸν ἀνθύπατον ἐκστῆναι πέμψαι τε τὸν

2 *καί] κἄν CHMPV LiFuᵖᵃFuᵃᵛGeLeLaKn — 3 *ἠξίωκα] ἠξίωσα g JaHeDrZaFu
LiHiGeRaLeLaKn — 4 τοῦ] > M Eus Li — 7 οὐχ ἡγοῦμαι ἀξίους] οὐκ ἀξίους
ἡγοῦμαι Eus Li | ἀξίους] + εἶναι M — 8 αὐτοῖς] αὐτούς HM.
   11,1 1 *ὁ δὲ ἀνθύπατος] + πρὸς αὐτὸν g JaHeDrHi, (ἔφη πρὸς αὐτὸν ὁ ἀνθ. V) —
2 παραβαλῶ] παραδώσω H — 2-3 μετανοήσῃς] μετανοήσεις BHM — 3 δέ] + Πολύκαρπος M, ἀπεκρίθη ὁ ἅγιος Πολύκαρπος CV — 3-4 ἀμετάθετος] ἀπαράδεκτος P —
4 ἡμῖν g, εἰμὶ H — 6 *μετατίθεσθαι] μετατίθεσθαι Β, + με g JaHeDrHi.
   11,2 2 *ποιῶ] ποιήσω M Eus FuRaLeLaBiMu — 3 ἐὰν μὴ μετανοήσῃς] Schw
interp | μετανοήσῃς] μετανοήσεις H — 4 *Πολύκαρπος] + εἶπεν M Eus ZaFuGeRa
LeLaKnBiMu; + ἔφη H, + λέγει CV — πῦρ] + μοι M — 7-8 κρίσεως καὶ αἰωνίου
κολάσεως] κολάσεως καὶ αἰωνίου κρίσεως P — 9 τί] μή CV, > H — 9 βραδύνεις]
βραδύνῃς CHV — 10 ὅ] ἅ CV.
   12,1 1 ἕτερα] ἄλλα g JaHeDrHi | πλείονα] > M λέγων] εἰπών CV — 2-3 ἐνε-
πίμπλατο ... χάριτος] > H — 3 χάριτος] + θείας CV — 3-4 ἐπληροῦτο] pr ὡς H —
4 ὥστε] ὥσπερ CHV — 4 μή] > M — 5 ταραχθέντα] ταραχθέντος CHPV JaLi —
6 ἀλλὰ τοὐναντίον τόν] > H — 6-7 ἀνθύπατον] + μᾶλλον CV — τὸν ἀνθύπατον
ἐκστῆναι] ~ M | ἐκστῆναι] ἐκστῆσαι HV, ἐκπλῆξαι P — 7 πέμψαι τε] καὶ πέμψαι CV,
πέμψαι H.

MPol

τοῦ κήρυκα ἐν μέσῳ τοῦ σταδίου
κηρῦξαι τρὶς Πολύκαρπος ὡμολό-
10 γησεν ἑαυτὸν Χριστιανὸν εἶναι.
12,2 τούτου λεχθέντος ὑπὸ τοῦ κήρυκος,
ἅπαν τὸ πλῆθος ἐθνῶν τε καὶ Ἰουδαίων τῶν τὴν Σμύρναν κατοικούν-
των ἀκατασχέτῳ θυμῷ καὶ μεγάλῃ
5 φωνῇ ἐπεβόα οὗτός ἐστιν ὁ τῆς
ἀσεβείας διδάσκαλος, ὁ πατὴρ τῶν
χριστιανῶν, ὁ τῶν ἡμετέρων θεῶν
καθαιρέτης, ὁ πολλοὺς διδάσκων μὴ
θύειν μηδὲ προσκυνεῖν.
10 ταῦτα λέγοντες ἐπεβόων καὶ ἡρώτων
τὸν ἀσιάρχην Φίλιππον ἵνα ἐπαφῇ
τῷ Πολυκάρπῳ λέοντα. ὁ δὲ ἔφη μὴ
εἶναι ἐξὸν αὐτῷ ἐπειδὴ πεπληρώκει
τὰ κυνηγέσια.
12,3 τότε ἔδοξεν αὐτοῖς ὁμοθυμαδὸν ἐπι-
βοῆσαι, ὥστε τὸν Πολύκαρπον ζῶντα κατακαῦσαι.
ἔδει γὰρ τὸ τῆς φανερωθείσης
5 ἐπὶ τοῦ προσκεφαλαίου ὀπτασίας
πληρωθῆναι, ὅτε ἰδὼν αὐτὸ καιόμενον προσευχόμενος, εἶπεν ἐπιστρα-
φεὶς τοῖς σὺν αὐτῷ πιστοῖς προφητικῶς «δεῖ με ζῶντα καυθῆναι».
13,1 ταῦτα οὖν μετὰ τοσούτου τάχους ἐγένετο, θᾶττον ἢ ἐλέγετο, τῶν ὄχλων
παραχρῆμα συναγόντων ἔκ τε τῶν
ἐργαστηρίων καὶ βαλανείων
5 ξύλα καὶ φρύγανα, μάλιστα Ἰου-

HE IV,15

κήρυκα καὶ ἐν μέσῳ τῷ σταδίῳ
κηρῦξαι «τρὶς Πολύκαρπος ὡμολόγησεν ἑαυτὸν Χριστιανὸν εἶναι».
26 τούτου λεχθέντος ὑπὸ τοῦ κήρυκος,
πᾶν τὸ πλῆθος ἐθνῶν τε καὶ Ἰουδαίων τῶν τὴν Σμύρναν κατοικούν-
των ἀκατασχέτῳ θυμῷ καὶ μεγάλῃ
φωνῇ ἐβόα «οὗτός ἐστιν ὁ τῆς
Ἀσίας διδάσκαλος, ὁ πατὴρ τῶν
Χριστιανῶν, ὁ τῶν ἡμετέρων θεῶν
καθαιρέτης, ὁ πολλοὺς διδάσκων μὴ
θύειν μηδὲ προσκυνεῖν».
27 ταῦτα λέγοντες, ἐπεβόων καὶ ἡρώτων
τὸν ἀσιάρχην Φίλιππον ἵνα ἐπαφῇ
τῷ Πολυκάρπῳ λέοντα· ὃ δὲ ἔφη μὴ
εἶναι ἐξὸν αὐτῷ, ἐπειδὴ πεπληρώκει
τὰ κυνηγέσια.
τότε ἔδοξεν αὐτοῖς ὁμοθυμαδὸν ἐπι-
βοῆσαι ὥστε ζῶντα τὸν Πολύκαρπον
κατακαῦσαι.
28 ἔδει γὰρ τὸ τῆς φανερωθείσης αὐτῷ
ἐπὶ τοῦ προσκεφαλαίου ὀπτασίας
πληρωθῆναι, ὅτε ἰδὼν αὐτὸ καιόμενον προσευχόμενος εἶπεν ἐπιστρα-
φεὶς τοῖς μετ᾽ αὐτοῦ πιστοῖς προφητικῶς δεῖ με ζῶντα καῆναι.
29 ταῦτα οὖν μετὰ τοσούτου τάχους ἐγένετο θᾶττον ἢ ἐλέγετο, τῶν ὄχλων
παραχρῆμα συναγόντων ἐκ τῶν
ἐργαστηρίων καὶ ἐκ τῶν βαλανείων
ξύλα καὶ φρύγανα, μάλιστα Ἰου-

8 *τοῦ σταδίου] τῷ σταδίῳ B Eus JaHeDrFu°ᵖLi — 9 κηρύξαι] pr καί CHPV —
*τρίς] τρίτον g JaHeDr — 9-10 ὡμολόγησεν ἑαυτόν] ~ M.
   12,2 1 τούτου] + δέ M — 3-4 Σμύρναν κατοικοῦντων] Σμύρνην οἰκούντων P —
4 μεγάλῃ] + τῇ CH — 5 ἐπεβόα] ἐβόα P Eus Za — 6 *ἀσεβείας] Ἀσίας M Eus
ZaFuLiGeRaLeLaKnBiMu — 7 ὁ] καί CV — 9 προσκυνεῖν] + τοῖς θεοῖς g JaHeDr
Hi — 10 ἐπεβόων] ἐπεβόουν M, ἐβόουν P — ἠρώτων] ἠρώτα M, ἠρώτα H —
12 ὁ δέ] + Φίλιππος g JaHeDrHi — 13 αὐτῷ] αὐτό M, αὐτόν B, αὐτῶν CHV.
   12,3 1 αὐτοῖς] αὐτούς MP — 1-2 ἐπιβοῆσαι] ἐπιβοῶσιν em Schw — 2-3 ζῶντα]
> B — 3 *κατακαῦσαι] καῦσαι M, κατακαυθῆναι g JaHeDrZaFu°ᵖHi; κατακαῆναι
Kn — 4 φανερωθείσης] + αὐτῷ M Eus FuRaLeLaBiMu — 6 αὐτό] αὐτῷ BHP —
7 προσευχόμενος] Schw interp — 7-8 ἐπιστραφείς] Schw interp — 9 δεῖ] pr ὅτι CV —
*καυθῆναι] καῆναι M Eus ZaFuLiGeRaLeLaKnBiMu, κατακαυθῆναι BCHP JaHe
DrHi.
   13,1 1-2 ἐγένετο] ἐγίνετο cj Ussher, HeDrHi — 2 *ἢ ἐλέγετο] τοῦ λεχθῆναι g
JaHeDrHi | τῶν] pr καί M — 3 *συναγόντων] συναγαγόντων BCHV JaHeDrHi —
τε] > P Eus ps-Chr — 4 καὶ βαλανείων] > M ps-Chr — 5 καὶ φρύγανα] > M —

MPol

δαίων προθύμως ὡς ἔθος αὐτοῖς εἰς
ταῦτα ὑπουργούντων.
13,2 ὅτε δὲ ἡ πυρκαϊὰ ἡτοιμάσθη, ἀποθέμενος ἑαυτῷ πάντα τὰ ἱμάτια καὶ
λύσας τὴν ζώνην ἐπειρᾶτο καὶ ὑπο-
λύειν ἑαυτόν, μὴ πρότερον τοῦτο
5 ποιῶν διὰ τὸ ἀεὶ ἕκαστον τῶν πιστῶν
σπουδάζειν ὅστις τάχιον τοῦ χρωτὸς
αὐτοῦ ἅψηται· ἐν παντὶ γὰρ ἀγαθῆς
ἕνεκεν πολιτείας καὶ πρὸ τῆς μαρτυρίας ἐκεκόσμητο.
13,3 εὐθέως οὖν αὐτῷ περιετίθετο τὰ πρὸς
τὴν πυρὰν ἡρμοσμένα ὄργανα. μελλόντων δὲ αὐτῶν καὶ προσηλοῦν,
εἶπεν ἄφετέ με οὕτως· ὁ γὰρ
5 δοὺς ὑπομεῖναι τὸ πῦρ δώσει καὶ
χωρὶς τῆς ὑμετέρας ἐκ τῶν ἥλων
ἀσφαλείας ἀσάλευτον ἐπιμεῖναι τῇ
πυρᾷ.
14,1 οἱ δὲ οὐ καθήλωσαν μὲν   ἔδησαν
δὲ αὐτόν.
ὁ δὲ ὀπίσω τὰς χεῖρας ποιήσας καὶ
προσδεθεὶς ὥσπερ κριὸς ἐπίσημος
5   ἐκ μεγάλου ποιμνίου
εἰς προσφοράν, ὁλοκάρπωμα δεκτὸν
τῷ θεῷ ἡτοιμασμένον, ἀναβλέψας εἰς
τὸν οὐρανὸν
εἶπεν κύριε ὁ θεὸς ὁ παντοκράτωρ
10 ὁ τοῦ ἀγαπητοῦ καὶ εὐλογητοῦ παιδός σου Ἰησοῦ Χριστοῦ πατήρ, δι᾽
οὗ τὴν περὶ σοῦ ἐπίγνωσιν εἰλήφα-
μεν, ὁ θεὸς ἀγγέλων καὶ δυνάμεων

HE IV,15

δαίων προθύμως, ὡς ἔθος αὐτοῖς, εἰς
ταῦτα ὑπουργούντων.
30 ἀλλ᾽ ὅτε ἡ πυρὰ ἡτοιμάσθη, ἀποθέμενος ἑαυτῷ πάντα τὰ ἱμάτια καὶ
λύσας τὴν ζώνην, ἐπειρᾶτο καὶ ὑπο-
λύειν ἑαυτόν, μὴ πρότερον τοῦτο
ποιῶν διὰ τὸ ἀεὶ ἕκαστον τῶν πιστῶν
σπουδάζειν ὅστις τάχιον τοῦ χρωτὸς
αὐτοῦ ἐφάψηται· ἐν παντὶ γὰρ ἀγαθῆς
ἕνεκεν πολιτείας καὶ πρὸ τῆς πολιᾶς
ἐκεκόσμητο.
31 εὐθέως οὖν αὐτῷ περιετίθετο τὰ πρὸς
τὴν πυρὰν ἡρμοσμένα ὄργανα· μελλόντων δὲ αὐτῶν καὶ προσηλοῦν
αὐτόν, εἶπεν «ἄφετέ με οὕτως· ὁ γὰρ
διδοὺς ὑπομεῖναι τὸ πῦρ δώσει καὶ
χωρὶς τῆς ὑμετέρας ἐκ τῶν ἥλων
ἀσφαλείας ἀσκύλτως ἐπιμεῖναι τῇ
πυρᾷ».
οἳ δὲ οὐ καθήλωσαν   , προσέδησαν
δὲ αὐτόν.
32 ὁ δ᾽ ὀπίσω τὰς χεῖρας ποιήσας καὶ
προσδεθεὶς ὥσπερ κριὸς ἐπίσημος,
ἀναφερόμενος ἐκ μεγάλου ποιμνίου
ὁλοκαύτωμα δεκτὸν
θεῷ

παντοκράτορι, εἶπεν
33 «ὁ τοῦ ἀγαπητοῦ καὶ εὐλογητοῦ παιδός σου Ἰησοῦ Χριστοῦ πατήρ, δι᾽
οὗ τὴν περὶ σὲ ἐπίγνωσιν εἰλήφα-
μεν, ὁ θεὸς ἀγγέλων καὶ δυνάμεων

7 ὑπουργούντων] ὑπουργόντων Η, ὑπουργεῖν CV.
13,2 1 *πυρκαϊά] πυρά M Eus (ps-Chr) ZaGeBiMu — 2 *ἑαυτῷ] ἑαυτοῦ CPV Mu,
αὐτοῦ M | πάντα] > M — 3 *ζωνήν] + ἑαυτοῦ HP (Ja)HiRa; + αὐτοῦ HeDr —
5 ἀεί] > M — 6 ὅστις] τίς CMV — τάχιον] τάχειον MPV, ταχίαν Β — 7 *ἐν
παντὶ γάρ] Li [ἐν], παντὶ γὰρ καλῷ Β JaHeDrZaFuRaLeLa; πράξεις γὰρ καλὰς CHPV
Hi; πάσης γάρ M — 7-8 ἀγαθῆς ἕνεκεν πολιτείας] καὶ ἀγαθὰς καὶ θεοτίμητον
πολιτείαν P — 8 ἕνεκεν] ἕνεκα M — 8-9 καὶ ... μαρτυρίας] > M | *μαρτυρίας]
πολιᾶς Eus Bios Li.
13,3 1 οὖν] δέ M, > C | αὐτῷ] ἑαυτῷ P | περιετίθετο] προετίθετο P — 3 αὐτῶν καί]
αὐτόν M — 5 δούς] + μοι Β Lat JaHeDrHi — 6 ὑμετέρας] ὑμῶν P — ἐκ τῶν
ἥλων] > M — 7 *ἀσάλευτον] ἄσκυλτον M ps-Chr ZaFuLiGeRaLeLaKnBiMu.
14,1 1 *ἔδησαν] προσέδησαν M Eus ps-Chr ZaFuLiGeRaLeLaKnBiMu — 6 *ὁλο-
κάρπωμα] ὁλοκαύτωμα CHMV ps-Chr VitaPol ZaFuLiHiGeRaLeLaKnBiMu — 7 ἡτοι-
μασμένον] + εἶ (!) Η — 10 καὶ εὐλογητοῦ] > CHV — 10-11 παιδός σου] σου υἱοῦ M,
σου post ἀγαπητοῦ P — 11-12 δι᾽ οὗ] > P — 13 *θεός] + ὁ BCHV, [ὁ] Li.

MPol

καὶ πάσης τῆς κτίσεως παντός τε
15 τοῦ γένους τῶν δικαίων οἳ ζῶσιν
ἐνώπιόν σου·
14,2 εὐλογῶ σε, ὅτι ἠξίωσάς με τῆς ἡμέρας καὶ ὥρας ταύτης, τοῦ λαβεῖν
μέρος ἐν ἀριθμῷ τῶν μαρτύρων ἐν
τῷ ποτηρίῳ τοῦ Χριστοῦ σου εἰς
5 ἀνάστασιν ζωῆς αἰωνίου ψυχῆς τε
καὶ σώματος ἐν ἀφθαρσίᾳ πνεύματος
ἁγίου·
ἐν οἷς προσδεχθείην ἐνώπιόν σου
σήμερον ἐν θυσίᾳ πίονι καὶ προσ-
10 δεκτῇ, καθὼς προητοίμασας καὶ προ-
φανέρωσας καὶ ἐπλήρωσας, ὁ ἀψευ-
δὴς καὶ ἀληθινὸς θεός.
14,3 διὰ τοῦτο καὶ περὶ πάντων σὲ αἰνῶ,
σὲ εὐλογῶ, σὲ δοξάζω διὰ τοῦ αἰωνίου καὶ ἐπουρανίου ἀρχιερέως Ἰησοῦ Χριστοῦ ἀγαπητοῦ σου παι-
5 δός, δι' οὗ σοὶ σὺν αὐτῷ καὶ πνεύματι ἁγίῳ ἡ δόξα καὶ νῦν καὶ εἰς
τοὺς μέλλοντας αἰῶνας. ἀμήν.
15,1 ἀναπέμψαντος δὲ αὐτοῦ τὸ ἀμὴν καὶ
πληρώσαντος τὴν εὐχήν, οἱ τοῦ
πυρὸς ἄνθρωποι ἐξῆψαν τὸ πῦρ. μεγάλης δὲ ἐκλαμψάσης φλογὸς θαῦμα
5 εἴδομεν, οἷς ἰδεῖν ἐδόθη· οἳ καὶ ἐτηρήθημεν εἰς τὸ ἀναγγεῖλαι τοῖς λοιποῖς τὰ γενόμενα.
15,2 τὸ γὰρ πῦρ καμάρας εἶδος ποιῆσαν
ὥσπερ ὀθόνη πλοίου ὑπὸ πνεύματος
πληρουμένη, κύκλῳ περιετείχισεν

HE IV,15

καὶ πάσης κτίσεως παντός τε
τοῦ γένους τῶν δικαίων οἳ ζῶσιν
ἐνώπιόν σου,
εὐλογῶ σε ὅτι ἠξίωσάς με τῆς ἡμέρας καὶ ὥρας ταύτης, τοῦ λαβεῖν
μέρος ἐν ἀριθμῷ τῶν μαρτύρων ἐν
τῷ ποτηρίῳ τοῦ Χριστοῦ σου εἰς
ἀνάστασιν ζωῆς αἰωνίου ψυχῆς τε
καὶ σώματος ἐν ἀφθαρσίᾳ πνεύματος
ἁγίου·
34 ἐν οἷς προσδεχθείην ἐνώπιόν σου
σήμερον ἐν θυσίᾳ πίονι καὶ προσ-
δεκτῇ, καθὼς προητοίμασας ,προ-
φανερώσας καὶ πληρώσας ὁ ἀψευ-
δὴς καὶ ἀληθινὸς θεός.
35 διὰ τοῦτο καὶ περὶ πάντων σὲ αἰνῶ,
σὲ εὐλογῶ, σὲ δοξάζω διὰ τοῦ αἰωνίου ἀρχιερέως Ἰη-
σοῦ Χριστοῦ τοῦ ἀγαπητοῦ σου παιδός, δι' οὗ σοὶ σὺν αὐτῷ ἐν πνεύματι ἁγίῳ δόξα καὶ νῦν καὶ εἰς
τοὺς μέλλοντας αἰῶνας, ἀμήν».
36 ἀναπέμψαντος δὲ αὐτοῦ τὸ ἀμὴν καὶ
πληρώσαντος τὴν προσευχήν, οἱ τοῦ
πυρὸς ἄνθρωποι ἐξῆψαν τὸ πῦρ, μεγάλης δὲ ἐκλαμψάσης φλογὸς θαῦμα
εἴδομεν οἷς ἰδεῖν ἐδόθη, οἳ καὶ ἐτηρήθησαν εἰς τὸ ἀναγγεῖλαι τοῖς λοιποῖς τὰ γενόμενα.
37 τὸ γὰρ πῦρ καμάρας εἶδος ποιῆσαν
ὥσπερ ὀθόνης πλοίου ὑπὸ πνεύματος
πληρουμένης, κύκλῳ περιετείχισε

14 τῆς] > CMV Eus — *παντός τε] καὶ παντός g JaHeDrHi — 15 δικαίων] ἀνθρώπων M.
14,2 1 ἠξίωσας] κατηξίωσας M Li — 1-2 ἡμέρας καὶ ὥρας ταύτης] ὥρας ταύτης καὶ ἡμέρας V — 2 καὶ ὥρας] > M — *λαβεῖν] + με BHPV JaHeDrFuLiHiRaLeLa KnCa — 3 *μαρτύρων] + σου g JaHeDrHi — 4 σου] > P, [σου] Li — 8 *προσδεχθείην] προσδεχθείη B, προσδεχθημεν CHPV — 9 ἐν] > M — 11 καὶ ἐπληρώσας] > M — ὁ] > P — 12 θεός] + ὤν P, post ἀψευδής V.
14,3 1-2 *σὲ αἰνῶ κτλ] αἰνῶ σέ κτλ g JaHeDrHi — 2-3 *διὰ τοῦ αἰωνίου κτλ] σὺν τῷ αἰωνίῳ κτλ g JaHeDr — 5 *δι' οὗ] μεθ' οὗ g JaHeDr — σὺν αὐτῷ] > g JaHeDr — 6 *ἡ] > M Eus ZaFuᵒᵖHiGeLaKnBiMu, [ἡ] Li — δόξα] + κράτος M | καὶ¹] > CMV | νῦν] + καὶ ἀεί M, [καὶ ἀεί] Li — 7 μέλλοντας αἰῶνας] αἰῶνας τῶν αἰώνων MP Lat.
15,1 1 ἀναπέμψαντος δὲ ... ἀμήν] > CHV — 2 πληρώσαντος] + αὐτοῦ V — 3 ἄνθρωποι] ἄνδρες H, ὑπουργοί M, ἐργάται pr V — 4 θαῦμα] + μέγα g JaHeDr Hi — 5 εἴδομεν] ἴδομεν G (ἴδωμεν M) — 5-7 οἳ ... γενόμενα] Schw interp — 7 τὰ γενόμενα] > M.
15,2 2 ὀθόνη] ὀθόνην H — 3 κύκλῳ περιετείχισεν] ~ CV

MPol	HE IV.15

τὸ σῶμα τοῦ μάρτυρος· καὶ ἦν μέσον
5 οὐχ ὡς σὰρξ καιομένη, ἀλλ᾽ ὡς ἄρτος ὀπτώμενος ἢ ὡς χρυσὸς καὶ
ἄργυρος ἐν καμίνῳ πυρούμενος. καὶ
γὰρ εὐωδίας τοσαύτης ἀντελαβόμεθα
ὡς λιβανωτοῦ πνέοντος ἢ ἄλλου τι-
10 νὸς τῶν τιμίων ἀρωμάτων.
16,1 πέρας γοῦν ἰδόντες οἱ ἄνομοι μὴ
δυνάμενον αὐτοῦ τὸ σῶμα ὑπὸ τοῦ
πυρὸς δαπανηθῆναι, ἐκέλευσαν προσελθόντα αὐτῷ κομφέκτορα παρα-
5 βῦσαι ξιφίδιον. καὶ τοῦτο ποιήσαν-
τος ἐξῆλθεν περιστερὰ καὶ πλῆθος
αἵματος, ὥστε κατασβέσαι τὸ πῦρ
καὶ θαυμάσαι πάντα τὸν ὄχλον εἰ
τοσαύτη τις διαφορὰ μεταξὺ τῶν τε
10 ἀπίστων καὶ τῶν ἐκλεκτῶν·
16,2 ὧν εἷς καὶ οὗτος γεγόνει ὁ θαυμασιώτατος Πολύκαρπος, ἐν τοῖς καθ᾽ ἡμᾶς
χρόνοις διδάσκαλος ἀποστολικὸς
καὶ προφητικὸς γενόμενος ἐπίσκο-
5 πός τε τῆς ἐν Σμύρνῃ καθολικῆς
ἐκκλησίας. πᾶν γὰρ ῥῆμα, ὃ ἀφῆκεν
ἐκ τοῦ στόματος αὐτοῦ, καὶ ἐτελειώθη καὶ τελειωθήσεται.
17,1 ὁ δὲ ἀντίζηλος καὶ βάσκανος καὶ
πονηρός, ὁ ἀντικείμενος τῷ γένει
τῶν δικαίων, ἰδὼν τό τε μέγεθος
αὐτοῦ τῆς μαρτυρίας καὶ τὴν ἀπ᾽
5 ἀρχῆς ἀνεπίληπτον πολιτείαν, ἐστε-
φανωμένον τε τὸν τῆς ἀφθαρσίας
στέφανον καὶ βραβεῖον ἀναντίρρη-

τὸ σῶμα τοῦ μάρτυρος, καὶ ἦν μέσον
οὐχ ὡς σὰρξ καιομένη, ἀλλ᾽
ὡς χρυσὸς καὶ
ἄργυρος ἐν καμίνῳ πυρούμενος· καὶ
γὰρ εὐωδίας τοσαύτης ἀντελαβόμεθα
ὡς λιβανωτοῦ πνέοντος ἢ ἄλλου τι-
νὸς τῶν τιμίων ἀρωμάτων.
38 πέρας γοῦν ἰδόντες οἱ ἄνομοι μὴ
δυνάμενον τὸ σῶμα ὑπὸ τοῦ
πυρὸς δαπανηθῆναι, ἐκέλευσαν προσελθόντα αὐτῷ κομφέκτορα παρα-
39 βῦσαι ξίφος, καὶ τοῦτο ποιήσαν-
τος, ἐξῆλθεν πλῆθος
αἵματος, ὥστε κατασβέσαι τὸ πῦρ
καὶ θαυμάσαι πάντα τὸν ὄχλον εἰ
τοσαύτη τις διαφορὰ μεταξὺ τῶν τε
ἀπίστων καὶ τῶν ἐκλεκτῶν·
ὧν εἷς καὶ οὗτος γέγονεν ὁ θαυμασιώτατος ἐν τοῖς καθ᾽ ἡμᾶς
χρόνοις διδάσκαλος ἀποστολικὸς
καὶ προφητικὸς γενόμενος ἐπίσκοπος τῆς ἐν Σμύρνῃ καθολικῆς
ἐκκλησίας· πᾶν γὰρ ῥῆμα ὃ ἀφῆκεν
ἐκ τοῦ στόματος αὐτοῦ, καὶ ἐτελειώθη καὶ τελειωθήσεται.
40 ὁ δὲ ἀντίζηλος καὶ βάσκανος
πονηρός, ὁ ἀντικείμενος τῷ γένει
τῶν δικαίων, ἰδὼν τὸ μέγεθος
αὐτοῦ τῆς μαρτυρίας καὶ τὴν ἀπ᾽
ἀρχῆς ἀνεπίληπτον πολιτείαν ἐστε-
φανωμένον τε τὸν τῆς ἀφθαρσίας
στέφανον καὶ βραβεῖον ἀναντίρρη-

4 μάρτυρος] ἀρχιερέως M — 6-7 *ἢ ὡς...πυρούμενος] > M, Schw interp — 9 πνέον-
τος] > M | ἄλλου] > M.
16,1 1 *γοῦν] δ᾽ οὖν M, οὖν BHP JaHeDrZaFuᵒᵖHiKn — *μή] οὐ BHPV JaHe
DrHi — 3 ἐκέλευσαν] ἐκέλευσε CP — 4 κομφέκτορα] κονφέκτορα M — 5-6 ποιήσαν-
τος] ποιήσαντες P — 6 περιστερὰ καί] [περιστερὰ καί] LiFuᵖᵃFuᵃᵛGeLeKnBi; > Eus
HiMu, Schw interp; περὶ στύρακα ZaFuᵒᵖ in textu — 8 εἰ τοσαύτη ... 16,2 τελειωθή-
σεται] aliter CV (cf p. 29) — 9 τις] > H — τε] > BHP — 10 ἐκλεκτῶν] + εἴη HP.
16,2 1 γεγόνει] ἐγεγόνει P, γέγονεν H Eus Schw; > M — 1-2 *θαυμασιώτατος]
pr μακάριος καί M, θαυμάσιος HP, + μάρτυς BHP JaHeDrZaFuHiRaLeLa, GeKn
[μάρτυς]; + [Πολύκαρπος] Li — 3-4 διδάσκαλος ... προφητικός] Schw interp (?) —
5 *τε] HM Eus ZaFuLiHiGeRaLeLaKn — *καθολικῆς] ἁγίας M Lat Li —
6 *ἀφῆκεν] ἐξαφῆκεν BHP JaHeDrHi — 7 *καί] HMP ZaFuᵒᵖLiFuᵖᵃGeRaLeKn —
7-8 ἐτελειώθη] > HP.
17,1 1 *ἀντίζηλος] ἀντίδικος P, ἀντικείμενος M — 2 πονηρός] + δαίμων CV |
ὁ] + καί M, + πάντοτε CV — 5 ἀνεπίληπτον] + αὐτοῦ P | ἀνεπίληπτον πολιτείαν] ~
M — 6 τε] δέ M — 6-7 τόν...στέφανον] τῷ στεφάνῳ P JaHeDr

MPol

τὸν ἀπενηνεγμένον, ἐπετήδευσεν ὡς
μηδὲ τὸ λείψανον αὐτοῦ ὑφ᾽ ἡμῶν
10 ληφθῆναι, καίπερ πολλῶν ἐπιθυ-
μουντων τοῦτο ποιῆσαι καὶ κοινωνῆ-
σαι τῷ ἁγίῳ αὐτοῦ σαρκίῳ.
17,2 ὑπέβαλεν γοῦν   Νικήτην τὸν
τοῦ Ἡρῴδου πατέρα, ἀδελφὸν δὲ
Ἄλκης, ἐντυχεῖν τῷ ἄρχοντι, ὥστε
μὴ δοῦναι αὐτοῦ τὸ σῶμα· μή,
5 φησίν, ἀφέντες τὸν ἐσταυρωμένον
τοῦτον ἄρξωνται σέβεσθαι· καὶ ταῦτα   ὑποβαλλόντων καὶ ἐνισχυ-
όντων τῶν Ἰουδαίων, οἳ καὶ ἐτήρη-
σαν μελλόντων ἡμῶν ἐκ τοῦ πυρὸς
10 αὐτὸν λαμβάνειν, ἀγνοοῦντες, ὅτι
οὔτε τὸν Χριστόν ποτε καταλιπεῖν
δυνησόμεθα, τὸν ὑπὲρ τῆς τοῦ παντὸς κόσμου τῶν σῳζομένων σωτη-
ρίας παθόντα ἄμωμον ὑπὲρ ἁμαρτω-
15 λῶν, οὔτε ἕτερόν τινα σέβεσθαι.
17,3 τοῦτον μὲν γὰρ υἱὸν ὄντα τοῦ θεοῦ
προσκυνοῦμεν, τοὺς δὲ μάρτυρας ὡς
μαθητὰς καὶ μιμητὰς τοῦ κυρίου
ἀγαπῶμεν ἀξίως ἕνεκα εὐνοίας ἀν-
5 υπερβλήτου τῆς εἰς τὸν ἴδιον βασιλέα
καὶ διδάσκαλον· ὧν γένοιτο καὶ ἡμᾶς
    κοινωνούς τε καὶ συμμαθητὰς γε-
νέσθαι.
18,1 ἰδὼν οὖν ὁ κεντυρίων τὴν τῶν
Ἰουδαίων γενομένην φιλονεικίαν,
θεὶς αὐτὸν ἐν μέσῳ ὡς ἔθος αὐτοῖς,
ἔκαυσεν.

HE IV,15

τὸν ἀπενηνεγμένον, ἐπετήδευσεν ὡς
μηδὲ τὸ σωμάτιον αὐτοῦ ὑφ᾽ ἡμῶν
ληφθείη, καίπερ πολλῶν ἐπιθυ-
μούντων τοῦτο ποιῆσαι καὶ κοινωνῆ-
σαι τῷ ἁγίῳ αὐτοῦ σαρκίῳ.
41 ὑπέβαλον γοῦν τινὲς Νικήτην, τὸν
τοῦ Ἡρῴδου πατέρα, ἀδελφὸν [δὲ] δ᾽
Ἄλκης, ἐντυχεῖν τῷ ἡγεμόνι ὥστε
μὴ δοῦναι αὐτοῦ τὸ σῶμα, «μή»,
φησίν, «ἀφέντες τὸν ἐσταυρωμένον,
τοῦτον ἄρξωνται σέβειν». καὶ ταῦτα εἶπον ὑποβαλόντων καὶ ἐνισχυ-
σάντων τῶν Ἰουδαίων· οἳ καὶ ἐτήρη-
σαν μελλόντων ἡμῶν ἐκ τοῦ πυρὸς
αὐτὸν λαμβάνειν, ἀγνοοῦντες ὅτι
οὔτε τὸν χριστόν ποτε καταλιπεῖν
δυνησόμεθα, τὸν ὑπὲρ τῆς τοῦ παντὸς κόσμου τῶν σῳζομένων σωτη-
ρίας παθόντα,

    οὔτε ἕτερόν τινα σέβειν.

42 τοῦτον μὲν γὰρ υἱὸν ὄντα τοῦ θεοῦ
προσκυνοῦμεν, τοὺς δὲ μάρτυρας ὡς
μαθητὰς καὶ μιμητὰς τοῦ κυρίου
ἀγαπῶμεν ἀξίως ἕνεκα εὐνοίας ἀν-
υπερβλήτου τῆς εἰς τὸν ἴδιον βασιλέα
καὶ διδάσκαλον· ὧν γένοιτο καὶ ἡμᾶς
συγκοινωνούς τε καὶ συμμαθητὰς γε-
νέσθαι.
43 ἰδὼν οὖν ὁ ἑκατοντάρχης τὴν τῶν
Ἰουδαίων γενομένην φιλονεικίαν,
θεὶς αὐτὸν ἐν μέσῳ, ὡς ἔθος αὐτοῖς,
ἔκαυσεν,

8 ὡς] ὥστε CM — 8-9 ὡς μηδὲ κτλ] ὡς καί...μὴ ὑφ᾽... P — 9 *λείψανον] τίμιον αὐτοῦ
pr CV, σωμάτιον M Eus ZaFuLiGeRaLeLaKnBiMu — 12 αὐτοῦ σαρκίῳ] > P.
    17,2 1 ὑπέβαλεν] ὑπέβαλον Eus Za, pr ὅθεν CV, + ὡς δεινὸς καὶ μισάγιος ὁ
πονηρός CV — γοῦν] γάρ P, οὖν (+ ὡς πονηρός) H, > CMV — 3 ἄρχοντι] ἀνθυπάτω
M Kn — 4 αὐτοῦ] αὐτοῖς P | σῶμα] + ταφῇ B JaHeDr — μή] μήποτε CV —
6 ἄρξωνται] ἄρξονται BHPV — καί] > M — 6-7 ταῦτα] > M — 7 εἶπον Eus JaHeDr
FuRaLeLaCa, [εἶπον] Li; + εἰπὼν BCPV Hi — 8 τῶν] > BCM ZaFuᵒᵖ — 10 *αὐτόν]
αὐτό M ZaHiGeKn; > B JaHeDr, τοῦτον C, τοῦτο V — ἀγνοοῦντες ... 17,3
γενέσθαι] post 19,2 CV (cf p. 29) | οὔτε] > M — 11 ποτε καταλιπεῖν] καταλιπεῖν
πώποτε HP (H ποποτε) — 12-13 παντός] > M — 13 τῶν σῳζομένων] > M — 14 πα-
θόντα] ἀποθανόντα M — 14-15 *ἄμωμον ὑπὲρ ἁμαρτωλῶν] > Eus, [ἄμωμον ὑπὲρ
ἁμαρτωλῶν] JaHeDr.
    17,3 3 μαθητὰς καὶ μιμητάς] ~ H — τοῦ κυρίου] αὐτοῦ M — 4 ἕνεκα] ἕνεκεν
M — 6 ὧν] ᾧ M — 7 κοινωνούς] συγκοινωνούς P Eus MartOlb JaHeDrLi.
    18,1 1 κεντυρίων] ἑκατόνταρχος κεντυρίων BHP, ἑκατοντάρχης Eus, [ἑκατόνταρ-
χος] JaHeDr — 2 Ἰουδαίων γενομένην] λεγομένων Ἰουδαίων M, λεγομένων CV —
3 αὐτόν] τὸ σῶμα τοῦ ἁγίου μάρτυρος V — *ὡς ἔθος αὐτοῖς] τοῦ πυρός g JaHeDr;
> Lat — 4 ἔκαυσεν] κατέκαυσεν αὐτό CV.

126   II. TEKSTUITGAVE

MPol

18,2 οὕτως τε ἡμεῖς ὕστερον ἀνελόμενοι
τὰ τιμιώτερα λίθων πολυτελῶν καὶ
δοκιμώτερα ὑπὲρ χρυσίον ὀστᾶ αὐτοῦ ἀπεθέμεθα ὅπου καὶ ἀκόλου-
5 θον ἦν.

18,3 ἔνθα ὡς δυνατὸν ἡμῖν συναγομένοις
ἐν ἀγαλλιάσει καὶ χαρᾷ παρέξει ὁ
κύριος ἐπιτελεῖν τὴν τοῦ μαρτυρίου
αὐτοῦ ἡμέραν γενέθλιον, εἴς τε τὴν
5 τῶν προηθληκότων μνήμην καὶ τῶν
μελλόντων ἄσκησίν τε καὶ ἑτοιμα-
σίαν.

19,1 τοιαῦτα τὰ κατὰ τὸν μακάριον Πολύκαρπον ὃς σὺν τοῖς ἀπὸ Φιλαδελ-
φίας δωδέκατος ἐν Σμύρνῃ μαρτυ-
ρήσας, ˌμόνος ὑπὸ πάντων
5 ˌˌμνημονεύεται, ὥστε καὶ ὑπὸ
τῶν ἐθνῶν ἐν παντὶ τόπῳ λαλεῖσθαι.

HE IV,15

οὕτως τε ἡμεῖς ὕστερον ἀνελόμενοι
τὰ τιμιώτερα λίθων πολυτελῶν καὶ
δοκιμώτερα ὑπὲρ χρυσίον ὀστᾶ αὐτοῦ ἀπεθέμεθα ὅπου καὶ ἀκόλουθον ἦν.

44 ἔνθα, ὡς δυνατόν, ἡμῖν συναγομένοις
ἐν ἀγαλλιάσει καὶ χαρᾷ παρέξει ὁ
κύριος ἐπιτελεῖν τὴν τοῦ μαρτυρίου
αὐτοῦ ἡμέραν γενέθλιον εἴς τε τὴν
τῶν προηθληκότων μνήμην καὶ τῶν
μελλόντων ἄσκησίν τε καὶ ἑτοιμα-
σίαν.

45 τοιαῦτα τὰ κατὰ τὸν μακάριον Πολύ-
καρπον· σὺν τοῖς ἀπὸ Φιλαδελ-
φείας δωδεκάτου ἐν Σμύρνῃ μαρτυ-
ρήσαντος, [ὃς] ˌμόνος ὑπὸ πάντων
μᾶλλον μνημονεύεται, ὡς καὶ ὑπὸ
τῶν ἐθνῶν ἐν παντὶ τόπῳ λαλεῖσθαι.

οὐ μόνον διδάσκαλος γενόμενος ἐπίσημος ἀλλὰ καὶ μάρτυς
ἔξοχος, οὗ τὸ μαρτύριον πάντες ἐπιθυμοῦσιν μιμεῖσθαι κατὰ
τὸ εὐαγγέλιον Χριστοῦ γενόμενον.

19,2 διὰ τῆς ὑπομονῆς καταγωνισάμενος τὸν ἄδικον ἄρχοντα καὶ
οὕτως τὸν τῆς ἀφθαρσίας στέφανον ἀπολαβών, σὺν τοῖς
ἀποστόλοις καὶ πᾶσιν δικαίοις ἀγαλλιώμενος δοξάζει τὸν
θεὸν καὶ πατέρα παντοκράτορα καὶ εὐλογεῖ τὸν κύριον
5 ἡμῶν Ἰησοῦν Χριστὸν τὸν σωτῆρα τῶν ψυχῶν ἡμῶν καὶ
κυβερνήτην τῶν σωμάτων ἡμῶν καὶ ποιμένα τῆς κατὰ τὴν
οἰκουμένην καθολικῆς ἐκκλησίας.

20,1 ὑμεῖς μὲν οὖν ἠξιώσατε διὰ πλειόνων δηλωθῆναι ὑμῖν τὰ
γενόμενα, ἡμεῖς δὲ κατὰ τὸ παρὸν ἐπὶ κεφαλαίῳ μεμηνύκαμεν διὰ τοῦ ἀδελφοῦ ἡμῶν Μαρκίωνος. μαθόντες οὖν
ταῦτα καὶ τοῖς ἐπέκεινα ἀδελφοῖς τὴν ἐπιστολὴν διαπέμ-

18,2 1 οὕτως] οὕτω BHP JaHeDr; τότε CV | τε] > CV — 3 δοκιμώτερα] δοκιμω-
τέρων P (δοκημότερον Η) — 4-5 καὶ ἀκόλουθον ἦν] ἀκολούθως Μ, cf MartOlb.
    18,3 1 ἔνθα] > Μ, cf MartOlb — συναγομένοις ... καί] συναγαλλόμενοις καὶ
συναγομένοις ἐν Η — 3 μαρτυρίου] μάρτυρος Μ — 4 τήν] > MP, cf MartOlb —
5 *προηθληκότων] ἠθληκότων Β JaHeDr; αὐτοῦ CHV — μνήμην] ἡμῖν P.
    19,1 4 μόνος ὑπό] Schw interp — πάντων] + μᾶλλον Eus ZaFuGeRaLeLaKn
BiMu, [μᾶλλον] Li — 7 μόνον] μόνος Β, + γάρ CV | διδάσκαλος] + ἐθνῶν P —
8 ἔξοχος] ἐξοχώτατος CHV (pr τίμιος καί CV) — 8 μιμεῖσθαι] μιμήσασθαι Μ.
    19,2 1 διά] pr καί Η | τῆς] + αὐτοῦ Η | ὑπομονῆς] + γάρ Β JaHeDrHiRa
ἄδικον ἄρχοντα] ~ 3-4 τὸν θεὸν καί] θεόν Μ, cf MartOlb — 4 παντοκράτορα] >
g JaHeDrHi — τόν] > P, [τόν] Li — 5 ἡμῶν¹] > Μ, [ἡμῶν] Li | Ἰησοῦν ... ἡμῶν] > Β
— ἡμῶν²] > Μ — 6 τήν] > Μ — 7 καθολικῆς] ἁγίας Μ.
    20-21 vacant CV (cf p. 29).
    20,1 2 ἐπί] ὡς ἐν Μ ZaLiGeKn — 3 Μαρκίωνος] Μαρκιανοῦ (Marcianum Lat)
Li; Μάρκου BHP JaHeDr.

MPol

5 ψασθε ἵνα καὶ ἐκεῖνοι δοξάζωσιν τὸν κύριον τὸν ἐκλογὰς
ποιοῦντα ἀπὸ τῶν ἰδίων δούλων.
20,2 τῷ δὲ δυναμένῳ πάντας ἡμᾶς εἰσαγαγεῖν ἐν τῇ αὐτοῦ χάριτι
καὶ δωρεᾷ εἰς τὴν αἰώνιον αὐτοῦ βασιλείαν, διὰ τοῦ παιδὸς
αὐτοῦ τοῦ μονογενοῦς Ἰησοῦ Χριστοῦ ᾧ ἡ δόξα, τιμή, κράτος, μεγαλωσύνη εἰς τοὺς αἰῶνας, ἀμήν. προσαγορεύετε
5 πάντας τοὺς ἁγίους, ὑμᾶς οἱ σὺν ἡμῖν προσαγορεύουσιν
καὶ Εὐάρεστος, ὁ γράψας, πανοικεί.
21 μαρτυρεῖ δὲ ὁ μακάριος Πολύκαρπος μηνὸς Ξανθικοῦ δευτέρᾳ ἱσταμένου, πρὸ ἑπτὰ καλανδῶν Μαρτίων, σαββάτῳ
μεγάλῳ, ὥρᾳ ὀγδόῃ. συνελήφθη δὲ ὑπὸ Ἡρῴδου ἐπὶ
ἀρχιερέως Φιλίππου Τραλλιανοῦ, ἀνθυπατεύοντος Στατίου
5 Κοδράτου, βασιλεύοντος δὲ εἰς τοὺς αἰῶνας Ἰησοῦ
Χριστοῦ ᾧ ἡ δόξα, τιμή, μεγαλωσύνη, θρόνος αἰώνιος ἀπὸ
γενεᾶς εἰς γενεάν. ἀμήν.

5 δοξάζωσιν] δοξασῶσιν HMP ZaLiGeKn — κύριον] Ἰησοῦν Η — 6 ποιοῦντα ἀπό]
ποιούμενον M Li, cf MartSab/Olb.
20,2 1 *τῷ δέ] > δέ BP JaHeDr, καί Η, τὸν δυνάμενον Η | ἐν] > M, [ἐν] Li, cf
MartSab/Olb — 2 αἰώνιον] ἐπουράνιον M LiLa, cf MartSab | τοῦ] > B ZaFuᵒᴾGeKn —
2-3 παιδὸς αὐτοῦ τοῦ μονογενοῦς] μονογενοῦς αὐτοῦ παιδός M, τοῦ μονογενοῦς
παιδὸς αὐτοῦ La — 3 *ᾧ] > M ZaLiGeRaLaKnBiMu | *ἡ] > M LiGeLaKnBiMu —
4 τοὺς] > BHP JaHeDr | *ἀμήν] > M ZaFuLiGeRaLeLaKnBiMu — 5 ὑμᾶς] pr καὶ
γάρ M, > Η — ἡμῖν] + ἀδελφοί M | καί] + αὐτός M — 6 *γράψας] + τὴν
ἐπιστολήν M Mu — πανοικεῖ] post Εὐάρεστος M.
21 1 μαρτυρεῖ] ἐμαρτύρησεν M | δέ] + καί Η | μηνός] pr κατὰ μὲν ἀσιανούς M —
2 ἱσταμένου] > M — *πρό] pr κατὰ δὲ Ῥωμαίους M Mu | Μαρτίων] μαῖων BP
Lat Hi; μαΐου Η, ἀπριλίων Chron — 3 ὀγδόῃ] ἐνάτη M (cf *Mt* 27,46; *Mc* 15,34) —
συνελήφθη] pr ἤ καί M | δέ] > BM ZaLiHiRaGeKn — 3-4 ἐπὶ ἀρχιερέως] ἀρχιε-
ραρχούντος (!) μέν M — 4 Φιλίππου] + τοῦ ἀσεβοῦς M | Τραλλιανοῦ] στραλιανοῦ Η,
τραϊανοῦ M Lat — ἀνθυπατεύοντος] ἀνθυπάτου ὄντος Η, + δέ M — 4-5 Στατίου
Κοδράτου] > P | 4 Στατίου] στρατίου BH, τατίου Chron, > M — 5 Κοδράτου]
κοράτου BH — 5-6 Ἰησοῦ Χριστοῦ] pr τοῦ κυρίου ἡμῶν M FuRaLeBiMu — 6-7 ᾧ...
ἀμήν] > MP Mu.

APPENDIX: LIJST VAN OVEREENKOMENDE VARIANTE LEZINGEN IN DE TEKSTOVERLEVERING VAN *MARTYRIUM POLYCARPI* EN *HE* IV,15,3-45

De sigla in de kolom *HE* IV,15 zijn die van de *HE*-handschriften in de editie van Schwartz.

MPol	*HE* IV,15
inscr. τῇ ἐκκλησίᾳ τοῦ θεοῦ BMP	ATERM
om CHV	BD
7,1 τοῦ θεοῦ HPV	ATERDMΣ
τοῦ κυρίου BM	BΛ
8,1 (συμβαλόντων) M	συμβεβληκότων ATEM
συμβεβηκότων BCHPV	RBD
ἤγαγον M	ATERM
ἦγον BCHPV	BD
8,2 κύριος Καῖσαρ codices graeci	TERM
domine Lat	ABD
8,3 προθύμως BCHMV	AD¹MΣ
πρόθυμος P	TERBDʳ
10,2 ἠξίωκα M	BDM
ἠξίωσα BCHPV	ATER
11,2 ποιήσω M	ARBDMΛ
ποιῶ BCHPV	TE
12,1 οὐ μόνον μή BCHPV	μὴ μόνον μή ATERDΣ
οὐ μόνον M	μὴ μόνον BM
12,2 τούτου BCHPV	ATERBD
τούτου δέ M	MΣ
12,3 καῆναι M	TERBDM
κατακαυθῆναι BCHP	vergelijk κατακαῆναι A
13,1 συναγόντων MP	ATERM
συναγαγόντων BCHV	BD¹ in rasura
14,1 πάσης κτίσεως CMV	ATER
πάσης τῆς κτίσεως BHP	BDM
14,2 ἠξίωσας BCHPV	AB
κατηξίωσας M	TERDM
τοῦ χριστοῦ σου BCHMV	TᶜERΛ
τοῦ χριστοῦ P	AT¹BDMΣ
14,3 καὶ νῦν BCHPV	ATERMΛ
νῦν καὶ ἀεί M	νῦν BD
αἰῶνας BCHV	ATERDM

αἰῶνας τῶν αἰώνων MP BΣ

16,2 καὶ ἐτελειώθη B ARBDΛ

ἐτελειώθη M TEM

om HP

17,1 πονηρός B BDMΣ

καὶ πονηρός CHMV ATER

πολιτείαν BCHV BDM

αὐτοῦ πολιτείαν P ATERΣ

17,2 εἶπον TERDBM

εἰπών BCHPV A

om M ΣΛ

αὐτόν HP ATEBDM

om B R

αὐτό M

τῶν σῳζομένων BHP AT^{cm}ERBDMΣ

om M T¹Λ

18,3 εἴς τε τὴν...μνήμην BCHV ATERDM

εἴς τε...μνήμην MP B

AUTHENTICITEIT EN INTEGRITEIT VAN DE TEKST

Het probleem van mogelijke interpolaties in de tekst van *MPol* kwam hierboven reeds ter sprake. De invloed van recente theorieën die de integriteit van *MPol* in vraag stellen verplicht ons er nader op in te gaan. Wij zullen trachten de hedendaagse hypothesen te beoordelen in het licht van de vroegere opvattingen.

§ 1. *Martyrium Polycarpi in de negentiende eeuw : het probleem van de authenticiteit*

1. Interpolaties in *MPol*

Vóór de controverse over het quartodecimanisme in de tweede helft van de vorige eeuw stelde men zich geen vragen over de eigenlijke herkomst van de tekst van *MPol*. C.J. Hefele stelt vast : ,,Totam ecclesiae Smyrnensis epistolam nemo, quem sciam in dubio vocavit; ipsique critici rigidissimi laudem ei tribuerunt"[297], en J.A. Möhler spreekt in dezelfde zin[298]. Hefele wijst wel op de mogelijkheid van enkele toevoegingen aan de oorspronkelijke tekst, voornamelijk hoofdstuk 22, dat hij aan de auteur van *Acta Polycarpi* (= *Vita Polycarpi*) toeschrijft[299]. A.R.M. Dressel volgt hem in dit oordeel[300] en bij de vergelijking van Eusebius met *MPol* noteert J. Fessler : ,,Fusius haec omnia in ipsis martyrii Actis referuntur"[301].

Het probleem werd pas voorgoed gesteld in de discussie van de zestiger jaren over de quartodecimaanse practijk[302], verbonden met de

---

[297] Hefele, p. LXXIII, met verwijzing naar Tillemont en Fabricius.

[298] J.A. Moehler, *La patrologie ou l'histoire littéraire des trois premiers siècles de l'Eglise chrétienne*, dl. 1, Leuven, 1844 (Duitse editie 1840), p. 372.

[299] Hefele, p. LXXIV.

[300] Dressel, p. XXXVIII.

[301] J. Fessler, *Institutiones patrologiae*, dl. 1, Innsbruck, 1850, p. 178, noot.

[302] Cf. B. Lohse, *Das Passafest der Quartodecimaner* (BFChTh 2. Reihe 54), Gütersloh, 1953, p. 24-30; vergelijk C. Schmidt, *Gespräche Jesu* (zie n. 77), p. 577-725 : *Die Passafeier in der kleinasiatischen Kirche*. Recent : W. Huber, *Pascha und Ostern. Untersuchungen zum Osterfeier der alten Kirche* (BZNW 35), Berlijn, 1969, p. 1-88; N. Brox, *Tendenzen*

vraag naar het auteurschap van het Johannesevangelie[303]. G. Steitz[304] trok de authenticiteit van het slot van *MPol* in twijfel, namelijk hoofdstukken 21-22, waarop A. Hilgenfeld zich had gesteund als belangrijke getuige voor het quartodecimanisme[305]. Daarop verdedigde Hilgenfeld de huidige tekst van *MPol* tegen Steitz[306] en ook later zou hij nog meermaals pleiten voor de authenticiteit van het martyrium[307]. Het algemene parallellisme van *MPol* met de evangelische lijdens- verhalen bewees volgens Hilgenfeld het quartodecimaans karakter van *MPol*. De synoptische lijdenschronologie is immers het fundament van het quartodecimanisme en ook de parallellen in *MPol* verwijzen naar de synoptische evangeliën[308]. Steitz reageerde met de stelling dat er ook johanneïsche invloeden in *MPol* merkbaar zijn, waarop Hilgen- feld op zijn beurt repliceerde dat het parallellisme vooral uit *Matteüs* af te leiden is. Wel aanvaardde ook hij één interpolatie, namelijk 6,1-7,1, waarin hij het parallellisme met het evangelisch passieverhaal zo sterk benadrukt vindt dat het onmogelijk authentisch kan zijn[309]. Van zijn kant voegde E. Schürer, naast hoofdstuk 21, nog de benaming „grote sabbat" in hoofdstuk 8 en elementen over de martelarenverering uit hoofdstukken 18 en 19 aan de lijst van verdachte passages toe[310]. Zahn, die zich aansloot bij Hilgenfeld en Lightfoot, was voorzichtiger in zijn oordeel. Alleen de woorden over de duif die uit Polycarpus'

---

und Parteilichkeiten im Osterstreit des zweiten Jahrhunderts, ZKG 83(1972)291-324; H. VON CAMPENHAUSEN, *Ostertermin oder Osterfasten? Zum Verständnis des Irenäus- briefes an Viktor (Euseb. Hist. Eccl. 5,24,12-17)*, VigChr 28(1974)114-138, met p. 115, n. 3, de voornaamste publikaties. Von Campenhausen herneemt de oude stelling van Zahn dat het bij de ontmoeting tussen Anicetus en Polycarpus niet ging om de Paas- datum, maar om de practijk van het vasten voor Pasen.

[303] M. A. N. ROVERS, *De marteldood van Polycarp* (zie n. 270), p. 450, begint zijn artikel, een bespreking van Révilles *De anno dieque*, met de opmerking : „In Duitschland is sinds 1867 de Polycarpus-vraag bijna een vraag des tijds geworden".

[304] G. STEITZ, *Der Charakter der kleinasiatischen Kirche und Festsitte um die Mitte des zweiten Jahrhunderts*, in *Jahrbuch für Deutsche Theologie* 6(1861)102-141, inz. p. 128- 133 (ook περιστερὰ καί in 16,1 is een interpolatie, vergelijk p. 118, n. 1; 126).

[305] A. HILGENFELD, *Der Paschastreit in der alten Kirche*, Halle, 1860, inz. p. 234-240.

[306] A. HILGENFELD, *Das neueste Steitzianum über den Paschastreit*, ZWT 4(1861)106- 110; *Der Quartodecimanismus Kleinasiens und die kanonischen Evangelien*, ibid., p. 285-318, inz. p. 288-293.

[307] A. HILGENFELD, *Polykarp von Smyrna*, ZWT 17(1874)305-345 (tegen T. Keim, zie onder p. 133); *Das Martyrium Polykarps*, ZWT 22(1879)145-170.

[308] A. HILGENFELD, *Der Paschastreit in der alten Kirche* (zie n. 305), p. 245-246.

[309] A. HILGENFELD, *Das Martyrium Polykarps* (zie n. 307), p. 153; ook ZWT 20 (1877)143-144.

[310] E. SCHUERER, *Die Paschastreitigkeiten des 2. Jahrhunderts*, ZHT 40(1870)182-284, inz. p. 204-206.

lichaam opstijgt op het ogenblik van zijn dood (16,1), zijn volgens hem een interpolatie. Hoofdstuk 21 zou, ofschoon toegevoegd, nog van vroege datum zijn[311]. H. Weinel twijfelt aan de authenticiteit van hoofdstuk 16[312].

2. De verwerping van de authenticiteit

Tot dan toe was de authenticiteit van *MPol* in zijn geheel een vanzelfsprekende zaak. Auteurs als R. A. Lipsius en T. Keim gingen verder en beschouwden de hele tekst als een latere vervalsing uit het midden van de derde eeuw. Volgens R. A. Lipsius[313] wijzen de wonderlijke elementen als het visioen van Polycarpus (5,2) en de hemelse stem (9,1) en de parallellen met het lijdensverhaal op een discrepantie tussen de tijd van het ontstaan van *MPol* en het gebeuren zelf. Volgens Lipsius doet de samenhang met *Martyrium Pionii* eenzelfde periode van ontstaan vermoeden, namelijk de vervolging van Decius[314]. Ook H. J. Holtzmann sloot zich bij die opvatting aan[315].

Vooral T. Keim gaat tegen de authenticiteit van *MPol* te keer[316]. Verwijzend naar Steitz, Schürer en Lipsius duidt hij zes elementen aan, die duidelijk de echtheid van de huidige tekst in twijfel trekken:
a) passages als 16,2 en 19,1, die Polycarpus op een zeer algemene wijze verheerlijken, wat vlak na zijn dood onwaarschijnlijk is;
b) het op de voorgrond plaatsen van Polycarpus, ten nadele van de andere martelaren;
c) het voorgestelde ideaal van het martyrium „volgens het evangelie";
d) het woord καθολική, dat zonder twijfel naar de derde eeuw verwijst;
e) de reactie tegen het opzettelijk gezochte martyrium en tegen de overmatige martelarenverering;

[311] ZAHN, p. LI; vergelijk *Zur Biographie des Polykarpus und des Irenäus* (zie n. 72), p. 267-271; volgens J. DONALDSON, *The Writings of the Apostolic Fathers* (zie n. 262), p. 81, is de algemene opvatting dat *MPol* authentiek is; nochtans bevat het geschrift volgens sommigen interpolaties. Zelf neemt Donaldson geen stelling; vergelijk ook J. FESSLER, *Institutiones Patrologiae* (zie n. 301), p. 167; E. SCHWARTZ, *Christliche und jüdische Ostertafeln*, AbhGöttingen 8,6(1905)125-138, inz. p. 129.
[312] H. WEINEL, *Die Wirkung des Geistes und der Geister im nachapostolischen Zeitalter*, Freiburg, 1899, p. 169, n. 1.
[313] R. A. LIPSIUS, *Der Märtyrertod Polykarps*, ZWT 17(1874)188-214, inz. p. 199-200.
[314] *Ibid.*, p. 201.
[315] H. J. HOLTZMANN, *Das Verhältnis des Johannes zu Ignatius und Polykarp*, ZWT 20(1877)187-214, inz. p. 214.
[316] T. KEIM, *Aus dem Urchristentum* (zie n. 270), p. 90-170; vergelijk *Geschichte Jesu von Nazara*, dl. 1, Zürich, 1867, p. 162; *Celsus' wahres Wort*, Zürich, 1873, p. 145; *Rom und das Christentum*, Berlijn, 1881, postume editie door H. Ziegler, zie p. 588-592.

f) de verwijzing naar geschriften van *NT* en vooral naar de Ignatiusbrieven (die Keim zeer laat in de tweede eeuw dateert)[317].
De huidige tekst van *MPol* is volgens Keim in de periode 260-282
ontstaan[318] en werd na de tijd van Eusebius nog geïnterpoleerd, onder
meer in 6,1-7,1; 16,1-2; 18; 19,1[319].

Ook J. Réville[320] meent dat de tekst van *MPol* een hele tijd na de
feiten is ontstaan. Hij dateert hem tegen het einde van de tweede eeuw.
Daarop zouden wijzen : de uitdrukking ἐκκλησία καθολική, de vermelding van de martelarencultus en de parallellen met het evangelische
passieverhaal. Dat *MPol* meer dan één jaar na de dood van Polycarpus ontstaan is, meent ook K. Wieseler[321], die op grond van de
formulering in 20,1 de brief aan de christenen van Filomelium als
tweede brief over de dood van Polycarpus beschouwt[322].

3. De verdediging van de authenticiteit

F.X. Funk verdedigde de authenticiteit van *MPol* tegen Lipsius en
Keim. Aanvankelijk twijfelde ook hij aan het authentisch karakter
van 21 (en 22)[323]. In de nieuwe editie van zijn werk over de Apostolische Vaders aanvaardt hij de argumenten van Lightfoot ten voordele
van hoofdstuk 21 en voegt er vele voorbeelden aan toe van martyria
die eindigen met een chronologische notitie[324]. Naast Funk kan men
ook G. Salmon en E. Renan vermelden, evenals P. Allard, die evenwel
in 21 een latere additie ziet[325].
Enigszins apart staat E. Egli[326], die de methode van E. Leblant[327]

---

[317] Zie T. KEIM, *Aus dem Urchristentum* (zie n. 270), p. 127-128.
[318] *Ibid.*, p. 130.
[319] *Ibid.*, p. 133-143.
[320] J. REVILLE, *De anno dieque quibus Polycarpus Smyrnae martyrium tulit*, Genève,
1880, p. 13-18; vergelijk de bespreking van R. A. LIPSIUS, TLZ 6(1881)302-305.
[321] K. WIESELER, *Die Christenverfolgungen der Cäsaren* (zie n. 270), p. 38-43.
[322] *Ibid.*, p. 47-48; M. A. N. ROVERS, *De marteldood van Polycarp* (zie n. 270), p. 456 :
begin derde eeuw.
[323] F.X. FUNK, *Opera Patrum Apostolicorum* (zie n. 141), p. XCVI-XCVII.
[324] FUNK, p. CIII.
[325] G. SALMON, *Polycarpus of Smyrna* (zie n. 255), p. 423-431, inz. p. 426; 428;
E. RENAN, *L'Eglise chrétienne* (zie n. 182), p. 462; P. ALLARD, *Histoire des persécutions*,
dl. 1 (zie n. 261), p. 309, n. 2. G. KRUEGER, *Geschichte der altkirchlichen Literatur*, 2de
ed., Freiburg, 1898, p. 238 noteert echter : „Was in den Handschriften dem Martyrium
als Datierung, Empfehlung, Überlieferung angehängt ist (Kap. 20-22) ist spätere Zutat".
Volgens N. BONWETSCH, *Polykarp*, in *Realencyklopädie für protestantische Theologie und
Kirche* 15(1904)535-537, inz. p. 536 is de echtheid van *MPol* niet te betwijfelen (ook niet
wat hoofdstuk 21 betreft) en zijn de kleine verschillen met Eusebius onbelangrijk.
[326] E. EGLI, *Altchristliche Studien* (zie n. 255), p. 61-74.

toepast en zodoende een authentische kern in *MPol* ontdekt. Hij beschouwt het verhoor van Polycarpus als een echt verslag, in de stijl van de andere martelaarsakten. De inleiding en het slot (1-4; 15-20) zouden van de briefschrijver afkomstig zijn. Bepaalde elementen uit het corpus van de brief kunnen ook wel op de schrijver teruggaan, bijvoorbeeld de wonderen en het parallellisme met de evangelische passieverhalen. Egli steunt zeer sterk op de zienswijze van Leblant. Hij vermoedt dat de datering (hoofdstuk 21) kan zijn overgenomen uit de „amtliche Akten", hoewel de datering daarin meestal vooraan geplaatst is. Hij vindt een parallel in *Acta Cypriani*, waarin de datering achteraan herhaald wordt[328]. Ook volgt hij de suggestie van Leblant, dat ὄνος uit 8,1 oorspronkelijk een marteltuig, „eculeus", zou geweest zijn, wat achteraf verkeerd begrepen werd[329]. Dit is evenwel, voor zover het blijkt uit de context, vrij onwaarschijnlijk[330]. De hele benadering van de martelaarsakten door Leblant dient trouwens in vraag gesteld te worden[331].

J.B. Lightfoot nam in zijn belangrijk werk over de Apostolische Vaders de verdediging van *MPol* op zich. Hij toonde aan dat de argumentatie van Keim tegen de authenticiteit op grond van interne en externe criteria geen steek houdt[332]. Hij stond maar één interpolatie toe, namelijk de bekende tekst over de duif in 16,1[333]. De andere wonderlijke elementen zijn op natuurlijke wijze te verklaren of worden bevestigd door parallellen, onder meer in *MLugd* (Eusebius, *HE* V,1,35)[334]. De gelijkenis met de evangelische passieverhalen is niet

[327] Zie E. LEBLANT, *Les actes des martyrs. Supplément aux Acta Sincera de Dom Ruinart* (Mémoires de l'Institut Impérial de France, Académie des Inscriptions et Belles Lettres 30,2), Parijs, 1883, p. 57-347; *Les persécuteurs et les martyrs*, Parijs, 1893, p. 183-199.

[328] E. EGLI, *Altchristliche Studien* (zie n. 255), p. 70.

[329] *Ibid.*, p. 68. Cf. J. VERGOTE, *Folterwerkzeuge*, RAC 8(1972)112-141, inz. 133-137.

[330] MUELLER, p. 1, n. 3; H. MUELLER, *Das Martyrium Polykarps* (zie n. 234), p. 9, n. 14a.

[331] Cf. F. GOERRES, *Neue hagiographische Untersuchungen unter besonderer Berücksichtigung von Le Blant und Aubé*, in *Jahrbuch für protestantische Theologie* 18(1892)108-126, inz. p. 108-110; K.J. NEUMANN, *Der römische Staat und die allgemeine Kirche bis auf Diokletian*, dl. 1, Leipzig, 1890, p. 279; A. EHRHARD, *Die altchristliche Literatur und ihre Erforschung seit 1880*, Freiburg, 1894, p. 207; *Die altchristliche Literatur und ihre Erforschung von 1884-1900* (zie n. 41), p. 500. Vergelijk nog AnBoll 13(1894)161; H. DELEHAYE, *Les légendes hagiographiques* (zie n. 84), p. 116-118; R. AIGRAIN, *L'hagiographie* (zie n. 80), p. 277-278; MUSURILLO, p. LI.

[332] LIGHTFOOT II 1, p. 605-626.

[333] *Ibid.*, p. 607; 643-645; II 3, p. 390-393.

[334] LIGHTFOOT II 1, p. 615; vergelijk nog H. GUENTER, *Legendenstudien*, Keulen, 1906, p. 10-12; H. WEINEL, *Die Wirkung des Geistes* (zie n. 312), p. 166-169; B. SEPP,

ongewoon, gezien de algemene tendens de dood van een belangrijk persoon met die van Christus te vergelijken, zo bijvoorbeeld de martyria van Jakobus en Simeon bij Hegesippus (Eusebius, *HE* II, 23,16; III,32,6)[335]. Voor de uitdrukking ἐκκλησία καθολική maakt Lightfoot aanvaardbaar dat zij in de tweede eeuw voorkomt in de betekenis van katholieke Kerk ten overstaan van de ketterse gemeenschappen[336], zij het voor de eerste maal. Nog tegen Hilgenfeld houdt hij het authentisch karakter van 6,1-7,3 staande[337]. Ook verdedigt Lightfoot de echtheid van hoofdstuk 21 op basis van de juistheid van de chronologische gegevens door vergelijking met contemporaine bronnen (inscripties over Statius Quadratus en Filippus van Tralles). De vaststelling dat zowel het begin als het slot van *MPol* beide aan *1 Clemens*

Das Martyrium Polycarpi (zie n. 36), p. 22-23; DELEHAYE, p. 17. Een symbolische verklaring wordt voorgestaan door A. HARNACK, *Zu Eusebius h.e. IV,15,37*, ZKG 2(1887)291-297, en door E. LOHMEYER, *Vom göttlichen Wohlgeruch*, SbHeidelberg, 1919, p. 48, die meent dat het motief van de welriekende geur een Grieks motief is, een symbolisering van de aanwezigheid van de godheid op aarde. Hij besluit : ,,Die 'Hellenisierung des Christentums' hat sich auch in diesem Symbol durchgesetzt". Vergelijk nog E. NESTLE, *Der süsse Geruch als Erweis des Geistes*, ZNW 4(1903)72; E. LUCIUS, *Die Anfänge des Heiligenkults in der christlichen Kirche*, Tübingen, 1904 (herdruk 1966), p. 60, n. 9. Zie verder REUNING, p. 43-44; CAMPENHAUSEN, p. 80, n. 9; SURKAU, p. 131; SCHOEDEL, p. 72; vergelijk nog *MLugd* 1,35 (verwijzing naar *2 Kor* 2,15) en *Passio Perpetuae* 13,3. Een andere verklaring voor het wonder in *MPol* 15 wordt gegeven door de studie van F.J. DOELGER, *Der Flammentod des Märtyrers Porphyrios in Caesarea Maritima. Die Verkürzung der Quälen durch Einatmung des Rauches*, AC 1(1929; 2de ed. 1974)243-253, die, uitgaande van de marteldood van Porphyrius in Eusebius, *De martyribus Palestinae* 11,18 en andere teksten, tot het besluit komt dat de wijze van sterven bij de vuurdood op de brandstapel gewoonlijk bestond in de verstikking door de rook. Het wonder van *MPol* zou er dan ook in bestaan hebben dat de rook Polycarpus niet hindert. De welriekende geur is een daarmee samenhangend wonderlijk feit, in tegenstelling tot de antieke berichten over de slechte reuk bij het verbranden van het lichaam van de ter dood veroordeelde, zie Lucianus, *De morte Peregrini* 39 : κνίσης ἀναπιμπλαμένους πονηρᾶς (ed. A.M. HARMON, *Lucian*, dl. 5, Londen, 1936, p. 42). Dölger (*ibid.*, p. 253) geeft nog een interessant parallel voor de duif in 16,1 : in het Syrische *Martyrium van Habib* roepen de medechristenen de martelaar toe zijn mond te openen om door het inademen van de rook zijn lijden te verkorten : ,,En op hetzelfde ogenblik dat hij zijn mond opende, steeg zijn ziel omhoog" (O. GEBHARDT, *Die Akten der edessenischen Bekenner Gurgas, Samonas und Abibos* (ed. E. VON DOBSCHUETZ, TU 37,2), Leipzig, 1911, p. 95; een latere Griekse versie leest echter ἀνοίξας δὲ παρέδωκεν τὸ πνεῦμα, cf. O. GEBHARDT, *Die Akten der edessenischen Bekenner*, p. 94-95; een andere παρέδωκεν τὴν ψυχὴν αὐτοῦ τῷ κυρίῳ). Zie ook F.J. DOELGER, AC 6,1(1940), p. 66. Voor het wonder van het vuur kan men nog verwijzen naar het literaire parallel in *Sir* 51,4 : de redding ἀπὸ πνιγμοῦ πυρᾶς κυκλόθεν καὶ ἐκ μέσου πυρός, οὗ οὐκ ἐξέκαυσα.

[335] LIGHTFOOT II 1, p. 612-613.
[336] *Ibid.*, p. 621-623; vergelijk ook boven p. 102-103.
[337] *Ibid.*, p. 625-626.

ontleend zijn, doet hem besluiten : wie het begin van de brief geschreven heeft, heeft ook het einde geschreven[338].

§ 2. Martyrium Polycarpi sinds 1900 : het probleem van de interpolaties

De invloed van Lightfoot was aanzienlijk en de authenticiteit van MPol werd niet langer betwijfeld. Het probleem van de interpolaties kwam echter weer op de voorgrond toen E. Schwartz de theorie ontwikkelde dat de oorspronkelijke tekst van MPol reeds in de derde eeuw een aantal interpolaties had ondergaan. Hij beriep zich hierbij op de vergelijking van de Griekse codices met de tekst van Eusebius[339]. Volgens Schwartz komen de volgende teksten als interpolaties in aanmerking :

2,2 μήτε στενάξαι τινὰ αὐτῶν

5,2 προσευχόμενος (vergelijk de Eusebiuseditie); στραφείς is een vervanging voor een woord als ἐγερθείς

8,3 het tweede μετὰ σπουδῆς

8,3-9,2 het wonder van de stem

11,2 ἐὰν μὴ μετανοήσῃς (geïnterpoleerd uit 11,1)

12,3 προσευχόμενος/ἐπιστραφείς (vergelijk de Eusebiuseditie)

15,1 οἳ καὶ ἐτηρήθημεν ... γενόμενα (aldus de Eusebiuseditie)

15,2 ἢ ὡς...πυρούμενος

16,1 περιστερὰ καί

16,2 διδάσκαλος...προφητικός (misschien, vergelijk de Eusebiuseditie)

19,1 μόνος ὑπό (vergelijk de Eusebiuseditie).

Ook H. Müller betwijfelde de integriteit van MPol[340]. Volgens hem is het parallel met het passieverhaal geleidelijk in de tekst gebracht. Dit is reeds te merken bij Eusebius, wiens versie tussen de oorspronkelijke tekst en het huidige MPol zou staan[341]. Müller zocht voor deze

---

[338] Ibid., p. 626-637; vergelijk voor 1 Clemens ook FISCHER, p. 20; verder F.X. FUNK, Die Apostolischen Väter (zie n. 149), p. XXVIII; BARDENHEWER II, p. 670.

[339] SCHWARTZ, p. 417; cf. reeds E. SCHWARTZ-T. MOMMSEN, Die Kirchengeschichte, dl. 1 (zie n. 31), p. 338; 342; 346; 348; 350; 352; tegen SCHWARTZ: F.X. FUNK, Die Apostolischen Väter (zie n. 149), p. XXIX. J. GEFFCKEN, Die Acta Apolonii, NGG 1904, 262-284, inz. p. 271, meende reeds dat het apologetisch element in de vroegste martelaarsakten dermate aanwezig was dat men ze niet zonder meer als getrouwe ooggetuigenverslagen kon benaderen; vergelijk ook Die christlichen Martyrien, in Hermes 45(1910) 481-505, zie p. 487.

[340] Zie de onder zijn naam geciteerde titels in de bibliografie.

[341] H. MUELLER, Das Martyrium Polykarps (zie n. 234), p. 4.

stelling bewijzen in de vertalingen van *MPol.* Zij zouden de verschillende stadia van het groeiende parallellisme weergeven. Die hypothese werd slechts door K. Lübeck als plausibel aanvaard[342]. Kritiek
kreeg zij vooral van H. Baden, die de „Nachahmungsgedanke" als een
oudchristelijke gedachte beschouwde, volledig op haar plaats in een
martyrium[343]. Ook B. Sepp stond negatief tegenover Müllers opvattingen
en wees op de verschillen tussen de evangelietekst en de tekst van *MPol.*
Hij benadrukte tevens de betrouwbaarheid van de tekst van *MPol*
in vergelijking met die van Eusebius en schonk aandacht aan de elementen
(onder meer de taal van het werk) die aantonen dat de auteur van
MPol een tijdgenoot van Polycarpus geweest is[344].

Kritiek op Müller kwam ook van O. Bardenhewer, C. Van de
Vorst[345] en W. Reuning, die evenwel enkele latere addities aanvaardde
in de lijn van E. Schwartz : 8,3-9,2; 15,2 ἢ ὡς χρυσὸς...πυρούμενος;
16,1 περιστερὰ καί; 16,2[346]. Ook H. Delehaye reageerde tegen Müller
(en Keim) en bewees de algemene betrouwbaarheid van de tekst, zelfs
van de wonderlijke elementen[347]. Dezelfde houding werd aangenomen
door Bihlmeyer en door A. Lelong, die de argumenten van Lightfoot
herhaalde[348].

In 1951 hernam H. Grégoire de interpolatietheorie en meende te
kunnen bewijzen dat hoofdstuk 21 een additie van de pseudo-Pionius
was. Hij reageerde vooral tegen Lightfoot en diens verdediging van
hoofdstuk 21. Volgens Grégoire is het parallellisme met *1 Clemens*
voor het prescript en de doxologie in 21 geen afdoende argument om
het oorspronkelijk einde van de brief in hoofdstuk 20 onwaarschijnlijk te maken[349].

---

[342] K. Luebeck, TR 7(1908)290; 591-592.

[343] H. Baden, *Der Nachahmungsgedanke im Polykarpmartyrium*, in *Theologie und Glaube* 3(1911)115-122; *Das Polykarp-Martyrium*, in *Pastor Bonus* 24(1911)705-713; 25(1912)71-81; 136-151.

[344] B. Sepp, *Das Martyrium Polycarpi* (zie n. 36), p. 24-29. Vergelijk nog F. Diekamp, TR 12(1913)537-539; C. Weyman, ByZ 21(1912)308.

[345] Bardenhewer II, p. 670, cf. *ibid.*, n. 2 tegen Müller; C. van de Vorst, AnBoll 30(1911)154-155.

[346] Reuning, p. 10-20; voor de teksten : p. 27-30; 44; 9-10; 21.

[347] Delehaye, p. 19-22; zie reeds AnBoll 38(1920)200-202.

[348] Bihlmeyer, p. xl-xli; Lelong, p. lxvii-lxxv; M. Viller, *Martyre et perfection*, RAM 6(1925)3-25, zie p. 11. Vergelijk nog Schoedel, p. 49; Lake, p. 309.

[349] H. Gregoire, *La véritable date* (zie n. 267), p. 15-16; 18.

§ 3. De interpolatiehypothese van H. von Campenhausen

In een oudere studie (1936) schijnt H. von Campenhausen het parallellisme met de passie van Christus nog als integrerend deel van *MPol* te beschouwen[350]. Hij acht het zelfs belangrijk voor het doel van de auteur een „Lehrschreiben" samen te stellen dat de gemeenten de juiste houding in de vervolgingstijd wil voorschrijven[351]. Hij vermeldt trouwens uitdrukkelijk de reactie van Reuning tegen Müller[352].

In 1957 nam H. von Campenhausen de interpolatietheorie weer op[353]. Hij steunt daarbij op de verschillen die aan het licht komen door de vergelijking van de overlevering van de Griekse codices met Eusebius' versie. Die vergelijking zou de oorspronkelijkheid van Eusebius' tekst bevestigen en toelaten in *MPol* de volgende lagen van interpolatie te onderscheiden :

a) Het werk van de zogenaamde „Evangelien-Redaktor", die in *MPol* de vele parallellen met het passieverhaal heeft aangebracht. Eusebius kent deze parallellen niet, maar zij stammen waarschijnlijk wel uit zijn tijd. Vergelijkbaar met deze redactie, maar niet van dezelfde herkomst, is het verhaal over de ezel in 8,1.

b) Vóór-Eusebiaanse toevoegingen zijn nog : een antimontanistische interpolatie, namelijk hoofdstuk 4 (met uitzondering van het einde, dat van de „Evangelien-Redaktor" stamt); sporen van de polemiek over de martelarenverering (17,2-3; 18,3).

c) De wonderen in de tekst van *MPol* werden vóór en na Eusebius door interpolatie geïntensiveerd (cf. 5,2; 9,1; 15,2; na Eusebius : 16,1, het wonder van de duif).

d) Addities na Eusebius zijn 21 en 22,2-3. (22,1 = „Evangelien-Redaktor").

Eusebius' tekst van *MPol* was evenwel niet steeds zo oorspronkelijk : volgens von Campenhausen heeft Eusebius verbeteringen aangebracht, onder meer in 3,1 en 4. Von Campenhausen besluit, in tegenspraak met

---

[350] CAMPENHAUSEN, p. 83; vergelijk echter het *Vorwort* van de tweede editie, 1964.

[351] Daartegen reageert SURKAU, p. 130, n. 122; vergelijk SCHOEDEL, p. 53.

[352] CAMPENHAUSEN, p. 85, n. 4; H. W. GWATKIN, *Early Church History to A.D. 313*, London, 1927, p. 147, n. 1; P. HAEUSER, *Des Eusebius Pamphili Bischofs von Cäsarea Kirchengeschichte*, München, 1932, p. 183, n. 1 merkt echter op : „Der überlieferte Text des Martyrium Polycarpi ist offenbar bereits das Produkt von Überarbeitungen, wie sich aus manchen Unkorrektheiten in der Gedankenentwicklung ergibt".

[353] H. VON CAMPENHAUSEN, *Bearbeitungen und Interpolationen des Polykarpmartyriums*, SbHeidelberg, 1957, p. 5-48; = *Aus der Frühzeit des Christentums*, Tübingen, 1963, p. 253-301. Wij citeren volgens het laatste werk.

zijn algemene waardering van de Eusebiustekst : „aber gerade dies
spricht hier [= 4] so gut wie in der Germanikosepisode für die relative
Ursprünglichkeit des Pioniustextes..."[354].

De interpolaties zouden er de oorzaak van zijn dat sommige
oorspronkelijke elementen verloren gingen, voornamelijk de vermelding
van de andere martelaars, waarschijnlijk door de tussenkomst van de
„Evangelien-Redaktor"[355].

W. H. C. Frend was geneigd de hypothese te aanvaarden, evenals
W. R. Schoedel, die echter niet met alles akkoord ging[356]. De theorie
van von Campenhausen beïnvloedde eveneens A. Stuiber, J. A. Fischer,
R. M. Grant, H. Kraft, C. Andresen en J. Wirsching[357].

§ 4. *De kritiek op von Campenhausens interpolatiehypothese*

De kritiek kwam eerst van de zijde van H. I. Marrou[358]. Hij wierp
op dat Eusebius de teksten die bij hem ontbreken wel kan hebben
gekend, daar het meer voorkomt dat hij teksten op tendentieuze wijze
weglaat. Marrou had ook bezwaren tegen het uiteenhalen van de tekst,
wat hij slechts verantwoord achtte in geval van een duidelijk doublet
of overbodig detail. Slechts in 9,1, de passage over de stem uit de
hemel, zou een spoor van bewerking zichtbaar zijn. Von Campenhausen
compliceerde onnodig de gegevens van hoofdstukken 4 en 17. Marrou

---

[354] H. VON CAMPENHAUSEN, *Bearbeitungen*, p. 270.

[355] Von Campenhausen zelf reageerde nog tegen die opvatting in 1936, cf. CAMPEN-
HAUSEN, p. 84, n. 3. Vergelijk ook de gelijkaardige opvatting van R. REITZENSTEIN,
Bemerkungen zur Martyrienliteratur, NGG 1916, p. 417-467, inz. p. 459-460 : het
verhaal van de overige martelaren is weggelaten bij de „Umgestaltung des Briefes in
ein Buch".

[356] W. H. C. FREND, JTS 9(1958)370-373; hij dateert de „Evangelien-Redaktor" evenwel in de derde eeuw; vergelijk FREND, p. 295, n. 21; 288; SCHOEDEL, p. 49; C. J. CADOUX,
Ancient Smyrna (zie n. 79), aanvaardt enkele glossen (9,1; 15,2 ἢ ὡς χρυσός...; 16,1
περιστερὰ καί).

[357] A. STUIBER, *Heidnische und christliche Gedächtniskalender*, JbAC 3(1960)24-33,
inz. p. 30; STUIBER, p. 51; BROX, p. 237; R. FREUDENBERGER, *Christenreskript. Ein
umstrittenes Reskript des Antoninus Pius*, ZKG 78(1967)1-14, inz. p. 11, n. 59; J. COLIN,
L'empire des Antonins et les martyrs gaulois de 177, Bonn, 1964, p. 14. FISCHER, p. XI;
J. A. FISCHER, *Polykarpos*, LTK 8(1963)597; R. M. GRANT, *A History of Early Christian
Literature*, Chicago, 1966, p. 26 (= 2de editie van het werk van Goodspeed); H. KRAFT,
Eusebius von Cäsarea. Kirchengeschichte, München, 1967, p. 214, n. 58; C. ANDRESEN,
Die Kirchen der alten Christenheit, Stuttgart, 1971, p. 47-48; *Zum Formular frühchrist-
licher Gemeindebriefe*, ZNW 56 (1965) 233-259, inz. p. 247-248; J. WIRSCHING, *Polykarp*,
K1Pauly 4(1972)998; G. KRETSCHMAR, *Christliches Passa im 2. Jahrhundert und die
Ausbildung der christlichen Theologie*, RecSR 60(1972)287-323, zie p. 293.

[358] H. I. MARROU, TLZ 84(1959)361-363.

verzette er zich ook tegen dat de gedachte van navolging op een latere tijd zou wijzen.

Meer recent vinden wij een aantal auteurs die sceptisch staan tegenover de interpolatietheorie[359]. Belangrijk is de stellingname van L. W. Barnard in zijn artikel *In Defence of Pseudo-Pionius' Account of Saint Polycarp's Martyrdom*[360], waarin de eenheid én de authenticiteit van *MPol* verdedigd worden in tegenstelling tot het belang dat von Campenhausen aan de Eusebiustekst hecht. Barnard wijst op bepaalde inconsequenties bij von Campenhausen, namelijk dat sommige elementen die als interpolatie beschouwd worden, ook voorkomen bij Eusebius, wiens tekst dan toch het criterium is om interpolaties vast te stellen. Hij benadrukt in hetzelfde verband het evidente van de *imitatio*-idee met verwijzing naar andere martelaarsliteratuur. Wat de antimontanistische interpolatie betreft, toont Barnard aan dat de tekst van Eusebius zelf een bewerking is van *MPol*. Verder bewijst hij enerzijds dat het vermelden van de martelarencultus in Polycarpus' tijd niet onmogelijk is, en anderzijds dat het gebed van Polycarpus evengoed tot de tweede eeuw kan behoren als tot de derde. Tenslotte wijst Barnard er op dat het in het licht van de interpolaties vreemd blijft dat onbelangrijke aanduidingen over belangrijke personen in de tekst gebleven zijn en dat geen pogingen werden ondernomen tot een gedetailleerde beschrijving van de martelingen, wat in latere martyria wel het geval is.

Aansluitend bij de bedenkingen van Barnard kan nog het volgende opgemerkt worden :

1. Men moet vaststellen dat de theorie van von Campenhausen niet geheel nieuw is : bijna alle elementen zijn reeds vroeger voorgesteld geweest. Von Campenhausen verwijst zelf naar de hypothesen van onder meer Schwartz en Müller, die hij echter te weinig methodisch doordacht vindt[361]. Nieuw in vergelijking met Schwartz is slechts het uitwerken van de idee van een ,,Evangelien-Redaktor". Merkwaardig genoeg spreekt von Campenhausen niet over het feit dat *MPol* reeds in de vorige eeuw ontleed werd volgens een methode die niet veel van

---

[359] A. J. BREKELMANS, *Märtyrerkranz. Eine symbolgeschichtliche Untersuchung*, Rome, 1965, p. 54; K. BEYSCHLAG, *Clemens Romanus und der Frühkatholizismus*, Tübingen, 1966, p. 312, n. 2; 246, n. 2; ID., ZNW 56(1965), p. 172, n. 43; T. D. BARNES, *Predecian Acta Martyrum*, JTS 19(1968)509-531, inz. p. 510-512; W. RORDORF, *Martirio e testimonianza*, RStorLetRel 8(1972)239-258, inz. p. 246, n. 30; MUSURILLO, p. XIII-XIV.

[360] *Kyriakon. Festschrift J. Quasten*, dl. 1, Münster, 1970, p. 192-204.

[361] H. VON CAMPENHAUSEN, *Bearbeitungen* (zie n. 168), p. 255.

de zijne verschilt : het principe van de vergelijking met de tekst van
Eusebius als criterium voor het ontdekken van interpolaties werd reeds
door T. Keim toegepast. Ook de notie van vóór- en na-Eusebiaanse
interpolatie komt bij deze auteur voor.

2. In verband met de integriteit is het criterium van de vergelijking
met de Eusebiustekst niet zonder meer evident : men weet immers niet
met zekerheid welke tekst Eusebius gebruikt heeft. De twijfel aan de
echtheid van hoofdstuk 21 illustreert dit. Er dient met Lightfoot[362]
op gewezen te worden dat het feit dat Eusebius dit hoofdstuk niet
bewaard heeft, niet noodzakelijk betekent dat hij het niet kent : zijn
overname van *MPol* eindigt reeds met 19,1[363]. En inzover men 21 niet
voor oorspronkelijk houdt, is men toch geneigd het als een vroege
additie te beschouwen[364]. Von Campenhausens opvatting over de slot-
kapittels is trouwens weinig duidelijk. Door 21 als „spätere Anhang"
te beschouwen, behoeft hij het niet te situeren ten opzichte van 22,1,
dat ten tijde van Eusebius te dateren is („Evangelien-Redaktor").

3. Men kan evenmin staande houden dat de verwijzing naar het
passieverhaal ontbreekt in de tekst die Eusebius gebruikte. Barnard
toonde aan dat de overgrote meerderheid van achttien door hem vast-
gestelde parallellen met het passieverhaal ook bij Eusebius voorkomt[365].
Het is wel zo dat men in Eusebius' tekst de uitdrukking „volgens het
evangelie" niet terugvindt. Maar dit houdt verband met het resumeren
van de tekst van 1,1 en met het afbreken van het citaat in 19,1 vóór

---

[362] LIGHTFOOT II 1, p. 637; vergelijk later REUNING, p. 2.

[363] LAWLOR-OULTON, p. 136, menen dat Eusebius' exemplaar van *MPol* afhankelijk
was van een copie waaraan het slot ontbrak.

[364] Aldus P. MEINHOLD, *Polykarpos* (zie n. 78), col. 1674; J. A. FISCHER, *LTK* 8(1963)
597; W. H. C. FREND, *A Note on the Chronology of the Martyrdom of Polycarp*, in
Oikoumene. Studi paleocristiani, Catania, 1964, p. 499-506, inz. p. 501; KLEIST, p. 198 :
„This appendix is perhaps a postscript added by the author of the martyrdom".
Vergelijk vroeger Zahn en Schwartz (zie n. 311); volgens STAEHLIN, p. 1253 is *MPol* 21-22,1
wellicht afkomstig van de gemeente van Filomelium; aldus ook W. HUETTL, *Antoninus
Pius*, dl. 2, Praag, 1933, p. 53; zie nog LELONG, p. LXXIV : „...' qu'il n'est en réalité qu'un
simple post-scriptum ajouté par l'auteur à sa Lettre". Recent bracht R. MERKELBACH,
Der griechische Wortschatz und die Christen, ZPapEpigr 18(1975)101-148, p. 105 de
datering van hoofdstuk 21 in verband met de opvatting uitgedrukt in het prescript.
Hoofdstuk 21 herneemt de idee van παροικία van de christenen (zie n. 423) in het
afwijzen van de vermelding van de naam van de regerende keizer. De ware βασιλεύς
is de Heer Jezus Christus. Dit kan betekenen dat hoofdstuk 21 niet los mag gelezen
worden van het prescript. Men kan wijzen op het *inclusio* karakter van de doxologie
ten opzichte van het prescript en het μαρτυρία-motief van het begin van hoofdstuk 21
ten opzichte van *MPol* 1,1. Dit alles leidt echter niet noodzakelijk tot de conclusie
dat het om eenzelfde redactor gaat.

[365] BARNARD, p. 195; vergelijk LAWLOR-OULTON, p. 134.

deze woorden. Barnard merkt trouwens op dat de wijze waarop Eusebius *MPol* citeert, gericht is op de voorstelling van het gebeuren en niet op de weergave van de opvatting over het martelaarschap[366].

Niettemin wordt in § 42 de idee van de martelaar als leerling en navolger van de Heer bewaard, wat tegen von Campenhausens hypothese pleit. Men kan het zeker niet eens zijn met von Campenhausens opvatting (ook reeds in zijn vroegere studie over het martelaarschap) als zou de gedachte van navolging laat, zelfs middeleeuws zijn, en bijgevolg te onderscheiden van de idee uitgedrukt in de martyria van Stefanus en Jakobus[367]. Heel zijn opvatting over de ontwikkeling van de vroegchristelijke martyriumidee is tendentieus[368] en al te zeer afhankelijk van de inhoud die hij aan de christelijke μάρτυς als woordgetuige geeft. In de overeenkomsten van het verhaal over Stefanus' marteldood met het lijdensverhaal bij *Lucas* vindt men zonder twijfel de aanzet van de opvatting dat de martelaar Christus' navolger is[369]. Dat wordt niet alleen uitgedrukt door het herhalen van Jezus' woorden op het kruis (*Lc* 23,34)[370] of door het verwijzen naar een passage uit het verhoor voor het sanhedrin (vergelijk *Mc* 14,57-58, door *Lucas* weggelaten, en *Hnd* 6,13-14), maar vooral door het feit dat de auteur van *Handelingen* Stefanus beschouwt als de eerste die de voorspelling van Christus over het lijden en de vervolging van de leerlingen in

---

[366] BARNARD, p. 197; vergelijk G. LAZZATI, *Nota su Eusebio epitomatore di atti dei martiri*, in *Studi in onore di A. Calderini e R. Paribeni*, dl. 1, Milaan, 1956, p. 377-384; Lazzati bestudeert inz. de parafrase van *MPol* 2-7 in Eusebius. Hij komt tot de conclusie dat Eusebius *MPol* voor die hoofdstukken sterk dramatiseert, niet zonder retorische effecten, ondanks het feit dat het geheel in de indirecte rede geschreven is. Eusebius past bovendien de opvatting over het martelaarschap aan : in plaats van de martelaar die door Gods bijstand sterk is, wordt veeleer de martelaar beschreven die op eigen kracht de foltering weerstaat; H.I. MARROU, TLZ 84(1959)362. B. SEPP, *Das Martyrium Polycarpi* (zie n. 36), p. 15, merkt terecht op dat de verwijzingen naar het evangelie in de begin- en slothoofdstukken door Eusebius juist weggelaten worden of verkort en in de indirecte rede geplaatst. Zie nog SCHOEDEL, p. 52-53 en vroeger H. BADEN, *Das Polykarpmartyrium* (zie n. 343), p. 78-81 ; LAWLOR-OULTON, p. 19-20.

[367] H. VON CAMPENHAUSEN, *Bearbeitungen* (zie n. 168), p. 257, n. 15.

[368] Cf. W. DEROUAUX, AnBoll 55(1937)359.

[369] Vergelijk M. SIMON, *Saint Stephen and the Hellenists in the Primitive Church*, New York, 1958, p. 20-26 en p. 73; p. 26 : „he [Luke] thus provides the starting point of a proces which has become very popular later on in hagiographical literature : we have the roots and the first tentative illustration of the theme of the imitatio Christi by the martyrs of faith".

[370] Vergelijk ook *MLugd* 2,5 en het martyrium van Jakobus bij Hegesippus, Eusebius, *HE* II,23,16 en II,23,13 met *Mt* 26,64. Over het *Lucas*vers zie nog E. LOHSE, *Märtyrer und Gottesknecht* (2de ed. FRLANT 64), Göttingen, 1963, p. 129-131; het is een in de vroegchristelijke literatuur meermaals geciteerd vers, zie de verwijzingen bij T. ZAHN, *Das Evangelium des Lucas*, 3de-4de ed., Leipzig-Erlangen, 1920, p. 698, n. 6.

Lc 21,12-19 [371] vervult. Von Campenhausens interpretatie van de functie van het martyrium van Stefanus in het kader van *Handelingen* is dan ook eenzijdig [372]. De latere traditie ziet in Stefanus' martyrium duidelijk een imitatie van de passie van Christus [373] (zie Irenaeus, *Adversus Haereses* III, 12, 10 : ,,Stephanus ... qui et primus ex omnibus hominibus sectatus est vestigia martyrii Domini, propter Christi confessionem primus interfectus...", en III,12,13, nog over Stefanus : ,,per omnia martyrii magistrum imitans"). Eusebius identificeert de moordenaars van Christus met die van Stefanus (*HE* II,1,1). De opvatting dat Christus in de martelaar lijdt is in *MPol* nog maar zeer onduidelijk en vaag aanwezig (2,2) [374], wat het situeert vóór de latere identificatie van het lijden van de martelaar met Christus' lijden [375].

4. Het verschil in de weergave van de wonderen beperkt zich tot een zekere reductie, in verband met het samenvatten van hoofdstukken 2-7. Tegen von Campenhausen in moet men vaststellen dat de gebeurtenissen voor en bij de dood van Polycarpus niet minder wonderlijk zijn dan wat tevoren over de voorspelling van de dood in het visioen en dergelijke wordt verhaald. Zulke wonderlijke gegevens zijn overal in de martyria aanwezig [376]. Zij behoren als het ware tot de hagiografische stijl van deze documenten. Er is terecht de nadruk op gelegd dat in *MPol* zulke trekken schaars zijn in vergelijking met andere martyria [377]. Men kan het dan ook moeilijk als argument tegen de integriteit laten gelden.

5. Het is opmerkelijk dat von Campenhausen geen aandacht besteedt aan het gebed van Polycarpus (*MPol* 14), dat door Müller vermeld wordt in zijn opsomming van teksten die parallel zijn met het passie-verhaal (*Joh* 17) [378]. Sedert J. A. Robinson wordt deze passage dikwijls

---

[371] Cf. J. BIHLER, *Der Stephanusbericht (Apg. 6,8-15 und 7,56-8,2)*, BZ 3(1959)252-270, zie p. 253-261; A. SCHULZ, *Nachfolgen und Nachahmen. Studien über das Verhältnis der neutestamentlichen Jüngerschaft zur urchristlichen Vorbildethik* (StANT 6), München, 1962, p. 268.

[372] CAMPENHAUSEN, p. 86.

[373] Zie onder meer LIGHTFOOT II 1, p. 612-613.

[374] Cf. CAMPENHAUSEN, p. 90.

[375] Dit probleem werd in de dissertatie uitvoerig behandeld in het hoofdstuk over de martyriumtheologie.

[376] Cf. LIGHTFOOT II 1, p. 614-615; KLEIST, p. 88, verwijst voor het vuur dat de martelaar niet deert naar *Daniël* 3.

[377] Zie DELEHAYE, p. 17; KLEIST, p. 88.

[378] Vergelijk MUELLER, p. 11.

aangezien als van latere datum[379]. De tekst van Eusebius stemt echter bijna woordelijk overeen met die van *MPol*. Men zou dan ook volgens von Campenhausens wijze van redeneren een vóór-Eusebiaanse inter-

[379] In een eerste artikel wees J. A. Robinson op de vele parallellen van het gebed van Polycarpus met andere liturgische teksten, zie *Liturgical Echoes in Polycarp's Prayer*, in *The Expositor* 5th Ser. 9(1899)63-72; H. Lietzmann, blijkbaar onafhankelijk van Robinson, wijst op hetzelfde fenomeen en vermoedt in *MPol* een liturgisch gebed, ter voorbereiding van het „avondmaal", door de auteur van *MPol* aangepast, cf. *Ein liturgisches Bruchstück des zweiten Jahrhunderts*, ZWT 54(1912)56-61. Een allusie op de Eucharistie vermoedt later nog J. A. KLEIST, *An Early Christian Prayer*, in *Orate Fratres* 22(1948)201-206; zie nog CAMELOT, p. 228, n. 1; QUASTEN I, p. 78; vergelijk reeds C. BLUME, *Der Engelhymnus Gloria in Excelsis Deo*, in *Stimmen aus Maria-Laach* 73(1907) 43-62, inz. p. 57. In een volgend artikel verscherpte Robinson zijn positie door de doxologie van het gebed van Polycarpus als later toegevoegd te aanzien, daar het eerstvolgend getuigenis van een doxologie waarin de Heilige Geest voorkomt pas in de Ethiopische liturgie wordt gevonden, cf. „*The Apostolic Anaphora" and the Prayer of St. Polycarp*, JTS 21(1920)97-105, inz. p. 101-104. Het artikel was een reactie op het boek van P. CAGIN, *L'anaphore apostolique et ses témoins*, Parijs, 1919, die omwille van de parallellen met het gebed van Polycarpus de datering van de apostolische anafoor vervroegde (cf. p. 211-212). Op Robinsons artikel werd gereageerd door J. W. TYRER, *The Prayer of St. Polycarp and its Concluding Doxology*, JTS 23(1922)390-391, die voorbeelden aanhaalt uit de tweede eeuw om de wending van de doxologie en de toevoeging van de Heilige Geest aanvaardbaar te maken, waarbij hij stelde dat de lezing in Eusebius, *HE* IV,15,35 ἐν πνεύματι oorspronkelijk is ten opzichte van de lezing καὶ πνεύματι in *MPol*. Daarbij aansluitend gaf F. E. BRIGHTMANN nog andere plaatsen met uitzonderlijke wendingen aan (*ibid.*, p. 391-392). Daarop volgde een reactie van J. A. ROBINSON, *The Doxology in the Prayer of St. Polycarp*, JTS 24(1923) 140-144, om er op te wijzen dat het om structureel parallellisme gaat; ofschoon de gevallen die Tyrer aanhaalt interessant zijn, blijft de moeilijkheid van de omschrijving van de relatie van de Heilige Geest tot de Vader en de Zoon in de tweede eeuw bestaan en is het merkwaardig dat de doxologie van *MPol* daarin zo apart staat (zie ook de noot van R. H. CONNOLLY, *ibid.*, p. 144-146). Reeds DELEHAYE, p. 18, n. 4 benadrukte dat de doxologie tot de minst stabiele gedeelten van de tekstoverlevering behoort en aldus meer invloed van de copiisten kan ondergaan. J. LEBRETON, *Histoire du dogme de la Trinité*, dl. 2, 3de ed., Parijs, 1928, p. 618 n. 2, sluit zich aan bij de kritiek van Delehaye op Robinson. Volgens A. HAMMAN, *La confession de la foi dans les premiers Actes des Martyrs*, in *Epektasis. Mélanges J. Daniélou*, Parijs, 1972, p. 99-105, inz. p. 99, is de doxologie van het gebed van Polycarpus een „exemple de cette osmose entre un texte et une pratique liturgique". Vergelijk ook A. STUIBER, *Doxologie*, RAC 4(1954)210-226, zie col. 217. Recent wordt de datering van Robinson in de derde eeuw afgewezen. Voor de terminologie van het gebed wordt de mogelijkheid van de tweede eeuw benadrukt; cf. SCHOEDEL, p. 70; vergelijk T. H. C. VAN EIJK, *La résurrection des morts chez les Pères Apostoliques* (Théologie historique 25), Parijs, 1974, p. 134-137; BARNARD, p. 200-203; Vergelijk ook *MPol* 14,1 en Irenaeus, *Demonstratio predicationis apostolicae* 8. Verder A. QUACQUARELLI, *Sulla dossologia trinitaria dei padri apostolici*, VetChr 10(1973)211-241, inz. p. 234-235. CAMELOT, p. 207, n. 2 houdt de doxologie voor een latere interpolatie, zonder dat dit gevolgen heeft voor de authenticiteit van *MPol* als geheel. Voor het gebed zie nog G. BARDY, *La vie spirituelle d'après les pères des trois premiers siècles*, dl. 1, Doornik, 1968, 2de ed. van A. HAMMAN, p. 96-97; A. HAMMAN, *La prière. II. Les trois premiers siècles*, Parijs, 1963, p. 134-141; E. DEKKERS, „*Politiek morgengebed". Over enkele oudchristelijke technische termen in verband met het gebed*, in *Zetesis. Bij-*

polatie kunnen veronderstellen. Men kan echter moeilijk de tekst van
het gebed in Eusebius als oorspronkelijker opvatten, tenzij misschien
de lezing ἐν πνεύματι in plaats van καὶ πνεύματι in 14,3 in de
trinitarische formule van de doxologie [380]. Καί (lezing van alle Griekse
codices) zou het naast elkaar bestaan van de Vader, de Zoon en de
Heilige Geest tot uitdrukking brengen (vergelijk het later toegevoegde
22,3 en *epilogus Mosquensis 5*). Het is nochtans de vraag of ἐν minder
naar een bepaalde opvatting van de Triniteit verwijst, met andere
woorden, καί kan in de tijd van de redactie van *MPol* evenzeer religieus
en onmetafysisch opgevat geweest zijn (tegen Reuning). Volgens
W. Bousset zijn de doxologische formules in *MPol* en in de geschriften
van die tijd een compromis tussen een vorm die alleen betrekking
heeft op Christus en een trinitarische vorm. Deze laatste wordt pas in
een latere periode algemeen [381]. Bijgevolg is de lezing καί van de
Griekse manuscripten zeker niet onmogelijk voor de tijd van Polycarpus.

6. Bij de verdwenen stukken uit het oorspronkelijk martyrium vermeldt von Campenhausen een bericht over Metrodorus [382]. Hij ziet
hiervoor een argument in de tekst van Eusebius, *HE* IV,15,46 : ἐν τῇ
αὐτῇ δὲ περὶ αὐτοῦ γραφῇ καὶ ἄλλα μαρτύρια συνῆπτο κατὰ τὴν
αὐτὴν Σμύρναν πεπραγμένα ὑπὸ τὴν αὐτὴν περίοδον τοῦ χρόνου τῆς
τοῦ Πολυκάρπου μαρτυρίας, μεθ' ὧν καὶ Μητρόδωρος τῆς κατὰ
Μαρκίωνα πλάνης πρεσβύτερος...

Eusebius is daar weer bijzonder onduidelijk. Hij heeft het over andere
verhalen van martelaars die in hetzelfde geschrift als dat over Polycarpus te vinden zijn, en die verhalen hebben betrekking op gebeurtenissen in Smyrna „in dezelfde tijd van het jaar" als het martyrium van

---

dragen aangeboden aan E. de Strycker, Antwerpen-Utrecht, 1973, p. 637-645, inz. p. 642-
645.

Over het gebed van de martelaars in het algemeen, zie recent E. VON SEVERUS, *Gebet 1*,
RAC 8(1972)1196-1199. Voor *MPol* 14, cf. col. 1197 : *MPol* 14 is een „Abschieds-Gebet",
een zeldzaam voorbeeld van de invloed van liturgische formules; het gebed wordt
begeleid met uit *NT* vertrouwde gebaren en handelingen; vergelijk QUASTEN I, p. 78;
tevens K. BAUS, *Das Gebet der Märtyrer*, TrierTZ 62(1953)19-32; E.G. JAY, *Origen's
Treatise on Prayer*, Londen, 1954, p. 18-20.

[380] Cf. HILGENFELD, p. 66, die ἐν leest; verder REUNING, p. 42.

[381] W. BOUSSET, *Kyrios Christos. Geschichte des Christusglaubens von den Anfängen
des Christentums bis Irenäus* (2de ed., FRLANT 21), Göttingen, 1921, p. 234; vergelijk
nog boven n. 379.

[382] Deze opvatting schijnt reeds aanwezig te zijn bij E. PREUSCHEN, in HARNACK I 2,
p. 803. Tegen CAMPENHAUSEN reageert SCHOEDEL, p. 77.

Polycarpus[383]. Vervolgens wordt Metrodorus vermeld als „onder hen", dat wil zeggen onder genoemde martyria, en Eusebius gaat dan voort, sprekend over Pionius: „onder de toenmalige (martelaars) onderscheidde zich één, zeer beroemd, Pionius" (*HE* IV,15,47). Over het verhaal van zijn dood wordt gezegd dat het opgenomen is in Eusebius' verzameling van oude martelaarsakten. Enerzijds lijkt er dus sprake te zijn van een verzameling martelaarsakten van Smyrna, waartoe *MPol* behoort[384], anderzijds van de elders vermelde verzameling van martelaarsakten, waar *Martyrium Pionii* deel van uitmaakt[385].

In *Martyrium Pionii* wordt Metrodorus voorgesteld als marcioniet. Vanuit Polycarpus' houding tegenover de ketterijen in zijn brief aan de Filippenzen[386] lijkt het onwaarschijnlijk dat een dergelijke figuur in *MPol* zou voorkomen. Het is dus erg hypothetisch uit de plaats van Metrodorus voor het martyrium van Pionius af te leiden dat deze

---

[383] Voor deze interpretatie van de uitdrukking ὑπὸ τὴν αὐτὴν περίοδον τοῦ χρόνου, cf. LIGHTFOOT II 1, p. 641; toch besloten sommigen op grond van deze woorden tot de gelijktijdigheid van *Martyrium Pionii* en *MPol*, cf. H. GREGOIRE, *La véritable date* (zie n. 267), p. 6; 13, gevolgd door M. SIMONETTI, *Studi agiografici* (zie n. 283), p. 11; H. VON CAMPENHAUSEN, *Bearbeitungen* (zie n. 168), p. 288; J. VOGT, *Christenverfolgung 1*, RAC 2(1954)1159-1208, inz. col. 1175; E. DE MOREAU, NRT 73(1951), p. 819. *Martyrium Pionii* wordt gewoonlijk ten tijde van Decius gesitueerd, cf. E. GRIFFE, BLitE 53(1952)154-155; L. ROBERT, *Recherches épigraphiques*, REAnc 62(1960)276-361, inz. p. 319, n. 1; = *Opera minora selecta. Epigraphie et antiquités grecques*, dl. 2, Amsterdam, 1969, p. 792-877, inz. p. 835, n. 1; FREND, p. 316; T. D. BARNES, *Predecian Acta Martyrum*, (zie n. 359), p. 529-531; MUSURILLO, p. 167, n. 55; vergelijk p. XXIX. vergelijk p. XXIX.

[384] Cf. BARDY, p. 189, n. 15.

[385] Zie *HE* V,1,2 en V,4,3 met betrekking tot *MLugd*, en V,21,5 met betrekking tot *Acta Apollonii*.

[386] Het is omstreden of Polycarpus, *Fil 7* reageert tegen de ketterij van Marcion. Meestal is men van mening dat het gaat om een algemene stellingname tegen het docetisme. Dat het wel om Marcion ging werd uitvoerig verdedigd door P. N. HARRISON, *Polycarp's Two Epistles to the Philippians* (zie n. 78), p. 172-206, die gevolgd werd door KLEIST, p. 192, n. 57 en P. MEINHOLD, *Polykarpos* (zie noot 78), col. 1684-1687 (cf. reeds H. BADEN, *Das Polykarpmartyrium* (zie noot 343), p. 707 en later H. GREGOIRE, e.a., *Les persécutions dans l'Empire Romain*, 2de ed., Brussel, 1964, p. 105). Harrisons hypothese werd bestreden door FISCHER, p. 236. Reeds vroeger werden soortgelijke hypothesen afgewezen door LIGHTFOOT II 1, p. 584-588; II 3, p. 334; ZAHN, p. 121-122; vergelijk nog FUNK, p. 304-305; R. KNOPF, *Das nachapostolische Zeitalter*, Tübingen, 1905, p. 318, n. 1. Harnack was eerst van mening dat het in Polycarpus, *Fil 7* om Marcion te doen was, zie *Lightfoot's Ignatius and Polycarp* (zie n. 255), p. 185-186, later verdedigde hij de tegenovergestelde opvatting, zie *Marcion. Das Evangelium vom fremden Gott*, (2de ed., TU 45), Leipzig, 1924, p. 5, n. 4. Recent nog wijst SCHOEDEL, p. 23-26, de „elaborate theory" van Harrison af, evenals CAMELOT, p. 166; 186, n. 1. Von Campenhausen meent zelf dat de *Polycarpusbrief* antimarcionitisch gericht is, cf. H. VON CAMPENHAUSEN, *Polykarp von Smyrna und die Pastoralbriefe*, in *Aus der Frühzeit des Christentums* (zie n. 168), p. 197-252, inz. p. 238-239.

martelaar oorspronkelijk in *MPol* vermeld werd (en dan nog als orthodox!). Het enige wat vaststaat is dat Metrodorus alleen in *Martyrium Pionii* als marcioniet genoemd wordt en dat Eusebius' bron voor dit laatste werk blijkbaar een andere was dan die voor *MPol*. Men zou zich hoogstens kunnen afvragen of Eusebius' woorden over Metrodorus niet wijzen op een zelfstandig martyrium van deze figuur.

Belangrijker is vast te stellen dat *MPol* bekend was aan Eusebius in een bepaalde context van martyrologische literatuur. Dit leidt tot verdere bedenkingen bij wat boven reeds over de waarde van de Eusebiustekst van *MPol* gezegd werd. De wijze waarop de kerkhistoricus zich uitdrukt over zijn bronnen kan slaan op het feit dat *MPol* hem bekend was uit een (vóór hem) bestaande verzameling akten over de martelaars van Smyrna, te onderscheiden van de door hemzelf samengestelde verzameling van oude martelaarsakten[387].

In dit verband is de veronderstelling van Schwartz dat Eusebius reeds een *Corpus Polycarpianum* gebruikte, betekenisvol[388]. Waar die opvatting slechts opgaat in het kader van Schwartz' theorie over *Vita Polycarpi*, kan men uit de gegevens van Eusebius toch afleiden dat de tekst van *MPol* door hem weergegeven (en verder bewerkt) het resultaat is van een bepaalde ontwikkeling van de tekstoverlevering, die niet *a priori* hoger moet geschat worden dan die welke de achtergrond vormt van het zogenaamde *Corpus Polycarpianum*. In die zin zou bijvoorbeeld het ontbreken van *MPol* 21 bij Eusebius te verklaren zijn door de afwezigheid ervan in zijn bron[389]. De weglating van het hoofdstuk in deze bron is te begrijpen vanuit het specifiek tijdsgebonden karakter van de chronologische gegevens van hoofdstuk 21 : zij zijn slechts verstaanbaar in de onmiddellijke historische context van de dood van Polycarpus, namelijk op een ogenblik dat de verwijzing naar Filippus van Tralles en Statius Quadratus nog kon verstaan worden, en voor de latere tijd zijn zij onbelangrijk.

Het is duidelijk dat deze interpretatie van Eusebius' tekst over de drie martyria ingaat tegen de algemeen aanvaarde harmoniserende voorstelling van de gegevens, volgens dewelke zowel *MPol* als de

---

[387] Ook MUSURILLO, p. lv komt, om andere redenen weliswaar, tot het besluit dat Eusebius misschien teruggreep naar een oude verzameling van martelaarsakten (voor *MLugd*, *MPol* en *Martyrium Pionii*).

[388] SCHWARTZ, p. 17; 30-31; vergelijk EHRHARD I, p. 3. Men merke op dat dit een andere voorstelling is dan die van Lightfoot over het *Corpus Polycarpianum*. Schwartz' opvatting is maar mogelijk wanneer men met hem de activiteit van de pseudo-Pionius ten tijde van Decius situeert.

[389] Cf. LAWLOR-OULTON, p. 22, n. 1; 136.

martyria van *HE* IV,15,46-47 aan de kerkhistoricus bekend waren uit hetzelfde document[390]. Het was voor velen de reden om aan te nemen dat Eusebius zich voorstelde dat de martyria gelijktijdig waren[391]. Lawlor heeft er echter op gewezen dat Eusebius bij het citeren van de bron de neiging heeft, aansluitend bij het stuk dat hem op de eerste plaats interesseert, de verdere inhoud van de bron er bij te vermelden[392].

Enkele auteurs spreken van een apart geheel van de drie martyria in het kader van de verzameling van de oude martelaarsverhalen, omdat zij zich bewust zijn van de moeilijkheden die de harmoniserende voorstelling met zich brengt[393]. Ook wordt de aanwezigheid van *Acta Carpi* in de verzameling van Eusebius door sommigen betwijfeld[394]. De meningen over de juiste vorm en inhoud van de verzameling naast de expliciet vermelde martyria lopen zeer uiteen.

7. Men kan de vraag stellen of het vanuit methodisch standpunt verantwoord is uit de moeilijke tekstoverlevering van *MPol* conclusies te trekken aangaande de authenticiteit van sommige delen, zoals

---

[390] Cf. onder meer LIGHTFOOT II 1, p. 608; HARNACK II 2, p. 111; L. DUCHESNE, *Les sources du martyrologe hieronymien*, in *Mélanges d'archéologie et d'histoire* 5(1885) 120-160, inz. p. 130; ID.-J.B. DE ROSSI, *Martyrologium hieronymianum* (ASS Novembris II,1), Brussel, 1894, p. LXVII; E. PREUSCHEN, *Eusebius von Cäsarea*, in *Realencyklopädie für protestantische Theologie und Kirche* 5(1898)605-618, inz. p. 612; H. LECLERCQ, DACL 5,1(1922)766; ook BARDY, dl. 4, p. 25; vergelijk echter p. 98, n. 2: *MPol* ,,ne figurait peut-être pas dans le Recueil des martyrs''.

[391] Cf. onder meer LIGHTFOOT II 1, p. 608; LAWLOR-OULTON, p. 34; 136; H. GREGOIRE, *La véritable date* (zie n. 267), p. 2.

[392] Cf. H.J. LAWLOR, *Eusebiana*, Oxford, 1912, p. 137; vergelijk D.S. WALLACE-HADRILL, *Eusebius of Caesarea*, Londen, 1960, p. 159.

[393] Cf. bijvoorbeeld E. SCHWARTZ, *Eusebius von Caesarea*, PWK 6(1907)1370-1439, inz. col. 1400. H.J. LAWLOR, *Eusebiana* (zie n. 392), p. 136-137, maakt een opvallend onderscheid tussen ,,a volume of Acts of Martyrs'' en een ,,Book of Martyrdoms'', dit laatste slechts in verband met de verwijzing naar *Martyrium Pionii* in *HE* IV,15,47.

[394] Cf. LAWLOR-OULTON, p. 137; R. FREUDENBERGER, *Christenreskript* (zie n. 357), p. 12, n. 68; vroeger A. HARNACK, *Die Akten des Karpus, des Papylus und der Agathonike* (TU 3,3-4), Leipzig, 1888, p. 435; 436, n. 1, dit tegen Duchesne, wiens theorie dat Eusebius' verzameling van oude martelaarsakten een van de bronnen van *Martyrologium Syriacum* was, door Harnack nochtans aanvaard wordt; cf. nog HARNACK I 2, p. 556; 814; L. DUCHESNE, *Les sources du martyrologe hiéronymien* (zie n. 390); eveneens J. MOREAU, DHGE 15(1963)1452; RAC 6(1966)1071. Duchesnes theorie zou ons er toe nopen onze opvattingen over Eusebius' bronnen te herzien, ware het niet dat zij overtuigend weerlegd werd door H. ACHELIS, *Die Martyrologien, ihre Geschichte und ihr Wert*, Berlijn, 1900, p. 64-66. Achelis weerlegt reeds het argument, later door Delehaye tegen Harnack gebruikt, dat de uitdrukking ἐκ τῶν ἀρχαίων zou wijzen op de aanwezigheid van *Acta Carpi* in de verzameling van Eusebius, cf. DELEHAYE, p. 100, n. 4; *Les actes des martyrs de Pergame*, AnBoll 58(1940)142-176, inz. p. 143-144.

von Campenhausen en andere vóór hem het gedaan hebben. Men kan met Musurillo zeggen : „It is dangerous to place too much weight on the divergence of the manuscript tradition from the quotation offered by Eusebius"[395]. Doet men dat wel, dan is men verplicht principes te gebruiken die moeilijk te controleren zijn op basis van de bestaande bronnen, met name moet men aanvaarden dat *MPol* oorspronkelijk een naar moderne normen logisch opgebouwd verhaal geweest is, en dat Eusebius zijn tekst van *MPol* onveranderd geciteerd heeft. Voor het laatste verwijst von Campenhausen naar het oordeel van K. Mras over *Praeparatio Evangelica*[396]. Maar wat geldt voor *Praeparatio*, gaat daarom nog niet op voor *Historia Ecclesiastica*[397]. De studie van B. Gustafsson wijst in een andere richting : „... we find that the principle that Eusebius followed in dealing with his sources, as well as in his treatment of his material, was characterized and limited by his own ecclesiastical background and its theology"[398]. Eusebius heeft meer gedaan dan het grammaticaal en stilistisch verbeteren van zijn bronnen, waarop wij boven reeds wezen. Vooral in *Historia Ecclesiastica* is de invloed van een bepaalde theologie van de geschiedenis werkzaam, ook bij het verwerken van het bronnenmateriaal. In verband met de martyria wees W. Völker op het feit dat Eusebius' beschrijving gedragen wordt door de apologetische interesse te bewijzen dat de christelijke martyria voorbeelden zijn van de macht en de verhevenheid van het christendom[399]. Ons inziens verklaart dit mede het afbreken van de weergave van *MPol* op een plaats waar juist gezegd wordt dat Polycarpus overal ook door de heidenen gekend is. Iets dergelijks is volgens de gedachte van Eusebius een beter slot van een martyrium dan een chronologische notitie. Tekstkritische gegevens en literair-kritische beschouwingen moeten gescheiden blijven.

8. Tenslotte moeten wij nagaan of *MPol*, zoals wij het nu kennen, als tekst aanleiding kan geven tot de hypothese van interpolaties of addities. Daarbij moet gelet worden zowel op de algemene structuur van het werk als op de samenhang tussen de afzonderlijke delen.

---

[395] MUSURILLO, p. XIV; vergelijk *ibid.*: „In any case, our extant text was known substantially to Eusebius".

[396] H. VON CAMPENHAUSEN, *Bearbeitungen* (zie n. 168), p. 257, n. 13a.

[397] Zie onder meer H. I. MARROU, TLZ 84(1959)362.

[398] B. GUSTAFSSON, *Eusebius' Principles in Handling his Sources as Found in his Church History Books I-VII*, in *Studia Patristica* vol. *IV* (ed. F.L. CROSS; TU 79), Berlijn, 1961, p. 429-441, inz. p. 441.

[399] W. VOELKER, *Von welchen Tendenzen liess sich Eusebius bei Abfassung seiner „Kirchengeschichte" leiten?* VigChr 4(1950)157-180, inz. p. 165-167.

Men kan in *MPol* zeven delen onderscheiden :

1. *Inscriptio*
2. Inleiding en thema van de brief 1,1-2
3. a. *Laudatio* van de martelaars 2,1-4
   b. De voorbeelden van Germanicus 3,1-2
      en Quintus 4
4. Het verhaal van Polycarpus 5,1-18,3
   a. De houding van Polycarpus en de voorspelling van zijn dood 5,1-2
   b. Arrestatie en overbrenging naar het stadion 6,1-8,3
   c. Verhoor 9,1-12,3
   d. Terechtstelling en begrafenis 13,1-18,3
5. Samenvatting van de betekenis van Polycarpus als martelaar 19,1-2
6. Briefslot 20,1-2
7. Chronologische appendix 21

In de literatuur is er bijzonder weinig aandacht voor de opbouw van *MPol*[400]. Men volgt de gebruikelijke indeling van de tekst (die op Ussher teruggaat). Men beperkt zich ertoe een uitspraak te doen over de passages die door de interpolatiehypothesen in vraag gesteld werden, zonder dat dit tot een bespreking van de samenhang leidt. Hieruit blijkt duidelijk dat de problemen niet liggen in de literaire samenhang van het werk als zodanig, maar veeleer in het feit dat men bepaalde uitdrukkingen of gedachten (bv. katholieke Kerk, de *imitatio*, de martelarenverering) niet kan plaatsen in de tijd van ontstaan van *MPol*. Niet zelden gaat het eigenlijk om theologische vooroordelen en minder om vragen die rijzen vanuit de samenhang van de tekst.

---

[400] Slechts Schoedel besteedt enige aandacht aan de structuur van *MPol*. Hij stelt een structuur voor van dertien paragrafen, op groet en appendices na (cf. SCHOEDEL, p. 50). Zijn „outline" volgt nagenoeg de klassieke indeling :

    I. Martyrium in overeenstemming met het evangelie (1,1-2)
    II. De edele martelaars van Christus (2,1-4)
    III. Germanicus (3,1-2)
    IV. Quintus (4)
    V. Polycarpus trekt zich terug (5,1-2)
    VI. Polycarpus' arrestatie (6,1-7,3)
    VII. Onderweg (8,1-3)
    VIII. Polycarpus' verhoor (9,1-12,2)
    IX. Het martyrium van Polycarpus : de voorbereiding (12,1-13,3)
    X. Het martyrium van Polycarpus : het gebed (14,1-3)
    XI. Het martyrium van Polycarpus : de vuurdood (15,1-16,2)
    XII. De overblijfselen van Polycarpus (17,1-18,3)
    XIII. Conclusie (19-20,2)
Appendices.

Men heeft weinig aandacht besteed aan de eigen verhaaltrant van de auteur van *MPol*. Deze geeft niet alleen een relaas van de gebeurtenissen, maar voegt herhaaldelijk parentheses toe die zowel op verschillende gelijktijdige gebeurtenissen als op de duiding ervan betrekking hebben. Men kan als parenthese de volgende teksten aanduiden: 1. 6,2 dat het verhaal even onderbreekt om het lot van Polycarpus met dat van Christus te vergelijken. 7,1 neemt het thema van 6,1 over de twee slaven weer op, ingeleid door het partikel οὖν, dat ook na de andere parentheses het verhaal weer opneemt [400a]. 2. Een tweede typisch geval is 7,1 κἀκεῖθεν ... γενέσθω. Ook hier stapt de auteur even uit zijn verhaal om de betekenis van Polycarpus' houding toe te lichten. 7,2 neemt de aanwezigheid van de achtervolgers weer op (οὖν). 3. Vlak daarop volgt weer een parenthese met de reacties van de achtervolgers: θαυμαζόντων ... ἄνδρα. Εὐθέως οὖν knoopt weer aan bij het optreden van Polycarpus. 4. De omstreden tekst van 9,1 is op dezelfde wijze te begrijpen. Het wonder van de stem wordt als het ware uit het verhaal naar voren gehaald om de betekenis ervan voor Polycarpus te benadrukken. Na 8,3 gaat het verhaal pas verder in 9,2 (οὖν) met de ondervraging van Polycarpus. Er zit geen enkele tegenstrijdigheid in de voorstelling, wel een zekere herhaling, juist omdat het verhaal onderbroken werd. 5. In 12,3 ἔδει γὰρ κτλ wordt het verhaal verlaten om terug te wijzen naar 5,2: de voorspelling gaat in vervulling. De auteur weet nochtans subtiel te variëren: men vergelijke beide teksten (de verschillen worden onderstreept):

| | 12,3 ἔδει γὰρ τὸ τῆς φανερωθείσης |
| | ἐπὶ τοῦ προσκεφαλαίου |

5,2 καὶ προσευχόμενος	
ἐν ὀπτασίᾳ γέγονεν	ὀπτασίας πληρωθῆναι,
πρὸ τριῶν ἡμερῶν	
τοῦ συλληφθῆναι αὐτόν,	
καὶ εἶδεν	ὅτε ἰδὼν
τὸ προσκεφάλαιον αὐτοῦ	αὐτὸ
ὑπὸ πυρὸς κατακαιόμενον	καιόμενον
	προσευχόμενος
καὶ στραφεὶς εἶπεν	εἶπεν ἐπιστραφεὶς

[400a] Dit gebruik van οὖν kan gekarakteriseerd worden als οὖν *resumptivum*. Het komt meermaals voor in het Johannesevangelie. Reeds Lagrange vergeleek op dit punt *Johannes* met *MPol* in *Évangile selon saint Jean* (Études bibliques), 3e ed., Parijs, 1927, p. CVII-CVIIII, waar hij verwijst naar *MPol* 7,1.2; 9,2; 13,1.3; 16,1; 18,1. Zie ook het onderzoek van het gebruik van οὖν in *Johannes* door F. NEIRYNCK e.a., *Jean et les Synoptiques. Examen critique de l'exégèse de M.-É. Boismard* (BETL 49), Leuven, 1979, p. 227-283, inz. p. 257 e.v. (over het οὖν *resumptivum*).

πρὸς τοὺς συνόντας αὐτῷ   τοῖς σὺν αὐτῷ πιστοῖς
προφητικῶς   προφητικῶς
δεῖ με ζῶντα καυθῆναι   δεῖ με ζῶντα καυθῆναι

In 13,1 (οὖν) gaan de gebeurtenissen verder. 6. In 13,2 volgt een nieuwe parenthese : het verhaal gaat over van de activiteit van de Joden naar wat Polycarpus doet. Dit geeft de auteur tegelijkertijd de gelegenheid terug te blikken op de betekenis van Polycarpus' leven. 13,3 (οὖν) gaat dan verder met de voorbereiding van de executie. 7. Het wonder van het vuur in 15 is te vergelijken met 9,1 : ook nu stopt het verhaal. Er wordt verteld wat alleen aan een kleine groep was voorbehouden om te zien. De heidenen zien slechts dat het lichaam van de martelaar niet door het vuur kan verteerd worden (16,1). Γοῦν heeft hier dezelfde functie als οὖν (vergelijk trouwens de varianten). 8. 17,1 eindigt wellicht eveneens op een korte parenthese : καίπερ πολλῶν ..., zie het volgende ὑπέβαλεν γοῦν. 17,2 καὶ ταῦτα ὑποβαλλόντων is opnieuw een pauze in het verhaal die er op gericht is de betekenis van Christus' dood in het licht te stellen en het martelaarschap hiermee te vergelijken. Pas 18,1 (οὖν) neemt het begin van 17,2 weer op.

Bij nader toezien blijken deze delen en hun onderdelen goed in het geheel van het verhaal te functioneren. Afgezien van de briefelementen als *inscriptio*, overgang en het heropnemen ervan in het briefslot (zie onder hoofdstuk IV), is er ook een duidelijke relatie tussen hoofdstukken 2 en 5, het thema van de brief en de betekenis van de dood van Polycarpus. De samenhang van hoofdstukken 2 en 3 is evenmin toevallig. Ofschoon de auteur van het begin af duidelijk maakt dat Polycarpus het belangrijkste personage geweest is in het hele vervolgingsgebeuren waarover de christenen van Filomelium meer inlichtingen vroegen, wordt als vanzelfsprekend eerst ingegaan op de hem voorafgaande martelaars. Ook zij illustreren de thesis die de auteur van bij het begin aankondigt (1,1-2). De algemene lof op de eerste martelaars is maar mogelijk omdat hun martyrium geschiedde volgens de wil van God. Deze lof loopt uit op twee concrete voorbeelden van christenen die het tegen wilde dieren opnamen, Germanicus en Quintus (2,4-4).

De stelling dat 3,2, waarin het volk om Polycarpus roept, door de episode van Quintus kunstmatig afgescheiden wordt van 5,1 e.v., lijkt ons overdreven. Het begin van het verhaal over Polycarpus (5,1) sluit evengoed aan bij het einde van hoofdstuk 4, waar de notie van het martyrium κατὰ τὸ εὐαγγέλιον aanwezig is. De geschiedenis van

Polycarpus brengt de illustratie van die notie. Dat de auteur, nadat in 3,2 de naam van Polycarpus gevallen is, nog eerst doorgaat in hoofdstuk 4 over het voorbeeld *e contrario* van Quintus, is geen literaire onmogelijkheid. Waarschijnlijk volgt de auteur in de Germanicusepisode de loop van de gebeurtenissen en wil hij duidelijk maken dat de moedige houding van Germanicus de oorzaak was van de aanhouding van Polycarpus. Ook uit het verhaal over Polycarpus blijkt dat de auteur de gebeurtenissen beschrijft op een wijze die zowel zijn betrokkenheid bij als zijn eigen inzicht in het gebeuren weergeeft. Het visioen dat de dood van Polycarpus voorspelt (5,2; 12,3) staat niet buiten de opvatting die de auteur verdedigt over het martyrium als de wil van God : hij maakt gebruik van een bijbels procédé om de goddelijke wilsbeschikking omtrent de protagonist nog meer op de voorgrond te plaatsen. Het visioen werkt niet storend in het geheel, ook al wordt het retrospectief vanuit de gebeurtenissen in het verhaal gebracht (cf. 12,3). Hetzelfde geldt voor de wonderen, zelfs voor het wonder van de stem, dat meestal als een duidelijk voorbeeld van interpolatie beschouwd wordt. In het geheel van het verhaal is het alleszins niet overbodig dat onmiddellijk vóór het verhoor de goddelijke bijstand uitvoerig aan de orde komt. Pas in het licht daarvan wordt voor de auteur van *MPol* de houding van Polycarpus mogelijk.

De slothoofdstukken (17-19) vormen evenmin een probleem. De auteur duidt het gebeurde vanuit zijn theologische zienswijze : hij neemt de gelegenheid te baat om die te preciseren met betrekking tot het verschil tussen Christus en de martelaar. Hierbij wordt het thema van de κοινωνία aangewend, dat reeds in 6,2 ter sprake gekomen was.

MPol is dus niet een onpersoonlijk verslag over de marteldood van een aantal mensen. De feiten worden verhaald in het licht van een christelijke reflectie die naar bijbelse motieven en formuleringen teruggrijpt. Het gebed van Polycarpus in 14 vormt geen uitzondering : wat is natuurlijker dan dat de auteur Polycarpus' woorden laat aansluiten bij bekende liturgische formules? Dit is op geen enkele wijze een bewijs van secundariteit, wel van het feit dat de schrijver zich bewust is een bepaald literair genre te beoefenen. Bovendien benadrukt het geheel nogmaals de eigen thesis van de auteur : Polycarpus dankt God omdat deze hem waardig acht deel uit te maken van het getal der martelaars. Zijn dood is door God voorbereid (προητοίμασας), vooraf aangekondigd (προεφανέρωσας, cf. 5,2 en 12,3) en nu in vervulling gegaan (ἐπλήρωσας), aldus het gebed in 14,2. De interpretatie wint het hier van het objectieve relaas, maar nergens blijkt dat alleen dit laatste de bedoeling van *MPol* is.

Hierin ligt dan ook de vergissing van de hypothesen van von Campen-hausen en anderen : zonder enige reden gaan zij ervan uit dat *MPol* in eerste instantie een objectief relaas moet zijn, dat pas achteraf, in verschillende etappes, nader geduid werd. Een minder vooringenomen lezing van de tekst leert ons inziens dat de auteur van *MPol* in alle onderdelen van zijn verhaal blijk geeft van een gesloten conceptie over het martelaarschap, van 1,1 tot 20,2 : voor alle martelaars geldt dat zij, wanneer zij door God worden uitverkoren (cf. 20,1), de pijniging kunnen doorstaan. God heeft macht over alles, dank zij Hem vermag de duivel niets tegen hen (cf. 2,2-3,1).

Wij kunnen besluiten dat slechts het aanvaarden van de authenticiteit van de brief *als geheel* zin heeft. Dit geldt niet enkel voor de inhoud, maar ook voor de briefvorm. Hierover handelt hoofdstuk IV.

MARTYRIUM POLYCARPI ALS MARTYRIUM IN BRIEFVORM

In het vorige hoofdstuk werd het probleem van de authenticiteit van *MPol* op een negatieve wijze benaderd, dat wil zeggen de hypothesen over de inauthenticiteit werden onderzocht en verworpen. In dit hoofdstuk stellen wij ons opnieuw de vraag of *MPol* werkelijk datgene is waarvoor het wil doorgaan, een brief van de Kerk van Smyrna aan de gemeente van Filomelium, handelend over de marteldood van Polycarpus. Deze vraag wordt in twee paragrafen beantwoord : een eerste over de briefvorm van *MPol*, een tweede over *MPol* als martelaarsakte. Hierin behandelen wij beknopt de theorieën over het ontstaan van de martelaarsakten en daarbij aansluitend het probleem van de mogelijke literaire modellen. Paragraaf 3 gaat over de auteur van *MPol*.

§ 1. *De briefvorm van Martyrium Polycarpi*

Vooraleer het briefkarakter van *MPol* nader te onderzoeken, moeten wij eerst duidelijk maken wat voor een soort brief *MPol* eigenlijk is. A. Deissmann maakte ten aanzien van de christelijke briefliteratuur een scherp onderscheid tussen echte brieven, geschreven om een of andere reden bij een bepaalde gelegenheid (eigenlijk : privé-brieven) en literaire brieven met algemeen karakter (,,epistel'')[401]. Dit onderscheid is wel te strikt[402], omdat men aldus het feit verwaarloost dat een

---

[401] A. DEISSMANN, *Bibelstudien*, Marburg, 1895, p. 187-252, vooral p. 234 e.v. over de nieuwtestamentische brieven; *Licht vom Osten*, 4de ed., Tübingen, 1923, p. 194-195 : ,,Der Brief ist etwas Unliterarisches : er dient dem Verkehr der Getrennten ... Sein Inhalt ist so mannigfaltig, wie das Leben selbst ... Die Epistel ist eine literarische Kunstform, eine Gattung der Literatur ... Sie teilt mit dem Briefe nur die briefliche Form ... Der Inhalt der Epistel ist auf die Oeffentlichkeit berechnet, will das ,Publikum' interessieren ... Die meisten Briefe sind uns so lange nicht ganz verständlich, als wir die Empfänger und die Situation des Absenders nicht kennen. Die meisten Episteln sind uns verständlich, auch ohne dass wir den angeblichen Adressaten und den Autor kennen''.
[402] Zie de kritiek bij O. ROLLER, *Das Formular der paulinischen Briefe. Ein Beitrag zur Lehre vom antiken Briefe* (BWANT 4. Folge 6), Stuttgart, 1933, p. 23-32. Op p. 346-

echte brief tot een breder publiek gericht kan zijn en tegelijk een literaire vorm hebben. Behalve voor de *Pastorale Brieven* kan men het met Deissmann eens zijn dat de *Paulus*brieven en *2-3 Johannes* echte brieven zijn, ondanks het probleem van de geadresseerden[403]. Het is ook zo dat er in de vroegchristelijke briefliteratuur voorbeelden zijn van „epistels", zonder dat deze definitie voor alle *Katholieke Brieven* opgaat. Daarnaast heeft er zich een genre ontwikkeld dat tussen de brief en het epistel staat. Een voorbeeld daarvan zijn de *Pastorale Brieven* : het zijn „Dienstschreiben zur Ordnung der kirchlichen Disziplin"[404] (en reeds vroeg in die zin geïnterpreteerd : cf. *Canon Muratori*; Tertullianus, *Adversus Marcionem* 5,12), instructiebrieven, die de be-

347 verwijst Roller naar enkele oudere auteurs. Zelf benadert hij het probleem te formeel. Er is geen onderscheid tussen werkelijke en fictieve brieven wanneer de vorm voldoende aanwezig is. Zie de reactie van J. SCHNEIDER, *Brief*, RAC 2(1954)564-585, inz. col. 575; *ibidem* : het onderscheid tussen echte brief en epistel is soms vloeiend. Belangrijk als correctie op Deissmann is ook J. SYKUTRIS, *Epistolographie*, PWK Suppl. Bd. 5(1931) 185-220, inz. col. 219; vergelijk zijn theorie, col. 187 : „Wir rechnen ... zu den literarischen Briefen die Briefe, welche entweder von ihrem Verfasser von vornherein für eine begrenzte oder unbegrenzte Oeffentlichkeit geschrieben sind ... oder aber nachher, bei Lebzeiten oder nach dem Tode des Verfassers wegen ihres Inhaltes, ihrer Form oder der Persönlichkeit des Verfassers bzw. des Adressaten publiziert, zu der Literatur gerechnet, gelesen und imitiert worden sind". Bij deze opvatting sluit aan J. SCHNEIDER, *Brief*, col. 570-571, tevens col. 574-578. SYKUTRIS merkt verder op : „Mit Paulus wird der erbauliche Brief zur ersten christlichen Literaturform ..." (*Epistolographie*, col. 204); „Er wird bei seinen [Paulus] Nachfolgern als eine fertige, von dieser Wirklichkeit abstrahierte Literaturform angewandt" (zie de *Katholieke Brieven*); „... So war der Brief die erste literarische Form der jungen Religion..." (citaten col. 219). Recente stellingnamen tegen Deissmann zijn nog die van W.G. DOTY, *The Classification of Epistolary Literature*, CBQ 31(1969)183-199 en van K. BERGER, *Apostelbrief und apostolische Rede. Zum Formular frühchristlicher Briefe*, ZNW 65(1974)190-231. Berger verdedigt de opvatting dat de apostelbrieven de joodse briefliteratuur voortzetten in die zin dat zij „schriftlich fixierte apostolische Rede" zijn (cf. *Apostelbrief*, p. 231; ook p. 219). Dat geeft aanleiding tot allerlei vormen of verbinding van vormen, bijvoorbeeld de congruentie van brief en openbaringsrede in *Epistula Apostolorum* (*Apostelbrief*, p. 217-218). Zie ook K.P. DONFRIED, *The Setting of Second Clement in Early Christianity* (SupplNT 38), Leiden, 1974, p. 47, n. 4; KUEMMEL, p. 214 : „Die Form des Briefes nimmt unter den Händen des Apostels [Paulus] alle Stilformen der mündlichen missionarischen Rede ... in sich auf ... Bei der besonderen Art des Gebrauchs der Briefform in der urchristlichen Mission ist die Grenze zwischen wirklichen und uneigentlichen Briefen im NT nicht immer scharf zu ziehen", en VIELHAUER, p. 58-64. Andere belangrijke studies over de vroegchristelijke epistolografie zijn : H. JORDAN, *Geschichte der altchristlichen Literatur*, Leipzig, 1911, p. 123-144; P. WENDLAND, *Die urchristlichen Literaturformen* (2de-3de ed.; HzNT I,2-3), Tübingen, 1912, p. 342-381; M. DIBELIUS, *Geschichte der urchristlichen Literatur*, Leipzig-Berlijn, 1926; wij gebruiken de nieuwe uitgave van F. HAHN (Theologische Bücherei 58), München, 1975, p. 92-139; E. FASCHER, *Briefliteratur, urchristliche*, RGG 1(1957)1412-1415.

[403] Voor *2-3 Johannes* zie KUEMMEL, p. 394.

[404] KUEMMEL, p. 324.

slissingen van de kerkelijke autoriteit overbrengen [405]. Ofschoon naar de vorm privé-brieven, richten zij zich, langs de ontvanger, tot de hele gemeente. De *Katholieke Brieven* zijn meestal gericht tot een nog ruimer publiek : *Jakobus, 1 Petrus, 2 Petrus, Judas* (slechts *2-3 Johannes* zijn naar de vorm echte privé-brieven) [406]. Waar deze geschriften tenminste nog formeel epistolaire kenmerken hebben, ontbreken die volledig voor *1 Johannes* [407] en, op het slot na, ook voor *Hebreeën* [408].

---

[405] Zie C. Spicq, *St. Paul.* Les épîtres pastorales (Etudes Bibliques), dl. 1, Parijs, 1969, p. 33-34; vergelijk J. Jeremias, *Die Briefe an Timotheus und Titus* (8ste ed.; NTD 9), Göttingen, 1963, p. 3; G. Holtz, *Die Pastoralbriefe* (THKNT 13), Berlijn, 1965, p. 5; M. Dibelius-H. Conzelmann, *Die Pastoralbriefe* (HzNT 13), Tübingen, 1955, p. 1-4, en vroeger P. Wendland, *Die urchristlichen Literaturformen* (zie n. 402), p. 365 : „In ihnen ist der Versuch gemacht, die Regeln unter die Autorität des Paulus zu stellen — darum die Briefform — und ihnen dadurch allgemeinere Geltung zu verschaffen". Deze ontwikkeling kan samenhangen met de betekenis die de brief voor Paulus zelf had, namelijk de vervanging van de persoonlijke aanwezigheid, zie hierover F. Mussner, *Der Galaterbrief* (HTKNT 9), Freiburg, 1974, p. 43-45; deze herneemt eigenlijk de theorie van R.W. Funk, *Language, Hermeneutic and Word of God*, New York, 1966 (p. 250-270 voor de brieven). In feite gaat het om het overnemen van het παρουσία-motief van de profane briefliteratuur, zie K. Thraede, *Grundzüge griechisch-römischer Brieftopik* (Zetemata 48), München, 1970, p. 95-106. Zie nog N. Brox, *Falsche Verfasserangaben. Zur Erklärung der frühchristlichen Pseudepigraphie* (SBS 79), Stuttgart, 1975, p. 112-113; Vielhauer, p. 63; W.G. Doty, *Letters in Primitive Christianity*, Philadelphia, 1973, p. 65-69, vergelijk p. 44-45.

Over het auteurschap van de *Pastorale Brieven* bestaan vele hypothesen. De „hardnekkigste" (Brox) is dat *Lucas* de auteur zou zijn, zo recent A. Strobel, *Schreiben des Lukas? Zum sprachlichen Problem der Pastoralbriefe*, NTS 15(1968-69)191-210, vergelijk de reactie van N. Brox, *Lukas als Verfasser der Pastoralbriefe?*, JbAC 13(1970)62-77. Voor ons is interessanter de opvatting van von Campenhausen dat Polycarpus de auteur van de *Pastorale Brieven* zou zijn : *Polykarp von Smyrna und die Pastoralbriefe* (zie n. 386), p. 197-252; Id., *Die Entstehung der christlichen Bibel* (BHT 39), Tübingen, 1968, p. 212. De bijzonderste moeilijkheid tegen deze hypothese is dat men de *Pastorale Brieven* na Marcion moet plaatsen, cf. Kuemmel, p. 341 en de *ibidem* n. 64 geciteerde auteurs. Zelfs al heeft von Campenhausen gelijk wanneer hij er op wijst dat het Kerkbeeld van de *Pastorale Brieven* verwant is aan dat van Polycarpus' *Filippenzenbrief* (geen monarchisch episcopaat), dan is het nog de vraag of men daar literaire conclusies mag uit trekken. Zie nog Vielhauer, p. 235-237. Tegen de algemeen aanvaarde hypothese van de deutero-paulinische oorsprong van de *Pastorale Brieven* reageerde recent B. Reicke, *Chronologie der Pastoralbriefe*, TLZ 101(1976)81-94.

[406] R.W. Funk, *The Form and Structure of II and III John*, JBL 86(1967)424-430; vergelijk Vielhauer, p. 477 : alleen *3 Joh* is een echte privé-brief en wel een aanbevelingsbrief.

[407] Kuemmel, p. 385; vergelijk H. Windisch, *Die katholischen Briefe* (HzNT 15), Tübingen, 1951, p. 107 : „ein religiöser Traktat". O. Roller, *Das Formular* (zie n. 402), p. 237 rekent *1 Joh* echter tot een ander soort van briefvorm, namelijk de vooraziatische „boodschap"-brief; zie nog R. Schnackenburg, *Die Johannesbriefe* (HTKNT 13,3), Freiburg, 1953, p. 2. Ook M. De Jonge, *De Brieven van Johannes*, Nijkerk, 1968, p. 8-9 houdt *1 Joh* voor een brief. H. Jordan, *Geschichte* (zie n. 402), p. 132 meent dat *1 Joh* een „epistel" is, bestemd om voorgelezen te worden. De enige aanduiding voor

Maar ook voor de brief van *Jakobus* is het briefkarakter zeer summier : afgezien van het prescript (afzender, geadresseerde, groet)[409], vindt men een vrij onsamenhangende paraenetische verhandeling[410]. *Jakobus* is dus samen met *Hebreeën* en *1 Johannes* wel als epistel in de zin die Deissmann er aan geeft te beschouwen. Hetzelfde kan gezegd worden van een duidelijk pseudepigrafisch geschrift als *2 Petrus*[411], terwijl

de veronderstelde briefvorm is het veelvuldige „ik schrijf u", cf. 1,4; 2,1.7.8.12.13.14.21.26; 5,13, maar dit hoeft niet noodzakelijk naar een *brief* te verwijzen; vergelijk VIELHAUER, p. 462.

[408] Cf. KUEMMEL, p. 350 : *Hebreeën* is een redevoering, een preek, misschien ook nog door de auteur zelf voor een bepaalde gemeente neergeschreven en van een briefslot voorzien. Deze opvatting wordt vooral benadrukt door O. MICHEL, *Der Brief an die Hebräer* (Meyer), 10de ed., Göttingen, 1957, p. 1-9. O. ROLLER, *Das Formular* (zie n. 402), p. 237, verdedigt dezelfde briefhypothese voor *Hebreeën* als voor *1 Johannes*. Voor D. GUTHRIE schijnt deze hypothese de meest aanvaardbare, zie *New Testament Introduction. Hebrews to Revelation*, London, 1962, p. 50-53, inz. p. 51, n. 2. P. WEND-LAND, *Die urchristliche Literaturformen* (zie n. 402), houdt het voor onmogelijk dat aan de „stilisierte Vorrede" van *Heb* ooit een briefprescript voorafgegaan is. Volgens Deissmann is *Heb* een epistel, „das erste historisch ermittelbare Dokument christlicher Kunstliteratur" (*Licht vom Osten* (zie n. 401), p. 207). „Epistel" is ook de benaming van H. JORDAN, *Geschichte* (zie n. 402), p. 138.

[409] KUEMMEL, p. 362 : „rein griech[isches] Präskript". Zie ook de studie van J. N. SEVENSTER, *Do You Know Greek? How Much Greek Could the First Jewish Christians Have Known?* (SupplNT 19), Leiden, 1968, p. 4-21, over het probleem van de relatie tussen het goede Grieks van de brief en de auteur. Sevenster sluit niet uit dat een Jood dit Grieks kon schrijven (p. 191).

[410] KUEMMEL, p. 360; vergelijk F. MUSSNER, *Der Jakobusbrief* (HTKNT 13,1), Freiburg, 1964, p. 24 : „paränetische Didache" (= Windisch) en M. DIBELIUS, *Der Brief des Jakobus* (19de ed.; Meyer), Göttingen, 1957, p. 1-4. H. JORDAN, *Geschichte* (zie n. 402), p. 129-130, denkt aan de invloed van de joodse epistolografie. Anders B. REICKE, *The Epistles of James, Peter and Jude* (Anchor Bible), New York, 1964, p. 7 : „James is rather to be regarded as a circular, the contents of which are equivalent to a sermon". Volgens Wendland mag men uit de slordigheid van de briefvorm niet afleiden dat *Jak* vooraf afzonderlijk als paraenese bestond. Het geschrift behoort tot de tijd „wo brief-liche Einkleidung schon zu einer beliebten Literaturform geworden ist" (*Die urchristlichen Literaturformen* (zie n. 402), p. 371). Vergelijk nog VIELHAUER, p. 568-573. Over de pseudonimiteit van *Jakobus* en *Judas* zie recent D. J. ROWSTON, *The Most Neglected Book in the New Testament*, NTS 21(1974-1975)554-563, inz. p. 559-561; F. M. SIDEBOTTOM, *James, Jude and 2 Peter* (New Century Bible), Londen, 1967, p. 1; 26-27; 100. Over de pseudonimiteit van *1 Petrus* : E. BEST *1 Peter* (New Century Bible), Londen, 1971, p. 59-63 (,,Petrine school"); G. H. BOOBYER, *The Indebtedness of 2 Peter to 1 Peter*, in *New Testament Essays. Studies in the Memory of T. W. Manson*, Manchester, 1959, p. 34-53; N. BROX, *Zur pseudepigraphischen Rahmung des ersten Petrusbriefes*, BZ 19 (1975)78-96.

[411] Wat *2 Petrus* betreft werd het pseudoniem karakter in de zin van vervalsing reeds door HARNACK II 1, p. 468-469 gesignaleerd. Recent wordt *2 Petrus* als voorbeeld gesteld van literaire vervalsing in het kader van religieuze pseudepigrafie door W. SPEYER, *Religiöse Pseudepigraphie und literarische Fälschung im Altertum*, JbAC 8/9(1965-1966) 88-125, inz. p. 117-118; *Die literarische Fälschung im heidnischen und christlichen Alter-*

Judas en *1 Petrus* nog tot de tussenvorm, het genre van de „paränetische Rundbrief" behoren [412].

1 Clemens betekent een nieuwe stap in de christelijke epistolografie. Het gaat om een schrijven van gemeente aan gemeente. Het kan als een echte brief beschouwd worden, maar niet zonder literair karakter. „Er soll nicht nur dem augenblicklichen Zweck, sondern auch weiterhin der Belehrung und Erbauung dienen" [413]. De inhoud zelf van de brief

tum (Handbuch der Altertumswissenschaft 1,2), München, 1971, p. 286. Het verschil van *2 Petrus* met de overige *Katholieke Brieven* bestaat erin dat de auteur van het eerste werk bewust een tweede Petrusbrief heeft willen schrijven (in navolging en met gebruik van *1 Petrus*, zie *2 Petrus* 3,1 en de verwijzing naar de *Paulusbrieven* in 3,15-16), terwijl *1 Petrus*, *Jakobus* of *Judas* geschriften zijn die onder de autoriteit van een apostel gesteld werden. Men vindt een reminiscentie aan *2 Petrus* 3,15 in *Protevangelium Jacobi* 25,1, waar de auteur zich de gelijke van Paulus maakt om aan zijn geschrift het nodige gezag te geven (cf. E. DE STRYCKER, *La forme la plus ancienne* (zie n. 258), p. 210). Hetzelfde kan gebeuren in de loop van de overlevering of de handschriftelijke traditie, zie *Barnabas* respectievelijk *2 Clemens*. (Dat *2 Clemens* geen echte brief is werd nog recent aangetoond door K.P. DONFRIED, *The Setting of Second Clement* [zie n. 402], voornamelijk tegen Harnack; vergelijk verder VIELHAUER, p. 738-739.) Speyer corrigerend wijst N. Brox op een theologisch moment in de vroegchristelijke pseudepigrafie (naar aanleiding van de *Pastorale brieven*): door deze literaire vorm wordt de verbinding van de Kerk met haar oorsprong tot uitdrukking gebracht. „Was im Namen und im Geist eines Apostel gesagt werden sollte, das wurde sogleich als sein Wort gesagt", cf. *Die Pastoralbriefen* (4de ed.; RNT 7,2), Regensburg, 1969, p. 60-66 (citaat p. 64). Dit theologisch element geldt evenwel niet enkel voor de echte vervalsingen, maar ook voor de pseudonieme brieven. Zie verder over dit probleem M. RIST, *Pseudepigraphy and the Early Christians*, in *Studies in the New Testament and Early Christian Literature. Essays A.P. Wikgren* (SupplNT 33), Leiden, 1972, p. 75-91, inz. p. 76-77; B.M. METZGER, *Literary Forgeries and Canonical Pseudepigrapha*, JBL 91(1972)3-24, inz. p. 15-19 (vooral tegen de kunstmatige classificaties van Speyer); D. GUTHRIE, *New Testament Introduction. The Pauline Epistles*, 2de ed., Londen, 1963, p. 282-293: Guthrie richt zich in het algemeen tegen de opvatting van pseudepigrafie en pseudonimie in verband met de brieven. Verder nog K. ALAND, *Das Problem der Anonymität und Pseudonymität in der christlichen Literatur der ersten beiden Jahrhunderten*, in *Studien zur Ueberlieferung des Neuen Testaments und seines Textes* (Arbeiten zur neutestamentlichen Textforschung 2), Berlijn, 1967, p. 24-34; H. BALZ, *Anonymität und Pseudepigraphie im Urchristentum*, ZTK 66(1969)403-436, inz. p. 431: „Alle diese Schriften [*Pastorale Brieven, 1-2 Petrus, Jakobus, Judas*] sind pseúdepigraphische Werke der nachapostolischen Generationen, die im beginnenden Kampf mit Ketzern und Libertinisten auf die erborgte Autorität der Apostel nicht verzichten können. Die wirksame Briefform übernahm man wohl von Paulus..."; N. BROX, *Falsche Verfasserangaben* (zie n. 405), p. 16-25; ID., in *Kairos* 15(1973)10-23.

[412] Dit is de omschrijving van J. MICHL voor de *Katholieke Brieven*, zie *Die katholischen Briefe* (2de ed.; RNT 8,2), Regensburg, 1968, p. 9; zie vooral L. GOPPELT, *Der Erste Petrusbrief* (Meyer), 8ste ed., Göttingen, 1978, p. 44-45. Over het genre van de *Katholieke Brieven* zie nog A. HARNACK, *Mission und Ausbreitung* (zie n. 77), dl. 1, p. 353-354. J. CANTINAT, *Les épîtres de saint Jacques et de saint Jude* (Sources bibliques), Parijs, 1973, p. 270 beschouwt *Judas* toch als een echte brief.

[413] STAEHLIN, p. 1225. Volgens H. JORDAN, *Geschichte* (zie n. 123), p. 134-136 is *1 Clemens* een echte brief, maar toch ook reeds een „Mischform". Vergelijk R. KNOPF,

gaf daartoe aanleiding. Dionysius van Korinte getuigt dat *1 Clemens* nog in zijn tijd (ca. 170) bij de zondagsviering voorgelezen werd (Eusebius, *HE* IV,23,11). Men kan zeggen dat *1 Clemens* een epistel geworden is, hij is namelijk uiteindelijk gericht aan alle gemeenten en behandelt, over het bepaalde probleem van de Korintische gemeente heen, het algemeen geldige thema van vrede en orde, zonder dat daarbij het karakter van de echte brief verloren gegaan is[414]. In zover zet *1 Clemens* de nieuwtestamentische „katholieke" briefliteratuur voort. De *Barnabasbrief* daarentegen is een duidelijk voorbeeld van fictieve briefvorm als literaire inkleding voor een paraenetisch-polemisch geschrift[415].

Die Lehre der zwölf Apostel. Die zwei Clemensbriefe (HzNT, ErgB), Tübingen, 1920, p. 43 : „Ueber den Augenblicksbedarf hinaus hat er ein literarisches Kunstprodukt geliefert, das die Form des echten Briefes sprengt ..."; vergelijk ID., *Der erste Clemensbrief untersucht und herausgegeben* (TU 20,1), Leipzig, 1899, p. 177-178; ook A. HARNACK, *Der erste Klemensbrief*, SbBerlin 1909, p. 38-63, inz. p. 56 : „Literarisch angesehen ist der 1. Klemensbrief ein Kunstprodukt" en T.M. WEHOFER, *Untersuchungen zur altchristlichen Epistolographie*, SbWien 143,17(1901), p. 139 : *1 Clemens* is een „Kunstbrief", zoals *Barnabas* afhankelijk van de joodse epistolografie met haar strofische vormgeving; vergelijk recent VIELHAUER, p. 532-533 : *1 Clemens* is een „wirklicher Brief".

[414] A. STUIBER, *Clemens Romanus*, RAC 3(1957)188-197, inz. col. 192; O. KNOCH, *Eigenart und Bedeutung der Eschatologie im theologischen Aufriss des ersten Clemensbriefes. Eine auslegungsgeschichtliche Untersuchung* (Theophaneia 17), Bonn, 1964, p. 49; zie ook de algemene opmerking van H. JORDAN, *Geschichte* (zie n. 402), p. 127 : „Das treibende Element der christlichen Briefliteratur ist mit Ausnahmen nicht das Bedürfnis individuellen, persönlichen Gedankenaustausches, sondern das sachliche Bedürfnis religiöser und kirchlicher Art. Daher tendiert die ganze christliche Briefliteratur viel stärker zur ,Epistel', als zum ,wirklichen Briefe' ".

[415] Wat de overige vroegchristelijke briefliteratuur betreft kan men het volgende zeggen. Het briefkarakter van de *Brief aan Diognetus* wordt door de recente kritiek niet meer aanvaard. Uiteindelijk gaat het om een benaming van Henricus Stephanus. De *dedicatio* κράτιστε Διόγνητε heeft niets van de groetformules bij het begin van een brief (men vergelijke *Diogn.* 1,1 Ἐπειδὴ ὁρῶ κράτιστε Διόγνητε ... met *Lc* 1,1-4 Ἐπειδήπερ πολλοὶ ἐπεχείρησαν ... 3 κράτιστε Θεόφιλε ...). Zie nog H.I. MARROU, *A Diognète* (zie n. 185), p. 91-92; R. BRAENDLE, *Die Ethik der „Schrift an Diognet"* (ATANT 64), Zürich, 1975, p. 13. H.G. MEECHAM, *The Epistle to Diognetus*, Manchester, 1949, p. 7-9, houdt nog aan de briefvorm vast : „a tract in epistolary form".

Theophilus, *Ad Autolycum*, behorend tot het genre van de προτρεπτικὸς λόγος (G. BARDY, *Théophile d'Antioche. Trois Livres à Autolycus* (SC 20), Parijs, 1948, p. 19), is te vergelijken met de *Brief aan Diognetus* : de eerste twee boeken hebben een gewone *dedicatio* : I,1 ὦ ἑταῖρε; II,1 ὦ ἀγαθώτατε Αὐτόλυκε. Het derde boek heeft een kort prescript : Θεόφιλος Αὐτολύκῳ χαίρειν (ontbreekt in sommige manuscripten, cf. G. BARDY, *Théophile d'Antioche*, p. 131, n. 1). Ook dat prescript is een zeer formele inleiding voor een geschrift dat als ὑπόμνημα kan gekenschetst worden, cf. R.M. GRANT, *Theophilus of Antioch to Autolycus*, in *After the New Testament*, Philadelphia, 1967, p. 126-157, inz. p. 127.

Hetzelfde probleem bestaat voor *Epistula Apostolorum*. De alleen in het Ethiopisch bewaarde inleiding wijst op de briefstijl (met het motief van de hemelbrief). Deze briefstijl wordt evenwel niet bewaard, cf. M. HORNSCHUH, *Studien zur Epistula Apostolorum*

Het briefkarakter van dit „Lehrschreiben" wordt in een zeer algemeen prescript tot uitdrukking gebracht (vergelijk *2 Petrus, Judas*)[416]. Het lijkt ons onjuist de *Barnabasbrief* als genre met *1 Clemens* te vergelijken, zoals O. Bardenhewer doet[417]. Want reeds voor de nieuwtestamentische briefliteratuur na *Paulus* kan men met Wendland zeggen : „Die Briefform konnte jeden Inhalt fassen"[418]. Maar dat neemt niet weg dat de

(PTS 5), Berlijn, 1965, p. 4-5. In zijn dissertatie ontkent P. VANOVERMEIRE de briefvorm van het werk, zie *Livre que Jésus Christ a révélé à ses disciples*, Parijs, 1962, p. 166-170 : het geschrift bestaat uit een eerste deel in narratieve stijl en gaat over in een tweede deel, een apocalyptische openbaring in dialoogvorm. Ook C. SCHMIDT, *Gespräche Jesu* (zie n. 77), p. 206, geeft toe dat het tweede deel niet meer overeenkomt met de vorm van de *Katholieke Brieven*. Vanovermeire benadrukt de overeenkomst van het tweede deel met *Pastor Hermae*. Ofschoon zijn opvatting wel samenhangt met zijn algemene theorie over *Epistula Apostolorum* moet men toegeven dat de tekstoverlevering de authenticiteit van de hoofdstukken met briefelementen niet volkomen veilig stelt.

In de gnostische literatuur bestaan verschillende voorbeelden van geschriften die louter fictief de briefvorm dragen, onder meer *Epistula Jacobi Apocrypha* CG I,1, *Brief aan Rheginus* CG I,3, *Eugnostosbrief* CG III,3/V,1, *Brief die Petrus aan Filippus zond* CG VIII,2. Aan de *Brief van Ptolemaeus aan Flora*, bewaard in Epifanius, *Panarion* 33,3-8, ontbreekt zowel prescript als slot. Over deze literatuur zie W.C. VAN UNNIK, *The Newly Discovered Gnostic Epistle to Rheginos on the Resurrection*, JEH 15(1964)141-167, inz. p. 146; B. DEHANDSCHUTTER, *L'épître à Rhéginos (CG I,3). Quelques problèmes critiques*, OrLovPer 4(1973)101-111, inz. p. 102-107; ID., *Het Thomasevangelie, Overzicht van het onderzoek*, diss. Leuven, 1975, p. 26-28; 32-33; 40-42.

[416] Zie H. JORDAN, *Geschichte* (zie n. 402), p. 139; H. WINDISCH, *Der Barnabasbrief* (HzNT ErgB), Tübingen, 1920, p. 411; STAEHLIN, p. 1229; J. SCHNEIDER, *Brief* (zie n. 402), col. 577; VIELHAUER, p. 601-602. Het prescript van *Barnabas* wijkt ook af van de andere christelijke briefprescripten die wij verder zullen bestuderen. Het begint met de χαίρε-formule : Χαίρετε υίοὶ καὶ θυγατέρες ἐν ὀνόματι κυρίου τοῦ ἀγαπήσαντος ἡμᾶς, ἐν εἰρήνῃ. Dit herinnert aan de groet van sommige christelijke privé-brieven, cf. K. TREU, *Christliche Empfehlungs-Schemabriefe auf Papyrus*, in *Zetesis* (zie n. 379), p. 629-636, inz. p. 631 : χαῖρε ἐν κυρίῳ. ἀγαπητὲ ἀδελφέ ... Voor de vormen van aanspreking in de christelijke brieven (ἀδελφοί, ἀγαπητοί κτλ.) zie H. ZILLIACUS, *Anredeformen*, JbAC 7(1964)167-182, inz. p. 173-174.

[417] BARDENHEWER I, p. 121 : „Die Form des Briefes war eben, wie wir dies schon beim Barnabasbriefe beobachten konnten, Literaturform geworden und diente zur Einkleidung der verschiedenartigsten Stoffe"; een eender oordeel ook bij BIHLMEYER, p. VIII (*Barnabas, 1 Clemens, Brief aan Diognetus* „sind ,Episteln', bei denen die Briefform mehr Einkleidung als Wirklichkeit ist").

[418] P. WENDLAND, *Die urchristlichen Literaturformen* (zie n. 402), p. 368; vergelijk nog H. JORDAN, *Geschichte* (zie n. 402), p. 126 : „Gerade aber die Tatsache der grossen Dehnbarkeit der Briefform ist für den Beginn der christlichen Literatur von entscheidender Bedeutung geworden"; E. NORDEN, *Die antike Kunstprosa*, dl. 2, 5de ed., Stuttgart, 1958, p. 492 : „... der Brief war allmählich eine literarische Form geworden, in der man alle möglichen Stoffe ... in zwangloser Art niederlegen konnte".

Zo kan men louter formeel gezien ook *Apokalyps* als een geschrift in briefvorm beschouwen, ofschoon de tekst duidelijk tot het apocalyptisch genre behoort. Cf. evenwel *Apk* 1,4 :

Ἰωάννης ταῖς ἑπτὰ ἐκκλησίαις ταῖς ἐν τῇ Ἀσίᾳ,
χάρις ὑμῖν καὶ εἰρήνη ἀπὸ ὁ ὢν καὶ ὁ ἦν καὶ ὁ ἐρχόμενος ...

briefvorm nog reël kan zijn, hoe algemeen ook de inhoud wezen mag, aangezien de brief het communicatiemiddel bij uitstek was tussen de christelijke gemeenten. Zolang er reële sporen van communicatie in de brief aanwezig zijn, wat in *1 Clemens* 65 het geval is, kan men bezwaarlijk van literaire fictie spreken. Dat wil niet zeggen dat zulke elementen niet gefingeerd zouden kunnen worden, maar het is toch opvallend dat zij totaal ontbreken in de werkelijke literaire brieven, bijvoorbeeld de *Barnabasbrief*[419].

MPol nu vertoont de kenmerken van een brief : duidelijk prescript, goede overgang naar het corpus (ἐγράψαμεν ὑμῖν ἀδελφοί ...), een slot met aanduidingen over diegene die verantwoordelijk is voor de inhoud van de brief en groeten van de schrijver (*MPol* 20). Het werk sluit daarmee aan bij een aantal vroeg-christelijke geschriften van het epistolaire genre die formeel als echte brieven kunnen gelden, in tegenstelling tot andere die slechts oppervlakkige briefkenmerken vertonen[420]. *MPol* is zoals *1 Clemens* een schrijven van gemeente aan gemeente. Wel staat *MPol* als „martyrium in briefvorm" literair enigszins apart. Van *MLugd* heeft Eusebius slechts het korte briefprescript bewaard. Het zogenaamde *Testamentum XL Martyrum* is ook in briefvorm geschreven, maar het is een brief geworden *van* de martelaars (!)[421], niet *over* de

Volgens E. LOHSE, *Die Offenbarung des Johannes* (8ste ed.; NTD 11), Göttingen, 1960, p. 13 is dit niet het paulinische, maar het tweeledige „orientalische Formular". De tegengestelde opvatting wordt verdedigd door A. WIKENHAUSER, *Die Offenbarung des Johannes* (3de ed., RNT 9), Regensburg, 1959, p. 28 : „Die Briefzuschrift zeigt die von Paulus geprägte Form, ist aber wie im Römer- und Galaterbrief reicher ausgestaltet". Zie nog H. KRAFT, *Die Offenbarung des Johannes* (HzNT 16a), Tübingen, 1974, p. 27-33, vooral p. 29-30; tevens H. JORDAN, *Geschichte* (zie n. 402), p. 133.

[419] Vergelijk H. BALZ, *Anonymität* (zie n. 411), p. 430, ten aanzien van de Paulusbrieven : deze brieven onderscheiden zich van de pseudepigrafische brief- en tractaatliteratuur doordat Paulus steeds concrete geadresseerden voor ogen heeft. Zie ook A. DEISSMANN, *Bibelstudien* (zie n. 401), p. 241, n. 1, over de overbrengers van brieven; A. HARNACK, *Mission und Ausbreitung* (zie n. 77), dl. 1, p. 379-389, over de brieven als contactmiddel in de vroege Kerk.

[420] Men zal in de vroegchristelijke literatuur moeilijk een gefingeerde brief vinden waarin de eerste persoon meervoud als verwijzing naar de schrijver zo veelvuldig voorkomt (cf. *MPol* 1,1.2; 2,1.2; 4; 9,1; 15,1.2; 16,2; 17,1.3; 18,2.3; 19,2; 20,1.2). Over de pluralis auctoris, zie BLASS-DEBRUNNER-REHKOPF, nr. 280; N. TURNER, *A Grammar of New Testament Greek* (zie n. 210), p. 28. In 20,1 wordt van ἐπιστολή gesproken; ook Eusebius gebruikt dit woord om *MPol* aan te duiden.

[421] *Testamentum XL Martyrum* is te onderscheiden van het zogenaamde *Martyrium XL Martyrum*. Dit werk kent de briefvorm niet (zie de tekst bij O. GEBHARDT, *Acta martyrum selecta* (zie n. 146) p. 171-181; de relatie tussen beide teksten wordt bestudeerd door G. N. BONWETSCH, *Die Apokalypse Abrahams. Das Testament der vierzig Märtyrer*, Leipzig, 1897 (herdruk 1972), p. 83-95). Een gedeelte van de brief van Phileas van Thmuis, geschreven door deze bisschop aan zijn gelovigen van uit de gevangenis, over

martelaars. *Martyrium Sabae* is naar de vorm een nabootsing van *MPol*[422].

Ofschoon *MPol* duidelijke briefkenmerken heeft, vertoont het op dat punt tegelijk de invloed van een zekere literaire traditie. Het onderzoek van enkele christelijke briefprescripten kan er toe bijdragen de plaats van *MPol* in het geheel van de christelijke briefliteratuur beter te bepalen. Daarom geven wij synoptisch de prescripten van *1 Kor*, *1 Clemens*, *MPol*, Polycarpus' *Filippenzenbrief* en *Martyrium Sabae* weer.

De overeenkomst tussen *1 Clemens* en *MPol* is duidelijk : ten overstaan van *1 Kor* is de παροικεῖν-formule opvallend (zie ook Polycarpus, *Fil*)[423]. Afwijkend van *MPol* heeft *1 Clemens* elementen van de paulinische

de folteringen en de dood van andere martelaars, wordt door Eusebius bewaard (*HE* VIII, 10,2-10), evenwel zonder briefkenmerken. Een andere brief van Phileas en van zijn collegae Hesychius, Pachomius en Theodorus (zie *HE* VIII,13,7) is ook bekend, cf. M. J. ROUTH, *Reliquiae sacrae*, dl. 4, Oxford, 1846, p. 91-93; PG 10, col. 1565-1568, en de opmerkingen van H. DELEHAYE, *Les martyrs d'Egypte*, AnBoll 40(1922)5-154; 299-346, inz. p. 300; HARNACK II 2, p. 69-70; BARDY, dl. 3, p. 29, n. 10.

Ook het eerste deel van *Passio Montani et Lucii* bestaat uit een brief (hoofdstuk 1-11), geschreven aan de Kerk van Carthago door de martelaars in de gevangenis. De briefstijl blijkt uit de aanspreking „dilectissimi fratres" en vooral uit het slot : „optamus vos bene valere". De authenticiteit van dit stuk wordt betwist. In ieder geval heeft de schrijver van het verhaal over het einde van de martelaars (hoofdstuk 13-22) zijn stempel gedrukt op de redactie van de brief (zie DELEHAYE, p. 58-59; HARNACK II 2, p. 471-472; MUSURILLO, p. XXXV).

Een martyrium in briefvorm is nog bewaard in het onechte martyrium van de martelares Heliconides (BHG 742). Het begint met de woorden :
Λουκιανὸς καὶ Παῦλος
πᾶσι τοῖς κατ᾽ Ἀσίαν καὶ Φρυγίαν, Πόντον, καὶ Παμφυλίαν ὁμοπίστοις ἀδελφοῖς τοῖς ἐξ ἐθνῶν χαίρειν.
De inleiding van de tekst herinnert verder zowel aan *MPol* 1,1 als aan *Lc* 1,2 :
... ἅπερ καὶ ἐν ὑπομνήμασιν ἐγράψαμεν ἡμεῖς τῇ ἡμετέρᾳ ἀγάπῃ, αὐτόπται καὶ ὑπηρέται γενόμενοι τῆς ἀηττήτου ἀθλήσεως τῆς ἁγίας Μάρτυρος (*ASS Maii tom. VI*, p. 730). De briefvorm hangt hier samen met de bedoeling de idee van de goed geïnformeerde getuige te handhaven, cf. DELEHAYE, p. 182. Volgens ASS heeft de auteur van dit werk de *inscriptio* van *1 Petrus* willen imiteren.

[422] Zie onder en de bemerking van H. DELEHAYE, *Saints de Thrace et de Mésie* (zie n. 88), p. 289 : „La Passion de S. Sabas est rédigée sous forme de lettre ... L'adresse de la lettre, et aussi la conclusion, sont empruntées à la circulaire de l'église de Smyrne sur la mort de Polycarpe, et comme toujours en pareil cas, cette circonstance donne d'abord l'impression du convenu et de l'artificiel".

[423] Over de christelijke betekenis van παροικεῖν, zie K. L. en M. A. SCHMIDT, TWNT 5(1954)849-852; G. J. M. BARTELINK, *Lexicologisch-semantische studie* (zie n. 283), p. 20-21; 142; R. MERKELBACH, *Der griechische Wortschatz* (zie n. 364), p. 103-104. Het begrip heeft theologische varianten als παρεπίδημοι zie *1 Petrus* 1,1 (2,11) en *Heb* 11,13; vergelijk ook παρεπιδημήσας in *1 Clemens* 1,2 in een minder sterke betekenis in vergelijking met παροικεῖν van het prescript. Dat παροικεῖν uiteindelijk wel het sterkst de idee van het voorlopig in de wereld zijn van de christen is gaan uitdrukken

1 Kor	*1 Clemens*	*MPol*
Παῦλος ... ἀπόστολος Χριστοῦ	Ἡ ἐκκλησία τοῦ θεοῦ	Ἡ ἐκκλησία τοῦ θεοῦ
Ἰησοῦ ...	ἡ παροικοῦσα Ῥώμην	ἡ παροικοῦσα Σμύρναν
τῇ ἐκκλησίᾳ τοῦ θεοῦ	τῇ ἐκκλησίᾳ τοῦ θεοῦ	τῇ ἐκκλησίᾳ τοῦ θεοῦ
τῇ οὔσῃ ἐν Κορίνθῳ	τῇ παροικούσῃ Κόρινθον	τῇ παροικούσῃ ἐν Φιλομηλίῳ
ἡγιασμένοις	κλητοῖς ἡγιασμένοις	
ἐν	ἐν θελήματι θεοῦ	
	διὰ τοῦ κυρίου ἡμῶν	
Χριστῷ Ἰησοῦ	Ἰησοῦ Χριστοῦ	
κλητοῖς ἁγίοις		
σὺν πᾶσιν τοῖς ἐπικαλουμένοις		καὶ πάσαις ταῖς
τὸ ὄνομα τοῦ κυρίου ἡμῶν		
Ἰησοῦ Χριστοῦ		
ἐν παντὶ τόπῳ αὐτῶν καὶ ἡμῶν		κατὰ πάντα τόπον
		τῆς ἁγίας καὶ καθολικῆς
		ἐκκλησίας παροικίαις
χάρις ὑμῖν καὶ εἰρήνη	χάρις ὑμῖν καὶ εἰρήνη	ἔλεος εἰρήνη καὶ ἀγάπη
ἀπὸ θεοῦ πατρὸς ἡμῶν	ἀπὸ παντοκράτορος θεοῦ	ἀπὸ θεοῦ πατρὸς
καὶ κυρίου		καὶ τοῦ κυρίου ἡμῶν
Ἰησοῦ Χριστοῦ	διὰ Ἰησοῦ Χριστοῦ	Ἰησοῦ Χριστοῦ
	πληθυνθείη	πληθυνθείη

Polycarpus, *Fil*	*MPol*	*Martyrium Sabae*
Πολύκαρπος καὶ οἱ σὺν αὐτῷ	Ἡ ἐκκλησία τοῦ θεοῦ	Ἡ ἐκκλησία τοῦ θεοῦ
πρεσβύτεροι		
	ἡ παροικοῦσα Σμύρναν	ἡ παροικοῦσα Γοτθίᾳ
τῇ ἐκκλησίᾳ τοῦ θεοῦ	τῇ ἐκκλησίᾳ τοῦ θεοῦ	τῇ ἐκκλησίᾳ τοῦ θεοῦ
τῇ παροικούσῃ Φιλίππους	τῇ παροικούσῃ ἐν Φιλομηλίῳ	τῇ παροικούσῃ Καππαδοκίᾳ
	καὶ πάσαις ταῖς κατὰ πάντα τόπον	καὶ πάσαις ταῖς κατὰ τόπον
	τῆς ἁγίας καὶ καθολικῆς	τῆς ἁγίας καθολικῆς
	ἐκκλησίας παροικίαις	ἐκκλησίας παροικίαις
ἔλεος ὑμῖν καὶ εἰρήνη	ἔλεος εἰρήνη καὶ ἀγάπη	ἔλεος εἰρήνη ἀγάπη
παρὰ θεοῦ παντοκράτορος	ἀπὸ θεοῦ πατρὸς	θεοῦ πατρὸς
καὶ	καὶ τοῦ κυρίου ἡμῶν	καὶ τοῦ κυρίου ἡμῶν
Ἰησοῦ Χριστοῦ	Ἰησοῦ Χριστοῦ	Ἰησοῦ Χριστοῦ
τοῦ σωτῆρος ἡμῶν		
πληθυνθείη	πληθυνθείη	πληθυνθείη

blijkt uit *Diogn.* 5,5; 6,8, zie H.I. MARROU, *A Diognète* (zie n. 185), p. 134-135 (vergelijk *2 Clemens* 5,1). De christelijke παροικία-idee wordt ook in *Vita Polycarpi* 6,2 en 30,4 beschreven met elementen van *Heb* 12,22 en 11,13. Het neutralere οὔσῃ van *1 Kor* is ook gebruikelijk bij Ignatius. De paulinische briefformules zijn uitvoerig bestudeerd door O. ROLLER, *Das Formular* (zie n. 402), p. 34-91 en 92-124, die de innovaties van Paulus tegenover de klassieke briefformules in het licht stelt; E. LOHMEYER, *Probleme paulinischer Theologie I. Briefliche Grussüberschriften*, ZNW 26(1927)159-173; G. FRIED-RICH, *Lohmeyers These über das paulinische Briefpräskript kritisch beleuchtet*, TLZ 81 (1956)343-346; P. WENDLAND, *Die urchristlichen Literaturformen* (zie n. 402), p. 411-417; J. SCHNEIDER, *Brief* (zie n. 402), col. 575: Paulus heeft de Griekse formules in een christelijke bewerking overgenomen. Vooral het vervangen van χαίρειν door χάρις ὑμῖν κτλ. wordt door velen opgemerkt; zie ook nog onder n. 416. De latere formules sluiten zich daarbij aan, Ignatius uitgezonderd. C.J. CUMING, *Service-Endings in the*

laudatio bewaard (κλητοῖς ἡγιασμένοις), terwijl *MPol* de veralgemening van de geadresseerden hernomen heeft (hoewel ἐν παντὶ τόπῳ ook voor Paulus uitzonderlijk is). *1 Clemens* sluit dichter aan bij *1 Kor* voor de vredewens, terwijl *MPol* voor ἔλεος κτλ. eerder aan Polycarpus, *Fil* herinnert (ook aan *Jud* 2 : ἔλεος ὑμῖν καὶ εἰρήνη καὶ ἀγάπη πληθυνθείη; vergelijk *1* en *2 Tim, 2 Joh,* Ignatius, *Smyr* 12,2). *1 Clemens* en *MPol* komen echter weer overeen, afwijkend van *1 Kor,* met het besluitende πληθυνθείη (zo ook Polycarpus, *Fil* en *Judas*). Het prescript van *Martyrium Sabae* is, op de namen na, een getrouwe weergave van dat van *MPol.*

Naar de vorm wijkt het prescript van *MLugd* af van *MPol* :

MPol	*MLugd*
Ἡ ἐκκλησία τοῦ θεοῦ	Οἱ ἐν Βιέννῃ καὶ Λουγδούνῳ τῆς Γαλλίας
ἡ παροικοῦσα Σμύρναν	παροικοῦντες δοῦλοι Χριστοῦ
τῇ ἐκκλησίᾳ τοῦ θεοῦ	τοῖς κατὰ τὴν Ἀσίαν καὶ Φρυγίαν
τῇ παροικούσῃ ἐν Φιλομηλίῳ	τὴν αὐτὴν τῆς ἀπολυτρώσεως ἡμῖν πίστιν καὶ ἐλπίδα ἔχουσιν ἀδελφοῖς
......	
ἔλεος εἰρήνη καὶ ἀγάπη	εἰρήνη καὶ χάρις καὶ δόξα
ἀπὸ θεοῦ πατρὸς	ἀπὸ θεοῦ πατρὸς
καὶ τοῦ κυρίου ἡμῶν Ἰ. Χ.	καὶ Χριστοῦ Ἰησοῦ τοῦ κυρίου
πληθυνθείη	ἡμῶν

MLugd is formeel niet een brief van gemeente aan gemeente maar van de dienaren van Christus in Vienne en Lyon aan de broeders in Asia en Frygië. De benaming δοῦλοι Χριστοῦ herinnert aan sommige prescripten van Paulusbrieven (*Romeinen, Filippenzen, Filemon*) en ook van de *Jakobus-, 2 Petrus-* en *Judasbrief* (vergelijk ook Ignatius, *Rom* 4,3). Ook de εἰρήνη καὶ χάρις-formule herinnert, afgezien van

---

Epistles, NTS 22(1975-1976)110-113, wijst er op dat de χάρις-formule ook aan het einde van een brief kan voorkomen. Zij is het einde van alle Paulusbrieven; vergelijk *MPol* 22,2 ἡ χάρις μετὰ πάντων; ook *Protevangelium Jacobi* 25,2. Over de paulinische inleiding tot het briefcorpus, zie onder meer P. SCHUBERT, *Form and Function of the Pauline Thanksgivings* (BZNW 20), Berlijn, 1939; J.T. SANDERS, *The Transition from Opening Epistolary Thanksgiving to Body in the Letters of the Pauline Corpus,* JBL 81 (1962)348-362; J.L. WHITE, *Introductory Formulae in the Body of the Pauline Letter,* JBL 90(1971)91-97; P.T. O'BRIEN, *Thanksgiving and the Gospel in Paul,* NTS 21(1974-1975)144-155; ID., *Introductory Thanksgivings in the Letters of Paul* (SupplNT 49), Leiden, 1977. Over χάρις in de briefgroet : H. CONZELMANN, χαίρω κτλ., TWNT 9(1973)350-405, inz. col. 384.

de inversie en de toevoeging van δόξα, sterk aan de Paulusbrieven (*Romeinen*, *1* en *2 Korintiërs, Galaten, Efesiërs, Filippenzen, 2 Tessalonicenzen*). Slechts παροικοῦντες sluit aan bij de bestaande formules[424]. Het schrijven aan de broeders is misschien geïnspireerd door de brief van *Hnd* 15,23-29, waarvan het prescript luidt :

Οἱ ἀπόστολοι καὶ οἱ πρεσβύτεροι ἀδελφοὶ
τοῖς κατὰ τὴν Ἀντιόχειαν καὶ Συρίαν καὶ Κιλικίαν ἀδελφοῖς
τοῖς ἐξ ἐθνῶν
χαίρειν.

Het is een prescript dat zeer duidelijk de regels van de hellenistische epistolografie volgt (vergelijk ook de slotformule, v. 29 ἔρρωσθε, tevens de brief in *Hnd* 23,26-30).

Dicht bij het hellenistisch prescript staat ook het begin van *Testamentum XL Martyrum* :

Μελέτιος καὶ Ἀέτιος καὶ Εὐτύχιος οἱ δέσμιοι τοῦ Χριστοῦ
⟨τοῖς⟩ κατὰ πάσαν πόλιν καὶ χώραν ἁγίοις ἐπισκόποις τε
καὶ πρεσβυτέροις διακόνοις τε καὶ ὁμολογηταῖς
καὶ τοῖς λοιποῖς ἅπασιν ἐκκλησιαστικοῖς
ἐν Χριστῷ χαίρειν.

De formulering οἱ δέσμιοι τοῦ Χριστοῦ herinnert aan Paulus, vooral aan *Filemon*, waar δέσμιος Χριστοῦ Ἰησοῦ in de *inscriptio* voorkomt (vergelijk nog *Filemon* 9; *Ef* 3,1).

Eerder Ignatiaans is de eenvoudig gehouden groet ἐν Χριστῷ χαίρειν (bij Ignatius meestal πλεῖστα χαίρειν, bijvoorbeeld *Magn*, *inscriptio* ἐν Ἰησοῦ Χριστῷ πλεῖστα χαίρειν[425], als einde van meer ingewikkelde groetformules). De opsomming van de geadresseerden heeft enige gelijkenis met Paulus, *Fil* 1,1 τοῖς οὖσιν ἐν Φιλίπποις σὺν ἐπισκόποις καὶ διακόνοις, maar meer nog met de *laudatio* in de *inscriptio* van Ignatius, *Fil* (... μάλιστα ἐὰν ἐν ἑνὶ ὦσιν σὺν τῷ ἐπισκόπῳ καὶ τοῖς σὺν αὐτῷ πρεσβυτέροις καὶ διακόνοις...).

Dit overzicht van de vroegchristelijke briefprescripten toont continuïteit en tevens een zekere variatie. Voor *MPol* kan men vaststellen

---

[424] Latere voorbeelden worden aangehaald door O. ROLLER, *Das Formular* (zie n. 402), p. 139. Volgens Roller geraakte deze formulering terug in onbruik bij het kanoniseringsproces van de vroegchristelijke geschriften, wanneer die niet meer nagebootst mochten worden (*ibid.*, p. 138-141).

[425] Zie nog voorbeelden van πλεῖστα χαίρειν in privébrieven bij A. DEISSMANN, *Bibelstudien* (zie n. 401), p. 213-214.

dat de formulering kan beïnvloed zijn niet alleen door *1 Clemens*, maar ook door andere vroegchristelijke brieven (*Paulus, Judas,* Polycarpus, *Fil*). Dit maakt de theorie van E. Peterson onwaarschijnlijk als zou *MPol*, zoals *1 Clemens*, nog de formele kenmerken dragen van een diasporabrief[426].

Voor *1 Clemens* zelf is die opvatting niet zo zeker. (1) Peterson stelt de betekenis van παροικεῖν gelijk met die van „diaspora". Maar ondanks de relatie die tussen beide begrippen kan bestaan, moet men vaststellen dat wanneer vroegchristelijke geschriften zich tot de (christelijke) diaspora richten, zij dit woord expliciet gebruiken :

Jakobus 1,1   Ἰάκωβος θεοῦ καὶ κυρίου Ἰησοῦ Χριστοῦ δοῦλος
                ταῖς δώδεκα φυλαῖς ταῖς ἐν τῇ διασπορᾷ
                χαίρειν.

1 Petrus 1,1   Πέτρος ἀπόστολος Ἰησοῦ Χριστοῦ
                 ἐκλεκτοῖς παρεπιδήμοις διασπορᾶς Πόντου...
                 χάρις ὑμῖν καὶ εἰρήνη πληθυνθείη.

Hierbij kan nog opgemerkt worden dat het prescript van *Jakobus* een zuiver Grieks prescript is (in *NT* slechts met *Hnd* 15,23 te vergelijken), zonder het volgens Peterson voor Joodse briefliteratuur karakteristieke χάρις ... πληθυνθείη[427]. (2) Het is waarschijnlijker dat de Joodse briefliteratuur de christelijke reeds vroeg beïnvloedde (*Paulus*, sommige *Katholieke Brieven*) en dat vandaar sommige formules in de postapostolische literatuur overgegaan zijn[428].

---

[426] E. PETERSON, *Das Praescriptum des ersten Clemensbriefes*, in *Frühkirche, Judentum und Gnosis* (zie n. 213), p. 129-136. Peterson wordt gevolgd door A. STUIBER, *Clemens Romanus* (zie n. 414), col. 194-195; G. BRUNNER, *Die theologische Mitte des ersten Klemensbriefes*, Frankfurt, 1972, p. 104-105; tegen Peterson zie K. BEYSCHLAG, *Clemens Romanus* (zie n. 359), p. 23, n. 3.

[427] Cf. E. PETERSON, *Das Praescriptum* (zie n. 426), p. 129 en de voorbeelden p. 131, n. 7.

[428] Onder meer O. KNOCH, *Eigenart und Bedeutung* (zie n. 414), p. 250, wijst voor het prescript van *1 Clemens* op de overeenkomst met *1 Petrus*.

De invloed van de oudtestamentisch-joodse briefformules op de nieuwtestamentische brieven is algemeen aanvaard, zie P. WENDLAND, *Die urchristlichen Literaturformen* (zie n. 402), p. 412-413; A. DEISSMANN, *Bibelstudien* (zie n. 401), p. 226-234, aanvaardt de mogelijke invloed van de joods-hellenistische epistelvorm op de „epistels" van *NT*. Volgens E. LOHMEYER, *Probleme paulinischer Theologie* (zie n. 423), p. 158-161 is reeds Paulus voor de vorm van zijn briefprescripten afhankelijk van de oosters-joodse formulering, die in haar tweeledigheid van de Grieks-hellenistische verschilt. Het is Lohmeyer wel ontgaan dat bij Paulus de voor de oosterse briefliteratuur karakteristieke profetische, respectievelijk officiële inleidingsformule τάδε λέγει ontbreekt (zie in *Apokalyps* de inleidingen van de brieven aan de zeven Kerken : 2,1.8.12.18; 3,1.7.14). Desondanks is bijvoorbeeld *Daniël* 4,1 (Theod.) frappant als parallel voor sommige nieuwtestamentische

Ongeacht de discussie omtrent *1 Clemens* zelf kan men veronderstellen dat *MPol 1 Clemens* niet rechtstreeks gekend heeft (tegen de
communis opinio)[429], maar dat de overeenkomsten tussen beide te verklaren zijn langs Polycarpus, *Fil*. Volgende vaststellingen pleiten voor
de *Filippenzenbrief* als middenterm tussen *1 Clemens* en *MPol*: (1) De
Filippenzenbrief heeft *1 Clemens* gekend (cf. onder meer 4,2; 8,2; 9,
2)[430]. (2) Mogelijk heeft de aanhef van de *Filippenzenbrief* invloed uitgeoefend op de *inscriptio* van *MPol* (naast *Judas*): Polycarpus, *Fil*
1,1 Συνεχάρην ὑμῖν μεγάλως ἐν τῷ κυρίῳ ἡμῶν Ἰησοῦ Χριστῷ
δεξαμένοις τὰ μιμήματα τῆς ἀληθοῦς ἀγάπης ... (3) Bepalingen als
παντοκράτωρ bij θεός en σωτήρ bij Χριστός zijn in *MPol* wellicht
vermeden, omdat zij elders in de brief in doxologische passages
terugkeren (παντοκράτωρ *MPol* 14,1; 19,2; σωτήρ 19,2).

Slechts de veralgemening van de geadresseerden in καὶ πάσαις κατὰ
πάντα τόπον ... van *MPol* wordt daardoor niet verklaard. Maar
1 Clemens op zichzelf kan dat evenmin. Hiervoor komt slechts *1 Kor*
1,2 in aanmerking[431], benevens de „oecumenische" dimensie van het

brieven : Ναβουχοδονοσορ ὁ βασιλεὺς
    πᾶσι τοῖς λαοῖς, φυλαῖς καὶ γλώσσαις τοῖς οἰκοῦσιν ἐν πάσῃ τῇ γῇ
    Εἰρήνη ὑμῖν πληθυνθείη.
Maar dit is in feite een universeel adres en niet te vergelijken met een Diaspora-
schrijven. Volgens W. FOERSTER, Εἰρήνη, TWNT 2(1935)398-416, inz. p. 409, is alleen
χαίρειν een Grieks element in de *Paulusbrieven* en in de *Katholieke Brieven*: zij zijn
doorgaans beïnvloed door de Hebreeuws-Aramese formules; vergelijk KUEMMEL, p. 213:
„Doch hat sich Paulus in seinem Präskriptformular stärker an die orientalisch-jüdische
Sitte angeschlossen ..."; zie nog VIELHAUER, p. 64-67; W.G. DOTY, *Letters* (zie n. 405)
rekent veel meer met hellenistische invloed; zie nog A. WIKENHAUSER-J. SCHMID, *Einleitung in das Neue Testament*, 6de ed., Freiburg, 1973, p. 384-385. O. ROLLER, *Das
Formular* (zie n. 402), p. 213-238, meent zijnerzijds dat de bij *Ezra* 4,7-16; *2 Mak* 1,1
e.v.; 1,10 en *Syr Baruch* 78,2 voorkomende formules door de Griekse beïnvloed zijn
(voor *Syr Baruch* zie P. BOGAERT, *Apocalypse syriaque de Baruch* (SC 144-145), Parijs,
1969, p. 67-78; 120-121; H. SCHMID-W. SPEYER, *Baruch*, JbAC 17(1974)177-190, inz.
p. 187; W. SPEYER, *Literarische Fälschung* (zie n. 411), p. 58). M. HENGEL, *Judentum
und Hellenismus* (WUNT 10), Tübingen, 1969, p. 202-203, wijst er op dat deze
latere joodse epistelliteratuur naast hellenistische ook oudtestamentische voorbeelden
gehad heeft. Over de Aramese epistolografie, zie J.A. FITZMYER, *Some Notes on Aramaic
Epistolography*, JBL 93(1974)201-225.
    [429] Zie FISCHER, p. 20; vroeger J.B. LIGHTFOOT, *The Apostolic Fathers Part I.
S. Clement of Rome*, Londen, 1890 (herdruk 1973), p. 153; LIGHTFOOT II 1, p. 626-627;
FUNK, p. 315.
    [430] Zie onder meer HARNACK II 1, p. 386; een gedetailleerde lijst van overeenkomsten
vindt men bij J.B. LIGHTFOOT, *Apostolic Fathers* I 1, p. 149-152; vergelijk nog FISCHER,
p. 239.
    [431] Dat *1 Clemens 1 Kor* gekend heeft is algemeen aanvaard, zie A. HARNACK,
Einführung in die alte Kirchengeschichte, Leipzig, 1929, p. 104; A. JAUBERT, *Clément*

martyrium zelf (cf. het gebed van Polycarpus in 5,1; 8,1 en ook 19,2; ἐν παντὶ τόπῳ ontbreekt in 19,1). Het is wel vooral dit laatste aspect dat, aansluitend bij de paulinische formulering, in het prescript geanticipeerd wordt. Uit MPol 20,1 blijkt dat de brief in de eerste plaats aan de gemeente van Filomelium gericht werd, maar de afzenders vragen in hetzelfde hoofdstuk de brief door te zenden τοῖς ἐπέκεινα ἀδελφοῖς. In het prescript bedoelen zij zich waarschijnlijk ook reeds tot dezen te richten[432].

In zijn geheel is het prescript van MPol een variatie op een bepaalde vorm van briefinleiding die zich in de christelijke briefliteratuur ontwikkeld heeft.

Wij moeten ook nog enige aandacht besteden aan het briefslot. Dit is in MPol tamelijk uitvoerig in vergelijking met de meeste vroegchristelijke brieven. Soms eindigen zij slechts op een doxologische formule (2 Petrus, Judas), of op korte groeten en vredewensen (Pastorale Brieven, Hebreeën, 1 Petrus; bij Jakobus ontbreekt het slot helemaal). De Polycarpusbrief eindigt op een aanbeveling[433]. De Ignatiusbrieven blijven meer in de klassieke briefstijl, met groeten en de ἔρρωσθε-formule[434] (verchristelijkt : ἔρρωσθε ἐν κυρίῳ κτλ.); de wensen zijn soms zo uitvoerig dat ἔρρωσθε herhaald wordt (Smyr, Pol). 1 Clemens eindigt ook op een doxologische formule, met tevoren de bede de

de Rome (zie n. 223), p. 56-57; FISCHER, p. 7-8; O. KNOCH, Eigenart und Bedeutung (zie n. 424), p. 82-83.

Ook 2 Kor richt zich tot een ruimer publiek : 1,1 : τῇ ἐκκλησίᾳ τοῦ θεοῦ τῇ οὔσῃ ἐν Κορίνθῳ σὺν τοῖς ἁγίοις πᾶσιν τοῖς οὖσιν ἐν ὅλῃ τῇ Ἀχαΐᾳ.

Ook Galaten is aan meerdere gemeenten gericht. Tegen een „oecumenische" interpretatie van 1 Kor 1,2 en 2 Kor 1,1 richt zich H. BALZ, Anonymität (zie n. 411), p. 430, n. 49 : de formulering wil de Korintiërs „ihre Eingliederung in die Gesamtheit der Gemeinden vor Augen stellen". VIELHAUER, p. 140-141, verdedigt opnieuw de oude opvatting van J. Weiss dat de veralgemenende uitweiding in 1 Kor 1,2 toe te schrijven is aan een latere editor die 1 Kor oecumenische geldigheid wilde toekennen. Maar reeds H. LIETZMANN, An die Korinther I-II (4de ed., HzNT 9), Tübingen, 1949, p. 5, wees op de joods-liturgische achtergrond van de uitbreiding van de vredeswens tot alle plaatsen. Zijns inziens is in MPol „die Formel dann bewusst zur ,katholischen' Briefadresse umgestaltet".

[432] Deze voorstelling van zaken lijkt ons waarschijnlijker dan de opvatting van Müller, die in de Koptische vertaling van MPol de oorspronkelijke vorm van het prescript wil terugvinden, omdat daarin de veralgemening πᾶσαι αἱ ... ἐκκλησίαι ontbreekt. Slechts in geval van deze weglating is (volgens Müller) MPol een werkelijke brief, geen epistel (volgens het onderscheid van Deissmann); cf. MUELLER, p. 17.

[433] Zie hierover onder meer C.H. KIM, The Familiar Letter of Recommandation (SBL Diss. Ser. 4), Missoula, 1972.

[434] De ἐρρῶσθαι-formule komt ook voor aan het begin van een brief : zie de brief van Ptolemaeus aan Eleazar en diens antwoord in de Aristeasbrief 35 en 41.

overbrengers van de brief spoedig terug te sturen (*1 Clemens* 65). *MPol* eindigt op een eigen wijze. In 20,1 wordt gezegd dat de Kerk van Smyrna het bovenstaand bericht aan de Kerk van Filomelium heeft laten geworden door Marcion, een kort bericht in plaats van een uitvoerig verslag, zoals gevraagd was. Dan volgt het verzoek de brief (ἡ ἐπιστολή) door te sturen naar de broeders die verder wonen[435]. In 20,2 volgt dan een doxologie met aansluitend groeten :

$$\text{προσαγορεύετε πάντας τοὺς ἁγίους}$$
$$\text{ὑμᾶς οἱ σὺν ἡμῖν προσαγορεύουσιν}$$
$$\text{καὶ Εὐάρεστος, ὁ γράψας,}$$
$$\text{πανοικεί[436].}$$

Het werkwoord προσαγορεύειν wijkt af van de gebruikelijke groet-formule. De paulinische en Ignatiaanse groet wordt geformuleerd met ἀσπάζεσθαι (προσαγορεύειν vindt men wel regelmatig in privé-brieven)[437]. Enige gelijkenis biedt het slot van *Hebreeën* met zijn dubbele groet (13,24) :   ᾿Ασπάσασθε πάντας τοὺς ἡγουμένους

ὑμῶν καὶ πάντας τοὺς ἁγίους

᾿Ασπάζονται ὑμᾶς οἱ ἀπὸ τῆς ᾿Ιταλίας.

Het slot van *Martyrium Sabae* komt, zoals de *inscriptio*, sterk met dat van *MPol* overeen. Men vergelijke *Martyrium Sabae* 8,3 met *MPol* 19,2 en vooral :

---

[435] Dit herinnert enigszins aan *Kol* 4,16 (het vers geldt veelal als een aanwijzing van de vroege verzameling van de *Paulusbrieven*, zie E. LOHSE, *Die Briefe an die Kolosser und an Philemon* (14de ed.; Meyer), Göttingen, 1968, p. 245; vergelijk *1 Tes* 5,27. H. LECLERCQ, *Actes des martyrs*, DACL 1(1907)373-446, zie col. 414, noteert : ,,Nous touchons ici à l'origine des passionaires liturgiques et on saisit en même temps la raison historique de la place qu'ils obtinrent dans la liturgie. Les épîtres circulaires étaient alors fort goûtées. Ces petits traités circulaient déjà dans la *Diaspora*, mais, de très bonne heure, chez les chrétiens, ils prirent une extension et une importance doctrinale considérables ... On y parvint en donnant aux épîtres une autorité officielle; dès lors, la lecture de cette correspondance tint lieu de la propre parole des apôtres; et l'importance des matières qui s'y trouvaient traitées fit naturellement placer cette lecture au jour de la principale réunion de la communauté chrétienne". Vergelijk de aanmaning tot het voorlezen van de brief in *Syr Baruch* en de opmerking van O. EISSFELDT, *Einleitung in das Alte Testament*, 3de ed., Tübingen, 1964, p. 30-31 : ten tijde van het ontstaan van de *Apocalyps van Baruch* bestond het gebruik bij de religieuze samenkomsten brieven voor te lezen (zie de deuterocanonische *Baruch* 1,14).

[436] Vergelijk *Rom* 16,22 : ἀσπάζομαι ὑμᾶς ἐγὼ Τέρτιος ὁ γράψας τὴν ἐπιστολὴν ἐν κυρίῳ.

[437] Zie K. TREU, *Christliche Empfehlungs-Schemabriefe* (zie n. 426), p. 631-632.

Martyrium Sabae 8,3c-4		MPol 20,1-2
δοξάζοντες τὸν κύριον		20,1 δοξάζωσιν τὸν κύριον
τὸν ἐκλογὰς ποιούμενον		τὸν ἐκλογὰς ποιοῦντα
τῶν ἰδίων δούλων αὐτοῦ		ἀπὸ τῶν ἰδίων δούλων.
		...
προσαγορεύετε πάντας		20,2 (προσαγορεύετε πάντας
τοὺς ἁγίους ὑμᾶς οἱ σὺν		τοὺς ἁγίους ὑμᾶς οἱ σὺν
ὑμῖν δεδιωγμένοι		ἡμῖν
προσαγορεύουσιν		προσαγορεύουσιν...)
τῷ δὲ δυναμένῳ πάντας ἡμᾶς		τῷ δὲ δυναμένῳ πάντας ἡμᾶς
εἰσαγαγεῖν		εἰσαγαγεῖν
τῇ ἑαυτοῦ χάριτι		ἐν τῇ αὐτοῦ χάριτι
καὶ δωρεᾷ εἰς τὴν		καὶ δωρεᾷ εἰς τὴν
ἐπουράνιον βασιλείαν		αἰώνιον αὐτοῦ βασιλείαν
		διὰ τοῦ παιδὸς αὐτοῦ τοῦ
		μονογενοῦς Ἰησοῦ Χριστοῦ
δόξα, τιμή, κράτος		ᾧ ἡ δόξα, τιμή, κράτος
μεγαλωσύνη		μεγαλωσύνη
σὺν παιδὶ μονογενεῖ		
καὶ ἁγίῳ πνεύματι		
εἰς τοὺς αἰῶνας		εἰς τοὺς αἰῶνας,
τῶν αἰώνων, ἀμήν.		ἀμήν.

In afwijking van *MPol* heeft de redactor van *Martyrium Sabae* de doxologie achteraan geplaatst, daarin de stijl van de meeste martelaarsakten volgend. Dat deze gewoonte zich opdrong blijkt ook uit de doxologische elementen in de toegevoegde hoofdstukken 21 en 22 van *MPol*. Vooral 21 moet nog even onze aandacht krijgen, daar het een belangrijke tekst is voor de datering. Hoofdstuk III leerde ons dat de inauthenticiteit van 21 vrij algemeen aanvaard is. Lightfoots argumentatie ten voordele van de authenticiteit bleek niet overtuigend te zijn, vooral niet nu waarschijnlijker werd dat een direct contact tussen *1 Clemens* en *MPol* minder zeker is. Het additioneel karakter van 21 betekent niet dat het voor de datering van *MPol* waardeloos is: dit wordt uiteengezet in een volgend hoofdstuk.

Belangrijker is hier de relatie tussen 21 en 22. Het lijkt ons louter hypothese 21 samen met 22,1 toe te schrijven aan de gemeente van Filomelium[438]. Hoofdstuk 21 ziet er eerder uit als een zelfstandig

---

[438] Het is evenwel niet uitgesloten dat hoofdstuk 21 een vroege additie is, zie volgend hoofdstuk. Het is ook niet onmogelijk dat, zoals vele auteurs sinds Lightfoot

stuk met doxologische afsluiting, in de stijl van de vroege martelaarsakten[439] (cf. *Acta Carpi*, *Acta Justini*). Hoofdstuk 22,1 is een latere
toevoeging, die het briefkarakter van *MPol* heeft willen bewaren.
Het begint inderdaad met de klassieke slotformule van een brief :
Ἐρρῶσθαι ὑμᾶς εὐχόμεθα κτλ. (zie Ignatius, *Pol* 8,3 Ἐρρῶσθαι ὑμᾶς
διὰ παντὸς ... εὔχομαι). Het vervolg verwijst inhoudelijk naar de
boodschap van het martyrium : στοιχοῦντας τῷ κατὰ τὸ εὐαγγέλιον
λόγῳ Ἰησοῦ Χριστοῦ, met een aansluitende doxologische formule[440]
en dan de verwijzing naar de figuur van Polycarpus, om te besluiten
met een aan στοιχοῦντας ... parallelle gedachte : οὗ γένοιτο ...
πρὸς τὰ ἴχνη εὑρεθῆναι ἡμᾶς. Naar de vorm herinnert dit aan
Ignatius, *Ef* 12,2 : ... οὗ γένοιτό μοι ὑπὸ τὰ ἴχνη εὑρεθῆναι ...
(vergelijk nog Paulus, *Rom* 4,12 τοῖς στοιχοῦσιν τοῖς ἴχνεσιν), maar
inhoudelijk staat het dichter bij *1 Petrus* 2,21 εἰς τοῦτο γὰρ ἐκλή-
θητε ὅτι καὶ Χριστὸς ἔπαθεν ὑπὲρ ὑμῶν, ὑμῖν ὑπολιμπάνων ὑπογραμ-
μὸν ἵνα ἐπακολουθήσητε τοῖς ἴχνεσιν αὐτοῦ[441].

Het is mogelijk dat 22,1 en 22,2 een geheel vormen, dat dan
besloten wordt met een gebruikelijke formule als ἡ χάρις μετὰ
πάντων[442]. Nu zijn deze woorden wel zeer algemeen (cf. Paulus,
Rom 16,20; *2 Kor* 13,13; *Ef* 6,24; *2 Tes* 3,18; *Tit* 3,15; *Heb* 13,25;
Apk 22,21; *1 Clemens* 65,2). Zij kunnen oorspronkelijk tot het besluit
van 22,1 behoord hebben, en door een scriba naar achter verplaatst zijn.
Meestal beschouwt men 22,2 als een nieuw begin naar aanleiding van
de *epilogus Mosquensis*, die vanaf daar een andere tekst brengt.
Absoluut zeker is die opvatting niet, aangezien de overlevering hier
moeilijk kan vergeleken worden : codex M heeft niet eens 22,1 bewaard,
maar begint dadelijk na 21 met een eigen genealogie van de teksttraditie.
Het ziet er eerder naar uit dat zich achter 22,3 een nieuwe hand verbergt

---

aannemen, 22,1 een appendix is die toegeschreven moet worden aan de Kerk van
Filomelium bij het verder sturen van de brief : LIGHTFOOT II 1, p. 638; CAMELOT,
p. 208. Men moet wel bedenken dat 22,1 slechts in de handschriften B P en H bewaard
is.

[439] Volgens A. STUIBER, *Doxologie* (zie n. 379), col. 217, is in de doxologie van *MPol*
21 de formulering van *1 Clemens* 65,2 gebruikt (zie boven p. 108).

[440] Onder meer FUNK, p. 341 merkt op dat deze doxologie niet uit de tweede
eeuw komt, maar in een latere periode thuishoort.

[441] Voor de ὑπογραμμός-gedachte zie nog Polycarpus, *Fil* 8,2 en naast *1 Clemens*
5,7 (over Paulus) nog 16,17 en 33,8.

[442] Zie noot 423. O. PERLER, *Méliton de Sardes. Sur la Pâque* (SC 123), Parijs, 1966,
p. 213, vergelijkt de laatste zin van de Bodmerpapyrus (lijn 825-826) : εἰρήνη τῷ
γράψαντι καὶ τῷ ἀναγινώσκοντι καὶ τοῖς ἀγαπῶσι τὸν κύριον ἐν ἀφελότητι καρδίας
met *MPol* 22. Dit einde komt veel meer overeen met bijvoorbeeld *Protevangelium
Jacobi* 25,2.

(Ἐγὼ δὲ πάλιν ...) : hier komt een redactor aan het woord, voor wie het wonderlijk element een grote rol speelt. Daarvan was tot dan toe geen sprake.

Om te besluiten : *MPol* is formeel een brief van gemeente aan gemeente[443], een schrijven van het genre dat zich op basis van de *Paulus*brieven in de vroegchristelijke Kerk vlug ontwikkeld heeft[444]. Als brief staat *MPol* apart van de verhalende martyria, maar ook van de teksten die bij de *acta*-vorm aansluiten. Om het eigen literair karakter van *MPol* te begrijpen moeten wij nog even uitvoeriger het ontstaan van de christelijke martelaarsakten schetsen.

§ 2. *Martyrium Polycarpi en het genre „martelaarsakte"*

1. De indeling van de martelaarsakten

De meest gebruikelijke indeling van de martelaarsakten is geïnspireerd door de vraag naar de historische betrouwbaarheid. Reeds O. Bardenhewer maakte in die zin een onderscheid tussen drie groepen[445] : martelaarsakten in eigenlijke zin, dat wil zeggen, gebaseerd op ambtelijke protocollen; *passiones* : verhalen van ooggetuigen of goed geïnformeerde tijdgenoten; en martelaarslegenden. H. Delehaye kwam tot een genuanceerde indeling in zes categorieën :

---

[443] Tegen H. JORDAN, *Geschichte* (zie n. 402), p. 157: „kein ‚wirklicher' Brief, sondern der Brief ist nur Einkleidung"; vergelijk recent D. R. CARTLIDGE-D. L. DUNGAN, *Sourcebook of Texts for the Comparative Study of the Gospels*, 2de ed., Missoula, 1972, p. 87 : „This highly stylised and legendary account is from some time later". Men kan evenmin zo ver gaan als P. Halloix, die veronderstelde dat *MPol* als een omzendbrief (*epistula encyclica*) bedoeld was, dit op basis van het verschil in geadresseerden tussen Eusebius : „de christenen van Filomelium" en codex *Mediceus* (P) : „de christenen van Filadelfia" (ook B), zie *Illustrium Scriptorum* (zie n. 10), p. 583; (J. USSHER, *Ignatii et Polycarpi martyria* (zie n. 6), p. 58, volgt dezelfde opvatting). De lezing van BP is een duidelijke vergissing; Lightfoot merkt op dat de vermelding van de martelaars uit Filadelfia in 19,1 uitsluit dat de brief aan Filadelfia is gericht (LIGHTFOOT II 3, p. 364; vergelijk p. 397 en 353 : *MPol* is geen „encyclical letter"). Het geval van *MPol* is dan ook anders dan dat van de canonische *Efeziërsbrief*, waarin bij belangrijke getuigen de plaatsnaam ontbreekt. Slechts QUASTEN I, p. 77, merkt op, zonder er op in te gaan, dat *MPol* geen „eerste martelaarsakte" kan genoemd worden; als literair genre is het een *brief*.

[444] W. G. DOTY, *Letters* (zie n. 405), p. 73, overdrijft het belang van enkele formele kenmerken, wanneer hij *MPol* beschrijft als „most closely related to the Hellenistic public letter in occasion and form".

[445] BARDENHEWER II, p. 666; dezelfde indeling vindt men nog bij QUASTEN I, p. 176; vergelijk J. VAN DEN GHEYN, *Acta Martyrum*, DTC 1(1909)320-334 : „actes authentiques, actes interpolés, actes inventés"; A. HAMMAN, *Märtyrerakten*, LTK 7(1962)133-134.

a) „Procès-verbaux officiels de l'interrogatoire" (zij bestaan niet meer in hun zuivere vorm);

b) „Relations de témoins oculaires ... ou de contemporains bien informés";

c) „Actes dont la source principale est un document écrit appartenant à l'une des deux séries précédentes";

d) „Romans historiques" (met een historische kern, maar geplaatst in een imaginair kader);

e) „Romans d'imagination" (de hoofdfiguur is een creatie);

f) „Faux" (geschreven met de bedoeling de lezer te misleiden)[446].

A. Harnack aanvaardde die indeling en voegde er nog een zevende aan toe : „die schematisch lediglich nach der Vorlage berühmter Martyrien angefertigten Akten"[447].

Formeel gezien kan men de martelaarsakten in volgende groepen onderverdelen :

a) Martyria in briefvorm : *MPol, MLugd, (Epistula Phileae), Testamentum XL Martyrum, Martyrium Sabae.*

b) Narratieve martyria[448] : *Martyrium Ptolemaei et Lucii, Martyrium Potamiaenae et Basilidis, Martyrium Pionii, Martyrium Montani et Lucii* (hoofdstukken 12-23), *Martyrium Marini, Martyrium Dasii.*

---

[446] H. DELEHAYE, *Les légendes hagiographiques* (zie n. 84), p. 106-109; in *Les passions des martyrs*, p. 13, spreekt Delehaye van drie categorieën : „passions historiques, panégyriques des martyrs, passions artificielles".

[447] HARNACK II 2, p. 464-465; vergelijk H. DELEHAYE, *Les légendes hagiographiques* (zie n. 84), p. 109, n. 1; STAEHLIN II 2, p. 1249.

[448] Afgezien van het briefkarakter horen de teksten van de eerste groep hier ook thuis. LAZZATI onderscheidt volgens zijn theorie van de liturgische invloed op de redactie van de martyria : „lezioni drammatiche (*Acta Justini, Passio Scillitanorum, Acta Carpi, Acta Maximiliani, Acta Marcelli, Passio Crispinae*); lezioni drammatico-narrative (*Acta Cypriani, Passio Fructuosi, Acta Apollonii*); lezioni narrative (*Passio Perpetuae, Passio Mariani, Passio Montani*)". Een klasse apart zijn de „antiche lettere sui martiri" (*MPol, MLugd*). M. BLUMENTHAL, *Formen und Motive in den apokryphen Apostelgeschichten* (TU 48,1), Leipzig, 1933, p. 60-63, komt tot een geheel andere indeling. Uitgaande van de studie van de apostelmartyria in de apocriefe apostelakten onderscheidt hij : a. een Kleinaziatisch type (*MPol, Acta Carpi*); b. het Romeinse type : dubbel verhoor met notities over gevangenneming en einde (*Acta Justini*); c. het Gallische type met sterk stichtende en summarische voorstelling (*MLugd*); d. niet lokaal gebonden zijn „aktenmässige" verhalen met gekunstelde en secundair uitziende redactie (*Acta Apollonii, Passio Scillitanorum*). *MPol* en de bij hetzelfde type aansluitende martyria *Acta Pauli, Acta Thomae* en *Acta Johannis* hebben een duidelijk verloop : gevangenneming, verhoor, veroordeling, dood, begrafenis. In al deze geschriften regeert ook het „Zweiheitsgesetz". Voor *MPol* kan men onder meer verwijzen naar de dubbele vlucht, het tweevoudig verhoor, de dubbele bedreiging (dieren, vuur) enz.

c) „Autobiografische" martyria : *Passio Perpetuae et Felicitatis, Passio Mariani et Jacobi.*

d) *Acta* martyrum : *Acta Carpi, Acta Justini, Passio Scillitanorum, Acta Apollonii, Acta Cypriani, Acta Fructuosi, Acta Cononis, Acta Maximiliani, Acta Marcelli, Acta Julii, Acta Felicis, Acta Agapes, Acta Irenaei, Acta Crispinae, Acta Eupli, Acta Phileae.*

Vanzelfsprekend geeft deze indeling slechts een benaderende voorstelling van de werkelijke inhoud der teksten. Vooral in de vierde groep zou men nog verder moeten specificeren tussen *Acta* die nog vrij zuiver de oorspronkelijke vorm bewaard hebben en andere die reeds meer ontwikkeld zijn (langere inleidingen enz. : men vergelijke de drie recensies van *Acta Justini*; ook *Acta Cypriani*)[449]. In de tweede groep is ook meestal een ondervraging bewaard, maar het narratieve element overheerst. Hetzelfde is waar voor de eerste groep (afgezien van de briefvorm) en de derde. Een in de vierde groep ook te onderscheiden ontwikkeling is de apologetische tendens die zich uitdrukt in lange redevoeringen als antwoord op de vragen van de magistraat (cf. *Acta Apollonii, Martyrium Pionii*).

Formele benadering van de martelaarsakten kan het ontstaan van de christelijke martyria zoeken in de richting van een literaire ontwikkeling van het acta-genre. Wij zullen de hypothesen daaromtrent nu kort onderzoeken.

2. Het ontstaan van het genre van de martelaarsakte

De fundamentele bijdrage is een artikel van K. Holl (1914)[450], waarin hij reageert tegen een studie van A. Harnack. Harnack zag het ontstaan van de martelaarsakte als een gevolg van de noodzaak te bewijzen dat de Kerk van toen nog altijd de Kerk van de apostelen was. Daaruit volgt dat de martelaarsakten oorkonden zijn die moeten bewijzen dat Christus nog in Zijn Kerk voortleeft. „Die Märtyrer-

---

[449] Zie hierover M. HOFFMANN, *Der Dialog bei den christlichen Schriftstellern der ersten vier Jahrhunderte* (TU 96), Berlijn, 1966, p. 44, en zijn verdere formele analyse van de christelijke acta. Deze volgen het patroon van de protocolliteratuur naarmate zij de protocolvorm gebruiken om een grotere geloofwaardigheid te verwekken, en zij tegelijk een stichtende of apologetische tendens vertonen (p. 46-56). Hoffmanns bespreking van de dialoog in de martelaarsakten past in feite niet in het kader van zijn studie over de literaire dialoog, cf. B.R. VOSS, *Gnomon* 40(1968)271-276; W. SPEYER, JbAC 15(1972)203.

[450] K. HOLL, *Die Vorstellung vom Märtyrer und die Märtyrerakte in ihrer geschichtlichen Entwicklung*, in *Neue Jahrbücher für das klassische Altertum* 33(1914)521-556; = *Gesammelte Aufsätze II. Der Osten*, Tübingen, 1928, p. 68-102.

geschichten sind die eigentliche Fortsetzung der NTlichen Geschichten und Wunder, denn in dem Märtyrer redet und handelt Christus"[451]. Dit bevestigt volgens Harnack het belang van de authenticiteit van de martelaarsakten. Hij stelde dan ook dat er voor de tijd van Diocletianus bijna geen werkelijk vervalste akten zijn[452]. Holl behandelt vooral het probleem van de voorstelling van de martelaar en van de akten in hun historische ontwikkeling. Het schrijven der akten moet in verband gebracht worden met de achteruitgang van de profetische beweging in de Oude Kerk, zodat de martelaars een voornamere plaats konden innemen. Dit gaf aanleiding tot het op schrift stellen van hun strijd. Het neerschrijven gebeurde in twee genres : de briefvorm en het gerechtelijk protocol, waarvan voorbeelden voorhanden waren in het hellenisme, respectievelijk het jodendom.

1. De *hellenistische* literatuur biedt het genre van de heidense martelaarsakten[453] en van de vooral door R. Reitzenstein als voorbeeld van de christelijke akten verdedigde *Exitus illustrium virorum*[454]. Vooral

---

[451] A. HARNACK, *Das ursprüngliche Motiv der Abfassung von Märtyrer- und Heilungsakten in der Kirche*, SbBerlin, 1910, p. 106-125, inz. p. 115.

[452] ID., *ibid.*, p. 115-118; *Acta Ignatii* zou het enige geval van vervalste akte zijn. Tegen Geffcken houdt Harnack vast aan de echtheid van *Acta Apollonii*, cf. J. GEFFCKEN, *Die Acta Apollonii* (zie n. 339), p. 262-284; *Zwei griechische Apologeten*, Leipzig, 1907, p. 246-249; *Die christlichen Martyrien* (zie n. 339) (tegen Harnack). Zie nog H. JORDAN, *Geschichte* (zie n. 402), p. 84, n. 1. Tegen Harnack nog R. REITZENSTEIN, *Augustin als antiker und als mittelalterlicher Mensch*, in *Vortrage der Bibliothek Warburg* 2(1922/1923) 28-65; = *Antike und Christentum. Vier religionsgeschichtliche Aufsätze* (Libelli 150), Darmstadt, 1963, p. 38-75, inz. p. 66-75; BARDENHEWER II, p. 664, n. 2; E. PREUSCHEN-G. KRUEGER, *Handbuch der Kirchengeschichte*, dl. 1, Tübingen, 1911, p. 67; A. EHRHARD, ByZ 19(1910)610-613. Vergelijk echter de reactie van Harnack in *Beiträge zur ·Einleitung in das Neue Testament*, dl. 6, Leipzig, 1914, p. 123, n. 1. Recentere stellingnamen tegen Harnacks opvatting : DELEHAYE, p. 111-113; S. COLOMBO, *Gli "Acta Martyrum" e la loro origine*, ScuolC 52(1924)30-38; 109-122; 189-203, inz. p. 189-192; B. DE GAIFFIER, *Réflexions sur les origines du culte des martyrs*, MaisD 52(1957)19-43; = *Etudes critiques d'hagiographie et d'iconologie* (SH 43), Brussel, 1967, p. 7-30, zie p. 29; BROX, p. 135, n. 23; MUSURILLO, p. LVII; LXXII, n. 89.

[453] De naam „heidense martelaarsakten" schijnt afkomstig te zijn van A. Bauer, zie BROX, p. 175. O. Hiltbrunner verwijst naar Wilamowitz (*KlPauly* 3[1969] col. 869). Een betere benaming is „Acta Alexandrinorum" (Hiltbrunner, *ibidem*). Deze geschriften zijn uitgegeven door H. MUSURILLO, *The Acts of the Pagan Martyrs*, Oxford, 1954; *Acta Alexandrinorum. De mortibus Alexandriae nobilium fragmenta*, Leipzig, 1961. Een nieuw fragment werd uitgegeven in P.J. PARSONS (ed.), *The Oxyrhynchuspapyri* vol. XLII, Londen, 1974, p. 74-75 (nr. 3021, misschien een fragment van *Acta Isidori*). Literatuur vindt men in het eerste vermelde werk van Musurillo, p. 278-280.

[454] R. REITZENSTEIN, *Ein Stück hellenistischer Kleinliteratur*, NGG 1904, p. 309-332, inz. p. 327-332; *Die Nachrichten über den Tod Cyprians*, SbHeidelberg, 1913, 14. Abh., p. 52; *Hellenistische Wundererzählungen*, Leipzig, 1906, p. 37. Reitzenstein vindt

de relatie met de heidense martelaarsakten werd een *locus classicus* in de literatuur, ondanks de negatieve reactie van H. Delehaye[455]. Het is echter de vraag wat onder afhankelijkheid van heidense martelaarsakten verstaan dient te worden. De auteurs die zich naar aanleiding van de publikatie van *Acta Alexandrinorum* het eerst met die vraag bezighielden, geven eerder een onduidelijk antwoord. A. Deissmann spreekt van een „Seitenstück zu den christlichen Märtyrerbüchern"[456], A. Bauer van een analogie[457], U. von Wilamowitz van „voorbeeld"[458]. Reitzenstein[459] kwam tot een duidelijker voorstelling: de christelijke procesberichten stammen niet uit de protocollen, maar leunen volgens het profane voorbeeld aan bij de „aktenmässige Form". Dat impliceert dat Reitzenstein ook de heidense akten voor literatuur hield (zoals Wilcken en later von Premerstein[460]), geïnspireerd door de actavorm, en niet voor rechtstreekse ontleningen aan ambtelijke protocollen. J. Geffcken houdt de heidense martelaarsakten wel voor het model van de christelijke, maar beschouwt beide als „dramatisierte Apologetik" zonder historische waarde, integendeel literair gefingeerd om geloofwaardig te schijnen[461]. In een recentere periode droeg H. Musurillo

een late epigoon in A. Ronconi, *Exitus illustrium virorum*, StItFilClass 17(1940)1-32, = *Da Lucrezio a Tacito*, Messina, 1950, p. 209 e.v.; *Exitus illustrium virorum*, RAC 6 (1966) 1258-1268, inz. col. 1264-1268. Tegen Ronconi reageerde M. Simonetti, *Qualche osservazione a proposito dell'origine degli Atti dei Martiri*, REAug 11(1957)39-57 (= *Mémorial G. Bardy*); H. Musurillo, *The Acts of the Pagan Martyrs* (zie n. 453), p. 262, n. 2. Het verband tussen de christelijke en de heidense martelaarsakten werd in het algemeen ontkend door Delehaye, p. 113-131; S. Colombo, *Gli „Acta Martyrum"* (zie n. 452), p. 37-38; 109-122. Tegen Delehaye reageerde dan weer H. Lietzmann, *Martys*, PWK 14,2(1930)2044-2052, inz. col. 2047; ZNW 21(1922)159. Cf. ook E. Meyer, *Ursprung und Anfänge des Christentums*, dl. 2, Berlijn, 1923, p. 539-543.

[455] Zie n. 454, de werken van Delehaye en Colombo.

[456] A. Deissmann, *Neuentdeckte Papyrusfragmente zur Geschichte des griechischen Judenthums*, TLZ 23(1898)602-606.

[457] A. Bauer, *Heidnische Märtyrerakten*, ArPapF 1(1900)29-47.

[458] U. von Wilamowitz-Moellendorf, *Die griechische Literatur des Altertums*, in *Die Kultur der Gegenwart I,8*, 2de ed., Leipzig, 1912, p. 274; vergelijk reeds GGA 1898, p. 690: „Es ist der Tat den echten Acten christlicher Märtyrer in jeder Beziehung an die Seite zu stellen".

[459] R. Reitzenstein, *Die Nachrichten* (zie n. 454), p. 46.

[460] U. Wilcken, *Zum Alexandrinischen Anti-Semitismus*, in *Abhandlungen der königlichen Sächsischen Gesellschaft der Wissenschaften* Ph. Hist. Kl. 27(1909)783-839, inz. p. 826-839; A. von Premerstein, *Zu den sogenannten Alexandrinischen Märtyrerakten* (Philologus, suppl. 16,2), Leipzig, 1923, p. 46-48. Deze auteur volgt Wilcken niet in diens opvatting dat in *Acta Alexandrinorum* ook de sporen van voortdurende bewerking zouden zichtbaar zijn, zoals bij de christelijke martelaarsteksten (p. 57-60).

[461] J. Geffcken, *Die christlichen Martyrien* (zie n. 339), p. 497; *Die Acta Apollonii* (zie n. 339), p. 276.

de theorie van de twee milieu's voor : „Two different milieus ... may actually produce similar works because of similar stimuli operating in each case in highly similar circumstances"[462]. De eigenlijke overeenkomsten gaan niet verder dan „similarity of form"[463]. Inderdaad, de inhoud noch de aanleiding tot de processen van *Acta Alexandrinorum* kunnen met de christelijke martelaarsgeschriften vergeleken worden. Globaal gezien is de achtergrond van de eerste een reactie tegen de Romeinse heerschappij en dat komt in *Acta Alexandrinorum* ook tot uiting. De christelijke teksten tonen de christenen als slachtoffers van een bepaalde godsdienstpolitiek van de Romeinse overheid, maar zijn in principe niet gericht tegen het wereldlijk gezag[464].

Wanneer het zo is dat christenen kennis konden nemen van de *Acta*[465], kan men, afgezien van elke polemiek over de authenticiteit van de christelijke martelaarsakten, aanvaarden dat naar de vorm de *acta proconsularia* aan een aantal christelijke teksten ten grondslag liggen, zonder dat daarmee de *onmiddellijke* afhankelijkheid van de officiële documenten noodzakelijk geacht moet worden. De vraag is dan verder of dezelfde literatuurvorm de martelaarsverhalen in briefvorm op enige wijze beïnvloed heeft. Volgens H. Leclercq is dat inderdaad het geval[466]. Met betrekking tot *MPol* en *MLugd* merkt hij op : „Le récit se poursuit à l'aide du document officiel, mais sans insertion de fragments notables ou reconnaissables". Ook M. Hoffmann meent : „Dass die dürre Form der reinen Protokollmartyrien den Bedürfnissen der Gemeinden schon bald nicht mehr genügte, zeigen die verschiedenen Bearbeitungen, etwa des Polykarpmartyriums..."[467]. De martelaarsverhalen zijn zijns inziens ontstaan op grond van persoonlijke herinneringen zowel als met behulp van afschriften

---

[462] H. MUSURILLO, *The Pagan Acts of the Martyrs*, TS 10(1949)555-564, inz. p. 557; *The Acts of the Pagan Martyrs* (zie n. 453), p. 262.

[463] *The Pagan Acts* (zie n. 462), p. 556; vergelijk BROX, p. 176.

[464] Zie *Rom* 13,1-7; *1 Tim* 2,2; *Tit* 3,1; *1 Petrus* 2,13-17; ook *1 Clemens* 61,1-2, later de apologeten : Theofilus, *Ad Autolycum* 1,11; Justinus, *1 Apologie* 17; de martelaarsakten : *MPol* 10,2; *Passio Scillitanorum* 9; *Acta Apollonii* 6; *Acta Cypriani* 1,2; Tertullianus, *Apologeticum* 30,4; Origenes, *Contra Celsum* VIII,73 met verwijzing naar *1 Tim* 2,1-2.

[465] Zie DELEHAYE, p. 129; een veel geciteerd voorbeeld is het fragment van de akten van Dionysius van Alexandrië, door Eusebius bewaard in *HE* VII, 11,6-11. Cf. nog K. HOLL, *Die Vorstellung* (zie n. 450), p. 82 en de kritiek van A. EHRHARD op Reitzenstein in *Die griechischen Martyrien* (zie n. 81), p. 28, n. 3.

[466] H. LECLERCQ, *Actes des martyrs* (zie n. 435), col. 373; ook T. ZOECKLER was van deze mening, zie *Acta Martyrum*, in *Realencyklopädie für protestantische Theologie und Kirche* 1(1896)140-149, inz. p. 141.

[467] M. HOFFMANN, *Der Dialog* (zie n. 449), p. 52.

van officiële documenten[468]. Nu kan het verhoor in *MPol* nog enige gelijkenis vertonen met het acta-genre en bijgevolg aanleiding geven tot het vermoeden dat het verhalende martyrium een bepaalde ontwikkeling uit het acta-genre vertegenwoordigt. Een vergelijking met andere martyria toont echter aan dat deze voorstelling van zaken niet opgaat. Het blijkt dat de verhaalvorm niet uit een acta-stuk gededuceerd kan worden : het martyrium is omvattender, aan meer geïnteresseerd dan alleen de vraag-antwoord-dialoog tussen de Romeinse gezagvoerder en de martelaar[469]. Dit laatste blijft in de geschriften in acta-vorm het centrale gegeven, zelfs in het meest geëvolueerde stadium. In de verhalende martyria daarentegen is de ondervraging een bijkomstig element. *MLugd* vermeldt sporadisch een ondervraging, maar zeer kort, in een enkele zin, die meestal gericht is op de weergave van de onverschrokken bekentenis van de martelaar : „Ik ben christen" (*MLugd* 1,20; vergelijk : 1,10.19.50)[470]. Slechts de passage over Potinus voor het βῆμα is iets uitvoeriger en herinnert aan *MPol* 9-11. In teksten als *Martyrium Ptolemaei et Lucii* en *Martyrium Marini* is de verwijzing naar de ondervraging zeer indirect aanwezig[471], in *Passio Mariani et Jacobi* helemaal verwaarloosd (in het literaire model van deze *passio*, *Passio Perpetuae*, is in 6,1-4 nog een kort verhoor aanwezig, waarvan de pointe weerom de belijdenis van het christen-zijn is).

Veeleer dan in de narratieve martyria een bepaald ontwikkelingsstadium te ontdekken van de geschriften die op een of andere wijze van de acta-vorm afgeleid zijn, moet men vaststellen dat het verschillende genres zijn, die niet tot elkaar gereduceerd kunnen worden. Waar dit vrij duidelijk is voor *MLugd* en andere geschriften, kan de vraag nog blijven bestaan of het ook voor *MPol* opgaat, vooral wanneer men denkt aan de hypothese van Leblant, volgens welke het verhoor de

---

[468] *Ibid.*, p. 51.

[469] Dit wordt door Hoffmann ook wel erkend, maar zijn nadruk op de analyse van de martelaarsakten vanuit het dialoogelement vertekent het probleem van het ontstaan van de verschillende genres. Hoffmann reduceert in feite deze genres tot één oorsprong, de zuivere „Dialog-Akte" (*Der Dialog* (zie n. 449), p. 42-45).

[470] Cf. *Ibid.*, p. 42.

[471] Deze twee werken zijn echter minder sprekend omdat zij uittreksels zijn uit andere werken : (de eerste : Justinus, *2 Apologie* 2 = Eusebius, *HE* IV,17; de tweede : Eusebius, *HE* VII,15). Het is zelfs zo dat in tegenstelling tot het gewone martyrium-verhaal, de aandacht zich niet toespitst op de dood van de martelaar. Anderzijds vindt men evenmin een aanzet naar de acta-vorm. Men moet voldoende rekening houden met mengvormen en met de bijzondere omstandigheden van ontstaan en overlevering van elke tekst afzonderlijk. Hoffmann is het daarmee eens (p. 45), maar verwaarloost toch dat aspect bij de analyse van de teksten.

authentische kern in *MPol* vormt, die achteraf door narratieve elementen omkaderd werd. Men vindt in *MPol* 9-11 inderdaad enkele „topoi" van de ondervraging in de acta terug : vraag naar de identiteit, verzoek te zweren bij de τύχη van de keizer, bedreiging (met wilde dieren enz.)[472]. Men moet evenwel rekening houden met het feit dat deze passage een geheel andere context heeft dan de ondervraging van de martelaars*akten*. Het verhoor in *MPol* is niet het centrale element waaromheen andere gegevens als inleiding of besluit zijn samengebracht, maar het is een uitgebreide herhaling van 7,2, waarin het eigenlijke verhaal van het martelaarschap voorbereid wordt. De dood van de martelaar is de pointe van het verhalende martyrium. De *Acta Martyrum* daarentegen besluiten met een zeer korte vermelding van de executie van de martelaar[473]. Het verhoor in *MPol* is niet de neerslag van een regelmatig procesgebeuren voor een tribunaal, maar een gevolg van de volkswoede die zich tegen het hoofd van de christenen van Smyrna richt. Het behoort tot de mededeling van de gebeurtenissen en is geen doorwerken van een bepaald literair genre. Het verschil kan nogmaals duidelijk gemaakt worden door de vergelijking met *Martyrium Pionii*. Deze tekst maakt voortdurend gebruik van de acta-vorm. Het is een opeenvolging van ondervragingen met bijhorende redevoeringen, onderbroken door korte verhalende gedeelten. De dood van de martelaar wordt in korte bewoordingen meegedeeld in hoofdstuk 21. Daarom hoeft dit martyrium nog helemaal niet een „apologetisch-erbauliches Phantasieprodukt"[474] te zijn. Het is wel duidelijk dat het werk vanuit een andere interesse geschreven is dan *MPol*, waarin de aandacht voor de dood van de martelaar primeert, zoals het geval is in de joodse martyria, bijvoorbeeld *Martyrium Isaiae*.

2. Dit brengt ons tot de tweede component van Holls theorie : het voorbeeld van de *joodse martyria*. De christelijke martyria in briefvorm worden zijns inziens voorafgegaan door de in het late jodendom bestaande literatuurvorm van *Martyrium Isaiae*. Het christelijk martyrium werd ook beïnvloed door de joodse martelaarsvoorstelling : zowel *2 Mak* als de deuterojesajaanse opvatting over de lijdende profeet staan aan de oorsprong van een aantal thematische overeenkomsten[475].

---

[472] M. HOFFMANN, *Der Dialog*, p. 47-49.
[473] Zie bijvoorbeeld *Acta Carpi* 47 ; *Acta Justini* 6,1 ; *Acta Maximi* 2,4 ; *Passio Crispinae* 4,2 ; *Acta Eupli* 3,3 ; *Acta Julii* 4,5.
[474] M. HOFFMANN, *Der Dialog* (zie n. 449), p. 53 ; over het verhoor in de martelaars-akten, zie nog DELEHAYE, p. 183-197.
[475] K. HOLL, *Die Vorstellung* (zie n. 450), p. 79-81.

Holls zienswijze over de joodse invloed op de christelijke teksten werd nadien algemeen aanvaard[476]. Volgens een recent auteur als M. Hengel[477] is Jason van Cyrene, de auteur van *2 Mak*, de „Vater des Märtyrerberichts".. „Vermütlich gehen auch die Erzählungen vom Märtyrertod der Glaubenszeugen und der Sühnewirkung ihres Leidens auf palästinischen Vorbilder zurück; Jason gab ihnen, indem er sie mit dem hellenistischen Motiv des ‚exitus clarorum virorum' verband, eine für die griechisch sprechende Welt wirksame Form"[478].

In een recente studie meent D. Dormeyer tot een „Gattung" van christelijke martelaarsakte te kunnen komen op basis van de verbinding van het hellenistische acta-genre en het laat-joodse martyrium-verhaal[479]. Het eerste is gericht op de voorstelling van het proces, het tweede op de beschrijving van het sterven van de martelaar. De hellenistische acta-vorm onderging een evolutie die het opnemen van de meer verhalende gedeelten met zich bracht. Dit ontstaan van het genre van christelijke martelaarsakten kan waargenomen worden in de verschillende recensies van *Acta Cypriani*. De historische weergave van het proces van de martelaar wordt verbonden met de duiding van het gebeuren. Aansluitend bij het laatjoodse martyrium wordt het sterven van de martelaar beschreven. Deze vorm van christelijk martyrium is meteen de oudst bereikbare vorm van het passieverhaal : de aan de marciaanse passie ten grondslag liggende „martelaarsakte T"[480]. Inhoudelijk is T (= *Tradition*) volgens het laatjoods martyrium opgevat, formeel volgt het de hellenistische acta. Een nieuwe vorm ontstaat echter door toevoeging van een belangrijk slotgedeelte over het sterven van de martelaar : de „Gattung" christelijke martelaarsakte. Als verhaal over de dood van Jezus had T reeds nieuwe accenten gelegd die aan de voorvorm ontbraken : Jezus wordt als type van de lijdende recht-vaardige voorgesteld.

Het voornaamste bezwaar tegen deze hypothese is dat Dormeyer vertrekt van een late tekst als *Acta Cypriani*[481], waarvan hij de formele

---

[476] Zie onder meer H. ACHELIS, RGG 3(1929) 1837; A. PUECH, *Histoire de la littéra-ture grecque chrétienne*, dl. 2, Parijs, 1928, p. 298-299; BROX, p. 135; 143, n. 53; wat de vorm betreft, zie J. SCHNEIDER, *Brief* (zie n. 402), col. 577-578.

[477] M. HENGEL, *Judentum und Hellenismus* (zie n. 428), p. 181-182.

[478] *Ibid.*, p. 182.

[479] D. DORMEYER, *Die Passion Jesu als Verhaltensmodell. Literarische und theologische Analyse der Traditions- und Redaktionsgeschichte der Markuspassion* (NeutAbhNF 11), Münster, 1974, p. 43-50.

[480] *Ibid.*, p. 238-258.

[481] *Acta Cypriani* hebben een bijzonder ingewikkelde tekstgeschiedenis die tot uiteen-

en inhoudelijke elementen wil terugvinden in de oudste laag van het passieverhaal. Hij moet zelf erkennen dat de componenten waaruit het eerste document samengesteld is niet meer duidelijk herkenbaar zijn. Het voornaamste probleem is vooral dat Dormeyer tot een specifieke „Gattung" van christelijke martelaarsakten besluit, terwijl de bestaande teksten daar vaak niet aan beantwoorden. Van de vroege martyria heeft alleen *MPol* een zeker evenwicht tussen proces (hoewel het geen echt proces is) en terechtstelling. De andere teksten vermelden zeer kort de dood van de martelaar[482], dikwijls met formules die afkomstig zijn uit de nieuwtestamentische passieverhalen of het martyrium van Stefanus in *Handelingen* (zie bijvoorbeeld *Acta Carpi* 39-41). In *recensio A* van *Acta Justini* wordt het feit zelf van de executie niet meegedeeld : Οἱ δὲ ἅγιοι μάρτυρες δοξάζοντες τὸν θεόν, ἐξελθόντες ἐπὶ τὸν συνήθη τόπον ἐτελείωσαν τὸ μαρτύριον ἐν τῇ τοῦ σωτῆρος ἡμῶν ὁμολογίᾳ...[483].

3. Een afdoende verklaring van de verbinding van de briefvorm met het martyrium is tot nogtoe niet gegeven. Holls verwijzing naar *Martyrium Isaiae* is ontoereikend, aangezien deze tekst geen spoor van een briefkader vertoont. De vraag of er *andere* voorbeelden van verbinding tussen briefvorm en martyrium in de joodse literatuur te vinden zijn, wordt door E. Peterson en C. Andresen in positieve zin beantwoord. Peterson leidt het af uit de vergelijking van *1 Clemens* als νουθέτησις en de martyria in briefvorm. Als uitdrukking van het charisma van een bepaalde Kerk richten beide zich tot de gehele

lopende reconstructies van de oorspronkelijke tekst aanleiding gaf (cf. de editie van Hartel, CSEL 3,3; = KRUEGER, p. 62-64, en de editie van Reitzenstein, SbHeidelberg 1913; = MUSURILLO, p. 168-174; LAZZATI, p. 155-159). Het handschrift Y waar de hypothese van Dormeyer op steunt is een (onvolledige) Donatistische recensie van het martyrium. Dit was Reitzenstein, op wiens beoordeling Dormeyers hypothese steunt, ontgaan, maar het werd ontdekt door P. FRANCHI de CAVALIERI, *Di un nuovo studio su gli Acta proconsularia S. Cipriani*, in *Studi Romani* 2(1914)189-215, inz. p. 211-212; vergelijk DELEHAYE, p. 69. Over de Donatistische martyriumopvatting die in deze recensie wordt uitgedrukt, zie W. H.C. FREND, *The Donatist Church*, Oxford, 1952; *Donatismus*, RAC 4(1959)128-147, inz. col. 135; 139-143. Zie nog de kritiek op Dormeyer van W. SCHENK, TLZ 101(1976)189-192, col. 191.

[482] *Passio Scillitanorum* beperkt zich tot „Et statim decollati sunt pro nomine Christi", dit volgens de handschriften BC; zie J.A. ROBINSON, *The Passion of S. Perpetua ... together with an Appendix Containing the Original Latin Text of the Scillitan Martyrdom* (Texts and Studies 1,2), Cambridge, 1891, p. 116, *app. crit.*; vergelijk p. 108 voor de sigels BC. Musurillo neemt zonder enige waarschuwing dit einde van BC in zijn tekst van *Passio Scillitanorum* op, terwijl hij zegt (p. XXIII) de *tekst* van Robinson te volgen. KRUEGER, p. 28-29 volgt, zoals Robinson, de tekst van A.

[483] In *recensio B* wordt aangevuld na τόπον : ἀπετμήθησαν τὰς κεφαλὰς καί.

ἐκκλησία in de diaspora en worden zij aldus tot „katholieke brief"[484].
Andresen[485] gaat uit van het feit dat de brief die de Syrische *Baruchapo-calyps* besluit, Petersons thesis bevestigt over het laatjoodse diaspora-schrijven als formgeschichtlich voorbeeld voor de „katholieke" brieven.
De basis van beide wordt gevormd door dezelfde gedachtenwereld,
die van in de diaspora verspreide gemeenten die zich als gelijkwaardig
beschouwen en in vervolgingstijd een troostwoord, vermaning of marty-riumbericht aan elkaar doen geworden. Het getuige-idee speelt hierbij
een constitutieve rol; zie de brief van *Baruch*: „Que cette lettre soit
témoin entre vous et moi, pour que vous vous souveniez des
commandements du Tout-Puissant"[486]. Het bezwarend getuigenis
kan door de druk van de vervolging tot een bevrijdend getuigenis
evolueren. Een voorbeeld daarvan is *2 Mak 7*. „Ihr 'Zeugnis' enthält
nicht das Moment belastender Aussage im künftigen Gottesgericht,
sondern vielmehr Entlastung im Blick auf die Zukunft und Trost für
die Gegenwart". Dit wordt veralgemeend door de aan het historisch
verhaal voorafgaande brieven. „Dieses übt eine wichtige hermeneutische
Funktion aus, weil es die historischen Ereignisse theologisch erhellt,
so dass spätjüdisches Diasporaschreiben und Märtyrerbericht gerade
bei diesem ... Buch aufs engste sich verbinden"[487]. Die „spätjüdische
Vorstellungskreis" werkt nog door in de „Grundstock" van *MPol*
(Andresen aanvaardt von Campenhausens interpolatietheorie). Het
laatjoodse materiaal is nauw verbonden met de briefvorm in *MPol*
(cf. *inscriptio* en 20,1-2). Hetzelfde constateert men in *MLugd*: de
ecclesiologische opvattingen vallen samen met de briefformulering.
Andresens opvatting komt hierop neer dat de laatjoodse epistolografie
het voorbeeld was voor de christelijke martyria, en er in doorwerkt
in zover het martelaarsbericht behoorde tot de onderlinge paraenese
die de in de diaspora verspreide gemeenten elkaar toezonden.

Toch moet men tegen deze vrij ondoorzichtig geformuleerde op-vatting bezwaar maken. Zij houdt onvoldoende rekening met de
eigen aard van de onderscheiden geschriften. Boven werd er reeds
op gewezen dat *MPol* reële briefkenmerken vertoont. De door Andresen
aangehaalde werken zijn voorbeelden van de fictieve briefvorm die

---

[484] E. PETERSON, *Das Praescriptum* (zie n. 213), p. 135.
[485] C. ANDRESEN, *Zum Formular frühchristlicher Gemeindebriefe*, ZNW 56(1965)233-259, inz. p. 236-252.
[486] *Syr. Baruch* 84,7; vertaling van P. BOGAERT, *Apocalypse de Baruch* (zie n. 428),
p. 525.
[487] C. ANDRESEN, *Zum Formular* (zie n. 485), p. 247.

ofwel geen eigenlijke narratieve tekst omsluit (Syrische *Baruch*) ofwel losstaat van het eigenlijke verhaal (in *2 Mak* begint dat pas in 2,19). Er blijft een verschil bestaan tussen een ,,Mahnschrift" met apocalyptische inslag zoals de Syrische *Baruchapocalyps*, en een verhaal over de dood van een martelaar. Men vraagt zich af waartoe een ingewikkelde gattungsgeschichtliche deductie dient, wanneer het vaststaat dat de brief het literair genre bij uitstek was tijdens de eerste jaren van de christelijke Kerk, en het misschien voor de hand ligt dat, zoals G. Lazzati meent[488], de eerste martelaarsverhalen op die wijze verspreid werden.

4. Men zou met H. von Campenhausen kunnen besluiten : ,,Die alten M(ärtyrerakten) bilden formal durchaus keine einheitliche Gruppe und sind im wesentlichen nicht von sog. jüdischen oder heidnischen (Philosophen-)Martyrien abzuleiten"[489]. Nochtans is het niet geheel uit te sluiten dat de protocolliteratuur op een of andere wijze de christelijke acta-vorm beïnvloed heeft en dat de verspreiding van deze vorm te danken is aan het feit dat hij aan een geschrift een betrouwbare indruk gaf. Men mag ook niet uit het oog verliezen dat de authentieke ,,martyria in briefvorm" slechts tot twee voorbeelden beperkt zijn. Dit wijst enerzijds in de richting van eerder toevallige factoren in het ontstaan van de verbinding tussen briefvorm en martyriumbericht (cf. *MPol* 20,1 : de vraag van de gemeente van Filomelium), anderzijds versterkt het de onwaarschijnlijkheid van het doorwerken van een laatjoods literair model. Men ziet niet in waarom dit laatste zich niet naast de geschriften in acta-vorm zou kunnen gehandhaafd hebben (men vergelijke de invloed van de apocalyptische literatuur, die aanleiding gaf tot christelijke apocalypsen, respectievelijk tot christelijke redacties van origineel joods apocalyptische geschriften). Het ontbreken van een bepaalde literatuurvorm als voorbeeld voor de christelijke martyria in briefvorm betekent evenwel nog niet dat er geen invloed van de joodse martyrologie inzake terminologie en themata zou mogelijk zijn.

Wat wij hier wel kunnen besluiten is dat Holls algemeen aanvaarde theorie niet door de teksten zelf bevestigd wordt. De briefvorm van

---

[488] LAZZATI, p. 5-12; hij wijst vooral op de invloed van de liturgische lezing op de acta-vorm, met zoveel nadruk dat de theorie van Harnack bijna opnieuw geformuleerd wordt (cf. B. DE GAIFFIER, AnBoll 75(1957)422-424).

[489] H. VON CAMPENHAUSEN, *Märtyrerakten*, RGG 4(1960)593; zijn stellingname hangt samen met bepaalde theologische opvattingen, zie CAMPENHAUSEN, p. 1-5.

MPol hangt niet samen met een bepaald literair genre van martyrium. Hij heeft dan ook weinig invloed uitgeoefend. Die invloed is alleen duidelijk wat *Martyrium Sabae* betreft, veel minder klaar voor *MLugd*. Het ontstaan van dit geschrift zou van dezelfde factoren afhankelijk kunnen geweest zijn als voor *MPol* het geval was. De tekst zelf leert ons daarover niets. De kennis die *MLugd* van *MPol* blijkt te hebben doet geen invloed van *MPol* op de literaire vormgeving vermoeden (vergelijk hoofdstuk V). Het enige bewaarde epistolaire element, de *inscriptio*, wijkt af van die van *MPol*. Bovendien pleiten teksten als Eusebius, *HE* V,3,4 en V,4,1-3 voor de echtheid van de briefvorm van *MLugd*.

§ 3. *De auteur van Martyrium Polycarpi*

MPol noemt in hoofdstuk 20 twee namen die bij de redactie van de brief betrokken schijnen te zijn. In 20,1 heet het, over de gebeurtenissen rond de martelaars : ... ἐπὶ [490] κεφαλαίῳ μεμηνύκαμεν διὰ τοῦ ἀδελφοῦ ἡμῶν Μαρκίωνος [491]. In 20,2 is sprake van de „schrijver" : ὑμᾶς οἱ σὺν ἡμῖν προσαγορεύουσιν καὶ Εὐάρεστος ὁ γράψας πανοικεί [492]. Deze Evaristus is de scriba, daarover zijn de meeste onderzoekers het eens. Nochtans hielden Hefele en Dressel Evaristus voor de schrijver (in naam van de Kerk van Smyrna) en „Marcus" voor de overbrenger [493]. Dat brengt ons tot de centrale moeilijkheid : wat betekent μεμηνύκαμεν διά? Algemeen wordt de uitdrukking gelijkgesteld met γράφειν διά τινος en vergelijkt men met de betekenis die deze beide woorden in *NT* kunnen hebben. Men verwijst naar twee teksten, *Hnd* 15, 23 en *1 Petrus*

---

[490] Ἐπί is als lezing (BHP) te verkiezen boven ὡς ἐν (M Zahn Lightfoot); vergelijk nog *Barnabas* 1,5 κατὰ μικρόν; *1 Petrus* 5,12 δι' ὀλίγων; *Heb* 13,22 διὰ βραχέων. Jacobson noteert bij de lezing van BHP : „Formula usitatior est ἐν κεφαλαίῳ vel ἐπὶ κεφαλαίῳ εἰπεῖν" (p. 634). De verontschuldiging maar kort geschreven te hebben is een gebruikelijke wellevendheidsformule, aldus P. ANDRIESSEN-A. LENGLET, *De Brief aan de Hebreeën*, Roermond, 1971, p. 257; zij verwijzen naar *1 Petrus* 5,12; *2 Mak* 2,32; 6,17; Ignatius, *Rom* 8,2 en *Pol* 7,3. Deze uitleg gaat niet op voor *MPol* : de christenen van Smyrna waren verzocht διὰ πλειόνων te berichten wat er gebeurd was, maar zij verontschuldigen zich het slechts beknopt te kunnen doen.

[491] Μαρκίωνος is de lezing van M, in dit geval de meest waarschijnlijke, vergelijk Lat *Marcianus*, BHP Μάρκου; cf. O. GEBHARDT, *Collation* (zie n. 30), p. 370-377; REUNING, p. 2.

[492] M bevat tal van overbodige addities : καὶ γὰρ ὑμᾶς οἱ σὺν ἡμῖν ἀδελφοὶ προσαγορεύουσιν καὶ αὐτὸς Εὐάρεστος ὁ γράψας τὴν ἐπιστολὴν πανοικεί. De passage is formeel te vergelijken met de wijze waarop de auteur van *Protevangelium Jacobi* zich voorstelt aan het einde van zijn werk (25,1) : ἐγὼ δὲ Ἰάκωβος ὁ γράψας τὴν ἱστωρίαν ταύτην κτλ. (zie E. DE STRYCKER, *La forme la plus ancienne* (zie n. 258), p. 210).

[493] HEFELE, p. LXXII-LXXIII; DRESSEL, p. XXXVIII.

5,12. Voor de eerste tekst bestaat er weinig twijfel dat de uitdrukking slaat op het overbrengen van de brief[494] (vergelijk Ignatius, *Rom* 10,1; *Fil* 11,2; *Smyr* 12,1; Polycarpus, *Fil* 14 : „Haec vobis scripsi per Crescentem"). Ingewikkelder ligt het bij *1 Petrus* 5,12 : Διὰ Σιλουανοῦ ... ἔγραψα. Hier zou γράφειν διά τινος betrekking kunnen hebben op degene die de brief in naam en in opdracht van iemand (namelijk Petrus) geschreven heeft, of toch meer of minder bij het schrijven van het werk betrokken geweest is[495]. Bij deze tekst wordt een oplossing van de moeilijkheid verhinderd door het feit dat men dikwijls de betekenis van γράφειν διά met de secretarishypothese combineert[496]. K. H. Schelkle wil de moeilijkheid oplossen door het samengaan van de betekenis van overbrenger met die van schrijver „in naam van" voor te stellen[497]. Maar dit is slechts een gemilderde vorm van secretaris-hypothese, die volgens velen af te wijzen is omwille van het pseudepi-grafisch karakter van *1 Petrus*[498].

Voor *MPol* 20,1 kan men dus niet te veel steunen op nieuwtesta-mentische parallellen, vooral omwille van het verschillende werkwoord. Διά met de genitief kan op zichzelf de bemiddelaar, de tussenpersoon aanduiden[499], maar dit gaat meer in de richting van „overbrenger" dan van „redactor". De laatste betekenis is volgens Lightfoot uitgesloten vanwege μεμηνύκαμεν; evenzeer die van „schrijver", want deze persoon komt in 20,2 aan het woord. In 20,1 kan dus alleen sprake zijn van de auteur („composer") van de brief, en Lightfoot vergelijkt met wat Dio-nysius van Korinte zegt over *1 Clemens* (Eusebius, *HE* IV,23,11 : ὡς καὶ τὴν πρότεραν ἡμῖν διὰ Κλήμεντος γραφεῖσαν)[500]. Nochtans blijft dit verschil dat het auteurschap van *1 Clemens* niet uit de brief

---

[494] Cf. onder meer E. HAENCHEN, *Die Apostelgeschichte* (16de ed., Meyer), Göttingen, 1977, p. 434. De aanvulling διὰ χειρὸς αὐτῶν na γράψαντες is een copiistenadditie, cf. B. M. METZGER, *A Textual Commentary* (zie n. 171), p. 435. De aangehaalde Ignatius-teksten bevatten volgens Lightfoot eerder de aanduiding van de „amanuensis", zoals in *1 Petrus* 5,12; zie LIGHTFOOT II 2, p. 233.

[495] Aldus BAUER, col. 358.

[496] Zie hierover KUEMMEL, p. 373-374, met negatieve beoordeling. Aangaande onze uitdrukking : „Dass γράφω διά τινος bedeuten könne, ein Schriftstück durch einen anderen abfassen zu lassen, hat noch niemand nachgewiesen".

[497] K. H. SCHELKLE, *Die Petrusbriefe. Der Judasbrief* (HTKNT 13,2), Freiburg, 1961, p. 134; dezelfde opvatting reeds bij E. G. SELWYN, *The First Epistle of St. Peter*, Londen, 1949, p. 241 : ware Silvanus slechts drager van de brief geweest, dan zou ἔπεμψα een meer voor de hand liggende uitdrukking geweest zijn.

[498] Zie KUEMMEL, boven n. 496; VIELHAUER, p. 586-587; F. W. BEARE, *The First Epistle of Peter*, 3de ed., Oxford, 1970, p. 48; ook p. 209; 212-216; W. SCHRAGE, *Der erste Petrusbrief*, in H. BALZ-W. SCHRAGE, *Die katholischen Briefe* (NTD 10), Göttingen, 1973, p. 63-64.

[499] BLASS-DEBRUNNER-REHKOPF, nr. 223,3.

[500] LIGHTFOOT II 3, p. 398; vergelijk II 2, p. 233 en KLEIST, p. 203, n. 54. Recent

zelf af te leiden valt, maar de toeschrijving aan Clemens op een oude traditie berust, waarvan Dionysius de eerste vertegenwoordiger is (zie Hegesippus bij Eusebius, *HE* IV,22,1, vergelijk III,16, en Irenaeus, *Adversus Haereses* III,3,3). Eusebius, *HE* III,38,1 leidt uit deze traditie af dat Clemens de brief schreef ἐκ προσώπου τῆς Ῥωμαίων ἐκκλησίας. In *MPol* zou hetzelfde tot uitdrukking gebracht worden : „ea quae hoc loco nomen Marcionis praecedunt, ostendunt, Marcioni hanc epistulam conscribendam commisisse Smyrnaeos" (Zahn)[501]. Nochtans moet het gebruik van μηνύειν in plaats van γράφειν tot voorzichtigheid aansporen. Μηνύειν dat „aanduiden" betekent, kan een forensische betekenis hebben, namelijk het mededelen, op grond van een zeker weten, aan de autoriteiten, „rapporteren"[502] (zie *Joh* 11,57; *Hnd* 23, 30). Wanneer in de context van *MPol* 20,1 daarvan nog iets zou doorklinken, dan kan men het zo verstaan dat Marcion (als ooggetuige?) verantwoordelijk is voor het verhaal, terwijl Evaristus de eigenlijke brief geschreven heeft. De nadruk op het ooggetuigeschap elders in de brief (15,1) schijnt die interpretatie te bevestigen. Men kan zich verder afvragen waarom Evaristus vermelding behoeft, indien Marcion werkelijk de auteur van de *brief* geweest was. Wie de brief ook geschreven heeft, hij was in ieder geval iemand met voldoende literaire cultuur. *MPol* vergelijkend met het saaie Grieks van de Polycarpusbrief, waarin de μέν...δέ-constructie niet voorkomt, merkt E. Norden op : „Bezeichnend aber ist, dass in dem gut stilisierten Brief der Smyrnäer an die umliegenden Gemeinden (über Polykarps Martyrium, bald nach diesem verfasst) diese Partikeln in zwanzig Kapiteln 10mahl vorkommen (...). Offenbar ist dieser Brief von einem recht gebildeten Christen geschrieben worden : er berührt sehr sympatisch durch die massvolle Rhetorik und die edle Einfachkeit, mit der der Vorgang erzählt wird : um das zu würdigen vergleiche man etwa die oben besprochene Schrift des Ps. Josephos und spätere christliche Martyrologien"[503].

---

steunt L. GOPPELT, *Der Erste Petrusbrief* (zie n. 412), p. 347, op dezelfde Eusebiustekst om een soortgelijke interpretatie voor te stellen bij *1 Petrus* 5,12.

[501] ZAHN, p. 163; T. ZAHN, *Apostel und Apostelschüler* (zie n. 72), p. 95; SCHWARTZ, p. 4; DELEHAYE, p. 15.

[502] Vergelijk LAMPE, p. 868 : „inform".

[503] E. NORDEN, *Die antike Kunstprosa* (zie n. 418), p. 512, n. 2; μέν-δέ komt wel voor in Pol., Fil 7,2, een verwijzing naar *Mt* 26,41 par Mc. De μέν...δέ-constructie komt verder weinig voor in de Apostolische Vaders. F. BLASS-A. DEBRUNNER, *Grammatik* (12de ed., zie n. 294), nr. 447,2 geeft de verhoudingen; de passage wordt weggelaten in de nieuwe uitgave van F. REHKOPF. De constructie ontbreekt ook in *Protevangelium Jacobi*, zie E. DE STRYCKER, *La forme la plus ancienne* (zie n. 258), p. 293. Vergelijk BLASS-DEBRUNNER-REHKOPF, nr. 3, n. 6 over de taal van *MPol* : „höhere Literaturkoine".

DE DATERING
VAN MARTYRIUM POLYCARPI

Voor de datering van *MPol* beschikt men over weinig zekere gegevens. Als *terminus ante quem* kan het gebruik van *MPol* in de latere martelaars-akten beschouwd worden. Een *terminus post quem* is vanzelfsprekend de sterfdatum van Polycarpus.

§ 1. *Terminus ante quem*

De invloed van *MPol* op latere martelaarsakten werd reeds in het eerste en vierde hoofdstuk van deze uiteenzetting vastgesteld. Toch blijken niet alleen martyrologische geschriften *MPol* te kennen. Naast de reeds aangehaalde *Lofrede* van de pseudo-Chrysostomus en andere geschriften in hoofdstuk I vermeld, kan hier nog gewezen worden op *Acta Pauli et Theclae*[504]. Men vergelijke het wonder van het vuur dat Thecla niet deert (c. 22) met *MPol* 15,1 en de beschrijving van het begin van het gevecht tegen de wilde dieren (c. 32) met *MPol* 8,3; verder het feit van de welriekende geuren (c. 35) en *MPol* 15,2. In c. 32 vindt men echter ook reminiscenties aan *Passio Perpetuae* en in c. 22 aan *MLugd* 1,41. De moeilijkheid bij deze latere martelaarsgeschriften bestaat erin uit te maken of bekend voorkomende formuleringen blijk geven van de kennis van een bepaald martyrium, *in casu MPol*, dan wel eerder een variatie zijn van themata die vaak in de Akten aange-troffen worden[505]. Het laatste is het geval in *Acta Apollonii*, waarin

---

[504] Zie W. SCHNEEMELCHER, *Paulusakten*, in E. HENNECKE-W. SCHNEEMELCHER, *Neu-testamentliche Apokryphen*, dl. 2, Tübingen, 1964, p. 238; G. KRUEGER, in E. HENNECKE, *Neutestamentliche Apokryphen*, Tübingen, 1904, p. 367, 2de ed., 1924, p. 196. Voor de vergelijking van *MPol* met *Martyrium Sabae* zie nog K. BEYSCHLAG, *Clemens Romanus* (zie n. 299), p. 245-247.

[505] Zie bijvoorbeeld de uitspraken over de verering van de ware God, het motief van de ἀσέβεια van de christenen (vergelijk J. VOGT, *Zur Religiosität der Christenver-folger im Römischen Reich*, SbHeidelberg, 1962, p. 16); de eis tot het afleggen van de eed bij de genius van de keizer (bijvoorbeeld *MPol* 9,2; 10,1; *Passio Scillitanorum* 3; 5; *Acta Apollonii* 3), zie R. M. GRANT, *Sacrifices and Oaths as Required of Early Christians*, in *Kyriakon. Festschrift J. Quasten*, dl. 1, Münster, 1970, p. 12-17; D. CUSS, *Imperial Cult and Honorary Terms in the New Testament* (Paradosis 23), Fribourg, 1974, p. 61;

de eis tot het afleggen van de eed (c. 3) en het thema van God die
hemel en aarde gemaakt heeft vaste ,,topoi" genoemd kunnen worden
die tot de martyriumliteratuur zijn gaan behoren[506]. Hetzelfde kan
gezegd worden van andere martyria[507]. Slechts voor een drietal teksten
kan men zekerder zijn van een literair contact met *MPol*:

1. *Martyrium Pionii*, dat ten vroegste rond het midden van de derde
eeuw gedateerd kan worden. Dat dit martyrium *MPol* kent, blijkt
al in de eerste woorden[508]. Het geschrift vertoont bovendien een
tendens tot parallellisme met *MPol*[509]:

2,1 Pionius wordt aangehouden op een ,,grote sabbat", de verjaardag
van de dood van Polycarpus;

2,2 het voorafweten van de aanhouding door een visioen, vergelijk
MPol 5,2;

cf. nog voor deze en andere motieven : L. ZANONE, *Richerche e motivi della letteratura
del martirio*, Diss. Turijn, 1954-1955; M. SIMONETTI, *Qualche osservazione sui luoghi
comuni negli Atti dei Martiri*, GionItF 10(1957)147-155; C. AUGUSTIJN, *De martelaar
en zijn getuigenis*, Kampen, 1966 en het werk van M. Hoffmann, geciteerd boven n. 449.

[506] Dat *Acta Apollonii MPol* kennen wordt aanvaard door A. HARNACK, *Zur Über-
lieferungsgeschichte der altchristlichen Literatur* (TU 12), Leipzig, 1895, p. 7 : = HARNACK
I 2, p. 927; ID., *Der Prozess des Christen Apollonius*, SbBerlijn, 1893, p. 721-746, inz. p. 738 :
,,Dass der Verf. die letztere [*MPol*] gelesen und sich an ihr gebildet hat, ist sehr wahrscheinlich". De tekst die Harnack gebruikt bevat een allusie op *MPol* 19,2 in c. 36 :
,,... des Erlösers der Seelen und des Leibes", maar de genitiefbepaling ontbreekt in de
recentere tekstuitgaven.

[507] In *Martyrium Cononis* herinnert ,,zuchtend en de ogen ten hemel geheven" aan
MPol 9,2; men vergelijke echter de reminiscentie aan het martyrium van Stefanus,
Hnd 7,55. 59-60 in *Martyrium Cononis* 6,3-4 : ... θεὶς τὰ γόνατα ... ἀναβλέψας πρὸς
τὸν ἑαυτοῦ δεσπότην ἐπηύξατο λέγων· 4. κύριε Ἰησοῦ Χριστέ, δέξαι τὴν ψυχήν μου...

In *Passio Felicis* 6,1 herinnert ,,quinquaginta et sex annos habeo in hoc saeculo ..."
aan *MPol* 9,3 en *ibidem* ,,elevans oculos in caelum, clara voce dixit : Deus, gratias tibi"
aan *MPol* 14,1.

Voor *Martyrium Montani et Lucii* denkt von Campenhausen aan literaire afhankelijkheid ten opzichte van *MPol*, omwille van het *imitatio*-thema (zie c. 1 en *MPol* 1,2),
CAMPENHAUSEN, p. 84, n. 4. Wat vooral naar *MPol* verwijst is het thema van het vuur
dat de martelaars niet deert (c. 3). (Leblant meent dat dit thema kan samenhangen
met de vrees dat het lichaam door verbranding geheel zou verdwijnen, wat voor de
christenen van de eerste eeuwen een probleem stelde in verband met de verrijzenis.
Hij wijst er op dat in verschillende akten de martelaars behoed worden voor een
dood die hun lichaam zou vernietigen, en op een andere wijze (bijvoorbeeld onthoof-
ding) omgebracht worden. Zie E. LEBLANT, *Les martyrs chrétiens et les supplices
destructeurs du corps*, in *Revue archéologique* 15e ann. 7[1874]178-193).

[508] Zie onder meer HARNACK II 2, p. 467.

[509] Aldus M. SIMONETTI, *Studi agiografici* (zie n. 283), p. 12; 34-36; vergelijk
G. KEHNSCHERPER, *Apokalyptische Redewendungen in der griechischen Passio des Presbyters Pionios von Smyrna*, in *Studia Patristica* vol. *XII,1* (ed. E. LIVINGSTONE; TU
115), Berlijn, 1975, p. 96-103, inz. p. 96; 98.

4,24 διὸ δὴ μαρτυρόμεθα ὑμῖν περὶ τῆς μελλούσης διὰ πυρὸς γί-
νεσθαι κρίσεως, vergelijk *MPol* 11,2;

5,3; 7,3; 8,1 πείσθητι ἡμῖν, vergelijk *MPol* 10,2 πεῖσον τὸν δῆμον[510];

11,7 προσεύχεσθαι ἡμέρας καὶ νυκτός, vergelijk *MPol* 5,1;

15,1.4 (ἦλθον) μετὰ διωγμιτῶν, vergelijk *MPol* 7,1;

19,6 Σὺ εἶ ὁ διδάσκαλος αὐτῶν, vergelijk *MPol* 12,2;

20,7 Πιόνιον ἑαυτὸν ὁμολογήσαντα εἶναι χριστιανόν, vergelijk *MPol*
12,1;

ζῶντα καῆναι, vergelijk *MPol* 5,2;

21,2 ἀναβλέψας δὲ εἰς τὸν οὐρανὸν καὶ εὐχαριστήσας, vergelijk *MPol*
14,1;

21,9 ἤδη δὲ τῆς φλογὸς αἰρομένης...εἰπὼν τὸ ἀμήν, vergelijk *MPol*
15,1;

23 ἡμέρᾳ σαββάτῳ ὥρᾳ δεκάτῃ, vergelijk *MPol* 21.

2. *Acta Carpi*, die uit de tijd van Marcus Aurelius dateren. De volgende
passages kunnen vergeleken worden met *MPol*[511]:

6 ποίει ὃ θέλεις, vergelijk *MPol* 11,2;

15 θέλεις δὲ μαθεῖν ὅτι ἀληθές ἐστιν τοῦτο, vergelijk *MPol* 10,2;

34 ἀπὸ νεότητος θεῷ δουλεύω, vergelijk *MPol* 9,3;

37; 38; 44 het vastnagelen en de vuurdood van de martelaars, vergelijk
MPol 13,2 e.v.

39 Papylus zegt: εἶδον τὴν δόξαν τοῦ κυρίου, vergelijk *MPol* 2,3
(*Hnd* 7,55);

41 het gebed van Carpus: εὐλογητὸς εἶ...ὅτι κατηξίωσας καὶ ἐμὲ
τὸν ἁμαρτωλὸν ταύτης σου τῆς μερίδος, vergelijk *MPol* 14,2;

44 het afleggen van de klederen, vergelijk *MPol* 13,2;

47 het verzamelen van de overblijfselen, vergelijk *MPol* 18,2.

In de Latijnse recensie 4(40)[512] is er een duidelijke toespeling op *MPol*
11,2: „hic enim ignis ad modicum uret, ille vero inextinguibilis et
perpetuus est, per quem < deus > iudicaturus est mundum». Er zijn
ook overeenkomsten met *MLugd*, *Acta Justini* en *Acta Theclae* (cf. Aga-

---

[510] Ook dit is een traditioneel motief, zie K. BEYSCHLAG, *Clemens Romanus* (zie n. 359),
p. 273-274.

[511] Zie A. HARNACK, *Die Akten des Karpus, Papylus und der Agathonike* (zie n. 394),
p. 435-465.

[512] Over de verschillende vormen van *Acta Carpi* zie H. DELEHAYE, *Les actes des
martyrs de Pergame* (zie n. 394); H. LIETZMANN, *Die älteste Gestalt der Passio SS. Carpi,
Papylae et Agathonices*, in *Kleine Schriften*, dl. 1 (TU 67), Berlijn, 1958, p. 239-250;
F. HALKIN, *Une nouvelle Passion des martyrs de Pergame*, in *Mullus. Festschrift T.
Klauser* (JbAC, ErgH), Münster, 1964, p. 150-154.

thonice). Daarom kan men het oordeel van Harnack volgen dat het werk naar vorm en inhoud met andere echte akten overeenstemt, „ohne irgendwo den Eindruck einer Copie hervorzurufen"[513].

3. Een derde tekst die chronologisch in de nabijheid van *MPol* is te situeren is *MLugd* (177). De overeenkomsten zijn duidelijk[514] en hebben juist niet de gewone themata als inhoud :

1,5-6 de vermelding, bij het begin, van de activiteit van de duivel : παντὶ γὰρ σθένει ἐνέσκηψεν ὁ ἀντικείμενος... ἀντεστρατήγει δὲ ἡ χάρις τοῦ θεοῦ, vergelijk *MPol* 3,1;

1,26 ὑπομνησθεῖσα διὰ τῆς προσκαίρου τιμωρίας τὴν αἰώνιον ἐν γεέννῃ κόλασιν, vergelijk *MPol* 2,3;

1,51 τοῦ μὲν Ἀλεξάνδρου μήτε στενάξαντος μήτε γρύξαντός τι ὅλως ἀλλὰ κατὰ καρδίαν ὁμιλοῦντος τῷ θεῷ (vergelijk 56 ὁμιλίαν πρὸς Χριστόν), vergelijk *MPol* 2,2;

2,3 de definitie van de martelaar : ἐπισφραγισάμενος αὐτῶν διὰ τῆς ἐξόδου τὴν μαρτυρίαν, vergelijk *MPol* 1,1.

Hoewel de briefvorm zelf niet van *MPol* overgenomen lijkt te zijn, toont de vergelijking van bovenvermelde passages dat kennis van *MPol* voor de hand ligt. Men kan dan besluiten dat *MPol* dateert van vóór 177.

§ 2. *Terminus post quem*

A. De datum van de dood van Polycarpus moet gecombineerd worden met de mededeling van het martyrium zelf in 18,3 dat de ἡμέρα γενέθλιος nog moet gevierd worden : ἔνθα ὡς δυνατὸν ἡμῖν συναγομένοις ἐν ἀγαλλιάσει καὶ χαρᾷ, παρέξει ὁ κύριος ἐπιτελεῖν τὴν τοῦ μαρτυρίου αὐτοῦ ἡμέραν γενέθλιον.

„Geboortedag" is in de vroegchristelijke terminologie een vooral voor martelaars gebruikte metafoor van de sterfdatum, de dag van de „hemelse" geboorte. Het futurum παρέξει stelt deze gebeurtenis nog in het vooruitzicht[515]. Wanneer men dus de sterfdatum van Polycarpus kan bepalen, kan men veronderstellen dat de brief aan de

---

[513] A. HARNACK, *Die Akten des Karpus, Papylus und der Agathonike* (zie n. 394), p. 456. De analyse van Harnack is er wel op gericht de authenticiteit van het werk voor de tijd van Marcus Aurelius te bewijzen.

[514] Zie LIGHTFOOT II 1, p. 606; H. LECLERCQ, *Lettres chrétiennes*, DACL 8,2(1929) 2683-2885, inz. col. 2735-2736.

[515] Cf. BARDENHEWER II, p. 670; CAMELOT, p. 198.

christenen van Filomelium niet langer dan een jaar nadien opgesteld is[516].

Deze redenering stuit voor sommigen op onoverkomelijke bezwaren. Wij merkten reeds op dat enkele passages in *MPol* volgens de radicale kritiek van de negentiende eeuw onmogelijk in de tijd van Polycarpus' dood te situeren zijn, waaruit besloten werd dat het geschrift in zijn geheel uit een latere periode moest stammen (zie hoofdstuk III, § 1,2 over R. A. Lipsius en T. Keim). Vooral Keim zag een tegenspraak tussen de datering binnen het jaar na Polycarpus' dood en een aantal opmerkingen van de auteur van het martyrium, waarmee deze duidelijk uit de stijl van zijn verhaal valt. Dergelijke teksten zijn 16,2; 15,1 en 19,1, door Keim gekarakteriseerd als „das Datum des Poststempels".

1. 16,2 : wat de uitdrukking καθολικὴ ἐκκλησία betreft, werd boven reeds voldoende betoogd dat zij hier niet misplaatst is. Keim ziet verder een bezwaar in de zin πᾶν γὰρ ῥῆμα κτλ. Het ontgaat hem dat deze zin de beschrijving van Polycarpus als διδάσκαλος ἀποστολικὸς καὶ προφητικός nader preciseert. Het charisma van de profetie is een apostolische eigenschap in de post-apostolische tijd. De ware profeet is te herkennen aan het in vervulling gaan van zijn voorspellingen (vergelijk *Didachè* 11,11). Wat dan nog vreemd aandoet is καὶ τελειωθήσεται. Dit futurum moet gelezen worden in het licht van de op Polycarpus betrokken uitdrukking ἐν τοῖς καθ' ἡμᾶς χρόνοις. Deze woorden wijzen niet noodzakelijk op een latere tijd van ontstaan van het geschrift. In de redenering van de auteur betekenen zij veeleer : „in de tijd toen hij (Polycarpus) nog bij ons was", met andere woorden toen hij nog leefde. Slechts dan immers kon Polycarpus een vooraanstaand leraar en zo meer zijn, niet jaren nadien. Een dergelijke reflectie over de tijd van voor het martyrium vindt men al in 13,2.

2. 15,1 : de woorden οἳ καὶ ἐτηρήθημεν zouden volgens Keim niet passen voor de tijd onmiddellijk na de dood van Polycarpus. Deze had immers de vervolging doen ophouden. De woorden behoren echter tot de inleiding van de parenthese waarmee de auteur zich terug naar het moment van de gebeurtenissen zelf verplaatst, en niet meer verhaalt vanuit het standpunt van nadien. Op het ogenblik van Polycarpus' dood zijn er christenen gespaard gebleven, die dan later het verhaal konden vertellen, inclusief de merkwaardige feiten die *zij* konden waarnemen.

---

[516] Lightfoot dateert de brief gewoonlijk rond 156, op basis van de sterfdatum in februari 155, cf. LIGHTFOOT II 1, p. 415; II 3, p. 353; *Apostolic Fathers Part I. S. Clement of Rome*, dl. 1 (zie n. 429), p. 153.

Bovendien blijkt uit ὡς δυνατόν van 18,3 dat hun situatie nog niet veilig was, ondanks het ophouden van de vervolging.

3. Met 19,1 valt de auteur weer uit de toon. Hij zou aan Polycarpus een bekendheid en een verering toeschrijven die binnen het jaar na zijn dood onverklaarbaar zijn. In 19,1 wordt de betekenis van Polycarpus samengevat vanuit twee gezichtspunten : zijn bekendheid bij de heidenen en het voorbeeld van zijn martyrium voor de christenen. Gelet op de bloemrijke taal van geheel 19 dat als afsluiting van het verhaal een algemene verheerlijking van de bisschop van Smyrna brengt, is er niets dat ons ertoe noopt ἐν παντὶ τόπῳ letterlijk op te vatten. Is het meer dan een overdrijving die de betekenis van Polycarpus voor de heidenen op gelijke hoogte brengt met zijn betekenis voor de christenen?

Wanneer men rekening houdt met de eigen manier waarop de auteur van *MPol* zijn verhaal brengt, zijn de bezwaren van Keim niet bijzonder steekhoudend. Dat ontslaat er ons niet van de belangrijke passage in 18,3, waarop de datering binnen het jaar na de marteldood steunt, nader te onderzoeken.

1. Een eerste probleem is de uitdrukking ἡμέρα γενέθλιος. Recent sluit A. Stuiber uit dat deze terminologie van herdenking van het martyrium reeds in *MPol* zou aanwezig zijn[517]. Hierbij beroept hij zich op de interpolatiehypothese van von Campenhausen. Nu staat of valt deze opvatting met het al dan niet aanvaarden van deze theorie. Uit hoofdstuk III is voldoende gebleken dat zij geen steek houdt. Bovendien levert een passage uit *Martyrium Pionii* een duidelijk bewijs dat de terminologie tot de tekst van *MPol* behoort. De aanhouding van Pionius wordt als volgt ingeleid : Μηνὸς ἕκτου δευτέρᾳ ἐνισταμένου σαββάτου μεγάλου, ἐν τῇ γενεθλίῳ ἡμέρᾳ τοῦ μακαρίου μάρτυρος Πολυκάρπου... (2,1). De zin bevat een reeks termen die onmiskenbaar uit *MPol* overgenomen zijn. In 2,2 krijgt Pionius een visioen dat zijn aanhouding voorspelt πρὸ μιᾶς ἡμέρας τῶν Πολυκάρπου γενεθλίων. De aanwezigheid van de uitdrukking in *Martyrium Pionii* verklaren door te stellen dat de auteur van dat werk een tekst van *MPol* voor zich had die reeds de voor-Eusebiaanse interpolaties (volgens von Campenhausen) bevatte, is weinig overtuigend. Bovendien zou men dan de redactie van *Martyrium Pionii* in de vierde eeuw moeten plaatsen,

---

[517] A. STUIBER, *Geburtstag*, RAC 9(1973)217-243, inz. col. 229-230. Zie echter de verdediging van de originaliteit van de uitdrukking bij CAMELOT, p. 231, n. 3; SCHOEDEL, p. 75-76.

want volgens Stuiber is het gebruik van de uitdrukking dan pas voldoende betuigd. Tegenover een dergelijke combinatie van hypothesen moet men vaststellen dat reeds bij Ignatius, *Rom* 6,1, de *gedachte* van het martelaarschap als geboortedag aanwezig is. Dat het bij de opkomende martelarenverering enige tijd later tot een terminologische fixering gekomen is, is zeer wel mogelijk, vooral als men rekening houdt met het feit dat *MPol* nog andere nieuwe uitdrukkingen introduceert of er tenminste een eerste getuige van is.

2. In 18,3 wordt ook de algemene kwestie van de martelarenverering gesteld. Deze zaak wordt in de literatuur veelal in een te polemisch kader geplaatst. Niet zozeer het feit dat er over een (beginnende) martelarenverering sprake is maakt de passages 17,2-3 en 18,3 verdacht, maar wel dat zij zouden blijk geven van een binnenkerkelijke theologische discussie over de verering die niet in Polycarpus' tijd past. Ons inziens wordt dienaangaande veel meer in de tekst gelegd dan er staat. Voor de martelaars worden nergens termen gebruikt die op verering slaan : προσκυνεῖν en σέβεσθαι kunnen volgens 17,2-3 alleen over Christus gezegd worden. De martelaars worden ,,bemind" (ἀγαπῶμεν). In 18,3 is er slechts sprake van dat *de Heer* hun zal toestaan Polycarpus' geboortedag te herdenken, tot gedachtenis (μνήμη) van de προηθληκότες. Van een verering als zodanig is geen sprake. Het is zo dat uit 17,2 en 18,2 de belangstelling van de christenen voor het lichaam van Polycarpus blijkt. Maar of dit meer betekent dan de uitdrukking van de grote genegenheid voor *Polycarpus* kan betwijfeld worden. Waar hij in 19,1 vergeleken wordt met de andere martelaars wordt gezegd dat hij μόνος ὑπὸ πάντων μνημονεύεται. Van een grotere *verering* wordt geen gewag gemaakt.

Deze interpretatie past ons inziens ook beter bij de opvatting over het martelaarschap die de auteur van *MPol* voorhoudt : het martyrium is een zaak van Gods uitverkiezing, het geschiedt slechts door Zijn wil. De lof van de christenen dient dan ook naar de *Heer* te gaan (20,1). Uit de vergelijking van de dood van Christus met die van de martelaars in 17,3 wordt verder duidelijk dat de eerste een heilsbetekenis heeft waarop de tweede geen aanspraak kan maken. Slechts Christus komt ,,verering" toe.

Is onze interpretatie juist, dan is het vaststellen van de sterfdatum van Polycarpus van groot belang voor het dateren van de brief van de christenen van Smyrna.

B. De datum van de dood van Polycarpus is echter van oudsher een omstreden zaak geweest. Reeds Bollandus moest vaststellen : ,,quod anni ac diei [van Polycarpus' dood] varii a veteribus caracteres non congruant", en Ruinart beschrijft de situatie als volgt : ,,De Polycarpi passionis die et anno tam diverse inter se sentiunt omnes, cum veteres, tum recentiores historici, ut vix ea de re aliquid certi statui possit..."[518]. Sedert de tweede helft van vorige eeuw werd de datering van het martyrium van Polycarpus bepaald op 155 (156), onder invloed van een belangrijke studie van de Franse geleerde en diplomaat W.H. Waddington[519]. In een recentere periode werd zij naar aanleiding van een bijdrage van de byzantinist H. Grégoire opnieuw in vraag gesteld[520]. Wij zullen eerst een historisch overzicht van het probleem schetsen, om vervolgens te onderzoeken of er nieuwe elementen voor de datering aan te brengen zijn.

1. Historisch overzicht

a) *De periode vóór Waddington*

Men kan zeggen dat de moderne kritiek voor de datering van de dood van Polycarpus in het algemeen teruggrijpt naar de gegevens van Eusebius, die in zijn *Chronicon* (*ad annum* 167) en in *HE* IV,14,10-15,1 de marteldood van de bisschop van Smyrna in de tijd van Marcus Aurelius plaatst, in *Chronicon* meer bepaald in het zevende jaar van deze keizer[521]. De gegevens van de chronologische appendix van *MPol* (21) werden, nadat de Griekse tekst van het martyrium door de publikatie van J. Ussher bekend geworden was, gewoonlijk gecombineerd met de aanduidingen van Eusebius. Men legde een verband tussen de in *MPol* 21 vermelde proconsul Statius Quadratus en de Quadratus die voorkomt in Ἱεροὶ Λόγοι van de Griekse rhetor Aelius Aristides[522]. Het resultaat was dat volgende dateringen in de jaren

---

[518] J. BOLLANDUS, *ASS Januarii tom. III*, p. 306. T. RUINART, *Acta martyrum selecta* (zie n. 96), 1ste ed. 1689, p. 26.

[519] W.H. WADDINGTON, *Mémoire sur la chronologie de la vie du rhéteur Aelius Aristide*, in *Mémoires de l'Institut Impérial de France, Académie des Inscriptions et Belles-Lettres* 26(1867)203-268.

[520] H. GREGOIRE, *La véritable date* (zie n. 267).

[521] Cf. R. HELM, *Die Chronik des Hieronymus* (2de ed.; GCS 47), Berlijn, 1956, p. 205.

[522] Aldus reeds H. VALESIUS, *Eusebii Pamphili ecclesiasticae historiae libri decem*, Parijs, 1659, p. 70-71; het belang van Aristides werd ontkend door Pagi (cf. infra n. 524);

zestig van de tweede eeuw werden voorgesteld : het jaar *166* door
Tillemont, Noris, Masson, Ruinart, Ceillier[523]; het jaar *167* door
Valesius, Liveley, Pagi, Du Pin[524]; het jaar *169* door Ussher, Bucher,
Baronius, Bollandus, Halloix en Cotelier[525]. Maar reeds in die periode
namen verscheidene auteurs geen genoegen meer met de gegevens van
Eusebius en kwamen tot dateringen in de tijd van Antoninus Pius.
Zo stelde Pearson het jaar *147* voor. Hij verdedigde de opvatting dat
Quadratus de uit epigrafisch materiaal bekende consul was van 142;
hij moet dan normaal proconsul geweest zijn vijf jaar later, dus in
147[526]. Die berekening werd aanvaard door Dodwell, Cave, Gallandi
en Fabricius[527]. Dit overzicht van auteurs uit de zeventiende en
achttiende eeuw toont een grote verscheidenheid van opvattingen. In
feite waren de meeste elementen voor de latere discussie reeds aanwezig :

vergelijk ook de *annotationes* in de vierde editie van Valesius' werk (Mainz, 1746, p. 732);
ook LIGHTFOOT II 1, p. 652 vindt Valesius' gebruik van Aristides niet zo gelukkig.

[523] M. LENAIN DE TILLEMONT, *Mémoires pour servir à l'histoire ecclésiastique* (zie
n. 163), p. 336; zie ook p. 342; Tillemont richt zich vooral tegen Pearson. Noris wordt vermeld door LIGHTFOOT II 1, p. 653; J. MASSON, *Collectanea historica ad Aristidis vitam*, in
W. DINDORF, *Aristides*, dl. 2, Leipzig, 1829, p. LXXXIX (oorspronkelijke editie 1722);
T. RUINART, *Acta martyrum selecta* (zie n. 96), p. 26; R. CEILLIER, *Histoire générale des
auteurs sacrés et ecclésiastiques*, dl. 1, editie Parijs, 1858, p. 394 (1ste ed. 1729).

[524] H. VALESIUS, *Eusebii Pamphili* (zie n. 522), p. 70; Liveley wordt door Valesius,
ibidem, geciteerd; A. PAGI, *Critica historico-chronologica in universos annales ecclesias-
ticos C. Baronii*, dl. 1, Antwerpen, 1705, p. 163; L.E. DU PIN, *Nouvelle bibliothèque
des auteurs ecclésiastiques*, dl. 1, editie Utrecht, 1731, p. 50 (1ste ed. 1686).

[525] J. USSHER, *Dissertatio de Macedonorum et Asianorum anno solari*, in *Annales
Veteris et Novi Testamenti*, editie Genève, 1722, p. 99-100 (de *Dissertatio* dateert van
1648); *Ignatii et Polycarpi martyria* (zie n. 6), p. 69-72; cf. LIGHTFOOT II 1, p. 652.
A. Bucher wordt vermeld door LIGHTFOOT II 1, p. 651; C. BARONIUS, *Annales ecclesiastici*,
dl. 2, editie Keulen, 1624 (1ste ed. 1587), *ad annum* 169; J. BOLLANDUS, *ASS Januarii
tom. III*, p. 307; P. HALLOIX, *Illustrium scriptorum* (zie n. 10), p. 583; J. COTELIER,
Sanctorum Patrum qui temporibus apostolicis floruerunt (zie n. 129), p. 203. Andere
dateringen werden voorgesteld door Baratier : 161 (cf. FUNK, p. XCIX, die verwijst
naar BARATIER, *Disquisitio chronologica de successione antiquorum episcoporum Romano-
rum*, 1740, ons niet toegankelijk); door S. Petit : 175 en door Basnage : 178(!), zie
R. CEILLIER, *Histoire générale* (zie n. 523), p. 394, n. 4 : ,,Basnage recule la mort
de saint Polycarpe à l'an 178, et Samuel Petit, à l'an 175''; vergelijk echter S. BASNAGIUS,
Annales politico-ecclesiastici, dl. 2, Rotterdam, 1706, p. 135-141 : 169. Dezelfde auteur
verwijst ook naar G. GRODECKIUS, *Dissertatio de anno et die passionis Polycarpi*, 1704
(ons niet toegankelijk). Zie ook de bespreking van de oudere literatuur bij LIGHTFOOT II
1, p. 651-656.

[526] J. PEARSON, *De serie et successione primorum Romae episciporum dissertationes
duae*, Londen, 1687, p. 310; cf. LIGHTFOOT II 1, p. 653.

[527] H. DODWELL, *Dissertationes Cyprianicae*, Oxford, 1684, p. 40; A. GALLANDI,
Bibliotheca veterum patrum (zie n. 137), p. XC-XCI; W. CAVE, *Scriptorum Ecclesiasticorum
historia literaria*, dl. 1, Oxford, 1740, p. 44; J.A. FABRICIUS, *Bibliotheca graeca*, dl. 5,
Hamburg, 1723, p. 43; = editie Harles dl. 7, 1801, p. 48.

het probleem van de datering bij Eusebius, de identificatie van Quadratus, de bevestiging van diens chronologie vanuit het werk van Aristides.

In de negentiende eeuw wordt het probleem meestal besproken in dialoog met het oudere werk van Masson (Réville: ,,omnes enim consentiebant cum Massonio")[528], die de gegevens van Eusebius met die van Aelius Aristides verbindt en van oordeel is dat zij elkaar wederzijds moeten aanvullen. Zijn datering (*166*) werd gevolgd door Clinton, Hilgenfeld (vóór de publikatie van Waddington), Steitz, Keim en Wordsworth[529]. Op grond van astronomische berekeningen stelt F. Gensler het jaar *167* voor[530]. Stieren daarentegen houdt het bij *161*[531]. Hefele en Dressel vermelden als mogelijke jaren *161, 167* en *169*, Möhler spreekt van *164, 167, 168*[532]. Ook Fessler verwijst naar de jaren zestig van de tweede eeuw, naast de vroege datering van Pearson[533]. Het zijn Letronne en Borghesi geweest die door hun kritiek op het chronologisch systeem van Masson de hypothese van Waddington hebben voorbereid, de eerste door aan te tonen dat men moet uitgaan van 117 als geboortejaar van Aristides, de tweede door te wijzen op de onwaarschijnlijkheid van het grote interval tussen 142 als consulaatsjaar en 165 als proconsulaatsjaar van Quadratus. Borghesi meent dat dit laatste 153 moet geweest zijn en twee jaar heeft geduurd, zodat zijns inziens Polycarpus veroordeeld werd in 155[534].

---

[528] Cf. n. 523; J. Reville, *De anno dieque* (zie n. 320), p. 3, vergelijk Lightfoot II 1, p. 653.

[529] H. F. Clinton, *Fasti Romani*, dl. 1, Oxford, 1845 (herdruk 1966), p. 157; A. Hilgenfeld, *Der Paschastreit* (zie n. 305), p. 244; *Der Quartodecimanismus und die kanonischen Evangelien* (zie n. 306), p. 288; L. Kunze, *Der Stand des Mondes bei dem Todestage Polykarp's von Smyrna*, ZWT 4(1861)330-331; G. Steitz, *Der Charakter der kleinasiatischen Kirche* (zie n. 304), p. 102-103; T. Keim, *Geschichte Jesu von Nazara*, dl. 1 (zie n. 316), p. 163; C. Wordsworth, *Church History to the Council of Nicea*, 3de ed., Rivingtons, 1883, p. 164.

[530] F. Gensler, *Der Todestag des Polykarp*, ZWT 7(1864)83-86; zie vroeger reeds F. C. Baur, *Die Christuspartei in der korintischen Gemeinde ... der Apostel Petrus in Rom*, in *Tübinger Zeitschrift für Theologie* 4(1831)61-206; = *Historisch-kritische Untersuchungen zum Neuen Testament*, Stuttgart, 1966, 1-146, inz. p. 86: ,,um 167".

[531] A. Stieren, *Ueber das Todesjahr Justins des Märtyrers*, ZHT 11(1842)21-37, inz. p. 34.

[532] Hefele, p. 296, n. 3; Dressel, p. 406, n. 2; J. A. Moehler, *Patrologie* (zie n. 298), p. 143; vergelijk nog PL 23, col. 635, n.i.

[533] J. Fessler, *Institutiones Patrologiae*, dl. 1, (zie n. 301), p. 178; vergelijk F. W. Gass, *Das christliche Märtyrerthum*, ZHT 29(1859)323-392, inz. p. 337: 165 of 167.

[534] A. J. Letronne, *Recherches sur l'Egypte*, 1823 (ons niet toegankelijk), cf. Lightfoot II 1, p. 655; B. Borghesi, *Œuvres complètes*, dl. 5, Parijs 1869, p. 376-377 (in deze editie wordt Borghesi door Waddington gecorrigeerd, p. 376 noot).

b) *De hypothese van Waddington*

In 1867 publiceert W.H. Waddington een studie *Mémoire sur la chronologie de la vie du rhéteur Aelius Aristide*[535], waarin de fouten van Masson aan het licht worden gebracht en een nieuwe chronologie wordt ontworpen. In verband met *MPol* stelt Waddington vast dat een verschil in datering bij de eerste kerkhistorici aantoonde dat zij niet uitgingen van contemporaine documenten, maar van de berekening van de „grote sabbat" vermeld in *MPol* 8 en 21. Zijn eigen berekeningen steunen op de chronologie van de proconsuls van Klein-Azië in de tweede eeuw, dat wil zeggen op contemporaine gegevens, en verdienen aldus de voorkeur. Anders dan Masson bepaalt hij onafhankelijk van Eusebius de chronologie van Aristides en meent op basis daarvan het juiste jaar van het proconsulaat van Quadratus te kunnen ontdekken: enkele passages in Ἱεροὶ Λόγοι[536] van de rhetor kunnen doen besluiten dat C. Iulius Severus proconsul was voor Asia in 153-154 en dat Quadratus zijn opvolger was. Deze moet bijgevolg het proconsulaat waargenomen hebben in 154-155. Dit komt dan overeen met de vermelding in *MPol* dat de 2de Xanticus op een sabbat viel, wat in 155 inderdaad het geval was.

Waddingtons werk wordt in Duitsland bekend door de vertaling van Renans *Antéchrist* en H. Ewalds recensie van dat boek[537]. Zijn argumentatie wordt aangevuld en bijgewerkt door grote namen als Lipsius, Hilgenfeld, Zahn, Gebhardt en vooral Lightfoot die in zijn monumentaal werk over de Apostolische Vaders, na grondige studie van alle argumenten, de resultaten van Waddington kon bevestigen[538].

[535] W.H. WADDINGTON, *Mémoire* (zie n. 519); *Fastes des provinces asiatiques de l'Empire Romain*, Parijs, 1872, p. 729-730.

[536] Zie dienaangaande A.J. FESTUGIÈRE, *Sur les ,,Discours sacrés" d'Aelius Aristide*, REG 82(1969)117-153, een reactie op C.A. BEHR, *Aelius Aristides and the Sacred Tales*, Amsterdam, 1968.

[537] Deze Duitse vertaling was ons niet toegankelijk; cf. E. RENAN, *L'Antéchrist*, Parijs, 1873, p. 207, n. 1. Het probleem van de datering van *MPol* wordt ook besproken in E. RENAN, *Les évangiles et la seconde génération chrétienne*, Parijs, 1879, p. 452; *Marc Aurèle*, Parijs, 1899, p. 207, n. 1. Zie nog Renans bespreking van T. Zahn, *Ignatius von Antiochien*, in *Journal des Savants* 1874, p. 35-50, inz. p. 44, n. 48. Het belang van de recensie van Ewald (GGA 1873, 1625-1626) werd onder meer opgemerkt door G. Volkmar, in een bespreking van T. Zahn, *Ignatius von Antiochien*, in *Jenaer Literaturzeitung* 1(1874)289-291, inz. p. 291; Zahns werk was nog onbekend met de opvattingen van Waddington en baseerde zich op Eusebius, cf. T. ZAHN, *Ignatius von Antiochien* (zie n. 260), p. 326, waar hij spreekt van een datering na 160 en er op wijst dat aan preciezere dateringen als die van Ussher en anderen elke grond ontbreekt.

[538] R.A. LIPSIUS, *Der Märtyrertod Polykarps* (zie n. 313), p. 194-195; *Das Todesjahr Polykarps*, in *Jahrbuch für protestantische Theologie* 4(1878)751; *Noch einmal das Todes-*

Ook Funk, Harnack en Egli, evenals Aubé, Allard en Doulcet in Frankrijk, aanvaardden de nieuwe datering[539]. Lipsius, Hilgenfeld, Gebhardt en later ook Harnack gaven echter om verschillende redenen de voorkeur aan het jaar 156[540].

Men kan de argumenten voor de nieuwe datering aldus samenvatten :
1. Eusebius' betrouwbaarheid inzake chronologie wordt in twijfel getrokken. Het verschil in datering tussen *Chronicon* en *HE* wordt benadrukt ter illustratie van het feit dat Eusebius zelf geen nauwkeurige kennis heeft van het jaar van Polycarpus' marteldood en dat hij die vaag associeert met de periode van Marcus Aurelius, omdat zijn voorganger Antoninus Pius niet als christenvervolger bekend stond[541].
2. De chronologische gegevens van *MPol* 21 worden zo niet als authentiek, dan toch als betrouwbaar en kort na de redactie van de brief toegevoegd, beschouwd[542].

jahr Polykarps, in *Jahrbuch für protestantische Theologie* 9(1883)525-526; bespreking van J. Réville, *De anno dieque*, TLZ 6(1881)302-305, inz. col. 304-305; A. HILGENFELD, *Polykarp von Smyrna* (zie n. 307), p. 320-326; *Petrus in Rom*, ZWT 19(1876)57-80, inz. p. 68 (Hilgenfeld aanvaardt later de hypothese van Waddington niet meer en keert terug naar de traditie van Eusebius, cf. infra, n. 558); ZAHN, p. 149; 165; ID., *Zur Biographie des Polykarpus und des Irenäus* (zie n. 72), p. 273; *Apostel und Apostelschüler* (zie n. 72), p. 94; *Skizzen aus dem Leben der alten Kirche*, Erlangen, 1894, p. 172; O. GEBHARDT, *Collation* (zie n. 30), p. 380-390; LIGHTFOOT, II 1, p. 509; 646-724; II 3, p. 353; *The Apostolic Fathers Part I. S. Clement of Rome* I,1 (zie n. 429), p. 342.

[539] FUNK, p. CI; A. HARNACK, *Kritische Uebersicht über die kirchengeschichtliche Arbeiten aus dem Jahre 1875 I*, ZKG 1(1876)111-148, inz. p. 121; HARNACK II 1, p. 721; E. EGLI, *Das Martyrium von Polykarp*, ZWT 25(1882)227-249; *Zum Todesjahr des Polykarp*, ZWT 27(1884)216-219, verdedigt het jaar 155 tegen Lipsius, in plaats van 156; cf. ook *Zu den urchristlichen Martyrien*, ZWT 31(1888)385-397, inz. p. 385-389; *Zum Polykarptag*, ZWT 34(1891)96-102. Egli legt zeer veel nadruk op de studie van de kalendariën, de menologia en martyrologia, die echter late bronnen zijn en vaak secundair materiaal bevatten. E. ZELLER, *Zur Petrusfrage*, ZWT 19(1876)31-56, inz. p. 36 : 155/156; B. AUBE, *Histoire des persécutions de l'Église jusqu'à la fin des Antonins*, 2de ed., Parijs, 1875, p. 323, n. 1; 327, n. 1; P. ALLARD, *Histoire des Persécutions* dl. 1 (zie n. 325), p. 310-311; *Le christianisme dans l'Empire Romain de Néron à Théodose*, 2de ed., Parijs, 1897, p. 45; *Dix leçons sur le martyre*, 3de ed., Parijs, 1907, p. 315, n. 2 : ,,La date de 155 pour le martyre de S. Polycarpe établie par les calculs de Waddington, est presque universellement admise..."; H. DOULCET, *Essai sur les rapports de l'Eglise chrétienne avec l'état romain*, Parijs, 1883, p. 103; 105. Vergelijk nog W. SANDAY, *The Gospels in the Second Century*, Londen, 1876, p. 82; eveneens H. DESSAU, *Prosopographia Imperii Romani*, dl. 3, Berlijn, 1898, p. 112; 270; J. MARQUARDT, *Römische Staatsverwaltung*, dl. 1, Leipzig, 1873, p. 405, n. 9.

[540] In het artikel van 1879 houdt Lipsius zowel 155 als 156 voor mogelijk, zonder dat hij een reden ziet om te kiezen voor het ene of het andere. Ook R. HILGENFELD, *Verhältnis des römischen Staates zum Christentum in den beiden ersten Jahrhunderten*, ZWT 24(1881)291-331, inz. p. 323.

[541] Cf. onder meer LIGHTFOOT II 1, p. 509; 641-642; 646-649.

[542] Zie boven n. 364.

3. De datering ca. 155 is meer in overeenstemming met het bericht van Irenaeus dat Polycarpus nog leerling is geweest van de apostel Johannes[543].

4. Irenaeus' getuigenis over de ontmoeting van Polycarpus met Anicetus te Rome wordt niet als een bezwaar gezien. Anicetus werd bisschop van Rome ca. 154. Men neemt aan dat kort daarop Polycarpus hem bezocht om te spreken over het probleem van de Kleinaziatische quartodecimaanse practijk, en na zijn terugkeer te Smyrna ter dood gebracht werd. Het was wel voor sommigen (onder meer Lipsius) een reden 156 te verkiezen boven 155 : zodoende was er een meer aanvaardbare tijdsruimte tussen het bezoek aan Rome en de marteldood. Die opvatting werd evenwel door Lightfoot afgewezen. De datum van *MPol* moet zijns inziens de basis vormen voor het berekenen van de chronologie van de pausen en niet omgekeerd : „But the conclusion to which we are driven by the evidence is that, wherever we have an independent date, as e.g. the Martyrdom of Polycarp, this should be used to test the accuracy of the chronology of the papal list, and not *conversely*"[544].

5. Een grote rol speelt de figuur van de proconsul Statius Quadratus. Hij wordt geïdentificeerd met de consul van 142, wat door de chronologie van het leven van Aristides wordt bevestigd. Een interval van dertien jaar tussen consulaat en proconsulaat kan in de tijd van Antoninus Pius als normaal beschouwd worden. Een tussentijd van drieëntwintig jaar (door de datering ca. 166 te veronderstellen) zou zeer abnormaal zijn en is nergens betuigd[545].

6. Een ander belangrijk punt is de verklaring van de „grote sabbat"

[543] Cf. onder meer LIGHTFOOT II 1, p. 666.

[544] LIGHTFOOT II 1, p. 727 (met verwijzing naar Lipsius); vergelijk G. BARDY, *L'Église romaine sous le pontificat de saint Anicet*, RecSR 17(1927)481-511, inz. p. 496-502; K. BIHLMEYER, *Der Besuch Polykarps bei Anicet und der Osterfeierstreit*, in *Der Katholik* 82(1902)314-327; T. RANDELL, *The Date of St. Polycarp's Martyrdom*, in *Studia Biblica*, Oxford, 1885, p. 175-207, inz. p. 194; L. DUCHESNE, *Histoire ancienne de l'Eglise*, dl. 1, Parijs, 1906, p. 237; 239; P.N. HARRISON, *Polycarp's Two Epistles* (zie n. 78), p. 278-281; BARDY II, p. 71, n. 20.

[545] LIGHTFOOT II 1, p. 656-664; P.N. HARRISON, *Polycarp's Two Epistles* (zie n. 78), p. 277-278. Oudere auteurs zijn van mening dat een interval van drieëntwintig jaar wel mogelijk is, cf. onder meer J. CHAPMAN, *La date de la mort de S. Polycarpe*, RBén 19(1902)145-149, inz. p. 146-147, en vroeger A. HILGENFELD, *Der Paschastreit* (zie n. 305), p. 242. Zie echter recent R. SYME, *Proconsuls d'Afrique sous Antonin le Pieux*, REAnc 61(1959)310-319, inz. p. 311; *Les proconsuls d'Afrique sous Hadrien*, ibidem 67(1965) 342-352, inz. p. 351-352. Reeds in 1953 stelde Syme vast dat de problematische aspecten van de chronologie van Aristides nog steeds niet waren opgelost, zie de bespreking van A. Degrassi, *I Fasti consolari dell'Impero Romano*, JRS 43(1953)148-161, inz. p. 159.

vermeld in *MPol* 8 en 21. De meest gangbare uitleg voor deze enigszins enigmatische uitdrukking is de door Lightfoot opnieuw verdedigde identificatie met het joodse Purimfeest (reeds E. Liveley, gestorven in 1605, stelde die oplossing voor)[546].

De laatste twee gegevens, de figuur van Quadratus en de verklaring van de „grote sabbat", zijn de hoofdzaak in een discussie die tot het begin van deze eeuw voortduurde. Gelijktijdig met de eerste editie van Lightfoot vatte T. Randell in 1885 het hele probleem nogmaals samen en verdedigde de datering 155 in de vorm van een antwoord op de objecties die Wordsworth had geformuleerd in zijn Kerkgeschiedenis[547]. De strijd zal opnieuw oplaaien na een artikel van W. Schmid, die de identificatie van Quadratus van *MPol* met de figuur uit het werk van Aristides meent te kunnen uitsluiten[548]. Zijn argumenten worden door Harnack als onweerlegbaar beschouwd. Deze redt echter de vroege datering door een andere Quadratus te aanvaarden die vóór het personage van Aristides proconsul van Asia zou zijn geweest[549].

Kritiek op de nieuwe datering

De hypothese van Waddington wordt echter door een aanzienlijk aantal auteurs niet gevolgd, bijvoorbeeld Keim, Wieseler, Baumgart, Wordsworth, Lacour-Gayet en Réville[550]. Deze laatste betwijfelt uit-

[546] Cf. LIGHTFOOT II 1, p. 709-713; de uitdrukking „grote sabbat" heeft steeds een probleem gesteld. E. SCHUERER, *Die Passastreitigkeiten* (zie n. 310), p. 203-204, verklaart ze als een interpolatie, terwijl R.A. LIPSIUS, *Der Märtyrer-Tod Polykarps* (zie n. 313), p. 202-203, ze ook als later toegevoegd beschouwt.

[547] T. RANDELL, *The Date of St. Polycarp's Martyrdom* (zie n. 524), p. 184-200. In de vierde editie van Wordsworths *Church History* wordt de nieuwe datering overgenomen, onder invloed van C.H. TURNER: 156, zie *The Day and Year of St. Polycarp's Martyrdom*, in *Studia biblica et ecclesiastica*, Oxford, 1890, p. 105-155, inz. p. 144-150; 154-155; *The Early Episcopal Lists*, JTS 1(1900)181-200; 529-563, inz. p. 181, n. 2; en de kritiek van LIGHTFOOT II 1, p. 727. Lightfoot reageert ook tegen de opvatting van G. Salmon, als zou de vroege datering te bewijzen zijn door de berekening van de dag van het martelaarschap op 23 maart, cf. LIGHTFOOT II 1, p. 691-702; G. SALMON, *The Date of Polycarp's Martyrdom*, in *The Academy* 24(1883)46-47; *Polycarpus of Smyrna* (zie n. 255), p. 429-431.

[548] W. SCHMID, *Die Lebensgeschichte des Rhetors Aristides*, in *Rheinisches Museum für Philologie* NF 48(1893)53-83; vergelijk *Aristides*, PWK 1(1896)886-894. Schmid vond weinig positief gehoor, cf. A. BOULANGER, *Aelius Aristide et la sophistique dans la province d'Asie au II. siècle de notre ère*, Parijs, 1923, p. 464.

[549] HARNACK II 1, p. 348-355, vergelijk p. 325; 386: „155"! (vergelijk AnBoll 16(1897)182); *Marcion* (zie n. 386), p. 4*.

[550] T. KEIM, *Aus dem Urchristentum* (zie n. 270), p. 90-92; K. WIESELER, *Die Christenverfolgungen der Cäsaren* (zie n. 270), p. 61-76; *Das Todesjahr Polykarps*, TSK 53(1880) 141-165; M. BAUMGART, *Aelius Aristides als Repräsentant der sophistischen Rhetorik*

eindelijk de mogelijkheid om tot een juiste datering te komen : „Nihil prodest affirmare ubi dubitare tutius est"[551]. De argumenten tegen de nieuwe datering kan men als volgt resumeren :

1. De betrouwbaarheid van Eusebius inzake chronologie is niet te betwijfelen. Meer bepaald in verband met *MPol* kan men zich niet indenken dat de kerkhistoricus de gegevens van de chronologische appendix zou hebben verwaarloosd, indien hij ze gekend had. De hoofdstukken 21 en 22 zijn een latere toevoeging en dus van weinig gewicht.

2. Het begin van het episcopaat van Anicetus is een onzekere zaak : de chronologie van de Romeinse bisschoppen in de tweede eeuw is onvoldoende gekend. Anicetus kan evengoed pas in 155 bisschop van Rome zijn geworden als in 153 of 154, wat de dood van Polycarpus in 155 zou uitsluiten. Het lijkt trouwens onwaarschijnlijk dat Polycarpus dadelijk na Anicetus' aanstelling reeds in Rome zou zijn geweest en er slechts korte tijd zou hebben verbleven. Evenmin acht men zulke reis nog mogelijk voor een ouderling van meer dan tachtig jaar[552].

3. De aanduidingen in Aristides' werk zijn te onzeker. Alles hangt af van de identificatie van een ἑταῖρος van Aristides in de vierde rede, die dan proconsul van Asia was, met Quadratus. Dit is op geen enkele wijze te verifiëren[553].

4. Sommigen beschouwen *MPol* in zijn geheel als een later geschrift, afhankelijk van de bestaande cultus rond de bisschop van Smyrna, dat geen juiste traditie bevat over de tijd van zijn dood[554].

Men zal opmerken dat het geheel van deze argumentatie later terugkeert bij Grégoire.

c) *De periode 1900-1950*

In 1900 beschouwt T. Zahn de nieuwe datering als dermate zeker „dass wer nichts wesentlich Neues für oder wider dasselbe beizubringen hat, auch keinen Anlass hat aufs neue darüber zu reden"[555]. Nochtans

des II. Jahrhunderts der Kaiserzeit, 1874 (vermeld onder meer door E. EGLI, *Das Marty-rium von Polykarp* [zie n. 539], p. 237); G. LACOUR-GAYET, *Antonin le Pieux et son temps*, Parijs 1888, p. 383; J. REVILLE, *Étude critique sur la date de la mort de S. Polycarpe*, RHR 3(1881)369-381.

[551] J. REVILLE, *De anno dieque* (zie n. 320), p. 65; vergelijk *Le quatrième évangile, son origine et sa valeur historique*, Parijs, 1901, p. 12.

[552] J. REVILLE, *Étude critique* (zie n. 550), p. 380.

[553] *Ibid.*, p. 374.

[554] Zie T. KEIM, *Aus dem Urchristentum* (zie n. 270), p. 136-143.

[555] T. ZAHN, *Apostel und Apostelschüler* (zie n. 72), p. 94.

blijft de kritiek tegen de vroege datering levendig : Chapman, Westberg, Völter en Preuschen houden vast aan de datering van Eusebius[556]. Ook G. Krüger twijfelt aan de „gelehrte Schlüsse"[557], terwijl Hilgenfeld terugkomt van zijn „Blendung" door de hypothese van Waddington en opnieuw de Eusebiaanse gegevens verkiest[558].

Toch zorgt het gezag van de Duitse geleerden en Lightfoot er voor dat de nieuwe datering de bovenhand krijgt. P. Corssen bestudeert nogmaals de gegevens van Aristides en maakt de bezwaren van Schmid ongedaan[559], terwijl E. Schwartz opnieuw de datering in het jaar 156 vooropstelt[560].

Vele handboeken of studies geven twee mogelijkheden aan : 155 of 156[561]. P. N. Harrison, in zijn klassieke studie over de Polycarpus-

---

[556] J. CHAPMAN, La date de la mort de S. Polycarpe (zie n. 545); F. WESTBERG, Die biblische Chronologie nach Flavius Josephus und das Todesjahr Jesu, Leipzig, 1910, p. 124-126; D. VOELTER, Die Apostolischen Väter neu untersucht, dl. 2, Leiden, 1910, p. 1-5, volgt Westberg; E. PREUSCHEN, Bespreking van D. Völter, Die Apostolischen Väter, in Berliner philologische Wochenschrift 31(1911)459-462, inz. p. 460-461, sluit zich bij Völter aan. Vergelijk nog J. TURMEL, Épître et martyre de Polycarpe, in Annales de philosophie chrétienne 76(1904-1905)22-33, inz. p. 29-33; vergelijk H. DELEHAYE, An Boll 25(1906)358. O. SEECK, Geschichte des Untergangs der antiken Welt, dl. 3, 3de ed., 1921, p. 297; 496-498.

[557] Krügers opvatting is niet zo duidelijk : eerst schijnt hij de mening van Lightfoot te delen : Geschichte der altchristlichen Literatur (zie n. 325), p. 17; 238; Handbuch der Kirchengeschichte, dl. 1, 2de ed., Tübingen, 1923, p. 46 : „um 155(?)". Later staat hij afwijzend, cf. E. HENNECKE, Neutestamentliche Apokryphen (zie n. 504), p. 134; 2de ed., 1924, p. 536; (in dezelfde uitgave aanvaardt E. Rollfs de datering 155, cf. p. 367, 2de ed. p. 196); zie nog E. HENNECKE, Handbuch zu den neutestamentlichen Apokryphen, Tübingen, 1914, p. 201.

[558] HILGENFELD, p. 338-345; ID., Anzeigen : Ignatii Antiocheni, ed. A. Hilgenfeld, ZWT 43(1902)573-580, inz. p. 574-575; Eine dreiste Fälschung (zie n. 75), p. 446. Daartegen H. DELEHAYE, Bulletin des publications hagiographiques, AnBoll 22(1903) 336-337; L. FILLON, in Dictionnaire de la Bible 5(1912)1813 : 169. W. RAMSAY houdt Waddingtons oplossing voor mogelijk, echter niet voor beslissend, cf. The Church in the Roman Empire before 170 A.D., 8ste ed., Londen, 1904, p. 331; The Date of St. Polycarp's Martyrdom, ExpTim 15(1903-1904)221-222; New Evidence on the Date of St. Polycarp's Martyrdom, ExpTim 18(1906-1907)188-189; The Date of St. Polycarp's Martyrdom, in Beiblätter der Jahreshefte des Oesterreichischen Archäologischen Instituts 27(1932)245-258; cf. nog H. DELEHAYE, AnBoll 23(1904)479.

[559] P. CORSSEN, Das Todesjahr Polykarps, ZNW 3(1902)61-82.

[560] E. SCHWARTZ, Christliche und jüdische Ostertafeln, (zie n. 311), p. 129-137; Osterbetrachtungen, ZNW 7(1906)1-33, inz. p. 9; E. SCHWARTZ-T. MOMMSEN, Eusebius, dl. 3 (zie n. 178), p. CCXXV; 25).

[561] BARDENHEWER I, p. 162; II, p. 670, vergelijk echter Patrologie, 3de ed., Freiburg, 1910, p. 33 : 156; P. BATTIFOL, Anciennes littératures chrétiennes, dl. 1, 4de ed., Parijs, 1901, p. 17-18; J. TIXERONT, Précis de patrologie, 13de ed., Parijs, 1927, p. 72; LELONG, p. XLVI-XLIX; A. PUECH, Histoire de la littérature grecque chrétienne, dl. 2, Parijs, 1928, p. 66; P. WENDLAND, Die urchristlichen Literaturformen (zie n. 402),

brief, vat op een overzichtelijke wijze het onderzoek over de datering van de dood van Polycarpus samen, en kan met verwijzing naar de toenmalige kennis van de consulaire *Fasti*, de nauwkeurige datering van Filippus van Tralles (*MPol* 21) en de studies van Harnack en Lightfoot over de chronologie van de pausen, het jaar 155 of 156 als de zekere datum van de marteldood van de bisschop van Smyrna voorstellen[562]. Opmerkelijk is zijn afwijzing van het belang van de uitdrukking „grote sabbat". Het gaat slechts om een „embellishment" : „It is probably of Christian origin, and indeed may well be traced to the μεγάλη ἡ ἡμέρα ἐκείνου τοῦ σαββάτου in Jn. xix. 31 ..."[563]. Andere sluiten zich aan bij de verdedigers van 155 of 156[564]. Beide

---

p. 380(156); STAEHLIN, p. 1228, n. 1 (verwijst ook naar de traditionele opvatting, namelijk 167, volgens recente auteurs als Westberg e.a.); N. BONWETSCH, *Polykarp* (zie n. 325), p. 537; *Die Geschichte des Montanismus*, Dorpat, 1881, p. 143; P. DE LABRIOL-LE, *La crise montaniste*, Parijs, 1913, p. 588-589 („avec quelque vraisemblance"); H. M. GWATKIN, *Early Church History* (zie n. 352), p. 146; G. FRITZ, *Polycarpe*, DTC 12(1935)2515; KLEIST, p. 73 : „A similar doubt hangs over the date of his martyrdom, even though feb. 23,155 ... is generally accepted as the most probable"; H. LECLERCQ, *Les martyrs*, dl. 1, Parijs, 1902, p. 65-66; *Lettres chrétiennes* (zie n. 514), col. 2736; J. TYRER, *The Prayer of St. Polycarp* (zie n. 379), p. 390; E. C. E. OWEN, *Some Authentic Acts of the Early Martyrs*, Londen, 1927, p. 31; 133 (155 of 156).

[562] P. N. HARRISON, *Polycarp's Two Epistles* (zie n. 78), p. 268-282.

[563] *Ibid.*, p. 282; vergelijk S. SCHMUTZ, *Petrus war dennoch in Rom*, in *Benediktinische Monatschrift* 22(1946)128-141, inz. p. 138 („um 156").

[564] 155 : P. ALLARD, *Martyre*, DAFC 3(1926)333; H. LECLERQ, DACL 3(1913)1467; ID., DACL 14(1939)560; STRATHMANN, p. 512; J. LEBRETON, in A. FLICHE-V. MARTIN, *Histoire de l'Église*, dl. 2, Parijs, 1935, p. 90, n. 2; 446; G. BARDY, *L'Église romaine* (zie n. 544), p. 496, n. 6 („avec une quasi-certitude"); *Littérature grecque chrétienne*, Parijs, 1927, p. 43; K. BIHLMEYER, *Der Besuch Polykarps* (zie n. 544), p. 323; C. BLUME, *Der Engelhymnus Gloria in excelsis Deo* (zie n. 379), p. 67; A. BOULANGER, *Aelius Aristide* (zie n. 548), p. 461-495, inz. p. 479 : „Toutes les vraisemblances sont donc en faveur de l'année 155"; *Chronologie de la vie du rhéteur Aelius Aristide*, in *Revue de Philologie* 46(1922)26-55; = *Aelius Aristide*, p. 461-495; P. CAGIN, *L'anaphore apostolique et ses témoins* (zie n. 379), p. 209; H. JORDAN, *Geschichte der altchristlichen Literatur* (zie n. 402), p. 84-85 : „155 oder 166"; J. LEBRETON, *Histoire du dogme de la Trinité*, dl. 2, (zie n. 379), p. 518; F. M. M. SAGNARD, *La gnose valentinienne et le témoignage de St. Irénée* (zie n. 182), p. 57; 62, n. 2; M. POWER, *The Date of Polycarp's Martyrdom*, ExpTim 15(1904)330-331 (tegen Ramsay); B. SEPP, *Das Martyrium Polycarpi* (zie n. 36), p. 4; *Das Datum des Todes des hl. Polykarps*, in *Der Katholik* 1(1914)135-142; G. RAUSCHEN, *Florilegium Patristicum* (zie n. 222), p. 4; 46; A. EHRHARD, *Die griechischen Martyrien* (zie n. 81), p. 24; E. MEYER, *Ursprung und Anfänge des Christentums* (zie n. 454), p. 539, n. 3; C. J. CADOUX, *Ancient Smyrna* (zie n. 79), p. 355, n. 3; F. GROSSI-GONDI, *Principi e problemi di critica agiografica*, Rome, 1919, p. 84; W. HUETTL, *Antoninus Pius*, dl. 1, (zie n. 364), p. 215; dl. 2, p. 53-54; W. WILBERG-J. KEIL, *Forschungen in Ephesos*, dl. 3, Wenen, 1923, p. 135; J. E. SHERMAN, *The Nature of Martyrdom*, Paterson, 1942, p. 9; W. DITTENBERGER, *Orientis graeci inscriptiones selectae*, dl. 3, Hildesheim, 1960 (herdruk van 1ste ed., 1905), p. 137, n. 2; R. WILDE, *The Treatment of the Jews in the*

jaren worden traditionele datering van *MPol* in plaats van het vroegere
voorstel dat zich op Eusebius beroept.

d) „Retour à la tradition eusébienne"

In 1951 verschijnt in *Analecta Bollandiana* een artikel van de Brusselse
professor H. Grégoire [565] waarin een nieuwe opvatting verdedigd wordt
volgens dewelke *MPol* niet in 155-156 gedateerd moet worden en
evenmin in 166, maar wel in 177. Uitgangspunt en meteen postulaat
van zijn hypothese is de correctheid van Eusebius : „Il ne semble pas
qu'il ait jamais altéré sciemment, par interpolation ou d'autre manière,
les pièces, souvent rares et précieuses, qu'il nous a conservées, en
original ou en traduction" [566]. Er is geen reden om te betwijfelen dat
het martyrium van Polycarpus zowel als dat van Pionius of van Carpus

---

Greek Christian Writers of the First Three Centuries, Washington, 1949, p. 141; K.D.
SCHMIDT, *Tabellen zur Kirchengeschichte*, 2de ed., Göttingen, 1963, p. 17 : „155 (oder
166)"; D. MAGIE, *Roman Rule in Asia Minor to the End of the Third Century after
Christ*, dl. 2, Princeton, 1950, p. 1584.

156 volgens de opvatting van G. RAUSCHEN-B. ALTANER, *Patrologie*, Freiburg, 1931,
p. 65 : „... Das war wahrscheinlich am 22. Februar 156"; overgenomen door B. ALTANER,
Patrologie (1ste ed.), 1938, p. 58 en in STUIBER (1978), p. 52 met de toevoeging :
„E. Schwartz"; H. BADEN, *Das Polykarpmartyrium* (zie n. 343), p. 706; *ibid.* n. 2;
jg. 25, p. 75; 81; A. STEIN, PWK 10(1918)753; D. VAN DEN EYNDE, *Les normes de
l'enseignement chrétien dans la littérature patristique des trois premiers siècles*, Gembloux-
Parijs, 1933, p. 2; DELEHAYE, p. 15; E.J. GOODSPEED, *A History of Early Christian
Literature*, Chicago, 1942, p. 40; vergelijk echter p. 29 : „... in A.D. 155 or 156";
deze datering wordt verlaten in de tweede editie door R.M. Grant, zie verder n. 581 en
supra n. 357; *The Apostolic Fathers. An American Translation*, New York, 1950, p. 245;
K. LAKE-J.E.L. OULTON, *Eusebius. Ecclesiastical History*, dl. 1, Londen, 1926, p. 339,
n. 3 (vergelijk p. 347, n. 2); H. LIETZMANN, *Ein liturgisches Bruchstück* (zie n. 379),
p. 56; *Geschichte der alten Kirche II. Ecclesia Catholica*, 4de en 5de ed., Berlijn, 1975,
p. 134; 159 (= 1ste ed. 1936); QUASTEN, p. 77 : „probably Feb. 22, 156"; LAKE,
p. 311; H. RAHNER, *Die Märtyrerakten des zweiten Jahrhunderts*, Freiburg, 1941, p. 5
(Rahner schrijft 23 februari 156; dit is onjuist : de datum is 22 februari 156 of 23 februari
155); REUNING, p. 8-9; 24-25; M.J. ROUET DE JOURNEL, *Enchiridion patristicum*, Freiburg, 1911, p. 29, plaatst *MPol* in 156/157; B. STEIDLE, *Patrologia*, Freiburg, 1937,
p. 16; 23; K. BIHLMEYER-H. TUECHLE, *Kirchengeschichte*, dl. 1 (zie n. 80), p. 83;
176; BAUER, col. 1362 (andere mogelijkheden : 155; 166).

[565] H. GREGOIRE, *La véritable date* (zie n. 267). De opvatting werd verder verdedigd
in *La date du martyre de Polycarpe*, in *La nouvelle Clio* 4(1952)392-394 (deze noot is
ondertekend L.N.C.; de bibliografie van H. Grégoire in *Mélanges H. Grégoire IV*,
1953, p. VII, vermeldt haar als van H. Grégoire); *Nouvelles remarques sur le nombre
des martyrs*, AcRoyBelg, BLett. 5e Sér. 38(1952)37-60, inz. p. 47-49 (tegen Griffe;
= *Les persécutions dans l'Empire Romain*, p. 176-178); *Les persécutions dans l'Empire
Romain* (zie n. 386), p. 26; 108-114; 241-242; *Les martyres de Pionios et de Polycarpe*,
AcRoyBelg., BLett, 5e Sér. 47(1961)72-83, inz. p. 82-83.

[566] H. GREGOIRE, *La véritable date* (zie n. 267), p. 1.

plaats gevonden hebben onder Marcus Aurelius, als Eusebius dat zo zegt. De vraag is dan ook waarop Waddington en zijn navolgers steunen, wanneer zij zich tegen Eusebius' chronologie verzetten. „... Il est vraisemblable ... que, surtout il [Eusebius] n'a pas commis à leur sujet d'énormes erreurs de date ..., ce qu'on a malheureusement admis d'une manière aussi déraisonnable que générale" [567]. In ieder geval is de door Eusebius overgeleverde tekst van *MPol* de oudste vorm die binnen bereik ligt. De andere vorm, bekend door het zogenaamde *Corpus Polycarpianum*, is geïnterpoleerd en weinig betrouwbaar. Over dit *Corpus*, zijn samensteller, de pseudo-Pionius, en zijn tijd van ontstaan, weidt de auteur uitvoerig uit, om aan te tonen dat de interpolaties in *MPol* en in de chronologische appendix in 21 het werk zijn van de latere vervalser die ook verantwoordelijk is voor *Martyrium Pionii*. Op die wijze wordt de basis zelf van Waddingtons berekeningen weggenomen.

Grégoire beroept zich verder op het argument dat *MPol* beter past in de tijd van Marcus Aurelius en op een *argumentum e silentio* : indien het martyrium in 155 had plaats gehad, zou het ondenkbaar zijn dat Melito van Sardes het onvermeld zou laten in zijn *Apologie* [568]. *MPol* en *MLugd* zijn de eerste christelijke martyria, geschreven om de kerkelijke leer over het martelaarschap uit te drukken. Vandaar een volgend argument : de episode over Quintus (*MPol* 4) kan slechts geschreven zijn na het ontstaan van het montanisme. De opkomst daarvan is te situeren rond 170 en sluit aldus een vroege datering van *MPol* uit. Grégoire haalt ook het argument aan van de reis naar Rome onder Anicetus : „La Passion ne dit nulle part que Polycarpe lorsqu'il fut arrêté, revenait d'un voyage à Rome. On ne navigait guère en janvier, surtout à l'âge de 86 ans ou plus ... La visite romaine de Polycarpe en 154-155 est une énormité du même ordre que le pré-montanisme de Quintus" [569]. Zo maakt de auteur de weg vrij voor een

---

[567] *Ibid.*, p. 2.

[568] Hetzelfde argument werd reeds gebruikt door O. SEECK, *Geschichte des Untergangs der antiken Welt* (zie n. 556), p. 496-497.

[569] H. GREGOIRE, *La véritable date* (zie n. 267), p. 22-23; het afwijzen van het premontanisme is bevreemdend, daar Grégoire er elders beroep op doet om zijn stelling aanvaardbaar te maken : in *Nouvelles remarques sur le nombre des martyrs* (zie n. 565), beroept hij zich in die zin op Renan en Zahn. Het argument van het montanisme bij Grégoire heeft trouwens een eigenaardige geschiedenis : vanaf 1951 aanvaardt hij dat het montanisme aan *MPol* voorafgegaan moet zijn (om hoofdstuk 4 over Quintus te kunnen verklaren); voordien echter ging Grégoire akkoord met W.M. Calder dat *MPol* aan het montanisme voorafging, dat wil zeggen aan de opkomst van Montanus (die hij toen nog ± 157 situeerde); cf. *Byzantion* 1(1924)706-707; hij hield met Calder

eigen oplossing : *MPol* wordt door Eusebius duidelijk in het zeventiende jaar van Marcus Aurelius geplaatst. *MPol* en *MLugd* worden in *Chronicon* echter in het *zevende* jaar van dezelfde keizer gesitueerd : dit moet een copiistenfout zijn voor het *zeventiende* jaar. Grégoire besluit dat Eusebius *MPol* ook in 177 plaatste. Dat wordt bevestigd door de reis van Irenaeus naar Rome, die Eusebius vermeldt, ge-combineerd met de uitspraak in de *epilogus Mosquensis* van *MPol* volgens dewelke Irenaeus te Rome een stem hoort die zegt : „Poly-carpus is de marteldood gestorven". Men ziet dat de basis van Grégoires opvatting teruggaat op de traditionele bezwaren tegen de vroege datering van *MPol*[570]. Ook andere elementen werden reeds in vroegere argumentaties gehanteerd : dat 21 een toevoeging is van de pseudo-Pionius werd bijna honderd jaar vroeger uiteengezet door Steitz.

De ingenieuze constructie van Grégoire heeft niet veel succes gekend. Slechts J. Moreau is bereid het jaar 177 te aanvaarden, niet zonder enige blijvende bezwaren tegen deze late datering te formuleren[571]. Ook P. Camelot leek aanvankelijk voor de stelling van Grégoire gewonnen, maar ging al vlug twijfelen aan de gegrondheid van de hypothese[572].

Een laatste te vermelden hypothese is die van J. Schwartz[573], volgens

---

MPol voor de oudste allusie op het montanisme of premontanisme, en was het met hem eens dat Φρύξ in *MPol* 4 slechts als montanist *avant la lettre* verstaan kon worden. Calders argumentatie (*Philadelphia and Montanism*, BJRL 7(1923)309-354, inz. p. 333-334) om dat te bewijzen is vrij zwak en hangt samen met zijn algemene stelling dat het montanisme vóór Montanus bestond, cf. nog CAMPENHAUSEN, p. 116.

[570] Het is interessant hier te wijzen op een gelijkaardige poging van Abbott, door Harnack geciteerd, om *MLugd* te situeren in het zeventiende jaar van Antoninus Pius, dat wil zeggen in het jaar van Polycarpus' dood (155); cf. HARNACK II 1, p. 316, n. 2, *ibid.*, n. 1; vergelijk A. EHRHARD, *Die christliche Literatur und ihre Erforschung von 1884-1900* (zie n. 331), p. 579-580. Het verschil tussen *HE* IV,15 en *Chronicon* wordt door Harnack als volgt verklaard : „(die beiden grossen, dem Eusebius bekannten Verfolgungen unter M. Aurel hat er in der Chronik zusammengestellt; in der KGesch. aber aus-einander gehalten, weil er für die zweite jetzt ein genaueres Datum besass)", HARNACK II 1, p. 51.

[571] J. MOREAU, *Die Christenverfolgung im römischen Reich*, 2de ed., Berlijn, 1971 (1961; Franse uitgave 1956), p. 53-55; vergelijk *Eusèbe de Césarée*, DHGE 15(1963) 1437-1460, zie col. 1452.

[572] CAMELOT, 2de ed., Parijs, 1951, p. 227-229, gehandhaafd in de 3de ed., 1958; de auteur besluit : „Mais la discussion reste ouverte". Reeds in 1952 merkt Camelot op, naar de editie van 1951 verwijzend : „Nous y signalons sans doute avec trop de faveur la thèse ‚révolutionnaire' de M. H. Grégoire", cf. *Bulletin d'histoire des doctrines chrétiennes*, RScPhilT 36(1952)483-517, inz. p. 492, n. 24. In de vierde editie distancieert de auteur zich van de opvatting van Grégoire (p. 199-200).

[573] J. SCHWARTZ, *Note sur le martyre de Polycarpe de Smyrne*, RHPhilRel 52(1972) 331-335; vroeger beweerde Schwartz dat *MPol* een bron voor Lucianus geweest is, zie

dewelke het onmogelijk is de precieze datum van de martelaarsdood van Polycarpus vast te stellen. *MPol* is zijns inziens afhankelijk van Lucianus, *De Morte Peregrini*. Daar dit werk in 169 ontstond, moet *MPol* recenter zijn. Het is waarschijnlijk het werk van een Kleinaziatische vervalser, die naast de Ignatiusbrieven ook minstens enkele werken van Lucianus tot zijn beschikking had. Deze opvatting is even on-waarschijnlijk als die welke de afhankelijkheid van *De Morte Pere-grini* 39 van *MPol* veronderstelt[574]. De zogenaamde parallellen van *MPol* met Lucianus' werk zijn alles behalve duidelijk en kunnen wat *MPol* betreft anders verklaard worden dan door afhankelijkheid van *De Morte Peregrini*.

Kritiek op Grégoire

De reacties in negatieve zin gaan twee richtingen uit. Een eerste groep auteurs neemt de verdediging van 155-156 op zich. Onder hen polemiseerde vooral E. Griffe tegen de Brusselse professor. Hij stelt vast dat Eusebius nergens een precieze datering van *MPol* heeft vast-gelegd. Uit de volgorde in *HE* kan men afleiden dat Eusebius *MPol* vóór *MLugd* situeert. Het jaar 155 werd door Grégoire niet onwaar-schijnlijk gemaakt :

1. Het beroep op het montanisme gaat niet op, want het is niet bewezen dat het in de episode over Quintus over montanisme gaat.
2. Het begin van het pontificaat van Anicetus is niet decisief tegen 155; het kan evengoed in 154 plaats gehad hebben als in 153 of zelfs 150.
3. Het argument van Irenaeus in Rome is niets waard : men kan zich evenmin op de *epilogus Mosquensis* verlaten als op hoofdstuk 21.
4. De gegevens van Irenaeus over Polycarpus komen bij een latere datering in het gedrang[575].

Du Testament de Lévi au Discours véritable de Celse, RHPhilRel 40(1960)126-145, cf. p. 139; vergelijk nog G. J. M. BARTELINK, *Wat wisten de heidenen van het oud-christelijk taalgebruik*, Rede, Nijmegen, 1975, p. 10, aan wie de veranderde positie van Schwartz ontgaan blijkt; zie ook boven n. 259.

[574] Zie de bespreking van περιστερὰ καί in hoofdstuk II, § 2.

[575] E. GRIFFE, *À propos de la date du martyre de St. Polycarpe*, BLitE 52(1951) 170-177; *Les persécutions dans l'Empire Romain, à propos d'un mémoire de M. H. Grégoire*, BLitE 53(1952)129-157, inz. p. 146; *À propos de la date du martyre de S. Polycarpe*, RHEglFrance 37(1951)40-52; *Un nouvel article sur la date du martyre de St. Polycarpe*, BLitE 54(1953)178-181 (tegen H. I. Marrou); *Les persécutions contre les chrétiens aux Ier et IIe siècles*, Parijs, 1967, p. 90-104; Griffe gaat ons inziens wel te ver (en is in contradictie met zijn vroegere opvatting) wanneer hij in deze laatste publikatie, om het belang van de appendices van *MPol* aan te tonen, de *epilogus Mosquensis* tot de

P. Meinhold brengt dezelfde kritiek uit[576] : andere vaststaande gegevens over de datering van *MPol* worden door Grégoire op de helling gezet. De hele theorie hangt af van de *lapsus calami* van Eusebius of een scriba, zoals Griffe reeds beklemtoonde. De verwijzing naar het begin van het montanisme houdt geen steek : de drang naar het martyrium van bijvoorbeeld Ignatius kan bezwaarlijk als montanisme beschouwd worden[577]. Enkele specialisten spreken zeer algemeen over een datering onder Antoninus Pius, zo M. Sordi, op grond van een studie van de bron van Eusebius in *HE* IV,13[578].

Een tweede groep auteurs neemt wel het principe van de terugkeer naar Eusebius over, zonder echter in te stemmen met de late datering. Zo is H. I. Marrou van mening dat de huidige stand van het onderzoek slechts toelaat te affirmeren dat Polycarpus gestorven is onder Marcus Aurelius, in de periode 161-168/9, zonder dat het mogelijk is een precies jaar voorop te stellen[579]. Dezelfde voorkeur voor een meer

oudste en meest authentische vorm van het einde van *MPol* maakt, afkomstig van de historische figuur Pionius, de martelaar.

[576] P. MEINHOLD, *Polykarpos* (zie n. 78), col. 1674; vergelijk ID., *Geschichte der kirchlichen Historiographie*, dl. 1, Freiburg, 1967, p. 129-130.

[577] Dezelfde kritiek ook nog bij BARDY I, p. 181, n. 4; II, p. 5, n. 3; ID., in *Année théologique augustinienne* 13(1953)174-175; en verder bij F. M. M. SAGNARD, *Irénée de Lyon. Contre les Hérésies III* (SC 34), Parijs, 1952, p. 10, n. 2; F. L. CROSS, *The Early Christian Fathers*, Londen, 1960, p. 19, n. 4; vergelijk nog H. KRAFT, *Die altkirchliche Prophetie und die Entstehung des Montanismus*, ThZBas 11(1955)249-271, inz. p. 269, n. 69; BROX, p. 122; 142; 192; 222; 227; 234, n. 236; A. J. BREKELMANS, *Märtyrerkranz*, (zie n. 368), p. 52 : „Wir halten uns ... an die traditionelle Datierung ... 156"; L. GOPPELT, *Christentum und Judentum im ersten und zweiten Jahrhundert*, Gütersloh, 1954, p. 164; J. LAWSON, *A Theological and Historical Introduction to the Apostolic Fathers*, New York, 1961, p. 153; 156, n. 2; 177; M. SIMON, *Verus Israel*, 2de ed., Parijs, 1964, p. 150; J. O'MEARA, *Origen. On Prayer. Exhortation to Martyrdom* (ACW 19), Londen, 1954, p. 11; P. CARRINGTON, *The Early Christian Church*, dl. 2, Cambridge, 1957, p. 122; 124; 125; 129. Zie verder É. DE MOREAU, *Le nombre des martyrs des persécutions romaines*, NRT 73(1951)812-832, inz. p. 814; 817, n. 8; *Le nombre des martyrs des persécutions romaines*, AcRoyBelg., BLett. 5e Sér. 38(1952)62-70, inz. p. 68; B. DE GAIFFIER, *Réflexions sur les origines du culte des martyrs* (zie n. 452), p. 11, n. 5; ook R. J. DEFERRARI, *Eusebius Pamphili Ecclesiastical History*, dl. 1, New York, 1953, p. 233, n. 1; O. HILTBRUNNER, *Acta Sanctorum*, KlPauly 1(1964) col. 56; R. SCHNACKENBURG, *Das Johannesevangelium*, dl. 1 (HTKNT 4), Freiburg, 1965, p. 63; 64, n. 5; J. COLIN, *L'importance de la comparaison des calendriers païens et chrétiens pour l'histoire des persécutions*, VigChr 19(1965)233-236, inz. p. 234-236. K. HEUSSI, *Die römische Petrustradition in kritischer Sicht*, Tübingen, 1955, p. 31 („166 ... oder ... 155").

[578] M. SORDI, *La data del martirio di Policarpo e di Pionio e il rescritto di Antonino Pio*, RStorChIt 15(1961)277-285; vergelijk K. BAUS, *Handbuch der Kirchengeschichte I. Von der Urgemeinde zur frühchristlichen Grosskirche*, Freiburg, 1962, p. 161.

[579] H. I. MARROU, *La date du martyre de Saint Polycarpe*, AnBoll 71(1953)5-20. Vergelijk echter J. DANIELOU-H. I. MARROU, *Nouvelle histoire de l'Église I. Des origines à Grégoire le Grand*, Parijs, 1963, p. 76 (! 155).

algemene datering wordt aanvaard door von Campenhausen, Frend, Simonetti[580], terwijl anderen een bepaald jaar aanwijzen (Grant : 166-167; Jeremias : 167-168; Telfer : 168; Vogt 167)[581]. In sommige publikaties worden de verschillende mogelijkheden naast elkaar geplaatst, zonder dat de auteur zich voor een bepaalde keuze uitspreekt[582].

Bij enkele recente auteurs kan men echter een terugkeer naar een datering ca. 155-156 vaststellen. Daartoe droeg T. D. Barnes bij, met een studie over het epigrafisch materiaal, die hem tot 156-157 als meest waarschijnlijke datum brengt[583]. Barnes komt tevens tot het besluit dat de gegevens over de Asiarch Filippus van Tralles niet overeenstemmen met de aanduidingen over Statius Quadratus, en besluit tot het behoud van de laatste om de datering vast te stellen. Ook L. W. Bar-

[580] H. VON CAMPENHAUSEN, *Bearbeitungen und Interpolationen* (zie n. 168), p. 253-254; vergelijk echter *Märtyrerakten*, RGG 4(1960)592-593, col. 593 : „um 165"; *Polykarp von Smyrna*, RGG 5(1961)448-449, col. 449 : „167/168?"; *Ostertermin oder Osterfasten* (zie n. 302), p. 114, n. 1. In CAMPENHAUSEN, p. 47, n. 1 verwijst de auteur nog naar de datering van Schwartz (155!), vergelijk p. 79, n. 12 : *24.II.156!* Zie ook nog zijn studie *Polykarp von Smyrna und die Pastoralbriefe* (zie n. 386), p. 203 : 155/156. In het voorwoord van de tweede editie van *Die Idee* verwijst hij naar zijn recenter onderzoek, evenals in *Die Entstehung der christlichen Bibel* (zie n. 405), p. 209, n. 156. W. H.C. FREND, *A Note on the Chronology* (zie n. 364), stelt 165/166 voor; vergelijk FREND, p. 20; 231, n. 77; 240; 268; 295, n. 1. M. SIMONETTI, *Alcune osservazione sul martirio di san Policarpo*, GiornItF 9(1956)328-344, inz. p. 332; *Qualche osservazione a proposito dell'origine degli Atti dei Martiri* (zie n. 454), p. 12; *Letteratura cristiana antica greca e latina*, Firenze-Milaan, 1969, p. 37 : de datum schommelt tussen 156 en 177; vgl. verder G. KRETSCHMAR, *Christliches Passa* (zie n. 357), p. 298; F.M. BRAUN, *Jean le théologien* (zie n. 80), p. 335-337; 343; J. MALLET, RHE 59(1964)128; K. BEYSCHLAG, *Clemens Romanus* (zie n. 359), p. 245, n. 3; BROX, p. 237; A.M. MALINGREY-J. FONTAINE, *De oudchristelijke literatuur*, Utrecht-Antwerpen, 1973, p. 28 (161-168).

[581] E.J. GOODSPEED-R.M. GRANT, *History of Early Christian Literature* (zie n. 357), p. 25, vergelijk p. 19; J. JEREMIAS, *Die Kindertaufe in den ersten vier Jahrhunderten*, Göttingen, 1958, p. 70-72; *Die Abendmahlsworte Jesu*, 4de ed., Göttingen, 1967, p. 70; W. TELFER, *The Date of the Martyrdom of Polycarp*, JTS 3(1952)79-83; J. VOGT, *Christenverfolgungen 1* (zie n. 383), col. 1175; S. GIET, *Hermas et les Pasteurs*, Parijs, 1963, p. 290, n. 2 : 167.

[582] FISCHER, p. 230-233; LAZZATI, p. 7, n. 5; 95; CAMELOT, p. 199-200, vergelijk echter p. 161 : „vraisemblablement le 23 février 155"; J. WIRSCHING, *Polykarp* (zie n. 357), col. 998, met verwijzing naar Fischer; VIELHAUER, p. 554-555, besluit na de opsomming van de hypothesen : „Angesichts dieser Unsicherkeiten kann man weder das Geburts- noch das Todesjahr Polykarps genau bestimmen".

[583] T.D. BARNES, *A Note on Polycarp*, JTS 18(1967)433-437; *Predecian Acta Martyrum* (zie n. 359), p. 510-514, inz. p. 512 : „In the present state of our evidence ... 154/155 is excluded for the proconsular year of Polycarp's death, while 155/156 is possible, and 156/157 perhaps the most probable ... but there is nothing against 157/158 or even 159"; cf. ook J. FOSTER, *A Note on St. Polycarp*, ExpTim 76(1965-1966)319 : 156. R.M. GRANT, *Augustus to Constantine. The Thrust of the Christian Movement into the Roman World*, New York-Londen, 1970, p. 86-87 : 156-157!

nard ziet geen reden om de vroege datering op te geven [584]. H. Musurillo, die hoofdstuk 21 tot de „earliest recension of the text" rekent, vindt 155/156 eveneens waarschijnlijker [585], en W. Rordorf constateert dat het definitieve bewijs tegen 156 nog steeds niet gebracht is [586].

2. Evaluatie van het probleem van de datering

Wanneer men de al te onwaarschijnlijke theorie van H. Grégoire buiten beschouwing laat, heeft zowel de datering 155/156 als ca. 166 argumenten voor en tegen zich. De eerste beroept zich vooral op elementen in de brief zelf en de gegevens over Polycarpus in de vroegchristelijke literatuur. De tweede steunt op het gezag van Eusebius en op bepaalde historische feiten, zoals het begin van het pontificaat van Anicetus en het feit dat Smyrna in 165 getroffen werd door een pestepidemie waarvoor de christenen gemakkelijk verantwoordelijk gesteld konden worden en die de oorzaak zou zijn geweest van de vervolging die ook Polycarpus trof [587]. De voorstanders van de tweede datering zijn bereid bepaalde gedeelten van *MPol* als inauthentiek te beschouwen.

Wij zullen eerst enkele bijkomende bedenkingen tegen de late datering formuleren, om daarna de mogelijkheid van nieuwe argumenten ten voordele van de vroege datering te onderzoeken.

a) *Bedenkingen tegen de late datering*

1. Het gezag van Eusebius. In de reacties tegen de opvattingen van H. Grégoire komt tot uiting dat velen twijfelen aan de correctheid van Eusebius inzake chronologie. Die wordt trouwens door Grégoire niet bewezen door alleen de juistheid waarmee Eusebius zijn bronnen citeert te poneren. De chronologische situering van de bronnen is bij Eusebius onduidelijk. Zo wordt bijvoorbeeld in hetzelfde boek, vóór de overname van *MPol* in IV,15, het apocriefe rescript van Antoninus

[584] BARNARD, p. 192.

[585] MUSURILLO, p. XIII.

[586] W. RORDORF, *Aux origines du culte des martyrs*, in *Irènikon* 46(1972)315-331, inz. p. 316; vergelijk nog U.W. SCHOLZ, *Römische Behörden und Christen im 2. Jahrhundert*, ZRelGg 24(1972)156-160, inz. p. 159 : *156*; C.I.K. STORY, *The Nature of Truth in the „Gospel of Truth" and in the Writings of Justin Martyr*, Leiden, 1970, p. 204, n. 2 : „ca. 155"; D. CUSS, *Imperial Cult and Honorary Terms* (zie n. 526), p. 158, houdt het bij 155.

[587] Cf. W.H.C. FREND, *A Note on the Chronology* (zie n. 364), p. 503.

Pius aan het bestuur van de provincie Asia geciteerd[588]. Eusebius vermeldt dat het document behoort tot de tijd van Antoninus Pius. In het rescript zelf wordt Marcus Aurelius genoemd. Men kan zich moeilijk indenken dat die tegenstrijdigheid aan de aandacht van de kerkhistoricus zou zijn ontsnapt. Lawlor-Oulton brengen de dubbelzinnigheid van Eusebius in verband met zijn datering van *MPol*. Eusebius zou het feit onder Marcus Aurelius plaatsen, omdat die ongetwijfeld de christenen vijandig gezind was, terwijl hij maar één martyrium onder Hadrianus en Antoninus Pius kende. „For a similar reason, doubtless, the (forged) letter to the Commune Asiae ... is attributed to Antoninus, notwithstanding the inscription which ascribes it to Marcus Aurelius. This blunder was probably assisted by Eusebius' curious ignorance of the names and the styles of the Antonine Emperors"[589]. Een tweede voorbeeld van onduidelijkheid is de verwarring van de keizersnamen met betrekking tot de situering van *MLugd*: Eusebius plaatst de vervolging in het zeventiende jaar van „Antoninus Verus" (V, *intr.* 1), en besluit de episode (V,4,3): „deze feiten echter gebeurden onder Antoninus". Dan gaat het volgende hoofdstuk verder met het regenwonder ten tijde van Marcus Aurelius (V,5,1): „men vertelt dat de broer van deze, Marcus Aurelius Caesar...", waaruit blijkt dat het voorafgaande met Lucius Verus te maken heeft. Eusebius gebruikt daarbij echter de namen die hij elders aan Marcus Aurelius voorbehoudt. E. Grapin heeft verondersteld dat het de bedoeling van Eusebius was de vervolging van Lyon onder de verantwoordelijkheid van Lucius Verus te plaatsen om Marcus Aurelius ervan te verschonen, maar tegen deze interpretatie zijn eveneens objecties in te brengen[590].

2. Historische feiten. Dit argument bewijst weinig. Men kan, naast de gebeurtenissen van het jaar 165, evengoed de aardbeving die Smyrna trof in 151 of 152 aanwijzen als aanleiding tot de vervolging in 155[591].

---

[588] Het apocrief karakter van dit stuk werd door weinigen betwijfeld, cf. M. SORDI, *La data* (zie n. 578); toch wil onlangs R. FREUDENBERGER, *Christenreskript* (zie n. 394), p. 3; 9, terug een authentieke kern veronderstellen (cf. reeds FREND, p. 261, n. 17).

[589] LAWLOR-OULTON, p. 32-33.

[590] E. GRAPIN, *Eusèbe. Histoire ecclésiastique*, Parijs, 1911, p. 507; vergelijk BARDY II, p. 4, n. 2. Kritisch tegenover Eusebius stelt zich recent op: R.M. GRANT, *The Case against Eusebius, or Did The Father of Church History Write History?* in *Studia Patristica vol. XII,1* (zie n. 509), p. 413-421, inz. p. 416.

[591] Cf. W.M. RAMSAY, *The Church in the Roman Empire* (zie n. 558), p. 332, vergelijk LAWLOR-OULTON, p. 129.

3. Wat de inauthenticiteit aangaat, verwijzen wij naar de bespreking in hoofdstuk III. Men kan er nog aan toevoegen dat het methodisch moeilijk blijft eerst de inauthenticiteit van bepaalde delen van *MPol* te postuleren, om daarna een late datum voor de dood van Polycarpus te bewijzen. Wij willen ook herhalen dat het toegevoegd karakter van *MPol* 21 geenszins impliceert dat de chronologische gegevens die erin vermeld worden onjuist zijn.

4. Hierbij kan nog gewezen worden op het onwaarschijnlijke van de stelling van Grégoire over de late datering van *MPol*. Die heeft namelijk nogal ongewone consequenties in verband met het ontstaan van de martyrologische betekenis van het woord μάρτυς. Aan dit aspect van zijn theorie werd niet veel aandacht besteed, daar het pas later wordt uiteengezet[592]. Wanneer *MPol* in 177 gedateerd wordt, verliest het zijn belang als document waarin de nieuwe betekenis van μάρτυς, μαρτυρεῖν κτλ. voor het eerst met zekerheid kan vastgesteld worden. Volgens Grégoire is het fragment van Melito van Sardes in *HE* IV,26,3 (... ᾧ Σάγαρις καιρῷ ἐμαρτύρησεν ...) de eerste getuige van μαρτυρεῖν in de technische betekenis „als martelaar sterven"[593]. Om dit aanvaardbaar te maken moet hij de huidige redactie van *Apokalyps* plaatsen in de tijd van *MLugd*[594], vermits bepaalde teksten uit *Apokalyps* (1,5; 2,13; 3,14; 17,6) kunnen aangezien worden als de eerste aanzet naar de technische betekenis van μάρτυς. Zulk een opvatting kan moeilijk overtuigen, evenmin als de wijze waarop Grégoire de Ignatiusbrieven, omwille van bepaalde overeenkomsten met *MPol*, ook ten tijde van Marcus Aurelius plaatst[595]. De auteur verliest ook andere aspecten van het probleem uit het oog, zoals het overgaan naar het Latijn van de Griekse termen μάρτυς κτλ. in hun specifiek christelijke betekenis. Algemeen worden de Latijnse termen „martyr", „martyrium" etc. als semantische christianismen aanvaard[596]. Men kan veronderstellen dat daarvóór de technische betekenis in het

---

[592] Cf. H. GREGOIRE, *Les persécutions dans l'Empire Romain* (zie n. 565), p. 238-249.

[593] *Ibid.*, p. 242.

[594] *Ibid.*, p. 248.

[595] *Ibid.*, p. 105-106.

[596] Zie hierover C. MOHRMANN, *Études sur le latin des chrétiens*, Rome, 1958, p. 117; ID., VigChr 1(1947)11-12; VigChr 4(1950)197; M. SAINIO, *Semasiologische Untersuchungen über die Entstehung der christlichen Latinität*, Helsinki, 1940, p. 15-16; 60-61; H. VOGELS, *Handbuch der Textkritik des Neuen Testaments*, 2de ed., Bonn, 1955, p. 81; E. GUENTHER, *Martys. Die Geschichte eines Wortes*, Gütersloh, 1941, p. 32-35.

Grieks reeds geruime tijd moet aanwezig geweest zijn. Dit gaat in tegen Grégoires opvattingen dat *MPol* te dateren is op slechts enkele jaren voor *Passio Scillitanorum*, waarin „martyr" in de nieuwe betekenis voorkomt. Meer nog, de Latijnse vertaling van *1 Clemens* die men wellicht vroeger dan *Passio Scillitanorum* kan plaatsen[597], geeft ook blijk van de kennis van „martyr" en „martyrium" in de christelijke betekenis en weet ze duidelijk te onderscheiden van de gevallen waarin de gewone betekenis „getuigen" (*testimonium dare*) moet weergegeven worden[598]. Tenslotte ziet Grégoire ook over het hoofd dat in *Acta Justini*, waarvan de korte recensie niet lang na de dood van Justinus (tussen 163 en 168) gesitueerd wordt, de woorden μάρτυς, μαρτύριον in hun technische betekenis aanwezig zijn[599].

b) *Argumenten voor de vroege datering*

Wat de gegevens over de chronologie in *MPol* zelf betreft, moet men ongetwijfeld kritisch te werk gaan. De mogelijkheid dat hoofdstuk 21 later toegevoegd is mag niet uitgesloten worden, zodat men met W.R. Schoedel kan zeggen : „clearly great caution is necessary in using it". De toevoeging van 21 kan blijken uit het feit dat sommige gegevens een herhaling zijn van wat reeds in het corpus van de brief van de Smyrneeërs wordt meegedeeld (σαββάτῳ μεγάλῳ; συνελήφθη δὲ ὑπὸ Ἡρῴδου; ἀνθύπατος). Zo dringt de vraag zich op of aan σαββάτῳ μεγάλῳ een zekere chronologische betekenis kan worden toegekend. Vroegere soms spitsvondige oplossingen voor de betekenis van deze uitdrukking vallen weg bij de eenvoudige vaststelling dat het wellicht om een parallellisme gaat met het passieverhaal (*Joh* 19,31)[600]. De

---

[597] Over de datering van *1 Clemens lat*, zie A. HARNACK, *Neue Studien über die jüngst entdeckten lateinischen Uebersetzung des ersten Clemensbriefes*, SbBerlin, 1894, p. 601-621, inz. p. 609; HARNACK II 2, p. 304-311; R. KNOPF, *Der erste Clemensbrief* (zie n. 413), p. 40; FISCHER, p. 21; H. HOPPENBROUWERS, *Recherches sur la terminologie du martyre de Tertullien à Lactance*, Nijmegen, 1961, p. 74.

[598] Zie de studie van H. HOPPENBROUWERS, *Recherches* (zie n. 597), p. 74-76; vergelijk C. MOHRMANN, *Les origines de la latinité chrétienne à Rome*, VigChr 3(1949)67-106; 163-183, inz. p. 99.

[599] Dit argument wordt wel verzwakt door het feit dat sommige auteurs de korte recensie toch heel wat later plaatsen, zie G. Ruhbach in de 4de ed. van KRUEGER, p. 137 : „um 300", aansluitend bij P. FRANCHI DE CAVALIERI, *Di una nuova recensione del Martirio dei ss. Carpo, Papylo e Agatonice. Note agiografiche 6* (Studi e Testi 33), Rome, 1920, p. 5-17 en LAZZATI, p. 119, vergelijk p. 29; *Gli Atti di S. Giustino martire*, in *Aevum* 27(1953)473-497; zie echter T.D. BARNES, *Predecian Acta Martyrum* (zie n. 359), p. 516-517; 527 en reeds DELEHAYE, p. 87-89.

[600] P.N. HARRISON, *Polycarp's Two Epistles* (zie n. 78), p. 281-282; H. GRÉGOIRE,

„grote sabbat" kan des te minder een uitweg bieden voor het oplossen van de vraag naar de datering in zover de benaming onverenigbaar is met de vooraf genoemde maand en dag : deze datum valt te vroeg om te kunnen overeenstemmen met de identificatie van σαββάτῳ μεγάλῳ met Purim of de sabbat vóór het joodse Paasfeest[601]. Verder kan men aannemen dat de vermelding van de Asiarch en de proconsul de noodzaak van identificatie opriepen. Er is echter niets dat bewijst dat dit veel later dan de eerste redactie van de brief gebeurde. De wijze waarop Grégoire hoofdstuk 21 aan de pseudo-Pionius wil toeschrijven is allesbehalve overtuigend[602]. Wij noteerden reeds dat Barnes volgens de huidige stand van de epigrafische bronnen een tegenstrijdigheid moest vaststellen tussen de juiste datering van Filippus van Tralles en Statius Quadratus. Desondanks blijft de chronologische situering van beide personen vaststaan vóór 160, met andere woorden gedurende de *laatste jaren van Antoninus Pius*. Het is wellicht verkieslijk (en in overeenstemming met de laatste publikaties ter zake)[603] op die wijze de dood van Polycarpus *en de redactie van MPol* chronologisch te situeren.

Op die wijze wordt ook recht gedaan aan de vaststelling dat *MPol* een *echte* brief is, zoals in hoofdstuk IV betoogd werd. Bij uitsluiting van het genre van martyrium in briefvorm, kan men zich moeilijk anders voorstellen dan dat het geschrift kort na de dood van Polycarpus is ontstaan. Daarop wijst zowel de aanleiding van het schrijven als het feit dat de situatie van de christenen in Smyrna nog onzeker is. Het vooruitzicht om de dood van Polycarpus te kunnen herdenken geldt slechts ὡς δυνατόν (18,3). Ook wordt rekening gehouden met de mogelijkheid van nieuwe martelaars (τῶν μελλόντων ἄσκησιν κτλ 18,3). Is het denkbaar dat deze en andere details die naar de concrete situatie verwijzen waarin de brief geschreven is, en die zijn authenticiteit bevestigen, zouden voorkomen in een geschrift dat veel later ontstond

---

La véritable date (zie n. 267), p. 12, n. 2; R.E. BROWN, *The Gospel according to John*, dl. 2, Garden City, 1970, p. 934; SCHOEDEL, p. 61; vergelijk nog K. BEYSCHLAG, *Clemens Romanus* (zie n. 359), p. 245, n. 3. Tegen deze interpretatie : G. KRETSCHMAR, *Christliches Passa* (zie n. 356), p. 298; vergelijk W. HUBER, *Passa und Ostern* (zie n. 302), p. 44, n. 61. Codex P laat μεγάλου weg.

[601] Cf. P.N. HARRISON, *Polycarp's Two Epistles* (zie n. 78), p. 282; H. GRÉGOIRE, *La véritable date* (zie n. 267), p. 12, n. 2.

[602] Zie L. ROBERT, REG 65(1952)174 : Grégoire „... utilise avec bien de la fantaisie et de l'inexactitude l'inscription de Magnésie ... qui aurait-elle, pas une autre, fourni la mention du proconsul d'Asie Statius Quadratus au Pseudo-Pionius".

[603] T.D. BARNES, *Predecian Acta Martyrum* (zie n. 359); SCHOEDEL, p. 49; 79; 68.

dan de feiten waarop het betrekking heeft? Neemt men *MPol* in zijn bekende vormgeving ernstig, dan kan men slechts besluiten dat het geschreven is binnen het jaar na de dood van Polycarpus.

Besluit

MPol kan gedateerd worden rond 156-160. Men kan zich afvragen of er geen interne criteria te vinden zijn die deze datering bevestigen en die kunnen gebruikt worden zonder in een cirkelredenering te vervallen. Het komt ons voor dat dergelijke criteria kunnen gegeven zijn door het probleem te stellen van het onderscheid in de begrippen μάρτυς-ὁμολογήτης en de uitdrukking van de martyriumopvatting. Het genoemde onderscheid komt in *MPol* nog niet voor, wat het situeert voor *MLugd*, waarin voor het eerst, zij het terloops, naar een juiste omschrijving van beide begrippen gezocht wordt. Het probleem wordt pas later, naar aanleiding van ecclesiologische implicaties, tenvolle gesteld door auteurs als Hippolytus, Dionysius van Alexandrië, Tertullianus en Cyprianus[604]. De terminologie van *MPol* geeft ook blijk van een zoeken naar de juiste uitdrukking van de idee van martelaar. De aanduiding van de μάρτυς als leerling en navolger van Christus (μαθητής-μιμητής) komt elders nog weinig voor, behalve bij Ignatius van Antiochië. Dit laat toe *MPol* vroeger te plaatsen dan de overige martelaarsliteratuur. Het geheel van deze terminologie en het ontstaan van de christelijke betekenis van μάρτυς vraagt een uitvoerige bespreking, waaraan het laatste gedeelte van onze dissertatie gewijd was. Wij stellen ons voor in een latere publikatie op de terminologie en theologie van het martyrium in de tweede eeuw terug te komen.

---

[604] Cf. onder meer H. DELEHAYE, *Sanctus. Essai sur le culte des saints dans l'antiquité* (SH 17), Brussel, 1927, p. 81-95; H. LECLERCQ, DACL 10(1932)2362-2366; H. JANSSEN, *Kultur und Sprache*, Nijmegen, 1938, p. 163-185; E.H. HUMMEL, *The concept of Martyrdom according to St. Cyprian of Carthage* (Catholic University of America. Studies in Christian Antiquity 9), Washington, 1946, p. 1-33; H. HOPPENBROUWERS, *Recherches* (zie n. 597), p. 91-105.

VERTALING VAN *MARTYRIUM POLYCARPI*

De vertaling wil, anders dan de bestaande Nederlandse vertalingen van *MPol*[605], in de eerste plaats zo dicht mogelijk aansluiten bij de Griekse tekst. In de noten wordt bij gelegenheid verwezen naar de andere Nederlandse vertalingen van Van den Bergh van Eysinga, Schurmans, Franses en vooral die van Klijn (die de Bihlmeyertekst vertaalt), en ook naar vertalingen in het Frans (Lelong, Camelot, Hamman), het Engels (Donaldson, Lightfoot, Lake, Owen, Kleist, Schoedel, Musurillo), en het Duits (Rauschen, Rahner)[606].

Wij gebruiken volgende leestekens :
[ ] voor woorden die wel tot de Griekse tekst behoren maar in de Nederlandse vertaling veeleer overbodig zijn;
⟨ ⟩ voor woorden die aan de tekst toegevoegd worden ter verduidelijking van de gedachtengang;
( ) voor de parenthesen die wij beschreven hebben in hoofdstuk III, § 4.

inscr. De Kerk[a] van God [verblijvend][b] te Smyrna aan de Kerk van God [verblijvend] te Filomelium en aan alle gemeenten, overal, van de heilige en katholieke Kerk : barmhartigheid, vrede en liefde van God de Vader en van onze Heer Jezus Christus zij U in rijke overvloed.

1,1 Wij schrijven U, broeders, over hen die de marteldood stierven en ⟨in het bijzonder over⟩ de gelukzalige Polycarpus, die de vervolging als het ware door zijn marteldood bezegelde en deed ophouden. Vrijwel

---

[605] Er bestaan vier Nederlandse vertalingen in verzamelingen die bestemd zijn voor een ruimer publiek : G. A. VAN DEN BERGH VAN EYSINGA, *De Apostolische Vaders*, dl. 2, Leiden, 1916, p. 55-68; M. F. SCHURMANS, *Bloedgetuigen van Christus. Martelaarsdocumenten uit de eerste eeuwen der Kerk*, Roermond-Maaseik, 1940; wij gebruiken de tweede editie van 1943, p. 26-35; D. FRANSES, *De Apostolische Vaders*, Antwerpen, 1941, p. 153-163; A. F. J. KLIJN, *Apostolische Vaders*, dl. 1 (Bibliotheek van Boeken bij de Bijbel 50), Baarn, 1966, p. 123-131.

[606] Voor volledige referenties verwijzen wij naar de bibliografie, onder de auteursnaam.

inscr.[a] Van den Bergh van Eysinga en Klijn vertalen ,,gemeente". Er moet evenwel een onderscheid gemaakt worden tussen ἐκκλησία (Kerk) en παροικία (gemeente). De eigenlijke betekenis van παροικία hangt samen met die van παροικεῖν, cf. b.

[b] Namelijk ,,voorlopig verblijft; verblijft, maar geen vaste woonplaats heeft, als vreemdeling woont".

al wat voorafging is gebeurd opdat de Heer van de hoge[a] ons het martelaarschap volgens het evangelie zou tonen.

1,2 Hij wachtte namelijk af tot hij overgeleverd[b] werd, zoals de Heer, opdat ook wij zijn navolgers zouden worden, door niet alleen ons eigen belang op het oog te hebben, maar ook dat van de naasten. Want het is eigen aan ware en hechte liefde niet alleen zelf gered te willen worden maar ook ⟨dat zulks⟩ met alle broeders ⟨gebeurt⟩.

2,1 Gelukzalig en edel[a] toch is elk martelaarschap dat geschied is volgens Gods wil. Het hoort immers dat wij die werkelijk vroom zijn, aan God macht over alles toekennen[b].

2,2 Want wie zou hun moed, volharding en liefde tot de Heer niet bewonderen? Zij werden door gesels verscheurd zodat op de aders en slagaders het weefsel van hun vlees zichtbaar was, maar zij bleven volharden, zodat zelfs de omstanders medelijden hadden en weeklaagden. Zij kwamen tot zo'n grote moed dat geen van hen steunde of zuchtte, terwijl zij ons allen voor ogen stelden dat op dat ogenblik waarop zij gefolterd werden[c] de zeer edele martelaars van Christus uit het lichaam afwezig waren, of eerder, dat de Heer bij hen stond[d] en zich met hen onderhield.

2,3 Terwijl zij hun aandacht op Christus' genade richtten, bleven zij vol verachting voor de aardse folteringen en op één uur tijds kochten zij zich vrij van de eeuwige kwelling[e]. Het vuur van de wrede folteraars scheen hun koel, want zij hadden voor ogen het eeuwige en nooit te

---

1,1[a] Ἄνωθεν : „van boven af", ofwel „opnieuw, nogmaals", wat de vertaling is van Van den Bergh van Eysinga, Schurmans. Onze vertaling is ook die van Franses en Klijn.

1,2[b] Aldus ook Van den Bergh van Eysinga, Schurmans, Schoedel; ofwel „verraden", aldus Franses, Klijn.

2,1[a] Klijn vertaalt γενναῖος en de andere woorden van dezelfde stam door „verheven". Wij menen dat voor het adjectief „edel" kan gebruikt worden, voor het substantief beter een woord als „moed".

[b] Deze zin wordt zeer uiteenlopend vertaald. De moeilijkheid zit in εὐλαβεστέρους ἡμᾶς ὑπάρχοντας : moet de comparatief letterlijk opgevat worden (aldus vertaalt Hamman : „nos progrès dans la piété") of moet men hem elatief begrijpen (dit is de interpretatie van de meeste vertalers; men zou kunnen vergelijken met *Hnd* 17,22 : δεισιδαιμονεστέρους)?

2,2[c] Klijn vertaalt, ons inziens volkomen ten onrechte : „... wel *geofferd* werden". Men kan in βασανίζειν, dat ook elders „folteren" betekent (6,1), moeilijk de gedachte van „offer" binnenbrengen (vergelijk βάσανος 2,3; 2,4; βασανιστής 2,3).

d Klijn vertaalt : „hen bijstond", maar het lijkt ons moeilijk aan παρίστημι overdrachtelijke betekenis toe te kennen (Bauer vermeldt ze overigens niet).

2,3[e] Klijn vertaalt, aansluitend bij de Bihlmeyertekst „en kochten zo in één uur het eeuwige *leven*".

blussen ⟨vuur⟩ te ontvluchten. Met de ogen van het hart keken zij naar de goederen die zijn weggelegd voor die volharden : geen oor heeft ze gehoord, geen oog heeft ze gezien, en in geen mensenhart zijn zij opgekomen, maar aan diegenen werden zij geopenbaard door de Heer die eigenlijk geen mensen meer, maar reeds engelen waren.

2,4 Veroordeeld tot gevechten met de wilde dieren[f] doorstonden zij wrede kwellingen : zij werden op puntige schelpen gelegd[g] en door allerlei andere folteringen gekweld, opdat men[h] hen, zo mogelijk, door de aanhoudende kwelling tot verloochening zou kunnen brengen.

3,1 Veel heeft de duivel tegen hen verzonnen, maar God zij dank, tegen geen van allen[a] vermocht hij iets. De zeer edele Germanicus deed hen hun vreesachtigheid overwinnen door zijn volharding. Hij vocht op een opvallende wijze tegen de wilde dieren : toen de proconsul hem wilde overhalen door te zeggen dat hij aan zijn ⟨jeugdige⟩ leeftijd moest denken, trok hij uit eigen beweging met geweld het dier naar zich toe, om van hun leven van onrecht en goddeloosheid verlost te worden.

2,4[f] Wij volgen hier de lezing zonder het lidwoord. Dat betekent dat men met de beschrijving van dezelfde categorie martelaars verder gaat. Aanvaardt men de lezing oἱ, dan wordt een nieuwe groep martelaars voorgesteld en moet men geheel anders vertalen (cf. Klijn). Onze vertaling is ook die van Rauschen en Lelong. De inleiding ὁμοίως δὲ καί is geen beletsel; de uitdrukking kan een opsommende betekenis hebben (cf. BAUER, col. 1124).

[g] Volgens Lightfoot is κήρυκας hier de Griekse naam van een bepaald soort schelpen (buccinidae, cf. LIDDELL-SCOTT-JONES, p. 949, ,,trumpet-shell'', vertaling die gevolgd wordt door Schoedel en Musurillo). De meeste vertalingen volgen Lightfoot, evenwel niet degene die met andere commentatoren aan een bepaald foltertuig denken dat uit ijzeren pinnen zou bestaan, naar aanleiding van Rufinus, die ,,murices'' vertaalt. ,,Murex'' was ook de naam van het beschreven soort foltertuig, cf. JACOBSON, p. 548-549, die 'de vertaling van Ruchat aanhaalt : ,,ayant été étendus sur des machines remplies de pointes de fer''. Vergelijk Funk; zie ook de vertaling van Klijn ,,hen die op ijzeren punten uit elkaar werden getrokken''.

[h] Veelal veronderstelt men een onderwerp als ,,de duivel'' (cf. de volgende zin) of ,,de folteraar'', of volgens sommige ,,de tiran'' (Van den Bergh van Eysinga en Franses).

3,1[a] Men zou ook kunnen vertalen : ,,hij vermocht ze niet allen te overmeesteren'', cf. de vertalingen van Owen en Musurillo, ook CAMELOT, p. 246, n. 2. Dat de andere vertaling te verkiezen is ligt niet zozeer aan de context, zoals Camelot meent, maar aan het feit dat voor ,,niemand'' een bekend semitisme gebruikt wordt, οὐ ... πᾶς, door de omkering (πάντων ... οὐκ) minder hard (cf. BLASS-DEBRUNNER-REHKOPF, nr. 302, n. 2). Voor de betekenis ,,niet ieder'' verwacht men eerder οὐ πᾶς. Lelong werpt op dat de vertaling ,,geen van allen'' in tegenspraak is met de episode van Quintus. De vraag is of dit reeds binnen het perspectief van de gedachtengang van de auteur ligt. Vergelijk een soortgelijke bemerking bij Schoedel ten overstaan van Lightfoot.

[b] Hiermee wordt naar de vervolgers verwezen. Het kan moeilijk op de martelaars betrekking hebben. Soms wordt βίος vertaald alsof er ,,wereld'' stond. De betekenis

3,2 Dientengevolge[c] riep heel de menigte, verwonderd over de moed van
het godgeliefde en godvrezende geslacht der christenen : „Weg met
de goddelozen! Polycarpus moet gezocht worden".

4 Eén nu, Quintus genaamd, een Frygiër die onlangs uit Frygië gekomen
was, werd bij het zien van de dieren bevreesd. Hij was het die zichzelf
en sommige ⟨anderen⟩ ertoe aangezet had zich vrijwillig aan te geven[a].
De proconsul kon hem na veel aandringen overtuigen te zweren en
te offeren[b]. Daarom dan broeders, prijzen wij niet degenen die zich
uit eigen beweging aangeven, aangezien het evangelie dat niet leert.

5,1 De zeer bewonderenswaardige Polycarpus werd toen hij ⟨het bericht⟩
voor het eerst hoorde niet ontsteld, hij wilde integendeel in de stad
blijven. De meesten trachtten[a] hem echter te overtuigen weg te gaan.
En ⟨tenslotte⟩ week hij uit naar een landhuis[b] niet ver van de stad
af gelegen. Hij verbleef daar met enkelen en deed nacht en dag niets
anders dan bidden voor allen en voor de kerken ⟨verspreid⟩ over de
hele wereld, volgens zijn gewoonte.

5,2 En in gebed kreeg hij een visioen, drie dagen voordat hij werd gevangen
genomen : hij zag zijn hoofdkussen door vuur verteerd worden. En zich
wendend tot de mensen die bij hem waren zei hij op profetische wijze :
„Ik moet levend verbrand worden".

6,1 Daar men hem bleef zoeken, vertrok hij naar een ander landhuis en
onmiddellijk daarna kwamen zijn achtervolgers ⟨in het vorige⟩[a] aan.

van de zin is hoe dan ook niet volledig klaar. ᾿Απαλλάσσομαι τοῦ κόσμου bestaat
inderdaad als eufemisme voor „sterven", cf. *1 Clemens* 5,7. Klijn vertaalt „uit *het* leven",
maar dat staat niet in onze Griekse tekst. Franses vertaalt ongeveer zoals wij met als
verklaring : „Niet langer onder die goddeloze heidenen te leven".

3,2[c] Men kan ἐκ + genitief verklarend vertalen. Meestal vertaalt men zoals Klijn :
„van toen af aan".

4[a] Letterlijk : „te naderen", cf. Klijn : „naar ze toe te lopen"; in dezelfde zin Franses :
„naar voren te treden". Schurmans heeft onze vertaling. Προσέρχεσθαι kan in deze
context toch wel dezelfde betekenis hebben als op het einde van 4.

[b] Zweren en offeren zijn hier als technische termen absoluut gebruikt. Zie de
betekenis in hoofdstukken 9-10. Lightfoot vertaalt : „to swear the oath and offer
incense", en ook andere vertalingen voegen een object toe. De vertaling „afzweren"
bij Schurmans en Franses is minder juist.

5,1[a] ῎Επειθον kan als imperfectum de conatu opgevat worden, aldus vertaalt ook
Schoedel.

[b] Klijn vertaalt : „een klein buitenverblijf", in 6,1 „landhuis". Het gaat om hetzelfde
woord ἀγρίδιον. In 7,1 is sprake van χωρίον, wat Klijn vertaalt door „een andere plaats",
hetgeen ons te weinig nauwkeurig lijkt.

6,1[a] Men kan de zin best zo verstaan : cf. KLEIST, p. 200, n. 18. Soms wordt hij
begrepen als waren de achtervolgers dadelijk na hem in het nieuwe landhuis aangekomen
(Van den Bergh van Eysinga, Klijn), maar dat klopt niet met de volgende context 6,2-7,1.

Toen zij hem niet vonden namen zij twee jonge slaven gevangen van wie er een onder foltering bekende.

6,2 (Het was dan ook onmogelijk hem nog te verbergen, aangezien zijn verraders ook zijn huisgenoten waren. En de irenarch [b], Herodes geheten — hij droeg dan nog wel die naam — stelde alles in het werk om hem naar het stadion [c] te brengen, opdat ⟨Polycarpus⟩, Christus' deelgenoot geworden, hetzelfde lot zou verwerven, terwijl zijn verraders dezelfde straf als die van Judas zouden ondergaan.)

7,1 Met de slaaf in hun macht gingen 's vrijdags [a], omstreeks het uur van de maaltijd, achtervolgers [b] en ruiters op weg, met de gebruikelijke wapenrusting, alsof zij er tegen een rover op uittrokken. Toen zij laat in de avond samen de overval uitvoerden [c] vonden zij hem slapend in een bovenkamertje [d]. (Hij had van daaruit nog kunnen wegvluchten naar een ander landgoed, maar hij wilde niet, zeggend: ,,De wil van God geschiede''.)

7,2 Toen hij hun aanwezigheid vernam kwam hij naar beneden en sprak met hen, (terwijl de aangekomenen [e] verwonderd waren over zijn leeftijd en zijn rustige houding en ⟨zich afvroegen⟩ of er zo'n grote haast bij was zulk een oude man gevangen te nemen.) Dadelijk gaf hij opdracht hun eten en drinken voor te zetten, op dat uur, zoveel zij maar wilden. Hij vroeg hen ⟨alleen⟩ of zij hem een uur wilden geven om ongestoord te kunnen bidden.

7,3 Toen zij dat hadden toegestaan, bad hij staande, zozeer vervuld van Gods genade dat zij hem gedurende twee uren niet konden doen zwijgen. Die het hoorden stonden stomverbaasd en velen kregen spijt dat zij uitgetrokken waren tegen zulk een godwelgevallige oude man.

6,2[b] Van den Bergh van Eysinga vertaalt ,,vrederechter''; zo ook Klijn in noot. In feite is het eerder een politieambtenaar, verantwoordelijk voor de openbare orde, cf. de commentaren van Lightfoot en anderen.

[c] Het Griekse woord blijft meestal onvertaald; anders: Schurmans en Franses ,,renbaan'', Lake en Kleist ,,arena'', Rahner en Musurillo ,,amphitheater'', wat eigenlijk onjuist is.

7,1[a] Letterlijk: ,,de dag van de voorbereiding'', namelijk van de sabbat. In de oudchristelijke letterkunde komt de uitdrukking buiten de evangeliën (Mc 15,42; Mt 27, 62; Lc 23,54; Joh 19,14.31.42) nog slechts voor in Didachè 8,1.

[b] Διωγμῖται schijnt ook de naam voor een soort lichtbewapende ordebewaarders geweest te zijn. Schoedel beschouwt het als een technische term voor politieagent in Klein-Azië. Men vertaalt het nogal eens als ,,gendarmes'' (Lelong, Van den Bergh van Eysinga, Lightfoot, vergelijk BAUER, col. 398).

[c] Vergelijk de vertaling van BAUER, col. 1558; Klijn vertaalt zwakker: ,,aankwamen''.

[d] ἔν τινι δωματίῳ ... ἐν ὑπερῴῳ kan best als één uitdrukking vertaald worden (vergelijk BAUER, col. 416; 1666); Klijn vertaalt ,,in de bovenkamer van het hutje''.

7,2[e] Klijn vertaalt: ,,zij die dit zagen'', volgens de lezing ὁρώντων van Bihlmeyer.

8,1 Toen hij dan het gebed beëindigd had, waarin hij na allen herdacht te hebben die hij ooit ontmoet had, kleinen en groten[a], belangrijken en onbelangrijken, en heel de katholieke Kerk, over de wereld verspreid[b], was het uur gekomen om te vertrekken. Zij zetten hem op een ezel en leidden hem naar de stad; het was toen een grote sabbat[c].

8,2 De irenarch Herodes kwam hem tegemoet, met zijn vader Nicetes. Nadat zij hem hadden doen overstappen in hun koets, trachtten zij, naast hem gezeten, hem te overhalen met de woorden : „Wat is er verkeerd aan te zeggen ‚de keizer is Heer’[d] en te offeren en wat daar nog bijhoort[e], en ⟨aldus⟩ te ontkomen[f]?" Hij nu antwoordde eerst niet, maar toen zij bleven aandringen, zei hij : „Ik ben niet van plan[g] te doen wat gij mij aanraadt".

8,3 Toen het hun niet gelukte hem te overhalen, scholden[h] zij op hem en deden hem ijlings uitstappen, zodat hij bij het verlaten van de koets zijn scheenbeen bezeerde[i]; maar hij keerde zich niet om[j] en ging opgewekt snel verder alsof hij geen pijn had. Hij werd naar het stadion gebracht, waar het lawaai zo groot was dat niemand zich nog verstaanbaar kon maken.

9,1 (Toen Polycarpus het stadion binnenging, klonk een stem uit de hemel : „Houd moed, Polycarpus, en wees dapper"[a]. Niemand zag de spreker, maar wie van ons aanwezig waren hoorden de stem. Toen hij tenslotte

---

8,1[a] μικροί καὶ μεγάλοι kan opgevat worden als uitdrukking van de totaliteit, „allen", cf. BAUER, col. 938; Klijn vertaalt „jong en oud", en verder „aanzienlijk en onaanzienlijk".

[b] Klijn vertaalt : „over het rond der aarde".

[c] De uitdrukking is raadselachtig; zie de bespreking van de datering boven hoofdstuk V, § 2, en de noten. Het valt op dat hier een joodse dagaanduiding gegeven wordt. Als christelijke benaming voor de zaterdag voor Pasen komt het slechts voor vanaf de tijd van Johannes Chrysostomus (aldus Schoedel; vergelijk RAUSCHEN, p. 13, n. 1). Rahner vermijdt alle problemen door te vertalen : „es war an einem Sabbat".

8,2[d] Over de kwestie dat de christenen de keizer „Heer" kunnen noemen, zie Tertullianus, *Apologeticum* 34; ook CAMELOT, p. 220, n. 1.

[e] Klijn vertaalt ons inziens onnauwkeurig : „en te offeren wat erbij hoort".

[f] Meestal vertaalt men in de zin van „het leven redden". Franses en Klijn vertalen „vrijuit te gaan', maar διασῴζεσθαι is toch wel sterker van betekenis.

[g] Aldus Van den Bergh van Eysinga; Franses en Klijn : „ik wens niet". Vele vertalingen geven slechts een futurum voor μέλλειν.

8,3[h] Klijn : „scholden zij hem uit", vergelijk Schurmans. Een andere mogelijkheid is : „bedreigingen uiten".

[i] Letterlijk : „afschaven", zie Klijn en Franses : „openschaafde".

[j] Klijn vertaalt ἐπιστραφείς in figuurlijke zin : „maar geheel niet van zijn stuk gebracht".

9,1[a] Met „wees sterk en dapper, Polycarpus" volgt Klijn als het ware een andere volgorde van de woorden in het Grieks.

naderbij gebracht werd, heerste er een groot lawaai bij diegenen die hoorden dat Polycarpus gevangen genomen was.)

9,2 Toen hij was voorgeleid[b] vroeg de proconsul hem of hij Polycarpus was. Toen deze bevestigde wilde hij hem overhalen ⟨het geloof⟩ te verloochenen, met de woorden: „Denk aan uw leeftijd" en andere dingen van die aard die men gewoonlijk zegt, „Zweer bij de genius[c] van de keizer, kom tot inkeer, zeg: Weg met de goddelozen". Polycarpus keek dan met streng gelaat naar heel het in het stadion aanwezige volk van goddeloze heidenen[d], wees hen met de hand aan[e], zuchtte, keek omhoog naar de hemel en zei: „Weg met de goddelozen".

9,3 Maar hij drong opnieuw aan en zei: „Zweer en ik laat U vrij, vervloek Christus". Polycarpus sprak: „Al zesentachtig jaren dien ik Hem, en nooit heeft Hij mij onrecht gedaan. Hoe kan ik dan mijn koning die mij gered heeft vervloeken?"

10,1 Maar hij drong opnieuw aan en zei: „Zweer bij de genius van de keizer". Hij antwoordde: „Indien gij uzelf voorspiegelt[a] mij te doen zweren bij de genius van de keizer, zoals gij zegt, en het laat voorkomen dat gij niet weet wie ik ben, hoor dan zonder omwegen: ik ben christen. Indien gij de leer van het christendom wilt vernemen, geef mij een dag ⟨uitstel⟩[b] en luister".

10,2 De proconsul sprak: „Overtuig het volk". Polycarpus zei: „U acht ik een gesprek waardig. Wij hebben namelijk geleerd overheid en machthebbers die door God aangesteld zijn de passende eer te bewijzen, in zover die ons niet schaadt[c]. Hen acht ik onwaardig dat ik mij voor hen verdedig".

11,1 De proconsul zei: „Ik heb wilde dieren, ik zal U voor hen werpen indien gij niet tot inkeer komt". Hij nu zei: ·„Roep ⟨ze⟩: want

---

9,2[b] Zoals Franses en Klijn. Men mag προσαχθῆναι hier wel iets meer „technisch" vertalen.

[c] Dit is de vertaling van Van den Bergh van Eysinga, Lake en Schoedel; vergelijk de commentaar van Schoedel; Klijn vertaalt „geluk"; letterlijk betekent het woord „lot" (fortuna). De godin Fortuna gold als bijzondere beschermster van de keizer; op die wijze werd zij met de genius van de keizer geïdentificeerd, cf. KLEIST, p. 200, n. 27; CAMELOT, p. 221, n. 3.

[d] Het is moeilijk ἄνομος hier en in 3,1 en 16,1 in het Nederlands anders te vertalen dan ἄθεος in de vorige zin (en 3,2).

[e] Klijn: „schudde zijn vuist tegen hen".

10,1[a] Of in letterlijke zin: „als gij de nietswaardige eer wilt hebben", Klijn.

[b] Aldus Schurmans, misschien niet ten onrechte; anders: „bepaal een dag".

10,2[c] Dit is het thema van de eerbied van de christen voor het door God ingestelde gezag, zie verwijzingen n. 464. Het laatste zinsdeel „in zover enz." is volgens Kleist te interpreteren als „not in conflict with our conscience" (KLEIST, p. 201, n. 31).

onmogelijk is voor ons de omkeer van het betere naar het slechtere. Goed is echter de verandering van het boze naar het gerechte[a]".

11,2 De ⟨proconsul⟩ sprak echter opnieuw tot hem: „Als gij om de wilde dieren niet geeft, en ook niet tot inkeer komt, zal ik U doen vernietigen door het vuur". Polycarpus zei: „Gij dreigt met vuur dat een uur brandt en na korte tijd dooft. Wat gij niet kent, is het vuur van het komende oordeel en de eeuwige kwelling die de goddelozen wacht. Maar wat aarzelt gij nog, doe wat gij wilt".

12,1 Terwijl hij deze en nog veel andere dingen zei, werd hij vervuld van sterkte en vreugde en zijn aangezicht werd van genade[a] vervuld, zodat hij niet alleen niet bezweek onder de indruk[b] van de tegen hem gerichte bedreigingen, maar dat veeleer de proconsul buiten zichzelf geraakte en zijn heraut naar het midden van het stadion zond om driemaal aan te kondigen: „Polycarpus heeft bekend[c] dat hij christen is".

12,2 Toen de heraut dat had meegedeeld ging heel de menigte van heidenen en in Smyrna wonende Joden met onbedwongen toorn luidkeels aan het roepen: „Dat is de leraar van de goddeloosheid, de vader van de christenen, de verachter van onze goden, hij die velen leert niet te offeren, noch eer te bewijzen[d]". Dat riepen zij en vroegen aan de asiarch[e] Filippus dat hij op Polycarpus een leeuw zou loslaten[f]. Maar die zei dat hem dat niet was toegelaten, daar de dierengevechten reeds afgelopen waren.

12,3 Toen besloten zij eenstemmig te roepen dat Polycarpus levend verbrand moest worden. (Het visioen dat hij in de nacht over zijn hoofd-

---

11,1[a] Volgens KLEIST, p. 201, n. 32, wordt bedoeld: „christen te worden".

12,1[a] Aldus te vertalen, gezien de bijbelse reminiscenties; soms expliciteert men zelfs: „goddelijke genade", cf. Schurmans, Hamman. De minder theologische betekenis „bevalligheid" lijkt ons niet aangewezen; cf. niettemin Franses, Rauschen, Rahner, ook Klijn: „zijn gelaat was een en al bevalligheid". Het is veeleer het thema van de goddelijke bijstand dat hier aan de orde is.

[b] Klijn vertaalt hier totaal afwijkend van de tekst: „zo zelfs dat niet alleen *velen* ineenkrompen ...".

[c] ὁμολογεῖν heeft hier een meer technische betekenis dan in 6,1 of 9,2. Het gaat om de houding van de christen tegenover zijn geloof. De term wordt een vaste uitdrukking in de martelaarsakten (en ook elders). Klijn vertaalt te zwak: „Polycarpus zegt voor zichzelf dat ...".

12,2[d] προσκυνεῖν betekent „zich buigen voor, aanbidden" (cf. 17,3). Meestal volgt er een object. In de oudchristelijke literatuur betekent het meestal „heidense goden aanbidden", cf. *2 Clemens* 1,6; 3,1; *Diogn.* 2,4.5.

[e] De asiarch is het hoofd van de commune Asiae en zat in die hoedanigheid de spelen voor. Hij wordt nog genoemd in c. 21, als „hogepriester". Over de mogelijke identiteit van deze titels, zie de commentaren, vooral Lightfoot. Vergelijk nog *Hnd* 19,31.

[f] Klijn: „voor de leeuwen te gooien".

kussen gekregen had moest immers uitkomen, toen hij dat zag branden tijdens zijn gebed en hij zich wendend tot de gelovigen die bij hem waren[g] op profetische wijze zei : „Ik moet levend verbrand worden".)

13,1 Dat gebeurde nu met zulk een snelheid, vlugger dan het verhaald kan worden : het volk verzamelde dadelijk hout en takken uit de werkplaatsen en badhuizen, vooral de Joden waren in de weer, zoals het hun gewoonte is, om daar bij te helpen.

13,2 (Toen de brandstapel klaar was, legde hij uit eigen beweging al zijn kleren af, maakte zijn gordel los[a] en hij trachtte ook zichzelf te ontschoeien, iets wat hij vroeger zelf niet gedaan had, daar elk van de gelovigen zich steeds haastte om hem[b] het vlugst aan te raken. Want omwille van zijn voortreffelijke levenswijze werd hij in alles ook voor zijn marteldood geëerd.)

13,3 Onmiddellijk werd het voor de brandstapel aanwezige materiaal om hem heen gelegd. Toen zij hem ook nog wilden vastnagelen zei hij : „Laat mij zo. Diegene die mij het vuur doet doorstaan zal mij ook zonder de stevigheid van uw nagels onbewogen op de brandstapel laten blijven".

14,1 Zij nagelden hem dan niet vast, maar bonden hem. Hij bracht zijn handen naar achter en werd gebonden, als een voortreffelijke ram uit een grote kudde, voor het offer bestemd, een aan God welgevallige, voorbereide offergave. Hij keek omhoog naar de hemel en zei : „Heer, God almachtig, Vader van Uw geliefde en geloofde Zoon[a] Jesus Christus, door wie wij kennis omtrent U hebben ontvangen, God van engelen en machten en van heel de schepping, van het geslacht der rechtvaardigen die leven voor Uw aanschijn,

14,2 ik loof U dat Gij vandaag op dit uur mij waardig acht deel te nemen met het getal van Uw martelaars aan de beker van Uw Christus, ⟨die opwekt⟩ tot eeuwig leven van ziel en lichaam in de onvergankelijkheid van de Heilige Geest; onder wie ik vandaag voor Uw aanschijn moge ontvangen worden als een rijke en welgevallige offergave, zoals Gij zelf hebt voorbereid, vooraf doen kennen en ⟨nu⟩ vervuld, getrouwe en waarachtige God.

14,3 Daarom prijs ik U om alles, loof ik U, verheerlijk ik U door Uw

---

12,3[g] Klijn vertaalt te vrij : „zijn metgezellen".

13,2[a] Klijn vertaalt tot hier onpersoonlijk, wat niet erg precies is : „.... ontdeed men hem ... en men maakt ... los".

[b] Letterlijk : „zijn huid"; aldus Van den Bergh van Eysinga. Meestal vertaalt men zoals wij (Franses, Klijn); anders : „lichaam" (Schurmans).

14,1[a] Klijn : „knecht". Παῖς kan op beide manieren vertaald worden.

eeuwige en hemelse hogepriester Jezus Christus, Uw geliefde Zoon[b], door Wie heerlijkheid zij aan U, met Hem en de Heilige Geest, nu en in de komende eeuwen, amen".

15,1 Nadat hij het amen had uitgesproken[a] en het gebed had voltooid, staken de mannen van de brandstapel het vuur aan. Een grote vlam steeg op (en wij, aan wie het gegeven was te zien, zagen een wonder, en wij zijn gespaard gebleven om aan de overigen de gebeurtenissen te kunnen melden.

15,2 Het vuur nam de vorm aan van een gewelf, zoals het zeil van een schip door de wind opgebold omringde het het lichaam van de martelaar. En hij stond in het midden, niet zoals een lichaam dat brandt, maar als brood dat gebakken wordt, of als goud of zilver in de oven gelouterd. En wij namen zelfs een uitermate welriekende geur waar, als van opstijgende wierook of een ander kostbaar reukwerk.)

16,1 Toen de goddelozen tenslotte bemerkten dat zijn lichaam niet door het vuur vernietigd kon worden, gaven zij de confector[a] opdracht naderbij te gaan en hem met een dolk te doorsteken. En toen hij dat deed kwam er een duif en een grote hoeveelheid bloed uit ⟨zijn lichaam⟩, zodat het vuur geblust werd en heel het volk zich erover verwonderde dat er zulk een onderscheid tussen de ongelovigen en de uitverkorenen ⟨kon bestaan⟩.

16,2 Eén van dezen is de zeer bewonderenswaardige Polycarpus geworden, in onze tijd[b] apostolisch en profetisch leraar, bisschop van de katholieke Kerk in Smyrna. Elk woord dat uit zijn mond kwam is in vervulling gegaan en zal in vervulling gaan.

17,1 Toen de jaloerse en naijverige en boze, de tegenstander van het geslacht der rechtvaardigen, de grootheid van Polycarpus' martelaarschap en zijn van het begin af onberispelijke levenswijze zag en dat hij gekroond was met de krans der onvergankelijkheid en in het bezit van een door niemand betwiste kampprijs, legde hij het erop aan dat wij

---

14,3[b] Cf. 14,1a.

15,1[a] Letterlijk „opgezonden", aldus vertalen Van den Bergh van Eysinga en Franses; Klijn: „was opgeklonken"; Schurmans vertaalt zoals wij (ook Rauschen: „ausgesprochen").

16,1[a] Diegene die de genadestoot gaf aan dieren en mensen na de gevechten. Ook Lelong, Rauschen, Camelot en Musurillo behouden het Griekse woord, dat eigenlijk een latinisme is; anders vertaalt men „beul" (Schurmans, Franses) of iets dergelijks. Klijn omschrijft: „de man die de genadesteek pleegt te geven".

16,2[b] Letterlijk: „in de tijd toen hij nog bij ons was", met andere woorden voor zijn dood.

het stoffelijk overschot[a] niet zouden kunnen wegnemen, (ofschoon velen onder ons dat verlangden te doen om in het bezit te komen van zijn heilig lichaam).

17,2 Hij zette dus Nicetes, de vader van Herodes, de broer van Alce, ertoe aan de magistraat[b] te verzoeken zijn lichaam niet vrij te geven, „opdat zij niet, zo zei hij, nadat zij de gekruisigde in de steek gelaten hebben, hem beginnen te vereren". (En dat gebeurde onder sterk aandringen van de Joden, die ook de wacht hielden toen wij aanstalten maakten om hem van de brandstapel te halen, want zij wisten niet dat wij nooit Christus in de steek zouden kunnen laten, Hij Die voor het heil van hen die overal ter wereld[c] gered moesten worden, geleden heeft, een onschuldige voor zondaars, of evenmin enige andere vereren.

17,3 Want Hem aanbidden wij als Zoon van God, de martelaars daarentegen hebben wij terecht lief als leerlingen en navolgers van de Heer, omwille van hun onovertroffen genegenheid jegens hun eigen Koning en Leermeester. Mogen wij ook hun deelgenoten en medeleerlingen worden.)

18,1 Toen de centurio dan de geneigdheid tot verzet[a] vanwege de Joden bemerkte, plaatste hij het ⟨lichaam van Polycarpus⟩ in het midden — want zo is hun gewoonte — en verbrandde het.

18,2 Aldus konden wij later zijn gebeente verzamelen dat kostbaarder is dan edelsteen en waardevoller dan goud, en het op een passende plaats bijzetten[b].

18,3 Daar zal de Heer, als het mogelijk is, ons toestaan verenigd in vreugde en blijdschap de verjaardag[c] van zijn marteldood te vieren, ter nagedachtenis van hen die vroeger gestreden hebben en ter oefening en voorbereiding van hen die het nog zullen doen.

19,1 Tot zover het verhaal over de gelukzalige Polycarpus, die samen met die van Filadelfia, als twaalfde in Smyrna de marteldood gestorven is,

17,1[a] Wij vertalen λείψανον; Klijn vertaalt σωμάτιον : „(zijn) erbarmelijk lichaam".

17,2[b] Ἄρχων wordt uiteenlopend vertaald. Aangezien het in de tekst niet duidelijk is of het personage met één der vroeger genoemde moet geïdentificeerd worden, vertalen wij zo neutraal mogelijk, dit tegen de veel voorkomende vertaling „proconsul" (cf. onder meer Franses, Klijn, Schurmans). „Magistraat" vindt men bij Van den Bergh van Eysinga.

[c] Dit is de meest gebruikelijke vertaling. Alleen Lightfoot vertaalt de Griekse zin letterlijk : „for the salvation of the whole world of those that are saved".

18,1[a] Φιλονεικία kan ook met Klijn en Franses vertaald worden als „op twist uit zijn" (Schurmans : „het gestook"). Van den Bergh van Eysinga vertaalt letterlijk : „twistgierigheid".

18,2[b] Men vertaalt ook wel „begraven" : Klijn, Franses („ter aarde besteld"), Schurmans, Kleist, Musurillo.

18,3[c] Letterlijk : „geboortedag". Zie hierover hoofdstuk V, § 2,1.

de enige onder hen allen die in de gedachtenis voortleeft, zodat ook de heidenen hem overal vernoemen. Hij was niet alleen een beroemd leraar, maar ook een voorbeeldig martelaar, wiens marteldood allen [a] verlangen na te volgen, daar zij volgens het evangelie van Christus geschied is.

19,2 Nadat hij door zijn volharding de onrechtvaardige magistraat overwon en aldus de krans der onvergankelijkheid verwierf, verheerlijkt hij ⟨nu⟩ met de apostelen en alle rechtvaardigen jubelend God de almachtige Vader en looft hij onze Heer Jezus Christus, de redder onzer zielen en de bestuurder onzer lichamen, en de herder der over heel de wereld verspreide katholieke Kerk.

20,1 Gij hebt ons verzocht U uitvoerig in te lichten over het gebeurde, wij hebben echter op dit moment slechts de hoofdzaken laten weten, door toedoen van onze broeder Marcion. Wanneer gij ze vernomen hebt, stuurt de brief dan ook naar de verder wonende broeders, opdat ook zij de Heer prijzen, Die onder zijn eigen dienaren een keuze maakt.

20,2 Aan Hem die ons allen door Zijn genadegaven kan binnenvoeren in Zijn eeuwig Koninkrijk door Zijn eniggeboren Zoon [a], Jezus Christus, aan Hem zij heerlijkheid, eer, kracht, verhevenheid tot in de eeuwen. Amen. Groet alle heiligen. U groeten zij die bij ons zijn en Evaristus, de schrijver, met heel zijn huis.

21   De gelukzalige Polycarpus stierf de marteldood in het begin van de maand Xanthicus, op de tweede ⟨dag⟩, zeven dagen voor de kalenden van maart [a], op een grote sabbat, het achtste uur. Hij werd gevangen genomen door Herodes, onder de hogepriester Filippus Trallianus, toen Statius Quadratus proconsul was, maar onder het eeuwige koningschap van Jezus Christus, aan wie heerlijkheid zij, eer, verhevenheid, eeuwige heerschappij [b] van geslacht tot geslacht. Amen [c].

19,1 [a] Klijn vertaalt zonder reden : „Zijn marteldood willen *we* allen navolgen ...".
20,2 [a] Cf. 14,1a.
21 [a] Klijn vertaalt : „de 23. februari".
[b] Letterlijk : „troon"; aldus vertalen Klijn en Franses. Onze vertaling is ook die van Van den Bergh van Eysinga. Zij wordt voorgesteld door BAUER, col. 720.
[c] Hoofdstuk 21 wordt door Schurmans weggelaten. Alle andere vertalingen geven ook 21. Op Franses en Klijn na besluiten zij met 22, meestal gevolgd door het eigen slot van de codex *Mosquensis*.

VERWIJZINGEN NAAR HET *NIEUWE TESTAMENT*

Edities en vertalingen verwijzen regelmatig naar bepaalde nieuw-testamentische teksten zonder de aard van de overeenkomsten nader te bepalen. In de literatuur over de theologie van *MPol* is er vooral belangstelling voor de parallellen met de passieverhalen van de evangeliën : *MPol* biedt zich immers aan als een verhaal over een μαρτύριον κατὰ τὸ εὐαγγέλιον[607]. Wij geven hier een voorstelling van bestaande overzichten van parallellen tussen *MPol* en *NT*, vervolgens een eigen lijst voorzien van enig commentaar, en tenslotte enkele beschouwingen over de wijze waarop *MPol* van *NT* gebruik maakt.

1. *Literatuuroverzicht*

De behandeling van het probleem van de overeenkomsten met *NT* kan globaal onder drie hoofdingen samengevat worden : de kwestie van het quartodecimaanse karakter van *MPol*, de interpolatiehypothesen en hun kritiek, het vocabulariumonderzoek van *MPol*.

a. De aandacht voor de nieuwtestamentische parallellen in *MPol* ontstond in de vorige eeuw, toen A. Hilgenfeld, in zijn boek *Der Paschastreit der alten Kirche* (1860), *MPol* gebruikte als bewijs dat de Klein-aziatische quartodecimaanse practijk berust op de chronologie van de synoptische lijdensgeschiedenis[608]. Het centrale punt van zijn betoog is de identificatie van de „grote sabbat" van *MPol* 8, die Hilgenfeld interpreteert als de met de joodse chronologie overeen-komende sabbat van de vijftiende Nisan, volgens de synoptische tijd-rekening de dag van Jezus' dood. Dit klopt met het feit dat de auteur

---

[607] De algemene opvatting is dan ook dat het verhaal van Polycarpus' dood het passieverhaal bewust van nabij volgt, zie o.m. CAMELOT, p. 200-202; DELEHAYE, p. 19: „L'idée-mère de la *Passio Polycarpi* est un parallèle du martyr avec le Christ souffrant"; QUASTEN I, p. 78.

[608] Het hele probleem moet gezien worden tegen de achtergrond van de 19de eeuwse polemiek over het auteurschap van het *Johannes*evangelie. Een van de grote punten van discussie was dat de oudkerkelijke traditie over Polycarpus als Johannesleerling (cf. Irenaeus in Eus., *HE* V,20,4) in tegenspraak bleek met het feit dat de *Polycarpus-brief* noch *MPol* het *Johannes*evangelie schijnen te kennen. Zie over deze kwestie VIELHAUER, p. 411-413; 453-460.

van *MPol* de overeenkomsten tussen Jezus' dood en Polycarpus' martyrium volgens de *synoptische* voorstelling weergeeft. Verwezen wordt naar de voorspellingen van *Mt* 26,2 en *MPol* 5,2, het verraad van de huisgenoten, de beambte die Herodes heet. Zoals Jezus bij de synoptici pas na de voorbereiding van het feest en na het paasmaal wordt gevangengenomen, zo gebeurt het in *MPol* τῇ παρασκευῇ δείπνου ὥρᾳ dat de vervolgers er op uittrekken „als tegen een rover" (*Mt* 26,55 en par). Als zij ὀψὲ τῆς ὥρας (vergelijk *Mt* 28,1) aankomen vlucht Polycarpus niet, maar spreekt de woorden „Gods wil geschiede" (*Lc* 22,42 par). Evenmin als de synoptische Christus (*Mt* 26,62; *Mc* 14,60.61) verdedigt Polycarpus zich tegen het volk (*MPol* 10). Ook de gebedsformule in *MPol* 14,1 εὐλογῶ σὲ κτλ verwijst naar *Mt* 20,22; 26,39; *Mc* 10,38[609].

Scherp is de reactie van G. E. Steitz (1861) tegen wie Hilgenfeld in zijn boek reeds polemiseerde. Steitz bestrijdt het volgen van de synoptische lijdenschronologie in *MPol*[610]. De uitdrukking „Gods wil geschiede" komt niet uit *Lc* 22,42 maar uit *Hnd* 21,14. Polycarpus' gebed (c. 7,3-8,1) herinnert zeer duidelijk aan *Joh* 17, evenzo de overgang τῆς ὥρας ἐλθούσης τοῦ ἐξιέναι aan *Joh* 18,1. De stem uit de hemel in *MPol* 9,1 herinnert aan *Joh* 12,28.29. De doodsteek en het vermelden van het bloed dat uit de wonde vloeit is een onmiskenbaar parallel met *Joh* 19,34. Steitz gaat ook in tegen de opvatting dat de theologie van *MPol*, uitgedrukt in hoofdstuk 1 (het martyrium volgens het *evangelie*), alleen naar de synoptici verwijst. Het gaat veeleer om „die eine, in allen Evangelien mit sich selbst einig gedachte Ueberlieferung des evangelischen Geschichtsstoffes". Interessant is dat Steitz verder in zijn artikel op de overeenkomsten met de Paulusbrieven wijst. Hij wil aantonen dat zowel paulinische als johanneïsche geschriften te Smyrna in gebruik waren, dat met andere woorden de Kerk van Smyrna Johannes niet alleen als auteur van *Apokalyps*, maar ook als evangelist gezien heeft. Overeenkomsten met Paulus zijn: *MPol* 1,2 (cf. *1 Kor* 11,1; *Fil* 2,4; *1 Kor* 10,33), *MPol* 10,2 (vergelijk *Rom* 13,1), en waarschijnlijk ook de woorden in *MPol* 2,3 (*1 Kor* 2,9)[611].

Het antwoord van Hilgenfeld liet niet op zich wachten. Nog in

---

[609] A. HILGENFELD, *Der Paschastreit in der alten Kirche* (zie n. 305), p. 245-246.
[610] G. STEITZ, *Der Charakter der kleinasiatischen Kirche* (zie n. 304), p. 117-120.
[611] ID., *ibid.*, p. 136.

hetzelfde jaar herneemt hij zijn vroegere hypothese[612], de lijst van parallellen met *Mt* uitbreidend met *MPol* 4 : reeds daar blijkt dat het εὐαγγέλιον dat als voorbeeld voor het martyrium genomen wordt niet een onbepaalde „evangelische Geschichtsstoff" is, maar het *Matteüsevangelie*. Naast de reeds bekende parallellen wordt nog opgemerkt dat *MPol* 9,1 meer naar *Lc* 22,43 dan naar *Joh* 12,28.29 verwijst. De johanneïsche parallellen zijn „mit den Haaren herbeigezogen".

Hilgenfeld blijft zijn opvatting verdedigen, eerst tegen R. A. Lipsius (1874), later tegen T. Keim (1879). Volgens Lipsius waren de parallellen met het passieverhaal van een latere bewerker afkomstig[613]. In zijn reactie op Lipsius vermeldt Hilgenfeld ook de verwijzingen naar de Paulusbrieven die Steitz reeds gezien had. Hij voegt er nog enkele parallellen met *Heb* aan toe : *MPol* 14,3 διὰ τοῦ αἰωνίου κτλ //*Heb* 6, 20; *MPol* 19,2 ποιμένα ... ἐκκλησίας // *Heb* 13,20[614]. Dit alles dient om het paulinisme van Polycarpus te illustreren en zo zijn „Katholizismus" aan te tonen. Verder herhaalt hij zijn opvatting over de afwezigheid van kennis van het *Johannes*evangelie : het oorspronkelijke *MPol* (dat wil zeggen zonder c. 22) kent, zoals Polycarpus zelf, slechts het „synoptische" evangelie[615].

H. J. Holtzmann brengt dan in 1877 een uitvoerige lijst van overeenkomsten met *NT*, inzonderheid met het passieverhaal, waarin de elementen, verzameld door Hilgenfeld en Steitz, gecombineerd worden[616]. Holtzmann plaatst *MPol* echter (met Lipsius) ten tijde van de Decische vervolging. De „Autoritätsstellung des vierten Evangeliums" is dan geen probleem meer, en het bezwaar van Hilgenfeld tegen het nauwe parallel met de synoptici in *MPol* 6,1-7,1 vervalt. Ook de verwijzing naar de Paulusteksten verliest „den letzten Rest von Anstössigem, wenn das Martyrium so wenig der gleichzeitigen Gemeinde des Polykarp, wie der Brief diesem selbst angehört"[617].

In zijn radicale kritiek op de authenticiteit van *MPol* (1878) richt T. Keim ook zijn aandacht op de parallellen met *NT*[618]. In hun geheel

[612] A. HILGENFELD, *Der Quartodecimanismus Kleinasiens und die kanonischen Evangelien* (zie n. 306), p. 304-306.

[613] R. A. LIPSIUS, *Der Märtyrertod Polykarps* (zie n. 313), p. 200.

[614] A. HILGENFELD, *Polykarp von Smyrna* (zie n. 307), p. 321, inz. noot 2.

[615] ID., *ibid.*, p. 342.

[616] H. J. HOLTZMANN, *Das Verhältnis des Johannes zu Ignatius und Polykarp* (zie n. 315), p. 209-212.

[617] ID., *ibid.*, p. 214 (Holtzmann wil tegen de vroege datering van Joh. argumenteren dat Ignatius noch Polycarpus dit evangelie kennen).

[618] T. KEIM, *Aus dem Urchristentum* (zie n. 270), p. 125-126; 165-166.

zijn zij voor hem een teken van het late ontstaan van *MPol*. Het is een
„katholisches Produkt" dat alle apostelen zonder meer accepteert.
Het gaat niet om synoptische *of* johanneïsche parallellen, maar om
beide. *MPol* kent ook Paulus, *Hebreeën* en *Apokalyps* (*MPol* 9,3 en 14,1,
vergelijk *Apk* 1,5.6.9; 3,21; resp 1,8; 3,1.5; 4,5). De tekst met de
opvallende parallellen met de passie (*MPol* 6,1-7,1) is een interpolatie.

De reactie van Hilgenfeld tegen Keim [619] bestrijdt dat de verwijzingen
naar *NT* de late datering van *MPol* steunen. Bijzonder gaat hij in tegen
het gebruik van het *Johannesevangelie* door *MPol*. Belangrijk is dat
Hilgenfeld het onderscheid tussen *MPol* en de zogenaamde johanneïsche
parallellen gaat benadrukken. Hij wijst op het verschil tussen *MPol*
en *MLugd* dat *Joh* wel degelijk kent (*MLugd* 1,22 wordt voorgesteld
als „eine wirkliche Beziehung auf den johanneischen Lanzenstich").

Bij Keim werd reeds duidelijk dat het probleem van de nieuwtestamentische parallellen zich niet meer situeert op het gebied van de
quartodecimaanse achtergrond, maar in verband staat met de echt-
heidsvraag zonder meer, een benadering die dadelijk aan de orde
komt.

Voordien moet nog gewezen worden op de voorstelling van zaken
door E. Egli (1887) die *MPol* volgens de methode van Leblant bestudeert
(zie boven Hoofdstuk III) en daarbij in de eerste plaats op parallellen
met andere martyria let. Toch aanvaardt Egli de parallellisering met
het passieverhaal die Hilgenfeld benadrukte. Hij meent echter nog
een andere inspiratiebron voor *MPol* te kunnen aanwijzen [620] : de
lijdensweg van Paulus. Opgemerkt werd reeds de uitspraak „Gods
wil geschiede" en het gelijkluidende woord van de apostel in *Hnd* 21,
14. Maar men kan verder gaan : νύκτα καὶ ἡμέραν (MPol 5,1) is te
vergelijken met *Hnd* 20,31. Daarbij sluit in beide geschriften de voorspelling van de dood aan : *MPol* 5,2 // *Hnd* 20,23 e.v. Dan volgt
verder de tussenkomst van de vrienden die Paulus willen weerhouden
naar Jeruzalem te gaan, respectievelijk Polycarpus aanraden te vluchten,
gevolgd door het reeds geciteerde antwoord. Na de gevangenneming
komt de militaire overste (de irenarch) Paulus (Polycarpus) tegemoet
(*Hnd* 21,27-40 // *MPol* 8). In Paulus' verhaal over zijn bekering wordt
gezegd dat niemand de stem hoorde, maar allen het licht zagen.
In *MPol* 9,1 wordt de stem door sommigen gehoord, de spreker wordt
door niemand gezien, wat meer met *Hnd* 9,7 overeenkomt. Verder zijn

[619] A. HILGENFELD, *Das Martyrium Polykarps* (zie n. 307), p. 166-167.
[620] E. EGLI, *Altchristliche Studien* (zie n. 255), p. 72-74.

op te sommen : de verwensing in *Hnd* 22,22 en *MPol* 9,2 (αἶρε), de belijdenis van de trouw, *Hnd* 23,1 // *MPol* 9,3, de achting voor de overheid, *Hnd* 23,5 // *MPol* 10,2 de opmontering die beide gevangenen ten deel valt, *Hnd* 23,11 / *MPol* 12,1, de aanslagen van de Joden *Hnd* 23,12 // *MPol* 12,2. Verschijnt dit alles slechts „in schwachen Konturen", toch is het volgens Egli mogelijk dat naast de geschiedenis van de Heer ook de andere grote voorbeelden op de auteurs van martyria hebben ingewerkt.

b. Bij J.B. Lightfoots (1889²) verdediging van de authenticiteit van *MPol* vooral tegen Keim en met name van de parallellen met de evangeliën is het duidelijk dat de kwestie van het quartodecimanisme niet meer in het centrum van de belangstelling staat. Het gaat niet meer om de eigen aard van de evangeliën, maar om de *betekenis* van de parallellen met het passieverhaal, om de functie die zij in *MPol* hebben. Daarbij sluit de vraag aan of genoemde parallellen wel tot het oorspronkelijk verhaal behoren, een vraag die ook in deze eeuw nog voortdurend in de literatuur opduikt. Volgens Lightfoot, die in zijn grote inleiding nog eens de lijst van overeenkomsten geeft [621], is de authenticiteit gewaarborgd door het feit dat *MPol* een martyrium volgens het evangelie (c. 1) wil zijn. Dat neemt niet weg dat sommige overeenkomsten voor de hand liggen, andere zeer gemaakt aandoen. Lightfoot meent echter : „... the violence of the parallelism is a guarantee of the accuracy of the facts" [622].

H. Müller (1908) [623] vindt de parallellen met het lijdensverhaal in die mate overdreven dat zij niet origineel kunnen zijn. Zij kunnen in hun huidige vorm niet behoord hebben tot het eenvoudig historisch bericht dat de brief van de christenen van Smyrna was. Bewijs daarvan is de Eusebiusversie waarin de stukken met uitdrukkelijke verwijzing naar het evangelie ontbreken. De lijst van parallellen die Müller geeft moet deze hypothese illustreren.

Interessant is dat B. Sepp (1911) [624] in reactie tegen Müller de betekenis van de parallellen met de passie gaat relativeren. In zover er overeenkomsten zijn, stellen zij de geloofwaardigheid van het verhaal van Polycarpus niet in vraag. Waar het op aankomt is juist dat Müller

---

[621] LIGHTFOOT II, 1, p. 610-611.
[622] LIGHTFOOT II, 1, p. 614; vergelijk S. COLOMBO, *Gli „Acta Martyrum"* (zie n. 452), p. 193-203.
[623] H. MUELLER, *Das Martyrium Polykarps* (zie n. 234), p. 6-13.
[624] B. SEPP, *Das Martyrium Polycarpi* (zie n. 36), p. 5-14.

de mate van gelijkaardigheid overdreven heeft, wat Sepp illustreert aan de hand van de parallellen die Müller opgeeft.

Bij W. Reuning (1917)[625] vinden wij dezelfde kritiek op Müller; slechts in c. 1 en 6, misschien in c. 7, wordt direct op parallellen tussen het lijden van Christus en dat van Polycarpus gewezen. Van een doorlopende ,,Nachahmung" is geen sprake. Zoals Sepp wil Reuning met zijn benadering van *MPol* het geschrift als historisch document handhaven.

Een naklank van de problematiek van de vorige eeuw brengt het werk van W. von Loewenich (1932)[626]. Het probleem is dat Polycarpus als leerling van Johannes geen blijk geeft van kennis van het *Johannesevangelie*, althans niet te oordelen naar de brief aan de Filippenzen. Die bevat hoogstens enige allusie op de Johannesbrieven. Merkwaardig genoeg vindt men in *MPol* dan wel trekken die aan het *Johannesevangelie* herinneren. Von Loewenich geeft dan een lijst van hoofdzakelijk terminologische overeenkomsten, die toelaten te besluiten dat men ten tijde van *MPol* te Smyrna het *Johannesevangelie* kende.

H.W. Surkau (1938)[627] plaatst de parallellen met het passieverhaal naast de overeenkomsten met andere martyria. De auteur van *MPol* wil zijns inziens in de eerste plaats duidelijk maken dat de martelaars bijzonder uitverkoren werktuigen van God zijn, die Hem, zoals de Heer, door het lijden prijzen. Het moet het doel van de gemeente zijn de martelaar na te volgen. *MPol* is het beginpunt van deze theologie van het martyrium.

H. von Campenhausen kon in zijn studie van 1936 de ,,Nachahmungsgedanke" in *MPol* als de uitdrukking van een kerkelijke, normatieve interesse interpreteren[628]. Dat geldt niet alleen voor de parallellen met de passie, maar ook voor het voorschrift van eerbied voor de overheid (*MPol* 10,2). Polycarpus' voorbeeld verdient navolging omdat het het ideale voorbeeld van alle martyria, het lijden van Jezus, herhaald heeft. Deze gedachtengang is niet nieuw: het is een bijzondere omvorming van een andere voorstellingswijze die reeds in het martyrium van Stefanus en van Jakobus aanwezig is. In zijn studie van 1957 wil von Campenhausen de parallellen aan een late ,,Euangelion-Redaktor"

---

[625] REUNING, p. 10-20.

[626] W. VON LOEWENICH, *Das Johannes-Verständnis im zweiten Jahrhundert* (BZNW 13), Giessen, 1932, p. 22-25; cf. de verwijzing bij R. SCHNACKENBURG, *Das Johannesevangelium* (zie n. 577), p. 178 n. 3; ook VIELHAUER, p. 457.

[627] SURKAU, p. 126-134, inz. p. 130.

[628] CAMPENHAUSEN, p. 82-85.

toeschrijven[629]. De hand van deze redactor verraadt zich, naast de passages waarin uitdrukkelijk sprake is over het martyrium volgens het evangelie (1,1b-2a; 4 *in fine*; 19,1; 22,1), vooral in 6,2-7, 1a, waar de interpolator zich duidelijk veel moeite geeft om het verhaal van de aanhouding van Polycarpus in overeenstemming te brengen met het lijdensverhaal. Laat men deze passages weg, dan ligt het niet meer voor de hand bij andere teksten nog overeenstemming te vinden, bijvoorbeeld bij de vlucht naar het landgoed, tussen Polycarpus' gebeden en Gethsemane, tussen het maal dat de achtervolgers wordt voorgezet en het avondmaal, tussen de dolksteek van de confector en de steek met de lans bij de kruisiging. In noot wordt voor andere „scheve parallellen" naar Müller verwezen, tegen wie Sepp terecht reageerde. Een andere gewilde, maar niet tot dezelfde redactie behorende toevoeging is het einde van de zin in 8,1 : „toen het uur gekomen was (*Joh* 17,1) om weg te gaan, zetten zij hem op een ezel (*Joh* 12,14) en voerden hem naar de stad; het was een grote sabbat (*Joh* 19,31)". Het is een „erbaulich-tendentiözen Einschub", te vergelijken met andere gekunstelde parallelliseringen in de oude martyria.

É. Massaux[630] gaat niet in op de interpolatieproblematiek. Naar zijn mening toont de aard van de parallellisering dat het er de auteur van *MPol* niet om te doen is een bepaalde tekst te volgen. Slechts de belangrijkste momenten van de passie interesseren hem, en die vindt men terug in de dood van Polycarpus.

W.R. Schoedel[631] keert zich wel tegen de hypothesen van Müller en von Campenhausen. Hij is geneigd de graad van het parallellisme te minimaliseren, op enkele teksten na, die hij slechts als interpolaties kan verstaan (6,2-7,1a; 8,1 „grote sabbat"; voor 8,3-9,1 deelt hij de mening van Schwartz). Nieuwtestamentische verwijzingen hebben bij Schoedel veeleer de functie van godsdiensthistorisch vergelijkingsmateriaal (behalve het gebed, waar de invloed van de liturgie benadrukt wordt).

De kritiek van L.W. Barnard[632] op von Campenhausen wijst uit dat van de achttien parallellen met het passieverhaal Eusebius er slechts drie niet kent : de opmerkingen over het martyrium volgens het evangelie

[629] H. VON CAMPENHAUSEN, *Bearbeitungen und Interpolationen des Polykarpmartyriums* (zie n. 353), p. 258-266.

[630] É. MASSAUX, *Influence de l'Évangile de saint Matthieu sur la littérature chrétienne avant saint Irénée*, Leuven-Gembloux, 1950, p. 187-188.

[631] SCHOEDEL, p. 51-82.

[632] BARNARD, inz. p. 194-196.

in *MPol* 1 en 19; de naam „Herodes" van de politieofficier die Polycarpus arresteert; de achtervolgers die tegen hem uittrekken gewapend
„als tegen een rover". Barnard herhaalt de opvattingen van Lightfoot
wanneer hij zegt dat de onhandigheid en de overdrijving van het
parallellisme bewijzen dat het om een origineel element van de tekst
gaat dat te vergelijken is met andere getuigenissen uit de vroegste
periode van de Kerk.

c. M. L. Guillaumin deelt als resultaat van een breder vocabulariumonderzoek de volgende resultaten mee[633] : de formele overeenkomsten
met de briefliteratuur (*inscr.*; slot) zijn blijkbaar een bewuste imitatie.
1 Kor 2,9 is niet met zekerheid te behouden als verwijzing : Paulus
zelf citeert, met omkering van de volgorde, een reeds in zijn tijd
bekende tekst, die evenzeer door de auteur van *MPol* gekend kan zijn.
Het gebed in 14,1-3 is eerder afhankelijk van de liturgie dan van
bepaalde oudtestamentische teksten. De verwijzingen naar het evangelie,
bijzonder naar de passie, maar tevens naar enkele teksten uit *Hnd*
dringen zich op : behalve de expliciete parallellen die de auteur ont-
wikkelt tussen de dienaars in het huis waar Polycarpus verblijft en
Judas, tussen de politieofficier Herodes en koning Herodes, tussen
Polycarpus en Jezus zelf (6,2; 1,2) zijn er deze nauwkeurige ontleningen :
  7,1 „Gods wil geschiede", *Hnd* 21,14, maar *Mt* 6,10 en 26,42 zouden
  reeds volstaan;
  7,3/12,1 „vol van genade", vergelijk *Hnd* 6,8, maar de formule komt
  uit *Joh* 1,14;
  8,1 de ezel, *Mt* 21,7;
  8,2 het zwijgen, *Mc* 14,61;
  9,1 de stem uit de hemel, *Joh* 12,28;
  12,2 het luid geschreeuw van de menigte, vergelijk *Hnd* 7,57, maar
  ook 7,60 en *Lc* 23,46;
  12,3 ἔδει γάρ ... πληρωθῆναι, overgenomen uit *Hnd* 1,16, waar het
  over Judas en de arrestatie van Jezus gaat.
„Chaque fois, nous sommes ramenés à Jésus et à sa passion : à des
rapprochements discutables, nous devons préférer ceux que les inten-
tions explicites de l'auteur confirment".

---

[633] M. L. GUILLAUMIN, *En marge du martyre de Polycarpe. Le discernement des
allusions scripturaires*, in *Forma futuri. Studi in onore del cardinale M. Pellegrino*, Turijn,
1975, p. 462-469; de conclusie wordt gebaseerd op het vergelijkend onderzoek van het
vocabularium van *MPol* en het opsporen van woordverbindingen die ook in bijbelse
teksten voorkomen.

In deze benaderingswijze ligt alvast een onderscheid tussen woordelijke overeenkomsten, van welke aard ook, en de impliciete verwijzingen
naar nieuwtestamentische contexten. In ieder geval moet de bijna
exclusieve aandacht voor bepaalde evangelieparallellen die het onderzoek beheerste verruimd worden tot de kleinere overeenkomsten en de
inbreng van andere nieuwtestamentische geschriften. De volgende lijst
wil daartoe een poging zijn.

2. *Lijst van overeenkomsten tussen* Martyrium Polycarpi *en het*
Nieuwe Testament

In deze lijst wordt de opvatting van de onder 1 genoemde auteurs verwerkt.
Om een te groot aantal noten te vermijden wordt alleen de auteursnaam
vermeld, en de gegevens over de vindplaats door voorgaande bespreking als
bekend verondersteld (zie noten 609-633).·

inscr. De mogelijke invloed van de nieuwtestamentische briefinscripties werd in
hoofdstuk IV besproken. Bij πληθυνθείη wordt meestal naar *Judas* 2 verwezen, aldus naast de tekstuitgaven, Massaux.

1,1 ἀδελφοί. Dit nomen als aanduiding van de christenen, vooral bij het
aanspreken, is een verspreid gebruik in de vroegchristelijke literatuur, maar
gaat wel terug op *NT*, waar het de uitdrukking is geworden van de
geestelijke relatie in Christus van de christenen onder elkaar (cf. *Fil* 1,14
ἀδελφῶν ἐν Κυρίῳ)[634].

1,1 μακάριος. Polycarpus wordt „zalig" genoemd in 1,1 en 19,1(21); martyria
volgens de wil van God zijn μακάρια (2,1). Deze karakterisering, die vast
gebruik wordt in de martyria en in het taalgebruik over de martelaars
in het algemeen[635], wordt reeds aanwezig geacht in *4 Mak*. In *4 Mak* gaat
het echter niet om een kwalificatie van de martelaar of het martelaarschap
(wat wel het geval is in *MPol*), maar wordt die terminologie aangewend in
de beschrijving van de door de rede ingegeven houding van de martelaar
(zie 7,22; 10,15; ook 1,10; 18,13 μακαρίζω). In *MPol* staat het gebruik van
μακάριος dichter bij de nieuwtestamentische teksten over het zaligprijzen
van hen die omwille van de Heer lijden (*Mt* 5,11; *Lc* 6,22; *Jak* 5,11;
1 Petrus 3,14; 4,14) of gedood zijn (*Apk* 14,13).

1,1 ἄνωθεν. Volgens Massaux komt dit woord in de betekenis „opnieuw"
overeen met het gebruik van Paulus in *Gal* 4,9. O.i. moet eerder „van den
hoge" vertaald worden (zie boven bij de vertaling). Dit past beter in de
theologie van het martyrium van *MPol*[636].

---

[634] Cf. BAUER, col. 31.

[635] Zie onder meer H. DELEHAYE, *Sanctus* (zie n. 604), p. 71-72; C.H. TURNER,
Μακάριος *as a technical Term*, JTS 23(1922)31-35; G.J.M. BARTELINK, *Lexicologisch-
semantische studie* (zie n. 283), p. 129; ID., *Einige Bemerkungen über die Meidung
heidnischer oder christlicher Termini* (zie n. 285), p. 196; LAMPE, p. 822.

[636] Vgl. CAMPENHAUSEN, p. 82, n. 2, en het gebruik van ἄνωθεν in *Joh* 19,11.

1,2 περιέμενεν γὰρ κτλ. Keim vergelijkt de gedachte van het „lange wachten op de uitlevering" met *Joh* 2,25 en 6,70. Hilgenfeld verwerpt dit met de woorden : „wie wenn Polykarp als Herzenskündiger erschiene". Een verband tussen deze Johannesteksten en *MPol* 1,2 is wel moeilijk te vinden.

1,2 παραδοθῇ. De gedachte aan het overgeleverd worden is in *NT* niet alleen sterk aanwezig aangaande Christus, maar ook met betrekking tot *christenen als slachtoffers van de vervolging*; zie *Mt* 10,17.19.21; 24,9.10; *Mc* 13,9. 11-12; *Lc* 21,12.16; *Hnd* 8,3; 12,4; 21,11; 22,4 (27,1; 28,17). Toch brengt de toevoeging ὡς καὶ ὁ κύριος vooral de vergelijking met het lot van Jezus naar voren, zoals verder uit de expliciete verwijzing naar Judas in 6,2 blijkt.

1,2 ἵνα μιμηταὶ καὶ ἡμεῖς αὐτοῦ γενώμεθα. Bij de verwijzing naar 1 *Kor* 11,1 door Steitz en Holtzmann moet men toch noteren dat het in de Paulustekst om de vergelijking met Paulus gaat (μιμηταί μου γίνεσθε καθὼς κἀγὼ Χριστοῦ, vergelijk 1 *Kor* 4,16). Volgens Schoedel zijn teksten als 1 *Kor* 11,1 en *Fil* 3,17 er een aanwijzing voor dat het thema van de *imitatio* in de tweede eeuw mogelijk is (tegen de interpolatiehypothesen).

1,2 μὴ μόνον σκοποῦντες τὸ καθ᾽ ἑαυτοὺς κτλ. herinnert aan *Fil* 2,4 maar evenzeer aan *1 Kor* 10,24 en vooral 10,33 dat ook als achtergrond voor *MPol* 1,2 μὴ μόνον ἑαυτὸν θέλειν σῴζεσθαι, ἀλλὰ καὶ πάντας τοὺς ἀδελφούς kan gelezen worden. 1 *Kor* 10,33 gaat aan 11,1 (zie hierboven) onmiddellijk vooraf. Toch wordt vooral aan *Fil* 2,4 gedacht. Het is in de edities dikwijls de enige verwijzing. Massaux rechtvaardigt de vergelijking door te wijzen op de overeenkomst van het werkwoord σκοπέω en de tegenstelling μὴ (μόνον) ... ἀλλὰ καί, maar dit is toch niet voldoende om te spreken van een „indice d'une réminiscence littéraire". Naar 1 *Kor* 10,33 wijst het σῴζεσθαι, van *MPol* 1,2 *in fine*. Een duidelijk citaat van welke Paulustekst dan ook is er niet. Wanneer bij Bihlmeyer bijvoorbeeld de zin μὴ μόνον ... πέλας cursief gedrukt wordt is dat misleidend. De woordelijke overeenkomst met *Fil* 2,4 is gering.

2,1 κατὰ τὸ θέλημα τοῦ θεοῦ doet vooral denken aan *1 Petrus* 4,19 οἱ πάσχοντες κατὰ τὸ θέλημα τοῦ θεοῦ; vergelijk 7,1.

2,2 ὑπέμειναν (vergelijk *ibidem* ὑπομονητικόν; 2,3.4 en 13,3 ὑπομένω; 3,1 en 19,2 ὑπομονή). Sommige boeken van *NT* gebruiken deze woorden in een apocalyptische context : het volhouden in de θλῖψις, cf. *Mt* 10,22; 24,13; *Mc* 13,13; *Apk* 1,9; vergelijk *Rom* 5,3; 12,12; *1 Petrus* 2,20. Op die plaatsen blijkt wel een ander gebruik dan in *Heb* 12,1 δι᾽ ὑπομονῆς τρέχωμεν τὸν προκείμενον ἡμῖν ἀγῶνα (vergelijk de volgende verzen van *Heb* 12 en *Heb* 10,32-33)[637].

In *Jak* 1,3.12; 5,11 is de betekenis van ὑπομονή-ὑπομένειν te vergelijken met die van de stoïcijnse ethiek. Maar ook hier kan men de aanwezigheid van een apocalyptische ondertoon bespeuren (inz. in 1,12). Het is niet onwaarschijnlijk dat de voorspelling van de beproeving van de eindtijd (zie nog *Apk* 2,10; 3,10 πειρασμός) door de christenen in de vervolging als op hen van toepassing wordt geïnterpreteerd.

[637] Cf. F. HAUCK, ὑπομένω-ὑπομονή, TWNT 4(1942)585-593, inz. col. 592-593.

2,2 Dat de martelaars τῆς σαρκὸς ἀπεδήμουν kan beschouwd worden als een reminiscentie aan 2 *Kor* 5,8 (ἐκδημῆσαι ἐκ τοῦ σώματος; de verwijzing naar 5,6 bij Massaux is minder juist).
Παρεστὼς ὁ Κύριος staat dicht bij 2 *Tim* 4,17 : ὁ δὲ Κύριός μοι παρέστη. Voor het algemene thema van de bijstand van de Heer aan de martelaar zou naar *Lc* 22,43-44 verwezen kunnen worden (vergelijk verder 7,2 en 14,2).

2,3 αἰώνιον κόλασιν. De uitdrukking komt voor in *Mt* 25,46. Voor ἐξαγορα-ζόμενοι vergelijk *Ef* 5,16; *Kol* 4,5.

2,3 βασανιστῶν (vergelijk βάσανος 2,3.4). Het zeldzame βασανιστής komt in onze literatuur nog slechts voor in *Mt* 18,34.

2,3 τὸ αἰώνιον καὶ μηδέποτε σβεννύμενον (πῦρ) herinnert als formulering vooral aan *Mc* 9,43.48 (τὸ πῦρ τὸ ἄσβεστον; τὸ πῦρ οὐ σβέννυται). Cf. par *Mt* 18,8; *Mt* 25,41 (τὸ πῦρ τὸ αἰώνιον); vergelijk 11,2.

2,3 τοῖς τῆς καρδίας ὀφθαλμοῖς kan ontstaan zijn uit een combinatie van woorden uit het erop volgend citaat van *1 Kor* 2,9.

2,3 ἃ οὔτε οὖς ἤκουσεν κτλ. is de meest directe verwijzing naar een nieuw-testamentische tekst, *1 Kor* 2,9. Dat deze Paulustekst ook zonder de slotzin ὅσα ἡτοίμασεν κτλ geciteerd kan worden blijkt uit *2 Clemens* 11,7 (vergelijk *1 Clemens* 34,8). Ook de context in *MPol* moet hierbij niet vergeten worden. Hetzelfde geldt voor de plaatsing van οὖς κτλ voor ὀφθαλμός ten opzichte van *1 Kor* 2,9. Volgens Zahn wijst de passage in *MPol* op ontlening aan de Paulustekst omwille van de voortzetting ἐκείνοις δὲ κτλ, die te vergelijken is met *1 Kor* 2,10[638].
De meeste auteurs zijn het er inderdaad over eens dat 1 *Kor* 2,9 aange-haald wordt[639]. Recent wordt dit door zoveel Massaux als Guillaumin in twijfel getrokken : de tekst in *MPol* zou afhankelijk kunnen zijn van dezelfde bron (of traditie, Massaux) als die waaruit Paulus citeert. Massaux argu-menteert dat geen enkel element uit de tekst of de context ontlening aan 1 *Kor* 2,9 waarschijnlijk maakt. Dat laatste werd reeds door Zahn weer-legd. Voor de verschillen met de Paulustekst moet men er rekening mee houden dat de auteur van *MPol* nergens formeel citeert maar vrij gebruik maakt van Schriftteksten om zijn gedachten te verwoorden. Steitz brengt nog een andere bedenking tegen de hypothese van een citaat uit de bron van Paulus : men moet er eerst zeker van zijn dat het apokriefe werk dat als bron wordt vermoed niet van recentere datum is dan de Paulustekst[640].

2,3 ὑπεδείκνυτο. Dit verbum, samen met het voorafgaande φυγεῖν, is misschien te lezen in het licht van *Mt* 3,7 par *Lc* 3,7 τίς ὑπέδειξεν ὑμῖν φυγεῖν ἀπὸ τῆς μελλούσης ὀργῆς;

---

[638] T. Zahn, *Geschichte des neutestamentlichen Kanons I. Das Neue Testament vor Origenes*, Erlangen-Leipzig, 1889, p. 790-791.

[639] De inversie van de codices M en P die ὀφθαλμὸς κτλ terug voor οὖς brengt, is een secundaire aanpassing aan *1 Kor* 2,9.

[640] Pas Origenes identificeert de bron van Paulus met een *Apokalyps van Elias* (*In Matthaeum* 27,9), Hieronymus houdt daarnaast een *Ascensio Isaiae* als bron voor mogelijk (*In Esaiam* 64). Ook A.M. Denis, *Introduction aux pseudépigraphes grecs d'Ancien Testament* (SVTP 1), Leiden, 1970, p. 164, n. 3, overweegt voor *1 Clemens* 34,8 en *MPol* 2,3 de mogelijkheid dat hun bron de *Apokalyps van Elias* is. Hij voegt echter toe dat de elementen die van *1 Kor* 2,9 afwijken in citaten dikwijls voorkomen.

2,3 ἄγγελοι. Met de gedachte van de zin οἵπερ μηκέτι κτλ. komt *Mc* 12,25 par *Mt* 22,30 overeen. Cf. ook *Lc* 20,36 ἰσάγγελοι, vooral *Hnd* 6,15.

2,4 ποικίλαις βασάνοις[641]. Deze uitdrukking is te vergelijken met *Mt* 4,24 ποικίλαις νόσοις καὶ βασάνοις συνεχομένους (vergelijk 2,3).

2,4 κολαφιζόμενοι. Het activum van dit werkwoord wordt gebruikt in *Mt* 26, 67 par *Mc* 14,65; vergelijk nog *1 Petrus* 2,20 κολαφιζόμενοι ὑπομενεῖτε.

3,1 χάρις τῷ θεῷ. De uitdrukking, gekenmerkt door de ellips van het werkwoord (ἔστω), vindt men ook bij Paulus, *Rom* 6,17; 7,25; *1 Kor* 15,57; *2 Kor* 2,14; 9,15.

3,1 οὐκ ἴσχυσεν. Vergelijk, met deze woorden en hun context, *Apk* 12,7-8.

3,1 ἐθηριομάχησεν. Het werkwoord komt voor in *1 Kor* 15,32 als hapax voor *NT*[642].

3,2 πᾶν τὸ πλῆθος (vergelijk 12,2). In andere contexten bij *Lc* 1,10; *Hnd* 15,12. Voor het volgende αἷρε zie echter ook *Hnd* 21,36 : ἠκολούθει γὰρ τὸ πλῆθος τοῦ λαοῦ κράζοντες· αἷρε αὐτόν; vergelijk *Hnd* 22,22; *Lc* 23,18 (... παμπληθεί ...).

Massaux geeft deze verwijzing als de enige (naast κατὰ πόλιν in *MPol* 5,1) die op kennis van het *Lucas*evangelie kan teruggaan.

4   προσφάτως ἐληλυθὼς ἀπὸ τῆς Φρυγίας heeft een bijna woordelijk parallel in *Hnd* 18,2 : προσφάτως ἐληλυθότα ἀπὸ τῆς Ἰταλίας (προσφάτως is hier hapax voor *NT*).

4   οὐχ οὕτως διδάσκει ... Het beroep op het evangelie laat ook hier eerst aan de context van het passieverhaal denken : Jezus wordt *gezocht* (cf. *Joh* 18,4.7-8), zoals Polycarpus (vergelijk 6,1 en ook 3,2 waar het volk roept ζητείσθω Πολύκαρπος, zodat de tendens van de auteur reeds zichtbaar wordt : Polycarpus moet gezocht worden, hij heeft zichzelf niet aangegeven). De vlucht voor de vervolgers wordt in *Matteüs* aan de christenen in het algemeen aangeraden, cf. *Mt* 10,23; Jezus trekt zich terug voor diegenen die hem willen doden in *Joh* 7,1; 8,59; 10,39.

Volgens Massaux zou διδάσκει beter passen bij een woord van de Heer zoals *Mt* 10,23 dan bij een reeks voorbeelden uit Jezus' leven (Johannes). Het blijft evenwel onduidelijk of de auteur werkelijk naar een van de genoemde teksten teruggrijpt. Voor Hilgenfeld (1876) was het des te klaarder dat het evangelie dat voor het martyrium model staat *Matteüs* is. Ook Holtzmann geeft de voorkeur aan *Mt* 10,23. Toch is de allusie op een bepaalde evangelietekst hier minder uitgesproken dan in 6,2.

5,1 ἀκούσας οὐκ ἐταράχθη zou men kunnen vergelijken met *Mt* 2,3 over Herodes : ἀκούσας δὲ ... ἐταράχθη.

5,1 κατὰ πόλιν. Deze uitdrukking wordt besproken door Lightfoot en Massaux die beide opmerken dat de parallellen in *Lc* 8,1.4; *Hnd* 15,21; 20,23 en *Titus* 1,5 een andere betekenis hebben („van stad tot stad").

5,1 καὶ ὑπεξῆλθεν εἰς ἀγρίδιον. Het zich terugtrekken naar een nabij gelegen

---

[641] Volgens BAUER, col. 267 wordt βάσανος aanduiding voor de christenvervolging, zie *1 Clemens* 6,1.2; *2 Clemens* 17,7.

[642] Het woord is in *1 Kor* 15,32 waarschijnlijk als beeld gebruikt, zie BAUER, col. 713, die vergelijkt met Ignatius, *Rom* 5,1; in eigenlijke zin; Ignatius, *Ef* 1,2; *Tral* 10,1.

landgoed doet aan *Joh* 18,1 denken (aldus Holtzmann, von Loewenich, Barnard). Terminologisch komt alleen ὑπεξῆλθεν met die plaats overeen. Ἀγρίδιον, door von Loewenich expliciet vermeld, komt in heel *Johannes* niet voor. In *Joh* 18,1 wordt ook niet uitdrukkelijk gezegd dat de κῆπος dicht bij de stad ligt. Schoedel verwijst naast *Johannes* naar *Mt* 26,36 e.v. en *Lc* 22,29 e.v., maar noteert meteen dat het imitatie-thema hier slechts beperkt aanwezig is.

5,1 διέτριβεν μετ᾽ ὀλίγων : διατρίβειν μετά heeft een parallel in *Joh* 3,22.

5,1 νύκτα καὶ ἡμέραν heeft als uitdrukking een onmiddellijk parallel in *Mc* 4, 27 : vergelijk echter *1 Tim* 5,5 προσμένει ... ταῖς προσευχαῖς νυκτὸς καὶ ἡμέρας (een verwijderd parallel is de tegenstelling dag-nacht in *Lc* 21,37, met het motief van het verblijf buiten de stad). De overeenkomst met *Hnd* 20,31 wordt door Egli opgemerkt.

5,1 ὅπερ ἦν σύνηθες αὐτῷ. Een verwijderd parallel is *Joh* 18,39 ἔστιν δὲ συνήθεια ὑμῖν; vergelijk *Lc* 22,39 (door Müller aangehaald); *Joh* 19,40 (vergelijk ook 9,2; 13,1; 18,1).

Sepp merkt terecht op dat de „gewoonte" van Polycarpus op het gebed slaat, in *Lc* gaat het om het verblijf in de Olijfhof. Hij weigert dan ook niet zonder reden een parallel tussen 5,1 en het verblijf in Gethsemane te zien. Reuning is het met die kritiek eens, en kan evenmin als Sepp een overeenkomst ontdekken tussen het „lange gebed" van Polycarpus dat volgens Müller op *Mt* 26,36 e.v. teruggaat, en *MPol* 5,1.

5,2 ὀπτασίᾳ (vergelijk 12,3). Vergelijk voor dit nomen *Lc* 1,22; 24,23; *Hnd* 29,19. Müller meent dat het visioen met *Lc* 22,43 te vergelijken is. Sepp heeft het niet moeilijk om aan te tonen dat het om zeer verschillende gebeurtenissen gaat.

5,2 Dat πρὸ τριῶν ἡμερῶν te vergelijken is met *Mt* 26,2 waar de dood van de Mensenzoon voorspeld wordt μετὰ δύο ἡμέρας is niet alleen Müllers idee, maar dat van vele anderen (Hilgenfeld [1860/1861], Holtzmann, Lightfoot, von Loewenich, Barnard). Naast *Mt* kan men ook naar *Mc* 14,1 verwijzen. Het verschil met *MPol* bestaat voor de evangelieteksten hierin dat de tijdsbepaling in de eerste plaats op de dag van het πάσχα slaat, niet op het overgeleverd worden. Slechts Egli meent dat er een overeenkomst bestaat tussen 5,2 en *Hnd* 20,23 e.v., waar Paulus gevangenschap en lijden voorziet. Het lijkt overdreven deze tekst als achtergrond van 5,2 te verstaan : het gaat in *MPol* niet alleen over het feit dat Polycarpus zal sterven, maar ook over het weten van de wijze waarop dat zal gebeuren.

5,2 συλληφθῆναι (vergelijk 6,1; 7,2; 9,1; 21). Voor deze betekenis van συλλαμβάνειν zie *Mt* 26,55; *Mc* 14,48; *Lc* 22,54; *Joh* 18,12; *Hnd* 1,16; 12,3; 23,27; 26,21.

5,2 προσκεφάλαιον (vergelijk 12,3). Dit woord komt voor als hapax voor *NT* in *Mc* 4,38.

5,2 στραφεὶς εἶπεν πρός. Van de vele evangelische parallellen voor die uitdrukking zie *Lc* 14,25, vergelijk *Mt* 16,23; *Lc* 7,9.44; 10,23; 22,61; 23,28; *Joh* 1,38.

Misschien verdienen de twee plaatsen uit het lucaanse passieverhaal enige aandacht. In *Lc* 22,61 keert Jezus zich tot Petrus, in 23,28 tot de klagende vrouwen en spreekt ze aan. Het gaat zoals in *MPol* over mensen die „bij hem" zijn.

6,1 ζητούντων ... οἱ ζητοῦντες. Misschien zijn deze uitdrukkingen een herinnering aan de nadruk op het ζητεῖν van Jezus in *Joh* 18,4-9.

6,1 παιδάρια (vergelijk 7,1). Παιδάριον komt als hapax voor *NT* voor in *Joh* 6,9.

6,2 ἦν γὰρ καὶ ἀδύνατον λαθεῖν αὐτόν heeft ondanks de andere context wel enige gelijkenis met *Mc* 7,24 καὶ οὐκ ἠδυνάσθη λαθεῖν.

6,2 De verraders behoren tot de *huisgenoten*. Dit is wellicht een zinspeling op *Mt* 10,36, zoals o.a. Keim, Lightfoot en Barnard opmerken. De over-eenkomst οἰκεῖοι-οἰκιακοί sluit volgens Massaux een direct beroep op *Micha* 7,6 uit. In *Mt* 10,35-36 zelf lijkt op de tekst uit *Micha* gealludeerd te worden : er is in beide teksten sprake van ἐχθροί (niet van προδιδόντες). Keim vermeldt nog *Mt* 26,21 (vergelijk *Mc* 14,18; *Lc* 22,21) en *Joh* 13,18. De *Johannes*tekst wordt ook door Lightfoot opgemerkt en door Holtzmann voor wie *Joh* 13,18 de enige vergelijkbare tekst lijkt. Hij legt het verband tussen de slaaf-verrader die de rol van Judas speelt en de passie. Toch blijft *Mt* 10,36 hier het voornaamste parallel. Houdt men er rekening mee dat in *MPol* 4 *Mt* 10,23 bedoeld wordt, dan zou de auteur twee teksten gebruiken die tot het matteaanse *Sondergut* behoren, hetgeen wel pleit voor directe kennis van *Matteüs*. Deze indruk wordt nog versterkt doordat in *MPol* 6,2 expliciet de vergelijking met het lot van Judas getrokken wordt. *Mt* is de enige evangelist die daar op ingaat (*Mt* 27,3-10), hoewel ook de traditie van *Hnd* 1,16 e.v. kan meegespeeld hebben (vergelijk τὸν κλῆρον in *Hnd* 1,17 en τὸν ἴδιον κλῆρον in *MPol* 6,2 waar het echter Polycarpus betreft). De kritiek van Sepp dat de vergelijking van de slaaf met Judas niet opgaat aangezien de eerste onder foltering tot verraad komt, de tweede omgekocht wordt, is niet terecht : de vergelijking steunt op het door „de huisgenoot" verraden worden. Op dat punt is Polycarpus Χριστοῦ κοινωνός. Wel hebben Sepp en Reuning geen ongelijk als zij menen dat Judas hier meer als type van de verrader figureert. Er wordt niet bedoeld dat de verraders van Polycarpus op dezelfde wijze als Judas zouden omkomen, wel dat hun verraad niet ongestraft zou blijven.

Dat in dezelfde context de naam van Herodes valt is voor de auteur van *MPol* evenmin toevallig. Hij ziet een verband met de Herodes die Jezus naar het leven stond (cf. *Lc* 13,31, ook *Hnd* 4,27; Ign, *Smyr* 1,2). Van degenen die de overeenkomst noteren preciseert alleen Massaux dat het *Lucas*evangelie hier een rol speelt. Barnard stelt de overeenkomst zo voor dat het Herodes is die Polycarpus *arresteert*. Dat is een verwijdering van het passieverhaal : Herodes houdt Jezus niet aan. Ook Reuning laat niet na op de beperkingen van de vergelijking met Herodes te wijzen : de Herodes van *Lc* is Jezus niet gunstig gezind (cf. *Lc* 23,6-12), terwijl uit *MPol* 8 valt op te maken dat de irenarch Polycarpus wil redden. Het is niet duidelijk waarom von Loewenich Herodes in verband brengt met *Johannes*. De joodse koning treedt in dat evangelie helemaal niet op.

7,1 τῇ παρασκευῇ. Merkwaardig genoeg komt deze tijdsaanduiding alleen in de evangeliën voor (*Mc* 15,42 par; *Joh* 19,14.31.42) bij de begrafenis van Jezus.

Volgens Hilgenfeld (1860/1861) kan het woord slechts uit de synoptische evangeliën overgenomen zijn; von Loewenich houdt het bij *Johannes*. Dat is maar mogelijk als men er *Joh* 13,2 (δείπνου γινομένου) bij betrekt. Reeds Holtzmann was het daar niet mee eens : dadelijk nadien wordt in 7,1 *Mt* 26,55 woordelijk aangeroerd en de woorden van de martelaar, „Gods wil geschiede", volgen de synoptische evangeliën (en *Hnd*). Toch denkt Schoedel aan een „imitation" van *Joh* 19,14.31.42; (en *Mc* 15,42). Het is de vraag in hoever παρασκευή als joodse benaming door de christenen is overgenomen. Volgens Bauer is het de christelijke benaming voor de zesde weekdag geworden, maar voor de vroege literatuur hebben we slechts *Didache* 8,1 als getuigenis.

7,1   περὶ δείπνου ὥραν is te vergelijken met *Lc* 14,17 : τῇ ὥρᾳ τοῦ δείπνου (vergelijk 22,14 en ook *Joh* 13,2).

7,1   De woorden μετὰ τῶν συνήθων αὐτοῖς ὅπλων, alsmede de hele context kunnen aan *Joh* 18,2-3 doen denken. Dit is ook de mening van Lightfoot en Massaux. Müller vergelijkt met *Mt* 26,47 (cf. *Mc* 14,43). Volgens Schoedel is het imitatie-thema in 6,2-7,1a zo sterk dat het geïnterpoleerd moet zijn. Het thema komt z.i. vrij ongemotiveerd in de context (de aankondiging van de straf van de verraders blijft in de lucht hangen). Afgezien van die interpolatie is het volgens Schoedel overdreven het thema nog te willen terugvinden in de vlucht naar het landgoed (cf. 5,1), het lange gebed (7,3), de maaltijd die de vijanden wordt voorgezet (7,3).

7,1   ὡς ἐπὶ λῃστήν verwijst duidelijk naar *Mc* 14,48 par (zie ook het voorafgaande ἐξῆλθον). In de literatuur wordt meestal naar *Mt* 26,55 verwezen; er is echter geen verschil tussen de synoptici voor deze uitdrukking.

7,1   ὀψὲ τῆς ὥρας kan als geheel vergeleken worden met *Mc* 11,11 : ὀψὲ ἤδη οὔσης τῆς ὥρας (*v.l.* οψιας N[26]). Hilgenfeld (1860) wil met *Mt* 21,1 ὀψὲ δὲ σαββάτων vergelijken, op grond van een onzekere interpretatie van de overeenkomst van dag en uur van de dood van Polycarpus met het moment van de dood van Christus (voor Hilgenfeld belangrijk voor zijn identificatie van de „grote sabbat" met 15 Nisan). Het „late uur" wordt ook door anderen (cf. Barnard) als een parallel begrepen. Maar Sepp argumenteert dat de chronologie van de aanhouding van Polycarpus toch anders is dan die van Christus' arrestatie. Polycarpus wordt op een „laat uur" van de voorbereidingsdag aangehouden, Jezus bij het begin (d.w.z. de donderdagavond volgens onze kalender). Reuning is het met deze opvatting eens.

7,1   ἐν ὑπερῴῳ. Dit woord komt als substantief in *NT* viermaal voor (*Hnd* 1,13; 9,37.39; 20,8).

7,1   τὸ θέλημα τοῦ θεοῦ γενέσθω komt als formulering het best overeen met *Hnd* 21,14, maar wat de context betreft moet het eerder met *Mt* 26,42; *Lc* 22,42 vergeleken worden (zie ook *Mt* 6,10 en boven bij *MPol* 2,1). Deze verwijzingen worden in de literatuur verschillend beoordeeld. Hilgenfeld (1861) bestreed (tegen Steitz) de waarde van het parallel in *Hnd*, Lightfoot integendeel hecht het meest belang aan die tekst. Dat is ook voor Sepp het geval : Polycarpus volgt slechts het voorbeeld van Paulus' vrienden na. Massaux vindt in *Mt* 26,42 het beste parallel. *Lc* 22,42 is z.i.

te omslachtig geformuleerd, terwijl er een bijna volledige identiteit met het *Matteüs*vers bestaat. Massaux ontkomt niet aan de neiging het belang van de overeenkomst met *Matteüs* te overdrijven. De formulering van *Hnd* 21,14 is het meest treffend[643], en de verwijzing naar Gethsemane niet zo expliciet. Reuning merkt terecht op dat de woorden in *MPol* meer de uitdrukking zijn van een visie op het martelaarschap.

7,2 Müller en von Loewenich vinden in het gesprek van Polycarpus met de achtervolgers een allusie op *Joh* 18,4 e.v. Sepp en Reuning keren zich tegen die mening : Jezus reageert geheel anders dan Polycarpus. Er is ook meer reden om aan het gesprek in *Mc* 14,48 par te denken dat reeds in *MPol* 7,1 als achtergrond aanwezig is.

7,2 παρατεθῆναι φαγεῖν ... ὅσον ἂν βούλωνται doet enigszins terugdenken aan *Mc* 6,41-42 par; *Mc* 8,6.8 par, het einde van het broodwonder, terwijl ook het gebed dat volgt in *MPol* 7,3 met het motief van het gebed in *Mc* 6,41 zou kunnen worden vergeleken.

7,2 ἐν ἐκείνῃ τῇ ὥρᾳ (cf. 2,2) is te vergelijken met evangelieteksten als *Mt* 10, 19; 18,1; 26,55; *Mc* 13,11; *Lc* 7,21; *Joh* 4,53, maar het is als uitdrukking te algemeen om het als allusie te kunnen interpreteren.

7,3 σταθεὶς προσηύξατο. Voor het staande gebed vindt men slechts een duidelijk parallel in *Lc* 18,11 over de Farizeeër σταθεὶς πρὸς ἑαυτὸν ταῦτα προσηύχετο (vergelijk *Mt* 6,5).

Lightfoot en Massaux merken deze overeenkomsten op. Müller wil de tekst tot 8,1 opvatten als een parallel met het avondmaal en de instelling van de eucharistie! Sepp en Reuning hebben niet veel moeite om die voorstelling van zaken te verwerpen.

7,3 πλήρης ὢν τῆς χάριτος τοῦ θεοῦ komt het meest overeen met *Hnd* 6,8 over Stefanus (vergelijk 12,1). Guillaumin beschouwt de formule als een ontlening aan *Joh* 1,14.

8,1 Het „oecumenische" gebed van Polycarpus wordt veelal als parallel van *Joh* 17 opgevat. Sepp is van mening dat volgens *MPol* het Polycarpus' gewoonte was om voor allen te bidden en dat bijgevolg een verwijzing naar *Joh* overbodig is.

8,1 τῆς ὥρας ἐλθούσης herinnert aan meerdere plaatsen in *Joh* waar gesproken wordt over het gekomen zijn van het uur (12,23; 13,1; 16,21.32; 17,1). Omdat de uitdrukking volgt op de vermelding van het gebed denken sommigen aan de narratieve overgang in *Joh* 18,1 na *Joh* 17 (Steitz, Holtzmann, Müller). Sepp en Reuning bestrijden Müllers opvatting, ook diens verwijzing naar *Lc* 22,53. De „theologische" betekenis van „het uur" bij *Johannes* is in *MPol* niet aanwezig. Surkau vergelijkt met *Mc* 14,41 par; *Joh* 14,31, maar deze verzen behoren tot Jezus' woorden, niet tot de beschrijving van het gebeuren.

8,1 Polycarpus wordt op een ezel gevoerd, ὄνῳ καθίσαντες : het werkwoord is hier transitief, terwijl in de parallellen over Jezus bij de intocht in Jeruzalem καθίζω intransitief gebruikt wordt, cf. *Mc* 11,7; *Joh* 12,14. Müller,

---

[643] De codices B en M hebben de tekst meer aan *Hnd* 21,14 aangepast : τὸ θέλημα τοῦ κυρίου γενέσθω. Vergelijk de Eusebiushandschriften B Λ en Rufinus („voluntas Domini fiat").

Massaux en Guillaumin verwijzen naar *Mt* 21,7 : alleen daar wordt over een ὄνος gesproken. Sepp en Reuning trekken de overeenkomst weer in twijfel : Jezus beleeft een triomfantelijke intocht, Polycarpus wordt als gevangene naar het stadion gevoerd. Toch meent Surkau dat de auteur van *MPol* de gelijkenis tussen Jezus en de martelaar juist in deze kleine parallellen wil waar maken, hoezeer de concrete situatie ook verschilt. Voor Schoedel vormt het overnemen van de ezel en „het uur" slechts een minder belangrijke overeenkomst (d.w.z. niet van dezelfde aard als 6,2-7,1).

8,1 ὄντος σαββάτου μεγάλου. Deze uitdrukking wordt algemeen als reminiscentie aan *Joh* 19,31 beschouwd, hoezeer de meningen over de originaliteit en de betekenis uiteenlopen (Keim, Gregoire, Campenhausen en Schoedel houden de woorden voor een interpolatie). Als punt van overeenkomst tussen de dood van Polycarpus en de passie is de uitdrukking niet overtuigend. Sepp herinnert er aan dat Jezus sterft op de παρασκευή (volgens de synoptici). Ook voor *Johannes* is dat zo (19,14.31.42). Polycarpus sterft op een *sabbat*, of de benaming μεγάλου iets te betekenen heeft of niet. Wat dat betreft zit het probleem veel meer in de betekenis van het adjectief bij *Johannes* (cf. nog 7,37). Holtzmann merkt treffend op : „Johanneische Formeln und synoptische Zeitbestimmungen wurden unklar combiniert".

8,2 Het zwijgen van Polycarpus wordt door Schoedel en Guillaumin met *Mc* 14, 61 vergeleken. De synoptische parallellen van dat vers, *Mc* 15,4-5 par en ook *Joh* 19,9 (cf. Holtzmann) kunnen daar aan toegevoegd worden.

8,3 ὡς οὐδὲν πεπονθώς is misschien te vergelijken met het thema van de door goddelijke macht beschermde apostelen (cf. *Mc* 16,18; *Lc* 10,19; *Hnd* 28,5). Een eigenlijk parallel vindt men in *Petrusevangelie* 10 waar van de Heer op het kruis gezegd wordt : αὐτὸς δὲ ἐσιώπα ὡς μηδὲν πόνον ἔχων.

8,3 μετὰ σπουδῆς (vergelijk 7,2; 6,2 σπεύδω; 13,2 σπουδάζω). De uitdrukking komt voor in *Mc* 6,25 en *Lc* 1,39 in verband met een werkwoord dat „gaan" betekent.

9,1 φωνὴ ἐξ οὐρανοῦ ἐγένετο. Hiervoor vindt men parallellen in *Mc* 1,11 par; (met een ander werkwoord) *Joh* 12,28; *Hnd* 11,9 (vgl. echter GNT³); *Apk* 10,4.8; 14,2.13; 18,4. Vooral *Joh* 12,28 wordt als parallel aanvaard. Hilgenfeld (1861) vindt *Lc* 22,43 een betere tekst (tegen Steitz), maar dat is te ver gezocht : het motief van de sterkende engel is iets anders dan de hemelse stem. De *Johannes*tekst komt voor Holtzmann overeen naar de vorm, naar de inhoud is het 1 *Kor* 16,13. De laatste tekst wordt door Keim geciteerd naast *Hnd* 23,1 (sic, 23,11?); 27,24. Dat niemand degene die spreekt ziet is voor Egli een reden om op *Hnd* 9,7 te wijzen (de situatie bij de roeping van Paulus, cf. ook *Hnd* 22,9).

9,2 ἐμβριθεῖ ... εἶπεν. Volgens Holtzmann „schwebt" hier *Joh* 11,33.38.41 „vor" (dezelfde verwijzing geeft von Loewenich). Maar slechts het ἐμβριμᾶσθαι van Jezus heeft enige vage weerklank in *MPol*.

9,2 ἀνόμων. Vergelijk 16,1; dit wordt ook in *NT* voor de heidenen gebruikt : *Hnd* 2,23; 1 *Kor* 9,21. Lightfoot noteert deze teksten.

9,2 στενάξας τε καὶ ἀναβλέψας εἰς τὸν οὐρανὸν εἶπεν (vergelijk 14,1). Deze woorden zijn bijna meer dan een reminiscentie aan *Mc* 7,34 καὶ ἀναβλέψας εἰς τὸν οὐρανὸν ἐστέναξεν, maar de context is totaal verschillend. Niettemin beschouwt Keim de *Marcus*tekst als overeenkomst.

9,2 αἶρε τοὺς ἀθέους. Slechts Egli merkt de overeenkomst met *Hnd* 22,22 op : αἶρε ἀπὸ τῆς γῆς τὸν τοιοῦτον. Codices CV voegen toe na ἀθέους : ἀπὸ προσώπου τῆς γῆς (vergelijk *MPol* 3,2).

9,3 De proconsul tracht Polycarpus te redden : vergelijk de houding van Pilatus in *Joh* 19,12.

9,3 ὀγδοήκοντα ... ἔτη ἔχω δουλεύων αὐτῷ kan vergeleken worden met *Lc* 15,29 τοσαῦτα ἔτη δουλεύω σοι.

9,3 οὐδέν με ἠδίκησεν staat als geheel dichter bij *Gal* 4,12 οὐδέν με ἠδικήσατε dan bij *Lc* 10,19 of *Hnd* 25,10.

9,3 De gedachte van het koningschap van Christus vergelijkt Hilgenfeld (1874) met *Apk* 1,5; 17,14; 19,6; *Mt* 25,34.40 (cf. *MPol* 17 en 21), schriftteksten die als parallel door Müller in vraag gesteld worden.

10,1 μετὰ παρρησίας. Lightfoot merkt op dat de uitdrukking gewoonlijk met een *verbum dicendi* gebruikt wordt, zie *Hnd* 2,29; 4,29.31; 28,31. Massaux voegt *Heb* 4,16 toe.

10,2 Het begin van 10,2 houdt volgens Hilgenfeld (1860/1861) verband met *Mt* 26,62 par; 27,12-14 (par). Holtzmann vermeldt de *Matteüs*teksten. Passages over het zwijgen van Jezus passen echter beter bij 8,2.

10,2 δῆμον ... ἀπολογεῖσθαι. Beide woorden komen terug in een passage uit *Handelingen*, namelijk 19,33.

10,2 Bij het thema van de eerbied voor het gezag wordt gewoonlijk verwezen naar *Rom* 13,1; *Titus* 3,1; 1 *Petrus* 2,13[644]. Egli brengt een zwak parallel uit *Hnd* 23,5. Volgens Holtzmann herinnert het gesprek in 10,2 aan de dialoog tussen de johanneïsche Christus en Pilatus, vooral *Joh* 18,34. Toch kan men geen grotere affiniteit van Polycarpus met de Christusfiguur in *Johannes* dan met die in de synoptici vaststellen.

11,1 De bedreiging met wilde dieren, vergelijk de bedreiging met kruisiging *Joh* 19,10. Von Loewenich ziet in *Joh* 19,10-11 een parallel met de dialoog in *MPol*.

11,1 ἀμετάθετος ... μετάνοια. Volgens Holtzmann kan men hierbij *Heb* 6,4-6 citeren, Keim noteert *Heb* 6,17-18. Deze verzen bevatten de twee enige plaatsen van het gebruik van ἀμετάθετος in *NT*. *MPol* 11,1 is verder het enige geval in de oudchristelijke literatuur. Er is volgens Bauer een betekenisverschil : in *Heb* kan men ,,onveranderlijk'' vertalen, in *MPol* meer figuurlijk ,,onmogelijk''[645].

11,2 τὸ τῆς μελλούσης κρίσεως ... bevat elementen uit 2 *Petrus* 2,9; 3,7; *Mt* 25,46 (vergelijk *MPol* 2,3).

11,2 ἀλλὰ τί...βούλει. Von Loewenich ziet een vergelijkbare tekst in *Joh* 13,27 (ὃ ποιεῖς ποίησον τάχιον). In *Joh* zijn het de woorden van Jezus tot de verrader, anders dan in *MPol* waar Polycarpus tot de proconsul spreekt.

12,1 θάρσους καὶ χαρᾶς ἐνεπίμπλατο kan aan de beschrijving van Stefanus in *Hnd* 6,8 doen denken; het volgende τὸ πρόσωπον αὐτοῦ χάριτος

---

[644] Zie nog noot 461 en K. BEYSCHLAG, *Clemens Romanus* (zie n. 359), p. 273-276.
[645] Cf. BAUER, col. 90.

ἐπληροῦτο aan *Hnd* 6,15. Egli vergelijkt als „Ermunterung, die beiden Gefangenen zu teil wird", *MPol* 12,1 met *Hnd* 23,11. De tekst van *Hnd* staat evenwel ver van de passage in *MPol*.

Hnd verhaalt dat de Heer 's nachts tot Paulus spreekt, hetgeen in het Martyrium niet voorkomt. Men kan *Hnd* 23,11 beter met *MPol* 12,3 (cf. 5, 2) in verband brengen. Schoedel geeft andere voorbeelden van verandering van aangezicht; naast *Hnd* 6,15 : *Mt* 17,2; *Lc* 9,29, twee verzen over de transfiguratie.

12,1 ὥστε ... τὸν ἀνθύπατον ἐκστῆναι. Holtzmann en Keim vinden hier een allusie op *Mt* 27,14 (... ὥστε θαυμάζειν τὸν ἡγεμόνα λίαν). De formulering staat dicht bij *Mt* (vergelijk *Mc* 15,5), maar de situatie is anders in *MPol*. De reactie van de proconsul slaat niet op het zwijgen van Polycarpus maar op zijn goede stemming.

12,2 De reactie van het volk die hier beschreven wordt herinnert Egli aan *Hnd* 23,2, wat wel een zeer verwijderd parallel is (in *MPol* zijn het vooral heidenen die optreden). Surkau haalt *Joh* 11,50; 19,7 aan, maar in beide teksten is ook weer alleen van Joden sprake.

12,2 μεγάλη φωνῇ ἐπεβόα heeft als meest direct parallel *Mc* 15,34 (vergelijk *Mt* 27,46) : ἐβόησεν ὁ Ἰησοῦς φωνῇ μεγάλῃ. Een beter parallel is *Hnd* 7,57 : κράξαντες δὲ φωνῇ μεγάλῃ.

Guillaumin haalt naast deze teksten nog *Hnd* 7,60 en *Lc* 23,46 aan (cf. ook *Mt* 27,50 par *Mc* 15,37). In de evangeliën gaat het over Jezus' uitroepen op het kruis, in *Hnd* 7,60 over Stefanus. Alleen *Hnd* 7,57 biedt vanuit de context voldoende overeenkomst (zie ook *Lc* 23,23).

12,2-3 Het volk eist de dood van Polycarpus, vergelijk *Mc* 15,8-15 par.

12,3 ἔδει ... πληρωθῆναι. Vergelijk *Hnd* 1,16 (ook *Lc* 24,44) : ἔδει πληρωθῆναι. 12,3 neemt 5,2 terug op en voor deze terugverwijzing zou men een parallel kunnen ontdekken in *Joh* 18,32 dat naar *Joh* 3,14 teruggrijpt : de vervulling van de voorspelling over de wijze van sterven. De voorspelling van de dood kan ook naar *Mt* 26,2 refereren, vooral omdat ook daar een chronologische verwijzing gegeven wordt (μετὰ δύο ἡμέρας), vergelijk 5,2. Nochtans verwijzen Holtzmann, Lightfoot, von Loewenich, Barnard alleen naar *Joh* 18,32. Dit hangt samen met het feit dat men de overeenkomst zoekt in de wijze van sterven die van de gewone afwijkt. Volgens *Johannes* wordt Jezus niet met de joodse maar met de romeinse straf ter dood gebracht; een gelijkaardig feit ziet men bij Polycarpus : hij wordt niet door de wilde dieren verscheurd maar door het vuur gedood volgens de voorspelling (hetgeen niet helemaal klopt; uiteindelijk moet de confector optreden). Guillaumin acht de formulering uit *Hnd* 1,16 overgenomen en de verwijzing naar *Lc* 24,44 minder overtuigend.

13,1 De rol van de joden is te vergelijken met wat in *Apk* 2,8-11 gezegd wordt, cf. ook Schoedel[646].

---

[646] Volgens M. Ṣɪᴍᴏɴ, *Verus Israel* (zie n. 577), p. 150-151 is de rol van de Joden in *MPol* vooral het gevolg van de bedoeling van de redactor om het verhaal met de passie te laten overeenstemmen. Een onderzoek van de terminologie (ὑποβάλλω) brengt ons inziens evenzeer het martyrium van Stefanus in herinnering (*Hnd* 6,11). Hier blijkt nogmaals dat men voorzichtig moet zijn met het benadrukken van een bepaald thema in *MPol*.

13,2 τοῦ χρωτὸς αὐτοῦ ἅψηται. Cf. *Hnd* 19,11-12. Schoedel voegt nog *Mc* 5,25-34; *Hnd* 5,15 toe, maar dat zijn in vergelijking met de eerste tekst minder geschikte parallellen.

13,3 Opmerkelijk is hier dat *MPol* afstand neemt van een mogelijke overeenkomst. Polycarpus weigert vastgenageld te worden. Hij wordt vastgebonden (14,1). Reuning wees er op hoeveel nadruk het vastgenageld worden in andere vroegchristelijke geschriften kreeg[647].

14,1 ἀναβλέψας εἰς τὸν οὐρανόν als inleiding van het gebed heeft een verwijderd parallel in *Mc* 6,41 par (cf. het volgende εὐλόγησεν; vergelijk 7,2); men vergelijke ἐπάρας τοὺς ὀφθαλμοὺς αὐτοῦ εἰς τὸν οὐρανόν van *Joh* 17,1 (vergelijk *Lc* 18,13).

14,1-3 Het gebed bevat verschillende reminiscenties aan *OT* en *NT* die onder meer door Schoedel en Camelot uitvoerig aangeduid worden[648]. Op te merken voor *NT* zijn vooral:

14,1 κύριε ὁ θεὸς ὁ παντοκράτωρ : *Apk* 4,8; *11,17*; *15,3*; *16,7*; 21,22. In de cursief gedrukte teksten vindt men ook de vocatief κύριε.

ὁ τοῦ...πατήρ : vooral *2 Kor* 1,3; *Ef* 1,3; *1 Petrus* 1,3. παῖς : cf. het gebruik in *Hnd* 3,13.26; 4,27.30; vergelijk *MPol* 14,3; 20,2.

14,2 ποτήριον : *Mc* 14,36 par.; εἰς ἀνάστασιν ζωῆς : *Joh* 5,29; ὁ ἀψευδής... θεός : *Titus* 1,2.

De invloed van de liturgie wordt voor vele van deze uitdrukkingen aanvaard, zo bv. voor κύριε κτλ in 14,1 door Massaux. Wat de formules in 14,2 betreft valt op te merken dat men boven de vermelding van ποτήριον in de Gethsemanetekst (waar Christus bidt de beker te doen voorbij gaan, wat juist niet de gedachte van *MPol* is), meestal de tekst van *Mc* 10,38-39 par. verkiest (Holtzmann, Keim, Lightfoot, Massaux, Barnard; de laatste verwijst met de omschrijving ,,Polycarpus dronk in letterlijke zin de beker van Christus'', in navolging van Lightfoot, eerder naar *Joh* 18,11). Massaux vermeldt nog als parallel Jezus' gebed aan het kruis, maar dit noch *Mc* 10, 38-39 kan als directe inspiratiebron voor *MPol* 14 voldoen.

Voor εἰς ἀνάστασιν ζωῆς zou men naast *Joh* 5,29 (Lightfoot, Bihlmeyer, Massaux) nog aan *Apk* 20,6 kunnen denken (... ὁ ἔχων μέρος ἐν τῇ ἀναστάσει τῇ πρώτῃ).

Wat θυσία betreft wil Keim een verband met *Joh* 17,19 aanvaarden. Naast *Titus* 1,2 wordt voor ἀληθινος θεός door Keim ook met *Joh* 17,3 vergeleken. Hilgenfeld (1879) reageert met verwijzingen naar *1 Tes* 1,9 en *Apk* 6,10.

τῆς ἡμέρας καὶ ὥρας ταύτης van het begin van 14,2 krijgt bij sommige auteurs veel aandacht. Steitz, von Loewenich en Massaux noteren *Joh* 12,27-28 als parallel. Hilgenfeld (1860/1861) interpreteert de uitdrukking in het kader van zijn hypothese als een verwijzing naar de sterfdag van Jezus volgens de synoptische chronologie. Dit wordt alleen aanvaard door Holtzmann die de tekst van *Joh* 12 met *MPol* 9 in verband brengt. Keim vermeldt nog *Joh* 11,41 als mogelijke inspiratiebron.

14,3 De gedachte van de ,,eeuwige hogepriester'' is terug te vinden in *Heb* 6,20, zie Holtzmann die verkeerdelijk *MPol* 14,1 als parallelplaats aanduidt.

---

[647] REUNING, p. 13; cf. Ignatius, *Smyr* 1,2; *Acta Carpi* 37-41.
[648] CAMELOT, p. 202-207; SCHOEDEL, p. 69-71.

In *Heb* 6,20 is sprake van een ἀρχιερεύς ... εἰς τὸν αἰῶνα, niet van een αἰώνιος ἀρχιερεύς. εἰς τὸν αἰῶνα is op zichzelf een zeer johanneïsche uitdrukking.

15,1 τὸ ἀμήν als aanduiding van het slotwoord van het gebed is te vinden in 1 *Kor* 14,16; 2 *Kor* 1,20. Lightfoot noteert de eerste tekst.

15,1 Bij οἷς ἰδεῖν ἐδόθη wordt door Holtzmann, Lightfoot, Müller en Barnard aan *Joh* 19,35 gedacht. Massaux verwijst naar de wonderen die volgens de synoptische evangeliën plaatsvinden na de kruisiging. Hij heeft daarmee gelijk in zover er in *Joh* niet van wonderen sprake is in dezelfde zin als in *MPol* en de synoptici. Tegenover de evangeliën behoudt *MPol* de bijzonderheid dat het wonderen zijn in verband met de brandstapel die plaats vinden *voor* de dood van Polycarpus. Zo is eigenlijk alleen *Lc* 23,44-45 min of meer te vergelijken (zie evenwel ook *Mt* 27,54 par). Wat *Joh* 19,35 betreft is het meer de algemene gedachte van dit vers die in *MPol* terug komt dan de directe betekenis.

15,2 ὡς...ἐν καμίνῳ πυρούμενος kan herinneren aan *Apk* 1,15 ὡς ἐν καμίνῳ πεπυρωμένης.

15,2 εὐωδίας. In verband met dit woord en tevoren in het gebed voorkomende termen, kan men verwijzen naar *Ef* 5,2 προσφορὰν καὶ θυσίαν τῷ θεῷ εἰς ὀσμὴν εὐωδίας; vergelijk *Fil* 4,18 ὀσμὴν εὐωδίας, θυσίαν δεκτήν, εὐάρεστον τῷ θεῷ.

15,2 λιβανωτοῦ. Zie *Apk* 8,3 λιβανωτὸν χρυσοῦν.

16,1 ἐξῆλθεν ... πλῆθος αἵματος is misschien ook als verwijzing naar *Joh* 19,34 bedoeld : καὶ ἐξῆλθεν εὐθὺς αἷμα ... althans volgens de algemene opvatting. Hilgenfeld (1861) en vooral Reuning zijn het daar niet mee eens. Reuning volgt de kritiek van Sepp op Müller die er in bestond aan te tonen dat de „genadestoot" in 16,1 een ander feit is dan het doorboren van de reeds gestorven Christus in *Joh*. Er is geen parallel met de passie bedoeld. *MPol* schetst slechts het verloop van de feiten. Dit wordt bewezen door het niet in vervulling gaan van de voorspelling van de wijze van sterven (cf. *MPol* 5 en 12): Polycarpus sterft *niet* door het vuur. Ook Schoedel wijst een parallel met de passie van de hand. Ware *Joh* 19,34 geïmiteerd, dan zou men verwachten dat de confector Polycarpus' zijde doorboorde.

16,1 ὥστε ... θαυμάσαι πάντα τὸν ὄχλον vindt een betrekkelijk direct parallel in *Mt* 15,31 ὥστε τὸν ὄχλον θαυμάσαι.

16,1 ἐκλεκτῶν. Dit gebruik van ἐκλεκτοί als aanduiding van de christenen vindt zijn oorsprong in *NT*, cf. *Mt* 24,22.24.31; *Mc* 13,20.22.27; *1 Petrus* 1,1; *Titus* 2,10 (soms ook ἐκλεκτοὶ τοῦ θεοῦ); zie nog *Apk* 17,14; *1 Petrus* 2,9 γένος ἐκλεκτόν.

16,2 πᾶν γὰρ ῥῆμα ... αὐτοῦ vertoont overeenkomsten met *Mt* 4,4 ἐπὶ παντὶ ῥήματι ἐκπορευομένῳ διὰ στόματος θεοῦ (cf. *Deuteronomium* 8,3). Volgens Holtzmann is het naar de inhoud een „Nachklang" van *Joh* 19,28.30.36-37, naar de vorm van *Joh* 12,28; 17,26. Lightfoot, Müller, von Loewenich en Barnard houden het bij de teksten uit *Joh* 12. Hun interpretatie die er van uitgaat dat met de laatste woorden van 16,2 de voorspelling van Polycarpus' dood bedoeld wordt, houdt geen rekening met het τελειωθήσεται.

17,1 πονηρός, ἀντικείμενος. Deze omschrijvingen van de duivel treft men in

NT aan in *Mt* 13,19; *Joh* 17,15 etc., respectievelijk *1 Tim* 5,14.

17,1 τὸν τῆς ἀφθαρσίας στέφανον is te vergelijken met *1 Kor* 9,25; βραβεῖον met 1 *Kor* 9,24; *Fil* 3,14.

17,1-2 Holtzmann meent voor de „Verhandlungen über die Reliquien" een vergelijkbare tekst in *Joh* 19,23-24 te vinden. Von Loewenich ziet een parallel in *Joh* 19,38 e.v. „Verhandlungen über den Leichnam", hetgeen juister is.

Een beter parallel, ook door Lightfoot, Müller en Barnard opgemerkt, is *Mt* 27,62-66 waar een vijandige tussenkomst van de joden verhaald wordt. De aanwezigheid van het imitatiethema in 17,1-2 naar aanleiding van *Mt* 27,36; 28,4 wordt door Schoedel afgewezen.

17,2 τὸν ἐσταυρομένον. Deze vorm van het werkwoord vindt men in *Mc* 16,6 par *Mt* 28,5.

17,2 τὸν...πάθοντα ἄμωμον ὑπὲρ ἁμαρτωλῶν. Vooral het einde van de hele zinsnede roept herinneringen op aan inz. *1 Petrus* 1,19 en 3,18, zonder dat men evenwel van duidelijke overeenkomsten kan spreken.

17,2 υἱόν...τοῦ θεοῦ wil Müller in verband brengen met de uitdrukking in *Mt* 27,54 par. *Mc* 15,39, maar er is geen reden om bijzonder die teksten aan te halen voor een uitdrukking die zo frequent in *NT* voorkomt.

18,1 Κεντυρίων. Vergelijk *Mc* 15,39, Holtzmann voegt *Mc* 15,44-45 toe. Zonder reden vermeldt hij *Mt* 27,54. In de oudchristelijke literatuur komt het latinisme buiten *Mc* slechts in het *Petrusevangelie* en in *MPol* voor. *MPol* 18,1 begint opvallend parallel aan *Mc* 15,39 : Ἰδὼν οὖν ὁ κεντυρίων – ἰδὼν δὲ ὁ κεντυρίων (*Mc*).

18,1 τὴν...γενομένην φιλονεικίαν kan met ἐγένετο δὲ καὶ φιλονεικία ἐν αὐτοῖς van *Lc* 22,24 vergeleken worden, waar φιλονεικία hapax is voor *NT*.

18,3 ἐν ἀγαλλιάσει καὶ χαρᾷ staat dicht bij *Lc* 1,14 ἔσται χαρά σοι καὶ ἀγαλλίασις; vergelijk de werkwoorden *Mt* 5,12; *1 Petrus* 4,13; *Apk* 19,7.

19,2 διὰ τῆς ὑπομονῆς καταγωνισάμενος. Voor het geheel van deze ἀγών-terminologie, vergelijk *Heb* 10,32-36 en 12,1; *1 Tim* 6,12; *2 Tim* 4,7-8; 2,5 (cf. ook 17,1)[649].

19,2 δοξάζει τὸν θεόν is een veel voorkomende nieuwtestamentische uitdrukking. Holtzmann en von Loewenich verwijzen vooral naar *Joh* 21,19.

19,2 παντοκράτορα is een geliefde benaming van God in *Apk* (cf. 14,1).

19,2 εὐλογεῖ τὸν κύριον... kan vergeleken worden met *Jak* 3,9 εὐλογοῦμεν τὸν κύριον καὶ πατέρα.

19,2 σωτῆρα τῶν ψυχῶν...ποιμένα. Hier kan gedacht zijn aan een tekst als *1 Petrus* 2,25 τὸν ποιμένα καὶ ἐπίσκοπον τῶν ψυχῶν ὑμῶν.

19,2 ποιμένα ... ἐκκλησίας. Hilgenfeld (1874) verwijst naar *Heb* 13,20.

20,1 τὸν ἐκλογὰς ποιοῦντα hangt misschien samen met de gedachte uitgedrukt in *1 Tes* 1,4 en *2 Petrus* 1,10.

20,2 Overeenkomende formuleringen zijn in hoofdstuk IV besproken. Holtzmann, Lightfoot, Massaux en Schoedel verwijzen in het bijzonder naar *Rom* 16,25-27, Massaux ook nog naar *Ef* 3,20 en *Judas* 24. Voor ὁ γράψας noteren Lightfoot en Massaux het parallel in *Rom* 16,22.

---

[649] Zie hierover V.C. PFITZNER, *Paul and the Agon Motif* (SupplNT 15), Leiden, 1967.

3. *Martyrium Polycarpi en het Nieuwe Testament*

Op grond van het bovenstaande overzicht kan men tot de conclusie komen dat de auteur van *MPol* veeleer ,,bijbels", d.w.z. nieuwtestamentisch, formuleert dan citeert in strikte zin. Dit is ook de conclusie van M. L. Guillaumin. Aan dit eigen karakter van het gebruik van *NT* werd voordien weinig aandacht besteed. Het bekende werk van het Committee of the Oxford Society of Historical Theology, *The New Testament in the Apostolic Fathers*, Oxford, 1905, vermeldt *MPol* niet. Bihlmeyer die in zijn uitgave van de Apostolische Vaders voor het probleem stond bijbelcitaten en allusies aan te duiden is voor *MPol* vrij kritisch : in de index van bijbelplaatsen worden slechts de volgende gevallen van een asterisk voorzien (d.w.z. opgevat als woordelijke overeenkomst, hetgeen nog niet zonder meer een citaat betekent) : bij 9,1, *Jozua* 1,6.7.9.; bij 14,1, *Judit* 9,12.14 en *Ps* 58,6; bij 7,1, *Mt* 26,55; bij 14,2, *Joh* 5,29; bij 7,1, *Hnd* 21,14; bij 2,3, *1 Kor* 2,9; bij 1,2, *Fil* 2,4; bij *inscr.*, *Judas* 2; bij 14,1, *Apk* 4,8; 11,17; 15,3; 16,7; 21,22[650]. Uitvoeriger gaat het reeds geciteerde werk van E. Massaux[651] op het probleem in. Ofschoon Massaux de neiging heeft de invloed van *Matteüs* op de vroegchristelijke literatuur te benadrukken (en te overschatten), kan hij voor *MPol* geen zeker geval van literaire afhankelijkheid van *Matteüs* veilig stellen. *MPol* sluit aan bij de wijze waarop de traditie het passieverhaal voorstelde, nu het ene dan het andere evangelie volgend. Evenmin is een literaire invloed aanwezig van de johanneïsche of paulinische literatuur of van de Katholieke Brieven. Ook Massaux geeft in feite meer een beschrijving van het fenomeen dan een verklaring. Hetzelfde is het geval voor de benadering van Guillaumin : de methode om bijbelse allusies zo nauwkeurig mogelijk te registreren leidt niet tot een verklaring van de reden waarom de auteur van *MPol* op deze wijze *NT* gebruikt. Een oplossing lijkt ons gegeven door de probleemstelling die D. A. Hagner bracht in zijn studie over het gebruik van Oud en Nieuw Testament in *1 Clemens*[652]. Hij vergelijkt de wijze waarop de Apostolische Vaders ieder afzonderlijk *NT* citeren en komt tot de conclusie dat alle op bijna dezelfde manier te werk gaan : niet

---

[650] BIHLMEYER, p. 162 en p. IX.

[651] É. MASSAUX, *Influence de l'Évangile de saint Matthieu* (zie n. 630), p. 187-194. Het kort daarna verschenen werk van H. KOESTER, *Synoptische Überlieferung bei den Apostolischen Vätern* (TU 65), Berlijn, 1957, laat *MPol* buiten beschouwing.

[652] D. A. HAGNER, *The Use of the Old and New Testaments* (zie n. 223), p. 272-312.

in de vorm van exact citeren maar eerder indirect, in de vorm van allusies.

Dit is het gevolg van het feit dat *1 Clemens*, zoals alle Apostolische Vaders nog geen betekenis hecht aan de geschreven vorm van de nieuwtestamentische overlevering : deze heeft nog geen „schriftuurlijk" gezag. Dat hoeft niet te impliceren dat er aan de verwijzing geen geschreven tekst ten grondslag ligt. Geen enkele van de klassieke verklaringen voor het vrije karakter van de verwijzingen kan volgens Hagner bevredigen : noch de oplossing door het aanvaarden van een verschillende canonische tekst, noch het citeren uit de herinnering, de niet-canonische bronnen of de mondelinge traditie. Het laatste kan misschien enige invloed gehad hebben op de overlevering van de Jezuswoorden, maar het is niet voldoende om alle allusies te verklaren. Het vrije „citeren" is immers ook van toepassing op andere geschriften dan evangeliën.

Toch lijkt ons *MPol* iets verder te staan in de evolutie die leidt van het beroep op het gezag van de Heer of de apostel(en) tot het beroep op de geschreven tekst. De nadrukkelijke verwijzing naar „het evangelie" (*MPol* 1,1 ; 4; 19,1) naast het voorbeeld van de Heer (1,2) heeft wel iets te betekenen. Reeds bij *2 Clemens* vindt men Jezuswoorden ingeleid als γραφή (*2 Clemens* 2,4) wat de normale aanduiding is voor een citaat uit *OT*, of met de woorden λέγει γὰρ ὁ κύριος ἐν τῷ εὐαγγελίῳ (8,5)[653]. Bij Justinus, *Dialogus* 100,1 wordt *Mt* 11,27 (vgl. *Lc* 10,22) ingeleid met ἐν τῷ εὐαγγελίῳ γέγραπται εἰπών ...[654]. In deze en andere teksten van Justinus (*Dialogus* 10,2; *1 Apologie* 66) en van Irenaeus (*Adv. Haer.* III,1.1[655]) is de betekenis van *geschreven* evangelie voldoende aanvaard. Maar die betekenis is reeds, naast de genoemde tekst van *2 Clemens*, ook in de *Didachè* mogelijk (8,2; 11,3; 15,3.4)[656],

---

[653] Deze gevallen worden door K.P. DONFRIED, *The Setting of Second Clement* (zie n. 402), p. 56-60; 72-73, te zeer geminimaliseerd. Het valt op dat H. KOESTER, *Synoptische Überlieferung* (zie n. 650), p. 71 ; 109, voor *2 Clemens* 2,4 niet tot mondelinge overlevering besluit.

[654] D.A. HAGNER, *The Use of the Old and New Testaments* (zie n. 223), p. 283, inz. n. 2, reageert terecht tegen de hypothese van A.J. BELLINZONI, *The Sayings of Jesus in the Writings of Justin Martyr* (SupplNT 17), Leiden, 1967, volgens wie Justinus afhankelijk is van een primitieve evangeliënharmonie; vgl. HAGNER, *ibid.*, p. 302.

[655] In de tekst van *Adv. Haer.* IV,20,6 is „quemadmodum in Evangelio scriptum est" volgens A. Rousseau een foutieve vertaling, zoals uit de Armenische versie en IV,20,11 blijkt. De juiste lezing moet geweest zijn : καθὼς καὶ ὁ κύριός φησι (cf. SC 100,1, p. 252).

[656] Zie o.m. KLEIST, p. 165, noot 97; H. KOESTER, *Synoptische Überlieferung*, p. 10-11; KÜMMEL, p. 12; minder zeker LAMPE, p. 555; P. STUHLMACHER, *Das paulinische Evangelium I. Vorgeschichte* (FRLANT 95), Göttingen, 1968, p. 61-62.

zeker in *Ad Diognetum* (11,6). Zahn vond reeds bij Ignatius de verwijzing naar een schriftelijk evangelie (cf. *Fil* 8,2; 9,2; *Smyr.* 5,1; 7,2)[657]. De vraag is nu wat in *MPol* met εὐαγγέλιον bedoeld wordt. Er is niets tegen om de betekenis „geschreven evangelie" te aanvaarden[658], ook al kan het woord nog de bijklank hebben van „samenvattende term voor het geheel van de christelijke verkondiging"[659]. Het is zo dat in *MPol* 19,1 nog over εὐαγγέλιον χριστοῦ gesproken wordt, wat de vroegere betekenis suggereert. Maar de nadruk op de leer van het evangelie in c. 4 brengt een andere nuance naar voren die aan het gebruik in *Didachè* 15 doet denken. Nadere precisering van de betekenis wordt blijkbaar nog niet nagestreefd[660]. Ofschoon het woord εὐαγγέλιον in de *Polycarpusbrief* niet voorkomt, vinden we een analoge situatie. De verwijzing naar de autoriteit van Paulus wordt gebaseerd op de kennis van zijn brieven (Pol., *Fil* 3,2; vgl. 12,1)[661], op geschreven documenten.

Vrijwel iedereen is het er over eens dat Polycarpus het *Matteüs*-evangelie gekend heeft, maar de wijze waarop blijft enigszins onduidelijk[662]. R. M. Grant situeert het probleem bij Polycarpus als volgt:

[657] T. ZAHN, *Geschichte des neutestamentlichen Kanons* (zie n. 635), p. 844-847, inz. p. 846, n. 1; anders echter H. KOESTER, *o.c.*, p. 6-9; Het is onmogelijk om hier de semantische evolutie van „evangelie" na te gaan, ook niet welke de rol geweest is van de omstreden tekst *Mc* 1,1; zie hierover recent G. ARNOLD, *Mk 1,1 und Eröffnungswendungen in griechischen und lateinischen Schriften*, ZNW 68(1977)123-127, inz. p. 127; vroeger W. MARXSEN, *Der Evangelist Markus* (FRLANT 67), Göttingen, 1956, p. 100 en 101, n. 4.

[658] Cf. O. MICHEL, *Evangelium*, RAC 6(1966)1107-1160, col. 1125; tegen Bauer, col. 629 die voor *MPol* 1,1; 19,2; 22,1 nog de betekenis „goede boodschap" handhaaft. Over *MPol* 4 spreekt Bauer niet. LAMPE, p. 555, ziet deze tekst juist als een mogelijke verwijzing naar een geschreven evangelie.

[659] Cf. W. SCHNEEMELCHER, in E. HENNECKE-W. SCHNEEMELCHER, *Neutestamentliche Apokryphen I*, 3de ed., Tübingen, 1959, p. 114, in verband met *2 Clemens* 8,5: „... ‚Evangelium' als umfassender Begriff für die gesamte christliche Heilsbotschaft ... es gibt nur ein Evangelium, auch wenn man verschiedene Evangelien benutzt".

[660] Ook bij bv. Irenaeus vindt men εὐαγγέλιον nog in de betekenis „verkondiging", cf. *Adv. Haer.* III,12,13.

[661] Zie hierover R.M. GRANT, *The Formation of the New Testament*, Londen, 1965, p. 102-106.

[662] Zie É. MASSAUX, *Influence de l'Évangile de saint Matthieu* (zie n. 628), p. 166-170; FISCHER, p. 238; P.N. HARRISON, *Polycarp's Two Epistles* (zie n. 78), p. 283-289; W. SANDAY, *The Gospels in the Second Century*, (zie n. 539), p. 82-87.
Zelfs Köster moet de kennis van *Mt* aanvaarden; hij kan dit doen met een beroep op Harrisons hypothese van de twee Polycarpusbrieven. De moeilijkheid tegen Köster is dan dat men niet geneigd is de „tweede" brief van Polycarpus (Pol., *Fil* 1-12) zo laat te dateren als Harrison voorstelt (135); cf. CAMELOT, p. 167; FISCHER, p. 237; L.W. BARNARD, *The Problem of St. Polycarp's Epistle to the Philippians*, in *Studies in the Apostolic Fathers and their Background*, Oxford, 1966, p. 31-39.

„The question of ‚scripture' was not as important as the question of ‚the word of truth' set forth either orally or in writing"[663]. Ook al is dit waarschijnlijk nog op *MPol* van toepassing, de vergelijking met de *Polycarpusbrief* trekt er de aandacht op dat voor de auteur van *MPol* het gezagvolle woord van de Heer (cf. Pol., *Fil* 2,3) in het „evangelie" te vinden is, zodat de autoriteit van de „geschreven" tekst die Köster slechts bij Justinus wil terugvinden (maar over *MPol* spreekt hij niet) hier niet meer te verwaarlozen is[664].

Als besluit kan nog even op het gebruik van *OT* gewezen worden. Wij merkten reeds op dat M. L. Guillaumin er toe neigt de oudstamentische allusies in *MPol* aan de invloed van de liturgie toe te schrijven. Buiten de context van het gebed zijn slechts drie verwijzingen duidelijk : *Gn* 4,5 in 12,1; *Joz* 1,6 in 9,1; *Spr* 17,3 in 15,2, en het eerste kan men wellicht beter door *Hnd* 6,8 en 6,15 verklaren. Met deze geringe aandacht voor *OT* staat *MPol* niet alleen. Ook bij Ignatius en in de *Polycarpusbrief* is de belangstelling voor *OT* uiterst gering. Hangt dit samen met het opkomen van een nieuwe schriftelijk vastgelegde autoriteit? Von Campenhausen spreekt van „die Krise des alttestamentlichen Kanons" in de postapostolische periode[665]. Of is dat gebrek aan verwijzingen naar *OT* een gevolg van de tendens van *MPol* het martyrium te verstaan vanuit de christelijke reflectie op de vervolgingssituatie en niet vanuit oudtestamentische modellen? Beide feiten kunnen een rol gespeeld hebben.

---

[663] R.M. GRANT, *The Formation*, p. 106.

[664] Cf. H. KÖSTER, *Synoptische Überlieferung*, p. 6-12; vgl. VIELHAUER, p. 252-258, die zoals Köster te sceptisch staat tegenover het vroege gebruik van „evangelie" in de zin van „geschrift".

[665] H. VON CAMPENHAUSEN, *Die Entstehung der christlichen Bibel* (zie n. 405), p. 76-90.

INDEX VERBORUM

Een *index verborum* van *MPol* werd reeds opgenomen in de *Index Patristicus* van E.J. GOODSPEED (Chicago, 1907; anastatisch herdrukt in 1960). Hij was gemaakt op basis van de *editio minor* van T. ZAHN – O. von GEBHARDT – A. HARNACK, *Patrum apostolicorum opera* (1876). In de meer recente *Clavis patrum apostolicorum* van H. KRAFT (München, 1963) werd *MPol* niet opgenomen. De uitgave van D. RUIZ-BUENO, *Padres apostolicos* (Madrid, 1950) bevat op p. 1093-1130 een *index* op de Apostolische Vaders overgenomen uit Goodspeed, waarin ook *MPol* voorkomt, evenwel zonder verwijzing naar lidwoorden, voegwoorden, hulpwerkwoorden, etc. Het vocabularium van *MPol* werd ook verwerkt in het *Wörterbuch* van W. Bauer, dat uiteraard vooral de in het Nieuwe Testament weinig of niet voorkomende woorden van *MPol* opneemt. Bauer gebruikt de vermelde *editio minor* van Zahn e.a.; vanaf de vijfde editie ook Bihlmeyer (2e ed., 1956).

De index die hier geboden wordt bevat alle woorden van *MPol*. Ze worden weergegeven in de onverbogen vorm volgens de schrijfwijze van Bauers *Wörterbuch*[666]. Als referentiesysteem nemen wij de gebruikelijke indeling in hoofdstukken en paragrafen. Als het woord meer dan eenmaal in een paragraaf voorkomt, wordt het aantal in exponent aangegeven.

De index is opgesteld op basis van onze tekstuitgave (zie hoofdstuk II, § 4). Bovendien zijn de afwijkende lezingen van andere edities genoteerd, en wel op deze wijze :

Woorden die nergens voorkomen in onze tekstuitgave worden in de lijst tussen ( ) geplaatst, c.q. met verwijzing naar het woord dat zij vervangen.

Na de lijst van referenties worden de afwijkende lezingen apart aangegeven. De referenties worden herhaald, en indien het woord

---

[666] Voor de schrijfwijze ἀνεπίληπτος (Bauer : ἀνεπίλημπτος) en ἐκπλήττω, zie de grammatica van Blass-Debrunner-Rehkopf nr. 101, noot 46, resp. 34, noot 2. Van het *Wörterbuch* wordt afgeweken in de volgende gevallen : εἶπον wordt niet apart van λέγω behandeld, evenmin als εἶδον t.o.v. ὁράω; ἐγώ en σύ worden wel gescheiden van ἡμεῖς resp. ὑμεῖς; θᾶττον en τάχιον worden apart vermeld, niet als vorm van ταχέως.

meermaals in de paragraaf voorkomt, wordt een nummering aangegeven in exponent (a b c etc).

Indien tenslotte het woord zelf in afwijkende lezingen voorkomt, worden de referenties aangegeven, c.q. met verwijzing naar het woord dat het vervangt.

De tekens en sigla zijn dezelfde als die van de tekstuitgave (zie p. 110-111). Toe te voegen zijn : de obelus die het begin van de variante lezingen markeert; de asterisk die een niet-nieuwtestamentisch woord aanduidt. Deze asterisk is ook geplaatst bij de enkele woorden die in het NT slechts in *variae lectiones* terug te vinden zijn (ἀκατάσχετος *v.l.* Jac 3,8; ἀνθυπατεύω *v.l.* Hnd 18,12; γενέθλιος *v.l.* Mc 6,21; δεινός Mc 16 volgens de tekst van codex W; ἐπιβοάω *v.l.* Hnd 25,24; ἐπιθύω *v.l.* Hnd 14,13; ἐπισείω *v.l.* Hnd 14,19; ἰδέα *v.l.* Lc 9,29; καθολικός *v.l.* Jac inscr.; τύραννος *v.l.* Hnd 5,39). De niet-nieuwtestamentische woordenschat wordt na de *index verborum* duidelijkheidshalve herhaald.

A

ἀγαθός   2,3; 13,2
ἀγαλλίασις   18,3
ἀγαλλιάω   19,2
ἀγαπάω   17,3
ἀγάπη   inscr.; 1,2
ἀγαπητός   14,1.3
ἄγγελος   2,3; 14,1
ἅγιος   inscr.; 14,2.3; 17,1; 20,2
   † 16,2 vide καθολικός
ἀγνοέω   10,1; 11,2; 17,2
*ἀγρίδιον   5,1; 6,1
ἄγω   8,1.3
ἀδελφός   1,1.2; 4; 17,2; 20,1²
*ἀδεῶς   7,2
ἀδικέω   9,3
ἄδικος   3,1; 19,2
*ἄδοξος   8,1
ἀδύνατος   6,2
ἀεί   13,2
   † 14,3 Li
ἄθεος   3,2; 9,2²
(ἀθλέω)   18,3   vide προαθλέω
*αἰδέομαι   9,2
αἷμα   16,1
αἰνέω   14,3
αἴρω   3,2; 9,2²

αἰών   14,3; 20,2; 21
   † 21 > Mu
αἰώνιος   2,3²; 11,2; 14,2.3; 20,2; 21
   † 20,2 ἐπουράνιος LiLa
*ἀκατάσχετος   12,2
*ἀκόλουθος   8,2; 9,2; 18,2
ἀκούω   2,3; 5,1; 7,2.3; 8,3; 9,1²; 10,1²
ἀληθής   1,2
ἀληθινός   14,2
*Ἄλκη   17,2
ἀλλά   1,2²; 2,3; 3,1; 5,1; 7,1; 11,2; 12,1; 15,2; 19,1
ἄλλος   2,4; 15,2
   † 4 Ja; 12,1 vide ἕτερος
ἁμαρτωλός   17,2
ἀμετάθετος   11,1
ἀμήν   14,3; 15,1; 20,2; 21
   † 20,2 > Za Fu Li Ge Ra Le La Kn Bi Mu; 21 > Mu
ἄμωμος   17,2
ἄν   2,2; 7,2
   † 10,2 Li Fuᵖᵃ⁻ᵃᵛ Ge Le La Kn
ἀναβαίνω   2,3
ἀναβλέπω   2,3; 9,2; 14,1
   † 2,3 ἐμβλέπω Kn Bi
ἀναγγέλλω   15,1
ἀναιρέω   18,2
ἀναντίρρητος   17,1

ἀναπέμπω 15,1
ἀνάστασις 14,2
ἀνατίθημι 2,1
(ἀνατολή) 7,3 Mu
ἀνδρίζομαι 9,1
ἀνεπίληπτος 17,1
*ἀνερωτάω 9,2
ἀνήρ 7,2
ἄνθρωπος 2,3²; 15,1
*ἀνθυπατεύω 21
ἀνθύπατος 3,1; 4; 9,2.3; 10,2; 11,1; 12,1
   † 17,2 vide ἄρχων
ἄνομος 3,1; 9,2; 16,1
*ἀντίζηλος 17,1
ἀντίκειμαι 17,1
*ἀντικνήμιον 8,3
ἀντιλαμβάνω 15,2
*ἀνυπέρβλητος 17,3
ἄνωθεν 1,1
ἄξιος 10,2
ἀξιόω 10,2; 14,2; 20,1
   † 14,2 καταξιόω Li
ἀξίως 17,3
ἀπαλλάσσω 3,1
*(ἀπάνθρωπος) 2,3 vide ἀπηνής
*ἀπαρτίζω 6,2
ἅπας 2,2; 8,1; 12,2
ἀπειλέω 11,2
ἀπέρχομαι 7,1
ἀπέχω 5,1
*ἀπηνής 2,3
   † *ἀπάνθρωπος ZaLiGeKnBiMu
ἄπιστος 16,1
ἀπό inscr.; 4; 5,1; 8,3; 11,1²; 17,1; 19,1;
   20,1; 21
   † inscr. > ZaFuLiGeRaLeLaKnBi
   Mu; 21 > Mu
ἀποδημέω 2,2
ἀποκρίνομαι 8,2; 10,1
ἀπολαμβάνω 19,2
ἀπολογέομαι 10,2
ἀπολύω 9,3
ἀπονέμω 10,2
*ἀποστολικός 16,2
ἀπόστολος 19,2
*ἀποσύρω 8,3
ἀποτίθημι 13,2; 18,2
*ἀποτυγχάνω 8,3

ἀποφέρω 17,1
ἅπτω 13,2
ἄργυρος 15,2
ἀριθμός 14,2
ἁρμόζω 13,3
ἀρνέομαι 9,2
*ἄρνησις 2,4
*ἀρτηρία 2,2
ἄρτος 15,2
ἀρχή 10,2; 17,1
ἀρχιερεύς 14,3; 21
ἄρχω 17,2
ἄρχων 17,2; 19,2
   † 17,2 ἀνθύπατος Kn
ἄρωμα 15,2
ἀσάλευτος 13,3
   † *ἄσκυλτος ZaFuLiGeRaLeLaKnBi
   Mu
ἀσέβεια 12,2
   † Ἀσία ZaFuLiGeRaLeLaKnBiMu
ἀσεβής 11,2
(Ἀσία) 12,2 vide ἀσεβεία
Ἀσιάρχης 12,2
*ἄσκησις 18,3
*(ἄσκυλτος) 13,3 vide ἀσάλευτος
ἀσφάλεια 13,3
αὐτός 1,1.2; 2,2³.3.4; 3,1⁴; 5,1².2³; 6,1².
   2⁶; 7,1.2⁶; 8,1.2⁵.3³; 9,1.2³.3; 10,1.2;
   11,2; 12,1².2.3³; 13,1.2.3²; 14,1.3; 15,1;
   16,1².2; 17,1³.2²; 18,1².2.3; 20,2²
   † 8,3ᵇ > ZaLiGeKnBiMu; 11,1 + Ja
   HeDrHi; 12,3 + FuRaLeLaBiMu; 13,
   2 + HeDr; 17,2ᵇ > JaHeDr; 18,1ᵇ >
   JaHeDr
ἀφθαρσία 14,2; 17,1; 19,2
ἀφίημι 13,3; 16,2; 17,2
   † 16,2 ἐξαφίημι JaHeDrHi
ἀψευδής 14,2

B

*βαλανεῖον 13,1
βασανίζω 2,2; 6,1
βασανιστής 2,3
βάσανος 2,3.4
βασιλεία 20,2
βασιλεύς 9,3; 17,3
βασιλεύω 21

*βάσκανος 17,1
βέβαιος 1,2
βίος 3,1
βλάπτω 10,2
βλασφημέω 9,3
(βοάω) 3,2 vide ἐπιβοάω
βούλομαι 3,1²; 5,1; 7,1.2; 11,2
βραβεῖον 17,1
βραδύνω 11,2

Γ

γάρ 1,1.2²; 2,1.2.3; 3,1⁴; 6,2; 8,2; 10,2;
    11,1.2; 12,3; 13,2.3; 15,2²; 16,2; 17,3
    † 19,2 JaHeDrHiRa
*γενέθλιος 18,3
*γενναῖος 2,1.2²; 3,1
    † 2,2ᵇ > JaHeDrZaFuᵒᵖLiHiGeMu
*γενναιότης 2,2; 3,2˙
γένος 3,2; 14,1; 17,1; 21²
    † 21ᵃ > Mu; 21ᵇ > Mu
*Γερμανικός 3,1
γίνομαι 1,1.2; 2,1; 5,2; 6,2; 7,1; 9,1;
    13,1; 15,1; 16,2²; 17,3²; 18,1; 19,1²;
    20,1
*γοῦν 16,1; 17,2
    † 16,1 οὖν JaHeDrZaFuᵒᵖLiKn
γράφω 1,1; 20,2
*γρύζω 2,2

Δ

δαπανάω 11,2; 16,1
δέ 2,2².3.4; 4²; 5,1²; 7,2.3; 8,1.2².3; 9,
    1².2².3; 10,1³.2³; 11,1³.2²; 12,1.2; 13,
    2.3; 14,1³; 15,1²; 17,1.2.3; 20,1.2; 21³
    † 20,2 > JaHeDr; 21 + Mu
δεῖ 2,1; 5,2; 12,3²
δειλία 3,1
δειλιάω 4
*δεινός 2,4; 8,3
δεῖπνον 7,1
δεκτός 14,1
δεύτερος 21
δέω 14,1
    † *προσδέω ZaFuLiGeRaLeLaKnBi
    Mu
δηλόω 20,1

δῆμος 10,2
διά 2,3.4; 3,1; 4; 13,2; 14,1.3³; 19,2;
    20,1².2
    † 1,1 ZaFuLiGeRaLeLaKnBiMu; 14,
    3ᵇ σύν JaHeDr; 14,3ᶜ μετά JaHe
    Dr
διάβολος 3,1
διαλέγομαι 7,2
*διαπέμπω 20,1
διασῴζω 8,2
διατρίβω 5,1
*διαφορά 16,1
διδάσκαλος 12,2; 16,2; 17,3; 19,1
διδάσκω 4; 10,2; 12,2
δίδωμι 7,2; 10,1; 13,3²; 15,1; 17,2
δίκαιος 11,1; 14,1; 17,1; 19,2
*διωγμίτης 7,1
διωγμός 1,1
δοκέω 12,3
δόκιμος 18,2
δόξα 14,3; 20,2; 21
    † 21 > Mu
δοξάζω 14,3; 19,2; 20,1
δουλεύω 9,3
δοῦλος 20,1
δύναμαι 2,4; 7,1.3; 8,3; 9,3; 16,1; 17,2;
    20,2
δύναμις 14,1
δυνατός 18,3
δύο 6,1; 7,3
δωδέκατος 19,1
*δωμάτιον 7,1
δωρεά 20,2

Ε

ἐάν 11,1.2
ἑαυτοῦ 1,2²; 3,1; 4²; 12,1²; 13,2²
    † 13,2 + JaHiRa
*ἔγκειμαι 9,3
ἐγώ 5,2; 8,2; 9,3²; 10,1; 12,3; 13,3; 14,2
    † 11,1 JaHeDrHi; 14,2 + JaHeDrFu
    LiHiRaLeLaKn
ἔθνος 9,2; 12,2; 19,1
ἔθος 9,2; 13,1; 18,1
    † 18,1 > JaHeDr
εἰ 2,4; 7,2; 9,2; 10,1²; 11,2; 16,1
    † 7,2 εἰμί ZaFuLe; ὅτι JaHeDr

16,2ᶜ > ZaFuᵒᵖ⁻ᵖᵃLiGeRaLeKn
καίπερ 17,1
καῖσαρ 8,2; 9,2; 10,1²
καίω 5,2; 11,2; 12,3²; 15,2; 18,1
† 12,3ᵇ κατακαίω JaHeDrHi
κακός 8,2
*καλάνδαι 21
καλέω 11,1
καλός 11,1
† 13,2 JaHeDrZaFuHiRaLeLa
*καμάρα 15,2
κάμινος 15,2
καρδία 2,3²
*καρούχα 8,2.3
κατά inscr.; 1,1².2²; 2,1²; 3,1²; 5,1²;
8,1; 10,2; 16,2; 19,1².2; 20,1
† 21 Mu
καταβαίνω 7,2
καταγωνίζομαι 19,2
κατακαίω 5,2; 12,3
† + 12,3 vide καίω
κατάκειμαι 7,1
(κατακρίνω) 2,4 vide κρίνω
καταλείπω 17,2
*καταξαίνω 2,2
(καταξιόω) 14,2 vide ἀξιόω
καταπαύω 1,1; 8,1
*κατασβέννυμι 16,1
καταφρονέω 2,3; 11,2
*κάτειμι 8,3
κατοικέω 12,2
*κατοικτίρω 3,1
κελεύω 7,2; 16,1
*κενοδοξέω 10,1
κεντυρίων 18,1
κεφάλαιον 20,1
κῆρυξ 2,4; 12,1.2
κηρύσσω 12,1
(κληρονόμος) 6,2 vide κληρόω
κλῆρος 6,2
κληρόω 6,2
† κληρονόμος JaHeDr
*Κοδράτος 21
*Κόϊντος 4
κοινωνέω 17,1
κοινωνός 6,2; 17,3
† 17,3 συγκοινωνός JaHeDrLi
(κολάζω) 2,4 vide κολαφίζω

κόλασις 2,3.4²; 11,2
† 2,3 ζωή Bi
κολαφίζω 2,4
† κολάζω ZaFuᵒᵖ⁻ᵃᵛHiGeLaKnBiMu
*κομφέκτωρ 16,1
κοσμέω 13,2
κοσμικός 2,3
κόσμος 17,2
κράτος 20,2
κρείττων 11,2
κρίνω 2,4
† κατακρίνω FuᵃᵛLaKnBiMu
*κριός 14,1
κρίσις 11,2
κτίσις 14,1
κυβερνήτης 19,2
κύκλῳ 15,2
*κυνηγέσιον 12,2
κύριος inscr. 1,1.2; 2,2.3; 8,2; 14,1; 17,
3; 18,3; 19,2; 20,1
† 21 FuRaLeBiMu

Λ

λαλέω 19,1
λαμβάνω 14,1.2; 17,1.2
λανθάνω 6,2
λέγω 3,1; 5,2; 7,1; 8,2².3; 9,1.2⁴.3; 10,
1².2; 11,1²; 12,1².2².3; 13,1.3; 14,1
† 11,2 ZaFuGeRaLeLaKnBiMu; 17,
2 JaHeDrFuLiHiRaLeLaCa
*λείψανον 17,1
† *σωμάτιον ZaFuLiGeRaLeLaKnBi
Mu
λέων 12,2
ληστής 7,1
λιβανωτός 15,2
λίθος 18,2
λόγος 10,1.2
λοιδορέω 9,3
λοιπός 9,1; 15,1
† 9,2 JaHeDrHiRa
λύω 13,2

M

μαθητής 17,3
*(Μάϊος) 21 vide Μάρτιος

ὀμνύω 4; 9,2.3; 10,1²
ὁμοθυμαδόν 12,3
ὁμοίως 2,4
ὁμολογέω 6,1; 9,2; 12,1
ὄνομα 4; 6,2
ὄνος 8,1
ὀπίσω 14,1
ὅπλον 7,1
ὅπου 18,2
ὀπτασία 5,2; 12,3
*ὀπτάω 15,2
ὁράω 2,3; 4; 5,2; 9,1; 12,3; 15,1²; 16,1;
17,1; 18,1
† 7,2 vide πάρειμι
*ὄργανον 13,3
ὅς, ἥ, ὅ 2,2.3²; 3,1; 5,1; 6,1; 7,3; 8,2².
3; 11,2; 14,1².2.3; 15,1²; 16,2²; 17,2.
3; 19,1²; 20,2; 2ļ
† 9,2 vide ὡς; 20,2 > ZaLiGeRa
LaKnBiMu; 21 > Mu
ὅσος 7,2
ὅστις 1,1; 13,2
ὀστοῦν 18,2
ὅτε 12,3; 13,2
ὅτι 2,2²; 9,1; 14,2; 17,2
† 7,2 vide εἰ
οὐ(κ), οὐχ 2,2; 3,1; 4²; 5,1²; 7,1; 8,2²;
10,2; 12,1; 14,1; 15,2; 19,1
† 16,1 vide μή
οὐδείς 5,1; 8,3; 9,1.3
οὖν 2,1; 3,2; 4; 7,1.2²; 9,2; 13,1.3; 18,1;
20,1²
†9,2 > JaHeDrHi; 16,1 vide γοῦν
οὐρανός 9,1.2; 14,1
οὖς 2,3
οὔτε 2,3³; 17,2²
οὗτος 3,2; 4³; 8,2; 9,2; 11,1; 12,1.2³;
13,1².2; 14,2.3; 16,1.2; 17,1.2².3; 20,1
οὕτως 4; 7,3; 13,3; 18,2; 19,2
ὀφθαλμός 2,3³
*(ὄχημα) 8,2 JaHeDr; 8,3 JaHeDrHi
ὄχλος 9,2; 13,1; 16,1
ὀψέ 7,1

Π

παιδάριον 6,1; 7,1
παῖς 14,1.3; 20,2
πάλιν 10,1; 11,2

πανοικεί 20,2
παντοκράτωρ 14,1; 19,2
† 19,2 > JaHeDrHi
παραβάλλω 11,1
παραβιάζομαι 4
*παραβύω 16,1
παραδίδωμι 1,2
παρακαθέζομαι 8,2
παρασκευή 7,1
παρατίθημι 7,2
παραχρῆμα 13,1
πάρειμι 7,2²; 9,1; 20,1
† 7,2ᵇ ὁράω Bi
παρέχω 18,3
παρίστημι 2,2
παροικέω inscr.²
παροικία inscr.
παρρησία 10,1
πᾶς, πᾶσα, πᾶν inscr.²; 1,1.2; 2,1²; 3,
1.2; 5,1; 8,1; 9,2; 13,2²; 14,1².3; 16,1,
2; 17,2; 19,1³.2; 20,2²
πάσχω 8,3; 17,2
πατήρ inscr.; 8,2; 12,2; 14,1; 17,2; 19,2
πείθω 3,1; 4; 5,1; 8,2.3; 9,2; 10,2
πειράω 13,2
*πέλας 1,2
πέμπω 12,1
πέρας 16,1
περί 5,1; 7,1; 14,1.3
† 7,1 > JaHeDrHi; 16,1 ZaFuᵒᵖ
περιίστημι 2,2
περιμένω 1,2
περιστερά 16,1
† > HiMu περὶ στύρακα ZaFuᵒᵖ
*περιτειχίζω 15,2
περιτίθημι 13,3
πίνω 7,2
πιστός 12,3; 13,2
*πίων 14,2
πλῆθος 3,2; 12,2; 16,1
πληθύνω inscr.
πλήρης 7,3
πληρόω 12,1².3; 14,2; 15,1.2
πλοῖον 15,2
πνεῦμα 14,2.3; 15,2
πνέω 15,2
ποιέω 5,1; 8,2; 11,2; 13,2; 14,1; 15,2;
16,1; 17,1; 20,1
ποικίλος 2,4

ποιμήν 19,2
ποίμνιον 14,1
*(πολιά) 13,2 vide μαρτυρία
πόλις 5,1²; 8,1
πολιτεία 13,2; 17,1
*Πολύκαρπος 1,1; 3,2; 5,1; 9,1³.2².3; 12,
    1.2.3; 16,2; 19,1; 21
    † 9,2ᵃ > Li
πολύς, πολλή, πολύ 3,1; 4; 5,1; 7,3;
    12,1.2; 17,1; 20,1
πολυτελής 18,2
πονηρός 17,1
πορεύομαι 8,3
ποτέ 17,2
    † 8,1 vide ὡς
ποτήριον 14,2
πρεσβύτης 7,2.3
πρό 2,3; 5,2; 13,2; 21
προάγω 1,1
*προαθλέω 18,3
    † ἀθλέω JaHeDr
προδίδωμι 6,2²
    † 4 vide πρόσειμι
προετοιμάζω 14,2
προθύμως 8,3; 13,1
πρός 5,2; 7,2; 11,2²; 12,1; 13,3
    † 7,3 Mu; 11,1 JaHeDrHi
προσαγορεύω 20,2²
προσάγω 9,1.2
*προσβιάζομαι 3,1
*προσδεκτός 14,2
προσδέχομαι 14,2
*προσδέω 14,1
    † + 14,1 vide δέω
*πρόσειμι 4
    † προδίδωμι JaHeDrFuLiHiRaLeLa
προσέρχομαι 4; 16,1
προσευχή 8,1
προσεύχομαι 5,1.2; 7,2.3; 12,3
προσέχω 2,3
*προσήκω 10,2
προσηλόω 13,3
προσκεφάλαιον 5,2; 12,3
προσκυνέω 12,2; 17,3
προσποιέω 10,1
προσφάτως 4
προσφορά 14,1
πρόσωπον 9,2; 12,1

πρότερος 13,2
*προφανερόω 14,2
προφητικός 16,2
*προφητικῶς 5,2; 12,3
    † 5,2 > ZaFuLiGeLeLaKnBiLazMu
πρῶτος 5,1; 8,2
πῦρ 2,3; 5,2; 11,2²; 13,3; 15,1².2; 16,1²;
    17,2
    † 2,3 + JaHeDrZaFuᵒᵖHiGeRa; 18,
    1 JaHeDr
πυρά 13,3²
    † 13,2 vide πυρκαϊά
*πυρκαϊά 13,2
    † πυρά ZaGeBiMu
πυρόω 15,2
πώποτε 8,1
πῶς 9,3

P

ῥῆμα 8,3; 16,2
(Ῥωμαῖος) 21 Mu

Σ

σάββατον 8,1; 21
*σαρκίον 17,1
σάρξ 2,2²; 15,2
σβέννυμι 2,3; 11,2
σέβω 17,2²
σήμερον 14,2
(σιγάω) 7,3 vide σιωπάω
σιωπάω 7,3
    † σιγάω ZaLiGeLaKn
σκοπέω 1,2
Σμύρνα inscr.; 12,2; 16,2; 19,1
σπεύδω 6,2
σπουδάζω 13,2
σπουδή 7,2; 8,3²
    † 8,3ᵇ > BiMu
στάδιον 6,2; 8,3²; 9,1.2; 12,1
*Στάτιος 21
σταυρόω 17,2
στενάζω 2,2; 9,2
στέφανος 17,1; 19,2
στεφανόω 17,1
στόμα 16,2
στρέφω 5,2

Addendum. Volgende woorden die tot het niet-nieuwtestamentisch vocabularium van *MPol* behoren komen wel voor in de oudchristelijke literatuur en zijn opgenomen in Bauers *Wörterbuch* (de verwijzing duidt op een enig geval naast *MPol*) :

BESLUIT

Bij het bestuderen van de tekstoverlevering hebben wij getracht, na het verzamelen van alle beschikbare gegevens, de waarde van de teksttradities tegenover elkaar af te wegen. Het negatieve oordeel over de tekst van de menologia is ongerechtvaardigd en te zeer afhankelijk van een onbewezen theorie over het bestaan van een *Corpus Polycarpianum*. Daarbij aansluitend kwamen wij tot de vaststelling dat men in het algemeen teveel belang gehecht heeft aan Eusebius' versie van *MPol*. Dat wil zeggen dat men onvoldoende rekening gehouden heeft met de toestand van de teksttraditie vóór Eusebius; ook had men te weinig aandacht voor Eusebius' wijzigingen van de tekst.

In dat licht hebben wij dan de bestaande tekstuitgaven op hun tekstkritische principes onderzocht en over het algemeen een overdreven vertrouwen in Eusebius en de bij diens lezingen aansluitende *Codex Mosquensis* geconstateerd. De meest gebruikte tekstuigave, die van Bihlmeyer, lijdt aan hetzelfde euvel, en de enige recente reactie op die uitgave (Musurillo, 1972) mag niet bevredigend genoemd worden. Na de studie van een aantal lezingen hebben wij de tekst van *MPol* uitgegeven met vermelding van ons inziens belangrijke wijzigingen in *MPol inscriptio*; 1,1; 2,3; 2,4; 5,2; 7,2; 7,3; 8,1; 9,2; 11,2; 12,2; 12,3; 13,2; 13,3; 14,1; 14,3; 17,1; 19,1; 20,2; 21.

De aldus gereconstrueerde tekst werd verder onderzocht op zijn authenticiteit en integriteit. Bij het overzicht van de opvattingen gingen wij in het bijzonder in op de invloedrijke interpolatietheorie van H. von Campenhausen. Uitvoerig werd uiteengezet waarom deze theorie moet worden afgewezen. Ons voornaamste bezwaar is dat von Campenhausen geen onderscheid handhaaft tussen literaire kritiek en tekstkritiek.

Literair gezien is *MPol* een echte brief over de dood van Polycarpus, geschreven als antwoord op een vraag om informatie vanwege de christenen van Filomelium. Toch kan het geschrift moeilijk als *vertegenwoordiger* van een bepaald literair genre beschouwd worden en evenmin als een *ontwikkeling* uit het eigenlijke genre der martelaarsakten.

Na het bepalen van de *terminus ante quem*, het *Martyrium van Lyon en Vienne* (177), dat duidelijk bekendheid met *MPol* toont, zijn wij, na een lange studie van de gegevens die de brief zelf over de dood van

Polycarpus biedt, tot het besluit gekomen dat deze in de laatste jaren van Antoninus Pius (156-160) gesitueerd moet worden. Het geschrift zelf dateert van kort daarna, aangezien de verjaardag van Polycarpus' dood nog moet komen (18,3). Hiermee hebben wij stelling genomen tegen de verspreide opvatting dat pas de periode van Marcus Aurelius voor de dood van Polycarpus in aanmerking zou komen. In deze kwestie hebben wij meer krediet gegeven aan de chronologische appendix van *MPol* (21) dan aan de mededelingen van Eusebius.

Met de appendices : Nederlandse vertaling en lijst van overeenkomsten met het *Nieuwe Testament*, en met de *index verborum*, hebben wij getracht deze publikatie te maken tot een nuttig werkinstrument, dat de studie van *Martyrium Polycarpi* zal vergemakkelijken en stimuleren.

SUMMARY

THE MARTYRDOM OF POLYCARP: A LITERARY CRITICAL STUDY

This book is a revised version of a doctoral dissertation defended at the Faculty of Theology of the Katholieke Universiteit Leuven, entitled : *Martyrium Polycarpi. Bijdrage tot de studie van de martelaar in het vroege christendom*, Leuven, 1977. It was prepared in conjunction with the project on Martyrdom in the Early Church organized by the Louvain Center for the Study of Hellenism and Christianity.

The contents of our study are summarized below chapter by chapter. By way of introduction, some of the results of our inquiry may be listed as follows :

As for textual criticism of Martyrium Polycarpi, only a few new elements could be added. Nevertheless, we did arrive at an evaluation of the history of the text different from that of the standard edition of K. Bihlmeyer. A critical examination of theories on the text tradition gave rise to 35 changes to his text, several of which have important consequences for the lexicography of early Christian literature.

Concerning the integrity of the text, our inquiry has been fruitful. A careful examination of the coherence of the text given by the author's theological thesis on martyrdom led us to reject the interpolation hypotheses.

With regard to the literary form of Martyrium Polycarpi, we came to the conclusion that it is a real letter and not an „epistle", as most scholars hold. This has important consequences for the traditional classification of Acta Martyrum : the genre of Christian martyria in epistolary form is completely artificial.

In dating the text, we place it between 156-160 A.D., contrary to some more recent theories.

All chapters contain a complete status quaestionis of the problem. We tried to make this book a useful tool for anyone interested in this witness of early Christian thought.

Chapter I. The Tradition of the Text

§ 1. The Greek Manuscripts

The six principal codices containing a text of MPol (= Martyrium Polycarpi) are menologia for the month of February. Except for Codex Chalcensis, we were able to examine the available collations on microfilm. The description and state of preservation can be found in the Bollandist catalogues and other reference works mentioned. These codices are : Baroccianus 238, Parisinus gr. 1452, Vindobonensis gr. 3, Chalcensis 95, Hierosolymitanus S. Sepulchri 1, and Mosquensis 390 (abbreviations : B, P, V, C, H, M). The text of MPol in Codex Mosquensis is much different from that of the BCHPV group and contains readings that correspond in a remarkable way to the text quoted by Eusebius (cf. § 2). The importance of M has often been emphasized since its collation by O. von Gebhardt.

Three other manuscripts are to be mentioned : the Jerusalem Codex with a fragmentary text of MPol, related to C and V but without any independent value; Codex Ottobonianus 92, a copy of V; the Kosinitza Codex which has been lost after Ehrhard published some data on it.

§ 2. Eusebius, Hist. Eccl. IV,15

The text of MPol quoted by Eusebius in his Ecclesiastical History is also important. Eusebius gives the text of the inscriptio, 1,1 (partially), and 8,1-19,1 (partially), and a paraphrasing summary of 2,2-7,3. The use of this witness in reconstructing the text of MPol is complicated by two things : a. When the Eusebian text is the same as that of some Greek Codices, there often are variant readings corresponding to other Greek Codices. A list of such cases is added to the text edition (see p. 128-129). This list shows the striking fact that when Codex M reads the same as Eusebius (i.e. the text edited by E. Schwartz), one finds variant readings in the Eusebius text supporting the text of the other Greek Codices. Thus it is difficult to ascertain which text of MPol was known to Eusebius.

b. We are not at all sure that Eusebius reproduces unchanged the text of MPol that he received. So whenever his text gives a variant reading, this does not always indicate a different text tradition. Alterations we presume to be from Eusebius' hand are listed on p. 35-38.

§ 3. The Indirect Tradition

One can distinguish two kinds of indirect witnesses : writings related
to Polycarp (nrs. 1-4), and more recent martyria that used the text
of MPol (nrs. 5-6).
1. A panegyric written by a pseudo-John Chrysostom is contained in
the palimpsest section of a hagiographical manuscript published by
J. Bidez. This panegyric was acqainted with MPol and some interesting
readings from it are listed on p. 39-40.
2. The Vita Polycarpi, a creation of a fourth-century pseudo-Pionius,
preceeds the text of MPol in Codex P. The reminiscences of MPol
are of less value, but it is important for the theory of the Corpus
Polycarpianum.
3. A „Life and Martyrdom of the Holy Polycarp" is preserved in
Codex Mosquensis 376. It is a brief presentation of the life and death of
Polycarp, quoting MPol in correspondance with the BCHPV group,
but it is not free of Eusebian elements (see the instances on p. 44-45).
It seems to witness a mixed text tradition.
4. The so-called Chronicon Paschale also has affinities with both the
Eusebian text and the manuscript tradition of MPol (the chronological
references of chapter 21, omitted by Eusebius, are known to the
author).
5. Martyrium Sabae imitates the inscriptio and ending of MPol. The
latter has readings related to M.
6. Martyrium Olbiani, recently published by F. Halkin, contains some
references to MPol, especially cc. 18-20. There are some remarkable
affinities with the readings of M (see p. 47).

§ 4. The Early Translations

1. The Latin Passio Polycarpi
This Passio is known from many manuscripts. Only a few of them
were used by T. Zahn in the most recent edition (1876). A search of the
Bollandist catalogues brought twenty-four new codices to light; thirty-
six other manuscripts contain the martyrdom in the Latin version
of the Ecclesiastical History by Rufinus (see lists on p. 50-52). For the
reconstruction of the Greek text, the Passio is of little value because
of its paraphrasing character.
2. The Oriental Versions
None of these versions-Armenian, Syriac, or Coptic- has any inde-

pendent value, all being adaptations of the Eusebian text of MPol.
Of the Slavonic version we only have the very little that N. Bonwetsch
and H. Müller have said about it.

Chapter II. The Edition of the Text

§ 1. Existing Editions

1. Ancient Editions
The editio princeps of MPol was published by J. Ussher, who used
Codex B. Along with J. Cotelier and his followers, he gave some attention to the text of Eusebius and the Latin version so far as the latter
was known to them. Only T. Smith used readings from Codex V to
the extent that they were available through the catalogue of Lambecius.
Codex P, though already known to P. Halloix and J. Bollandus, has
played a part in textual criticism only since the beginning of the nineteenth century with the edition of W. Jacobson, whose text was used by
J. Hefele and A. R. M. Dressel.

2. Editions after 1875
The situation changed after the discovery of the Codex Mosquensis
and its use by T. Zahn. Lightfoot and Funk introduced the readings of
Codex H. A. Hilgenfeld stood alone in defending the value of Codex B
against the generally accepted importance of M.

3. Recent Editions
The standard edition for the study of MPol today is the revised
version of Funk's editio minor by K. Bihlmeyer who added readings
from the newly discovered Codex C. More important is the influence
of a study on the text of MPol by E. Schwartz, who emphasized again
the importance of M. More recent editions, except that of H. Musurillo,
reprint Bihlmeyer's text.

§ 2. The Text Critical Problem of MPol

The importance of the M readings, particularly when they correspond
to the text of Eusebius, has generally been accepted. Even Bihlmeyer's
eclectism is not free from this recognised point of view. One of the
most obvious reasons for the negative attitude toward the Greek
Codices is the hypothesis of the so-called Corpus Polycarpianum.
This hypothesis is based upon the relationship between MPol 22 and

the Vita Polycarpi that reveals the same editor (Pionius) for the whole compilation about Polycarp (his letter to the Philippians would also have figured in the Corpus). This Corpus must be dated at the end of the fourth century, i.e. after Eusebius, whose text of MPol is independent from that of the Corpus and in this way free of hagiographical influences. So the appearance of the dove in MPol 16, absent in Eusebius, would be due to the hand of the „miracle-monger", pseudo-Pionius.

One must recognize that this theory is largely conjectural. It can only be said that the author of the Vita knew MPol, which fact does not bear upon the value of the Greek Codices (represented in pseudo-Pionius' text). There is no reason to identify the Pionius of MPol 22 with the author of the Vita, an anonymous writing that does not refer explicitly to the Martyrdom. This absence is explained by Lightfoot on the basis of lacunae in the text of the Vita. But his theory seems to have been too much influenced by Codex P which brings MPol and the Vita together. It was, however, normal in hagiographical tradition to assemble such writings in chronological order. Codex P distinguishes clearly between the two writings. So it is difficult to accept that the passage in 22,3, „as I shall explain in the sequel", refers to the story of an appearance of Polycarp to Pionius. The phrase would indicate the link between the martyrdom and the Vita (in Lightfoot's hypothesis the martyrdom was inserted in the Vita). But in the whole Polycarp tradition such an appearance is never mentioned.

But even if Lightfoot is right, there is still a question what the consequences might be for the quality of the text of the Greek codices. One would expect to find traces of the miracle-minded author of the Vita other than just the dove of c. 16. They are absent, however, and the presence of miraculous elements in Eusebius' narrative is not avoided. The one clear instance of a possible interpolation in the text of the Greek Codices, the miracle of the voice in c. 9, is also mentioned by Eusebius, who shows a tendency to stress the miraculous presentation, not to avoid it (compare MPol 7,2 and H.E. IV,15,14).

§ 3. Discussion of Readings

In this section, with the foregoing one of the most important sections of our study, we discuss the readings which are considered difficult by all editors, as well as the readings where M and Eusebius differ from the other Greek Codices. In some cases we were obliged to depart from the general preference for M (and Eusebius). This leads to thirty-five corrections in the text of Bihlmeyer, thirty-one of them being due to our preference for Codices BCHPV against M. These corrections are listed on p. 109 (some material errors in the Bihlmeyer apparatus are corrected p. 60).

§ 4. Edition of the Text

In the edition the corrections defended against Bihlmeyer are printed. Eusebius' version is added in synopsis (text from Schwartz's edition). The critical apparatus has been amplified in comparison with Bihlmeyer's : more readings are given, as well as a list of editors. Some of their errors are corrected. The apparatus is composed negatively : only manuscripts and editions differing from our text are listed. In this system one has, however, to reckon with considerable omissions in some codices (see p. 110).

Chapter III. Authenticity and Integrity of the Text

§ 1. MPol in the Nineteenth Century : The Problem of Authenticity

The doubts about the integrity of MPol begin with chapters 21 and 22, which were considered by G. Steitz as later additions. Even A. Hilgenfeld, a great defender of the authenticity of the text, accepts an interpolation in 6,1-7,1 : the parallelism with the Gospel is too close. E. Schürer added the passages on the veneration of the martyrs in chapters 18 and 19. The authenticity of MPol as a whole is denied by R. A. Lipsius and T. Keim, the former dating the actual story in the time of Decius, the latter dating it still later (260-282). They are followed by H. J. Holtzmann and J. Réville. Against them, authenticity is defended by A. Hilgenfeld, F. X. Funk, and J. B. Lightfoot, all of them arguing even in favor of the authenticity of chapter 21.

§ 2. MPol in the Twentieth Century : The Problem of the Interpolations

According to a study by E. Schwartz, the comparison with Eusebius shows that MPol was already interpolated during the third century. H. Müller argued that the parallelism with the passion narrative was introduced gradually into the original text, a theory based on the early translations of MPol. Müller was criticized by most scholars, but Schwartz, on the other hand, was too easily accepted.

§ 3-4. The Interpolation Hypothesis of H. von Campenhausen and its Criticism

Twenty years ago H. von Campenhausen defended an interpolation theory, which had much influence, based on a comparison of the Eusebian version and the text of the Greek manuscripts. The following stages of interpolation are considered discernible: the work of the „Gospel Redactor" who introduced the parallels with the Gospel narrative; pre-Eusebian additions such as chapter 4, an anti-montanist interpolation, and the question of the veneration of the martyrs (cc. 17, 2-3; 18,3); post-Eusebian additions are c. 21 and 22,2-3. The miracles are intensified before and after Eusebius.

The criticism (e.g. by L. W. Barnard, „In Defence of Pseudo-Pionius' Account of Saint Polycarp's Martyrdom") can be supplemented by several observations and by the analysis of the structure of MPol. This structure shows a coherent narrative interrupted by clearly indicated parentheses giving interpretations of the facts. The author of the martyrdom develops an obvious thesis: martyrdom is willed by God.

The error of von Campenhausen and others was to presume that originally there was a simple story following the historical facts without any comment. But it is not at all certain that the author of MPol did not intend to combine story and interpretation according to his clear view on the value of martyrdom.

Chapter IV. Martyrium Polycarpi: A Letter

§ 1. The Letter Form of MPol

Comparison with other early Christian epistolary literature shows that MPol is to be considered a real letter of the same kind as 1 Clement. It is a form of communication not lacking literary character, but not the same as an epistle for which the form is artificial. The content of MPol led to its use in early Christian celebration (as in the case of 1 Clement), thus going beyond its original intention. MPol indeed was written at the request of the Christians of Philomelium who asked for news about the death of Polycarp. The Christians of Smyrna answered by briefly giving the story with their interpretation of the facts. In this context, the reality of the formal characteristics of the letter is beyond doubt.

§ 2. MPol and the Genre of Martyria

This section throws new light on the problem of the origin of Christian martyr stories. K. Holl's hypothesis of a twofold influence from pagan and Jewish sides is examined. The latter influence is studied in particular (with a negative conclusion). The theories in recent literature (E. Peterson, C. Andresen) are criticized. There is no indication that the letter form of MPol is related to a particular literary genre of martyria, or, in other words, the connection between the letter form and the martyr story in MPol is a coincidence. The genre of Christian martyria in epistolary form (see the traditional handbook classification) never existed.

§ 3. The Author

Because of the indication in c. 20, the generally accepted point of view is to consider Evaristus as the scribe and Marcion as the author. The study of the related expressions leads us to the conclusion that Marcion is rather the authoritative witness for the accuracy of the facts, whereas Evaristus can be considered the author.

Chapter V. The Date of Martyrium Polycarpi

§ 1. Terminus ante quem

This terminus is to be found in the use of MPol in other writings. That use is sufficiently clear for the Martyrium Pionii, the Acts of Carpus, and the Martyrium Lugdunensium. The latter text indicates a date before 177.

§ 2. Terminus post quem

This terminus is obviously the date of Polycarp's death. The date is to be combined with the passage of MPol 18,3 which can be understood in the sense that the ,,birthday" of the martyrdom is still to be celebrated. If the date of Polycarp's martyrdom is established, it is clear from 18,3 that the letter was written within the following year. This argument is not accepted by those who consider the passages about the veneration of the martyrs as a difficulty.

Expressions such as ,,catholic church" and ,,birthday" (referring to the day of martyrdom) are not impossible in the second half of the second century. The question of the veneration of the martyrs has been exaggerated : there is neither a terminological nor a theological indication in MPol justifying an interpretation in the sense of the veneration that developed later. The author's presentation does not go beyond his general conception of martyrdom : the glory of the martyrs is the glory of the Lord ,,who makes election from among his servants" (translation of W. R. Schoedel).

In our approach, therefore, the exact date of the death of Polycarp is important, but this is a much debated question in modern criticism. In the second part of this section, there is given a detailed survey of the research with special attention to the hypotheses of W. H. Waddington (A.D. 155), H. Grégoire (A.D. 177), and H.I. Marrou (A.D. 167). Marrou's influence necessitated a new study of the arguments for and against the Waddington solution. Our major objection against the date proposed by Grégoire and Marrou is its bearing on the authority of Eusebius, who has proven unreliable. Our conclusion is that it is possible to maintain a date during the final years of the reign of Antoninus Pius (156-160). On that basis the date of the letter to the Philomelians can be fixed.

Appendix I contains a new annotated Dutch translation of MPol.

Appendix II consists of a list of allusions to the New Testament in MPol with commentary, preceeded by a presentation of the literature on this topic and followed by a short essay on the nature of the use of the New Testament in MPol. We argue that MPol knows at least one written gospel, Matthew.

Appendix III : An Index Verborum is added, based upon our text, with references to variant readings accepted by former editions. It will be noted that, after the *Index Patristicus* by E. J. Goodspeed (1907), no other index of the vocabulary of MPol has been published. It is our hope that this new index will facilitate future research on MPol.

REGISTERS

INDEX LOCORUM

INDEX NOMINUM